1938年5月、シェイクスピア書店でのジョイス。めずらしく笑顔をうかべている。
© Gisèle Freund

左手の円形の建物が、第１挿話の舞台となるマーテロ塔。右手の岩場がフォーティフットの淵で、男性専用の海水浴場。

グラフトン通り。正面の建物はトリニティ・コレッジ構内にある学長宿舎。第８挿話でブルームは通りの右手を手前に向って歩く。

ユリシーズ
I

ジェイムズ・ジョイス
丸谷才一・永川玲二・高松雄一 訳

集英社文庫
ヘリテージシリーズ

目次

第一部

第二部

凡例

一　本書は James Joyce, *Ulysses* (Paris, 1922) の全訳である。

二　底本としてイギリス初版 *Ulysses*（The Bodley Head, 1936）を選んだ。

三　Hans Walter Gabler, ed., *Ulysses: A Critical and Synoptic Edition*（Garland Publishing Inc., 1984）と底本のテクストを照合し、両者の異同のうち主要なものは訳文に取り入れ注記した。他の異同もできるだけ注記した。そのほか The Bodley Head 一九三七年版、同一九六〇年版、The Modern Library 一九六一年版を参照したが、これらについてはとくに注記しない。

四　原文のうちイタリックスの表記箇所（諸外国語、書名、新聞雑誌名、引用、強調、その他）は、訳文では原則として《　》に入れた。ただし、劇構成（第九挿話の一部、第十五挿話）の（　）内のト書のイタリックスは活字の大きさを変えて区別した。

五　外国語のうち古典語の訳文は、漢字まじり片仮名表記とした。固有名詞の表記は原語の発音を参照したが、長音は原則として省略した。ただし同一の人物や場所などでも、シェイクスピアの作品に関連する場合は英語読みによって表記した。たとえば歴史上のユリウス・カエサルは劇の人物としてはジューリアス・シーザーとなる。

六　英語名表記のうち、原則として二重母音［ou］と長母音［ɔː］は共に「オー」で、二重母音［ei］は「エイ」で表記した。

七　各挿話の番号および表題は、初出の雑誌『リトル・レヴュー』に掲載したときの題名（第一挿話から第十四挿話まで）と、ジョイスの作成した「計画表」に基づく。いずれもホメロスの叙事詩『オデュッセイア』の人物名、種族名、地名などに由来する。

八　各挿話の要約と解説、および巻末の訳注は訳者たちによる。

九　訳注にあげた書名のうち一部に左記の略称を当てた。

（a）テクスト

B版　*Ulysses*. The Bodley Head, 1936.

HWG版　Hans Walter Gabler, ed., *Ulysses: A Critical and Synoptic Edition*. Garland Publishing Inc., 1984.

（b）注釈

D　R. W. Dent, *Colloquial Language in Ulysses*. University of Delaware Press, 1994.

G　Don Gifford, *Ulysses Annotated*. University of California Press, 1988.

K　Declan Kiberd, 'Notes' to *Ulysses: Annotated Student's Edition*. Penguin Books, 1992.

T　Weldon Thornton, *Allusions in Ulysses: An Annotated List*. The University of North Carolina Press, 1968.

V　Harry Vreeswijk, *Notes on Joyce's Ulysses: Part I* (*Chapter 1–3*). Amsterdam: Van Gennep, 1971.

（c）辞書

OED　*The Oxford English Dictionary*. The Second Edition. Oxford University Press, 1992.

パートリッジ　Eric Partridge, *A Dictionary of Slang and Unconventional English*. 1970 Edition. The Macmillan Company, 1970.

（d）定期刊行物

JJLS *James Joyce Literary Supplement.* The University of Miami.
JJQ *James Joyce Quarterly.* The University of Tulsa.

十　複数の資料（原典、辞書、研究書）によって確認した注記については出所を省略した場合がある。

十一　その他の書名も多くは略記した。なお参考書目一覧は第四巻に付す。

付記

各挿話の要約と解説はジョイスが作成した「計画表」を参照している。これは、古代と現代とを照応させ、部分に際立った変化をつけ、差異の花やかな総合によって全体を構築するためのものであったと推定される。

「場所」は各挿話の主な事件の起るところ、「時刻」は始まりの時間。各挿話の主題あるいは象徴を人体との関連で示したのが「器官」（ただし最初の三挿話はこれを欠く）。同じものを学問ないし芸術との関連で述べたのが「学芸」。主導的な色が「色彩」（ただし八つの挿話だけ）。「象徴」は主要な象徴を人物や物にさぐったもの。「技術」は各挿話の文体、語り口。「神話的対応」は『オデュッセイア』の作中人物、場所、物などとの関係である。「計画表」そのものは第四巻に収める。

『ユリシーズ』は一九六四年、同じ訳者たちの翻訳で河出書房版「世界文学全集」II―13、II―14の二巻本として出版、一九九六年から翌年にかけて、改めて新訳による集英社版『ユリシーズ』（全三巻）を出版した。今回集英社文庫ヘリテージシリーズ（全四巻）に収めるに当って若干の不備を正すことができた。なお先年死去した永川玲二の担当部分は丸谷、高松の両名が再検討した。

ユリシーズ　I

第一部

1　テレマコス

場所――塔
時刻――午前八時
マリガンが塔の胸壁でひげを剃りながら、スティーヴンに声をかけ、もっと陽気になれと言う。スティーヴンは母親が死んだときのことで苦悩し、マリガンの態度のせいで傷つく。二人は階下へ行き、マリガンはスティーヴン、ヘインズ、自分のために朝食の支度。ミルク売りの老婆が来る。三人は塔を出て、マリガンは「おどけイエスのバラッド」を歌ってから水泳。ヘインズはスティーヴンと語る。三人は昼の十二時半に酒場で会うことにする。
学芸――神学　色彩――白、黄金いろ　象徴――相続人　技術――語り（若者の）
神話的対応――スティーヴンが『オデュッセイア』のテレマコス（オデュッセウスの息子）に対応する。

主要人物
○スティーヴン・ディーダラス Stephen Dedalus ――『若い芸術家の肖像』の主人公。『ユリシーズ』では中心人物三人のうちの一人。ダブリンの若い学校教師。詩人。経歴その他でジョイスによく似ている。幼少からイエズス会の教育を受け、少年時代にカトリックの信仰を失い、ユニヴァーシティ・コレッジで文学を学ぶ。卒業するとパリ留学を強行したが、母危篤の電報で帰り、臨終に立ち会った。いまは海辺の塔で友人と共同生活をしている。貧しくて、衒学的で、警句を好む。二十二歳。
○マラカイ・マリガン Malachi Mulligan ――バック Buck（「牡鹿」「伊達男」）の綽名がある。医学生。詩人でもある。多弁で才気に富みシニカル。ダブリンの文学者仲間ではスティーヴンより格が上である。塔で彼と共同生活をしている。二人の友情は微妙な心理関係にある。後年、詩人で著名な耳鼻咽喉科医となるオリヴァー・セント・ジョン・ゴーガティ（一八七八―一九五七）がそのモデル。

重々しく、肉づきのいいバック・マリガンがシャボンの泡立つ*ボウルを捧げて階段口から現れた。十字に重ねた鏡と剃刀《かみそり》が上に乗っかっている。はだけたままの黄いろいガウンがおだやかな朝の風に乗って、ふわりと後ろへなびいた。彼はボウルを高くあげて唱えた。

――《*ワレ神ノ祭壇ニ行カン》。

彼は立ち止り、暗い螺旋階段をのぞきこんで、荒っぽくわめき立てた。

――あがって来い、*キンチ！ あがって来いったら、この*べらぼうなイエズス会士めが！

彼はいかめしげに歩み出て円形の砲座にあがった。くるりと向き直り、三度、塔と、まわりの土地と、目覚めかけた山々をおごそかに祝福した。それからスティーヴン・ディーダラスを目にして、彼のほうに身を乗り出し、喉《のど》をごろごろ鳴らし、頭を振り、たてつづけに空に十字を切った。不機嫌で眠そうなスティーヴン・ディーダラスは階段の手摺に両腕をもたせて、祝福を与えてくれる首振りのごろごろ喉の馬づらや、白樫のような色の木目《きめ》の通った、明るい剃髪*していない髪を冷たい目で見た。

バック・マリガンはちょっと鏡の下をのぞいて、またぴしゃりとボウルに蓋をした。

――兵舎に戻れ！　と彼はきびしい口調で言いわたした。

それから伝道師の声音《こわね》でつけ加えた。

――なんとなれば、ああ、皆様方、これこそはまことのクリスティーン*様、肉体と魂と血と槍傷*ですぞ。ゆるやかな音楽を、どうぞ。諸君、目をつむって下さい。ちょいとお待ちを。この白血球*どもが少々手間をかけておりましてな。みんな、静かに。

彼はじろりと流し目をくれて見あげると、長くゆっくりと合図*の口笛を吹き鳴らし、しばらくのあいだうっとりと耳を澄ませた。きれいな白い歯並のそこここが金いろにちかちかと光った。クリュソストモス*。二度、強い鋭い汽笛が静けさをつらぬいて答えた。

──ありがとう、相棒、と彼は勢いよく叫んだ。これで上等。電流のスイッチを切ってくれないか？

彼は砲座から飛び降り、はだけたガウンのひだを脚のまわりに掻き寄せ、眺めている相手をおごそかに見返した。陰になった肉づきのいい顔と陰気な卵がたの顎が、中世の芸術の保護者、高位の聖職者を思わせる。気持のいい微笑が静かに唇の上にひろがった。

──お笑いだぜ！　と彼は陽気に言った。おまえのばかげた名前ったら、まるで古代ギリシア人だよ。

彼は親しげに指を突きつけてからかうと、一人で笑いながら胸壁へ行った。スティーヴン・ディーダラス*は上に出て来ると、うんざりした顔で途中までついて行き、砲座の端に腰かけ、彼が胸壁に鏡を立て、ボウルにブラシをひたし、頰と首にシャボン泡を塗るのをじっと眺めた。

バック・マリガンの陽気な声が話しつづけた。

──おれの名前だってばかげてるさ。マラカイ・マリガン、強弱弱格*が二つ。だけどギリシアふうな響きがあるだろう？　それこそ牡鹿みたいに軽やかで明るくってさ。おれたちアテネに行かなけりゃな。伯母*から二十ポンドせしめたらいっしょに行くかい？

彼はブラシを置くと嬉しげに笑って叫んだ。

――この男は来るのかなあ？ 痩せっぽちのイエズス会士さんはよ！

彼は話しやむと、念入りにひげを剃りはじめた。

――ねえ、マリガン、とスティーヴンは静かに言った。

――なんだね、坊や？

――*ヘインズはいつまでこの塔にいるつもりなんだろう？

バック・マリガンは右の肩越しに、剃りあげた頰を向けた。

――まったく、いやなやつだよな？ と彼はあけすけに言った。勿体《もったい》らしいサクソン人め。おまえなんて紳士じゃないと思っているんだ。まったく、イギリスの野郎どもったら！ 札束と消化不良ではち切れやがってさ。それもやつがオクスフォードを出たおかげだよ。ところが、ディーダラス、おまえは*本物のオクスフォード流儀を身につけている。やつはおまえをどう考えたらいいかわからない。ほんと、おれのつけた名前がぴったりだよ、匕首《あいくち》のキンチってのがな。

彼は注意しながら顎を剃った。

――一晩じゅう黒豹がどうとかわめきつづけだ、とスティーヴンが言った。銃のケースはどこにあるんだい？

——かわいそうに気が触れてるんだよ！　とマリガンが言った。恐かったのか？

——恐かったさ、とスティーヴンは恐怖のつのるままに力をこめて言った。こんな場所で、真っ暗闇のなかで、知らない男が黒豹を撃つぞなんてわめいたり呻いたりだもの。きみは溺れ死にしかけた連中を助けたよ。でもぼくは英雄じゃない。あいつがここにいるんなら、ぼくは出て行く。

バック・マリガンは顔をしかめて剃刀の刃のシャボン泡をみつめた。腰かけていた場所からひょいと降りて、せわしなくズボンのポケットをさぐりはじめた。

——ずらかれよ！　と彼はだみ声で叫んだ。

彼は砲座のそばに来て、スティーヴンの胸ポケットに手を突っこみながら言った。

——剃刀を拭く鼻拭き布をお貸し下されたく。

スティーヴンは、彼が汚い皺くちゃのハンカチーフを引っ張り出し、片隅をつまんで持ちあげるのにまかせた。バック・マリガンは剃刀の刃をきれいにぬぐった。それから、ハンカチーフをつくづくとみつめて言った。

——詩人さんの鼻拭き布か！　わがアイルランドの詩人たちに与える新しい芸術

の色だ。青っぱな緑。なめたらうまかろうよ、なあ？
彼はまた胸壁にあがってダブリン湾を眺めやった。白樫のように淡い色の金髪がすこし揺れた。

——まったくねえ！　と彼は静かに言った。海はまさしくアルジー*の言うとおり、大いなるやさしい母じゃないか？　青っぱな緑の海。きんたまを引き締める海。《葡萄酒イロノ海ニ》*だ。なあ、ディーダラス、ギリシア人だよなあ！　おまえに教えてやらなくちゃ。原文で読んでみろ。《海ダ！　海ダ！》*海はわれらの大いなるやさしい母なんだよ。まあ、来て見ろ。

スティーヴンは立って胸壁のそばへ行った。彼は胸壁によりかかり、水面を見おろし、キングズタウン*の港口を出て行く郵便船を眺めた。

——われら*が強き母だぞ！　とバック・マリガンが言った。

彼は、不意に、灰いろのさぐるような目を海からスティーヴンの顔に向けた。

——伯母はな、おまえが母親を殺したと思っている。だから、おれがおまえとつき合うのをいやがる。

——誰か*が殺したのさ、とスティーヴンは陰気な声で言った。

——死にかけてるおふくろの頼みだぜ、キンチ、なんでえ、ひざまずくくらい、とバック・マリガンが言った。おれだっておまえと同じ*ヒュペルボレイオスの人間だよ。でもなあ、考えてみろよ、おふくろさんのことをさ。息を引き取る間際におまえに頼んでいるんだ、ひざまずいて祈ってくれってな。それを断りやがって。おまえにはなにか邪悪な相があるよ……

　彼は言葉を切って、反対側の頬に軽くシャボン泡を塗った。寛容の笑みが彼の唇をゆがめた。

――それにしても見事な*旅役者だよ！　と彼はつぶやいた。並ぶ者なき旅役者キンチとござい！

　彼はまじめになり、黙りこみ、念を入れて、むらなく剃った。

　スティーヴンはごつごつした花崗岩に片肘をつき、掌を額に当て、光っている黒い上衣の袖のすり切れた縁をみつめていた。まだ愛の痛みにはなっていない痛みが彼の心をいらだたせた。死んでから、黙って、夢のなかで、母は彼のそばに来た。ゆるい茶いろの死衣にくるまれた痩せ細った体は*蠟と紫檀の匂いをただよわせていた。押し黙ったままで咎《とが》めるように吐きかける息は、かすかに*濡れた灰の匂いがした。彼はすり切れた袖口越しに、隣の栄養たっぷりな声が大いなるやさしい母と称えた海を見やった。湾と水平線の形づくる円環がくすんだ緑いろの水の塊をかかえている。臨終のベッドのそばに置いてある白い陶器のボウルにも、緑いろのどろりとした胆汁が溜っていたっけ。母は嘔吐の発作が起きるたびに大声で呻いて、腐りかけた肝臓からこの胆汁を引きむしり吐き出したのだ。

バック・マリガンはまた剃刀の刃をぬぐった。

——あわれな使いっ走り犬め！*　と彼はやさしい声で言った。シャツ一枚に鼻拭き布の二、三枚もくれてやらなけりゃなるまいて。古手ズボンの具合はどうだい？

——けっこううまく合っている、とスティーヴンは答えた。

バック・マリガンは下唇の下の窪みにとりかかった。

——お笑いだぜ、と彼は満足げに言った。古手というより古脚かな。どこの梅毒病みの宿なしが捨てたもんだか。おれのところに細縞入りのいいのが一着あるんだがね、グレーのが。あれならすてきに見えるぞ。冗談を言ってるんじゃないよ、キンチ。おまえにまともな服を着せりゃ立派なもんだ。

——ありがとう、とスティーヴンが言った。グレーのじゃはく*わけにいかない。

——この男ははけないってさ、とバック・マリガンは鏡の顔に言った。きまりはきまりだってさ。母親を殺したけどグレーのズボンははけないってさ。

彼は剃刀をきっちりと折りたたみ、指を走らせてすべすべした肌ざわりを確かめた。

スティーヴンは海から視線を離して、肉づきのいい顔の、くすんで青みがかったすばしこい目に向けた。

――ゆうべ*シップでいっしょになったあの男がな、とバック・マリガンが言った。おまえは*ジー・ピー・アイだってさ。やつは*コノリー・ノーマンの精神病院に勤めているんだがね。痴呆性全身麻痺だとよ！

彼は鏡で空に半円を描き、いまは海上に輝き踊る太陽の光をきらりと反射させて信号を送った。剃りあげた唇が軽蔑にゆがんで笑い、白いきらきら光る歯並の端がのぞいた。がっしりと引き締った体の全体が笑いでふるえた。

――てめえの顔を見ろ、と彼は言った。やりきれねえ詩人さんだよ！

スティーヴンは体を乗り出して、突き出された鏡をのぞいた。ねじれた割目が走っている。逆立った髪。この男やほかのみんなが見る顔。誰がこんな顔を選んでくれた？　この蚤たかりの使いっ走り犬め。こいつもぼくに聞く。

――女中部屋からくすねたんだ、とバック・マリガンが言った。女中には*そのほうがいいのさ。伯母はいつもマラカイ用にまずい御面相のを雇うからな。彼を試みに会わせたまうな、だ。おまけに名前が*アーシュラと来る。

彼はまた笑うと、のぞきこむスティーヴンの目から鏡を遠ざけた。

——*鏡にてめえの顔を見ないキャリバンの怒り、と彼は言った。ワイルドが生きていておまえを見たらなあ！

スティーヴンは身を引いて指さしながら辛辣《しんらつ》な口調で言った。

——これがアイルランド芸術の象徴だよ。*召使のひび割れ鏡が。

バック・マリガンは不意にスティーヴンと腕を組み、二人いっしょにぐるりと塔をまわった。ポケットに突っこんだ剃刀と鏡がかちゃかちゃと鳴った。

——こうやってからかうのはよくないよ、なあ、キンチ？　と彼はやさしく言った。おまえが誰より根性のある男だってのは神様も御存じだ。

また、はぐらかされた。ぼくの芸術の*ランセットが恐いんだな、ぼくもやつのが恐いけど。冷たい鋼鉄のペン。

——召使のひび割れ鏡ねえ！　下のオックス野郎に話してみな。それで一ギニーせしめてやれよ。腐るほど金を持っているし、おまえなんぞ紳士じゃないと思ってるんだからな。あいつの*親父はズールー族に*ヤラッパを売りこむやら、ひでえいかさまを仕掛けるやらで*現なまをつかんだんだぜ。まったく、キンチよ、おれとおまえが組みさえすりゃ、この島のために一働きできようってもんだ。ギリシアふうに変えるとかさ。

クランリー*の腕。こいつの腕。

——なのに、こんな豚どもの施しを受けなけりゃならないとはね。おまえの正体を知ってるのはおれだけだ。なんでもっと信用しない？ おれのどこが気に食わない？ ヘインズのことか？ やつがここで騒ぐならシーマー*を連れて来てさ、クライヴ・ケンソープよりもひでえ目に会わせてやるよ。

クライヴ・ケンソープの部屋から聞える金持どもの若々しい叫び声。なまっ白い顔の種族。やつらは腹をかかえて笑う。互いにしがみついて。ああ、死にそうだ！ オーブリー、母*にはやさしく告げてくれ！ 死んじまうよう！ リボンのように切り裂かれたシャツの裾をはためかせて、テーブルのまわりを転げまわる。踵《かかと》までズボンをずり下げて、裁ち鋏を手にしたモードリン学寮*のアディスに追われて。マーマレードを金ぴかに塗りたくられた怯える子牛の顔。ズボン*をぬがせないでくれってば！ 馬鹿まねはよせよ！

あけ放った窓から聞える喚声が中庭の夕暮れを驚かす。前掛けをした耳の遠い園丁がマシュー・アーノルド*そっくりの顔をして、薄暗がりの芝生に芝刈機をかけている。踊り跳ねるこまかな草の茎を目を細めてみつめながら。

われら*自身に……新*しい異教精神……《オ*ムファロス》。

――やつは置いてやるさ、とスティーヴンが言った。夜はともかく、あとは別におかしいところもないし。

――じゃあ、なんだ？　バック・マリガンはじれったげにたずねた。言えよ。おれは全部言ったぜ。さあ、おれのどこがいやなんだ？

二人は立ち止って、眠る鯨の鼻づらのように水面に伸びているブ*レイ・ヘッドの丸い岬のほうを見やった。スティーヴンは静かに腕をほどいた。

――言ってほしいのかい？　と彼は聞いた。

――ああ、なんだ？　とバック・マリガンが答えた。こっちにはなんの覚えもないんだ。

彼は話しながらスティーヴンの顔をのぞいた。そよ風が彼の額をよぎって、櫛を入れていない金髪をそっと吹き分け、目のなかで気遣わしげに光る銀の点をゆすぶった。

スティーヴンは自分の声にうんざりしながら言った。

――母が死んでから初めてきみの家に行った日を覚えているかい？

バック・マリガンがすばやく顔をしかめて言った。

——何？　どこで？　なんにも思い出せないなあ。おれは観念とか感覚しか覚えていないんでね。なぜ？　いったい何があった？

——きみはお茶をいれていた、とスティーヴンが言った。*それからお湯が足りなくなって階段の踊り場を通った。きみのお母さんがお客と居間から出て来た。そして、あなたの部屋にいるのは誰と聞いた。

——それで？　とバック・マリガンがたずねた。おれが何を言った？　忘れたよ。

——きみはこう言った、とスティーヴンが答えた。《なあに、あのディーダラスですよ、母親がひでえ死に方をした》。

バック・マリガンの頬がさっと赤らみ、そのためにもっと若く、もっと魅力的に見えた。

——そんなことを言ったかい？　と彼はたずねた。それで？　それで何が悪い？

彼は神経質に体をゆすって気まずさを振り払った。

——それに、死とはなんだ、と彼はたずねた。おまえのおふくろの死でも、おまえのでも、このおれのでもさ？　おまえはおふくろさんが死ぬのを見ただけだ。おれは毎日*マーテルでも*リッチモンドでも、患者がぽっくり死んで解剖室で切り刻まれて、屑肉になるのを見てるんだぜ。それこそひでえもんだ。要するに当り前のことなんだよ。おふくろが臨終の床で頼んでいるのに、ひざまずいて祈るのはいやだと言う。なぜ？　いまいましいイエズス会士の血のせいだ。ただ、そいつが逆に流れている。おれにとっちゃあ何もかもがお笑いでひでえもんなのさ。おふくろさんの脳葉が働かない。医者を*ピーター・ティーズル様なんて呼ぶ。羽根布団からキンポウゲの花模様をむしり取る。終っちまうまであやしてやりゃいいんだ。臨終の願いに逆らったくせして、おれが*ラルエットの雇人みたいに泣かないとふくれっ面をしやがる。ばかげてるぜ！　そりゃ言ったかもしれないさ。何もおふくろさんの思い出をけがすつもりじゃないよ。

彼はしゃべるにつれて大胆になった。スティーヴンはあの言葉が心にあけた傷口をかばいながら、ひどくそっけない声で言った。

——母を侮辱したのがどうだって言うんじゃない。

——じゃあ、なんのことだ？　とバック・マリガンがたずねた。

——ぼくを侮辱したって言うんだ、とスティーヴンは答えた。

バック・マリガンは踵でぐるりとまわった。

——なんともやり切れない男だなあ！　と彼は叫んだ。

彼は胸壁をまわってさっさと離れて行った。スティーヴンはその場に立ったままおだやかな海を眺め、岬のほうを見やった。*海と岬がかすんでいった。目のなかがずきずき疼いて、視界が暗くなり、頬が熱っぽくなった。

塔のなかから大きな声が呼びかけた。

——上にいるのかい、マリガン？

——いま降りる、とバック・マリガンが答えた。

彼はスティーヴンのほうを向いて言った。

——海を見ろ。侮辱されたなんて気にしてるか？ *ロヨラとは縁を切れ、キンチ、縁を切って下に来いよ。サクソン野郎が朝のベーコンを食いたいってさ。

彼の頭が階段の上でちょっと静止して、屋根と同じ高さになった。

——一日中くよくよするな、と彼は言った。おれの言葉はその場かぎりだ。ふさぎこむのはよせ。

頭は消えたが、降りて行く声のくぐもるような音が階段から響いて来た。

　《*もはや顔をそむけて思いまどうな
　　愛の苦い秘義のことどもに

ファーガスが黄銅の戦車を率いるなれば》

朝の静けさのなかで、森の影が、階段口から彼のみつめる海のほうへ音もなくただよい流れていった。岸の近くから沖にかけて、鏡のような水面が白くなった。軽い靴をはいて走る足が蹴散らかしたように。暗い海の白い胸。からまり合う強勢音節が、二つずつ。竪琴の弦をかき鳴らす手がもつれる和音をまぜ合す。白い波頭に組みこまれた言葉たちが暗い潮にほの光る。

雲がしだいに太陽を覆いはじめ、すっかり隠しきり、湾をかげらせ、いっそう深い緑に変えた。苦い水をたたえたボウル*が目の下にある。ファーガスの歌。ぼくは家のなかで一人でその歌を歌った。長いくぐもる和音をおさえながら。母の部屋のドアをあけておいて。ぼくの歌を聞きたがったから。ぼくは怖れと憐れみに打たれて、黙ってベッドのそばへ行った。母はみじめなベッドのなかで泣いていた。あの言葉がね、スティーヴン。愛の苦い秘義のことどもにっていうのがね。

いまはどこに？

母の秘蔵の品。古い羽根扇、麝香《じゃこう》の粉を振った、飾り房のついたダンスカード*の束、鍵をかけた引出しにしまってある安物の琥珀《こはく》の首飾り。娘のころ、家の日当りのいい窓に吊していた鳥籠。母は《*怪傑ターコー》のお伽芝居で、あの*ロイスが歌うのを聞いた。彼がこんな歌を歌うと、みんなといっしょに大笑いした。

《これなるおいら、
いつでも、どこでも、
姿を消すは思いのままさ》

まぼろしの歓楽は折りたたまれた。麝香の香りに包まれて。

《もはや顔をそむけて思いまどうな》

安物の品とともに折りたたまれ、自然の記憶のなかにしまいこまれた。さまざまな記憶が思い悩む彼の脳髄にまつわりついた。母の聖体拝領が近づくと、台所の水道栓から汲んだ*コップの水。暗い秋の夕暮れに、芯をくり抜き、赤砂糖を詰め、暖炉の*台の上で母のために焼いた林檎。子供らのシャツのしらみをつぶした血で赤く染まった母の形のいい爪。

夢のなかで、黙って、母は彼のそばに来た。ゆるい死衣にくるまれた瘦せ細った体が蠟と紫檀の匂いをただよわせていた。押し黙ったまま、秘密の言葉を語りながら吐きかける息は、かすかに濡れた灰の匂いがした。

死のなかからみつめる母のよどんだ目が、ぼくの魂をゆさぶり従わせようとする。ぼく一人をみつめて。苦しみ悶える母を照らす臨終の床の蠟燭。苦痛にゆがんだ顔を照らす青白い光。みんながひざまずいて祈っているとき、母のしゃがれた大きな息遣いが恐ろしげにぜいぜいと鳴った。母はどうでもひざまずかせようとして、ぼくを見据えた。*《百合ニ飾ラレ輝ク証聖者ノ群ナンジヲ囲マンコトヲ。歓ビ歌ウ童貞ノ群ナンジヲ迎エンコトヲ》。

幽鬼よ！　死肉をしゃぶり食らう者よ！

いやだ、お母さん！　このまま生きさせてくれ。

――キンチやあい！

バック・マリガンの声が塔のなかから歌うように呼びかけた。声は階段を昇りながらまた呼んだ。まだ自分の魂の叫びにおののいていたスティーヴンは、暖かく流れる太陽の光を聞き、それから後ろの空のなかに親しげな言葉を聞いた。

――ディーダラス、降りて来いよ、いい子だから。朝飯ができてるぞ。ヘインズがゆうべはみんなを起して悪かったとさ。もう決着はついたよ。

――いま行く、とスティーヴンは振り向いて言った。

――そうしてくれ、*イエスさんのためにも、とバック・マリガンが言った。おれのためにも、おれたちみんなのためにも。


頭が引っこんでからまた現れた。

――あのアイルランド芸術の象徴ってのをやつに話しておいたぜ。とても気がきいてるってさ。一ポンドせしめてやれよ、なあ？ *いや、つまり、一ギニーだ。

――今朝、給料をもらうんだ、とスティーヴンが言った。

――おんぼろ学校のか？ とバック・マリガンが言った。いくらもらう？ 四ポンド？ 一ポンド貸せよ。

――要るんならね、とスティーヴンが言った。

――ぴっかぴかのソヴリン金貨が四枚だ、とバック・マリガンが喜んで叫んだ。豪勢な酒盛りを開いてさ、退屈なわからず屋どもをびっくりさせてやろうぜ。全能のソヴリン金貨が四枚だ。


彼は両手を上にあげ、ロンドン訛りで調子っぱずれの歌を歌いながら、足を踏み鳴らして石の階段を降りた。

《*陽気に浮かれて騒ごうぜ、
ウィスキー、ビール、ワインを飲んで！
戴冠式のお祝いに、
戴冠式のその日には！
陽気に浮かれて騒ごうぜ、
戴冠式のその日には！》

海の上にさんざめく暖かい日ざし。ひげ剃り用のニッケルのボウルが胸壁の上に忘れられたまま光っている。なぜぼくが持って降りるんだ？　それとも、一日中ここにほうっておくか、忘れられた友情のしるしに？

彼はそばへ行くと、しばらくのあいだボウルを両手に持ってその冷たさを味わい、ブラシを突っこんだままの、どろりと粘つくシャボン泡の匂いを嗅いだ。あのころ、*クロンゴーズの学校でこんなふうに舟形香炉をかかえたっけ。いまのぼくは別な人間だが同じ人間でもある。やっぱり召使だ。召使に仕える召使だ。

塔のなかの薄暗い円屋根の居間では、ガウン姿のバック・マリガンが炉のまわりをきびきびと動きまわっていた。そのたびに黄いろい炎がちらちらと見え隠れした。二つの高い銃眼から、二筋の柔らかな日ざしが石畳の床に落ちていた。二筋の光が交わるあたりに、石炭の濃い煙や炒めた脂身の湯気が渦を巻いてただよっていた。

——息が詰まっちまうぜ、とバック・マリガンが言った。ヘインズ、そのドアをあけてくれないか？

スティーヴンはひげ剃り用のボウルを戸棚の上に置いた。いままでハンモックに腰かけていた大男が立ちあがり、戸口へ行って内側のドアをあけた。

——鍵はあるのかい？　と声が聞いた。

——ディーダラスが持ってる、とバック・マリガンが言った。こん畜生め、息が詰まっちまわあ！

彼は火から顔をあげずにわめいた。

——キンチ！

——鍵穴にさしたままだ、とスティーヴンが近寄って言った。

鍵が耳ざわりな軋《きし》み音を立てて二度まわり、重いドアが半ば開き、すがすがしい光と明るい空気がはいりこんだ。ヘインズは戸口に立って外を眺めた。スティーヴンは旅行鞄を縦にしてテーブルへ引きずって行き、腰をかけて待った。バック・マリガンはそばの皿にフライ*をほうりこんだ。それから、皿と大きなティーポットをテーブルに運び、どしんとおろして、ほっと溜息をついた。

——おれは溶けちまいそうだぜ、と彼は言った。蠟燭の言い草じゃないがね……いや、よそう！　この話にはもう触れっこなし！　キンチ、目を覚せよ。パンとバターと蜂蜜だ。ヘインズ、はいって来い。飯ができたぜ。主*、願わくはわれらを祝し、この賜物《たまもの》を祝したまえ。砂糖はどこだ？　ちぇっ、ミルクがないや。

スティーヴンが戸棚から、パンの塊と、蜂蜜の壺と、バター入れを持って来た。バック・マリガンは不意に不機嫌になって腰をおろした。

——なんてえおんぼろ塔なんだよ、ここは？　と彼は言った。あの女には八時すぎに来いと言っておいたのに。

——ブラック*だって飲める、とスティーヴンが渇きを訴えるように言った。戸棚にレモンがあるよ。

——くそったれめ、おまえのパリ仕込みなんぞに用はねえや、とバック・マリガンが言った。おれはサンディコーヴのミルクが飲みたいんだ。

ヘインズが戸口からはいって来ると静かに言った。

——女がミルクを持って来た。

——ありがたい、おまえさんに神様の祝福をな！　とバック・マリガンが椅子から突っ立って叫んだ。かけろよ。そのお茶をついでくれ。砂糖は袋のなかだ。ほいきた、いつまでくそったれ卵をいじくってもしょうがねえや。

彼は皿のフライをぞんざいに切り分け、三つの小皿にぴしゃりとほうりこんで言った。

——*《父ト子ト聖霊トノ御名ニヨリテ》。

ヘインズは腰かけて、お茶をつぎにかかった。

——砂糖はそれぞれに二つずつ入れるよ、と彼は言った。だけど、マリガン、きみはずいぶん濃いお茶をいれるねえ。

バック・マリガンはパンの塊から分厚い幾切れかを切り取りながら、老婆の猫なで声で言った。

——あたしゃお茶のときはしっかりお茶をいれますのさ、てのがグローガン婆さんのお言葉だ。おしっこのときはしっかりおしっこをしますのさ。

——まったく、こいつはお茶だぜ、とヘインズが言った。

バック・マリガンはパンを切りつづけながら、猫なで声で言った。

――《ほんとでござんすよ、カーヒルのおかみさん》と婆さんが言う。《なんともはや》とカーヒルのかみさんが言う、《*おんなじポットでやらないでもらいたいもんだわ》。

彼は厚く切ったパンをナイフに刺して、順ぐりに仲間に突き出した。

――こういう連中はな、と彼は大まじめな口調で言った。きみの本にお誂え向きなんだよ、ヘインズ。*ダンドラムの住民およびもろもろの魚神に関する本文五行、注釈十ページ。大風の年、魔女たちこれを印刷、てなもんだ。

彼はスティーヴンのほうに向き直り、眉をあげ、品のいい途方にくれた声でたずねた。

――*平修士どの、いかがでしょう、グローガン婆さんのお茶小便兼用ポットは*マビノーギヨンに記述されているのでしたかな、それともウパニシャッドでしたか？

――見当が違うようだね、とスティーヴンが重々しく言った。

――ほう、さようで？　とバック・マリガンが同じ口調で言った。して、その理由は？

――ぼくが思うに、とスティーヴンが食べながら言った。これはマビノーギヨンの内にも外にも存在しておらない。*グローガン婆さんはメアリ・アンの親族であった、とさよう考える。

バック・マリガンの顔が嬉しげに微笑した。

——おもしろい！　と彼は白い歯を見せて楽しげにまたたき、堅苦しい猫なで声で言った。さようお考えで？　たしかにおもしろい！

それから、不意に無愛想な顔をして、勢いよくパンの塊を切りながら、しゃがれた軋り声でどなった。

——《メアリ・アンの婆さんは、
　人目なんぞにかまやせぬ、
　　ペチコートをばまくりあげ……》

彼はフライを口に詰めこみ、むしゃむしゃ食べながら唸った。

戸口が暗くなり人影がはいって来た。

——ミルクですよ！

——おはいり、おかみさん、とマリガンが言った。キンチ、水差しを取ってくれ。

老婆がそばに来て、スティーヴンの隣に立った。

――今朝はいいお天気ですこと、と彼女が言った。神様のおかげですねえ。

――誰のおかげ？　とマリガンが彼女をちらりと見て言った。ああ、なるほどね！

スティーヴンは後ろに手を伸ばして戸棚からミルク入れを取った。

――この島の人間はね、とマリガンがさり気なくヘインズに言った。しょっちゅうあの*包皮蒐集家《しゅうしゅうか》を引合いに出す。

――いかほど？　と老婆がたずねた。

――一クォート、とスティーヴンが言った。

彼は老婆が濃い白いミルクを桝《ます》につぎ、それから水差しに移すのを見まもった。婆さんのじゃない。年とってしなびた乳房。彼女はまた桝一杯のミルクを移して、おまけをついだ。何ものとも知れぬ老女が朝の世界からはいって来た。使者かもしれない。彼女はミルクをつぎながら質のいいのを自慢した。夜明け方に緑ゆたかな野原に出て、おとなしい牝牛のそばにかがみ、皺だらけの指ですばやく乳房から乳をしぼり出す。毒きのこに腰かけた魔女か。牛たちは顔なじみの彼女のまわりに来て鳴いた。しっとり露に濡れた絹のような牛たちが。牝牛のなかの絹物、貧しい老婆。これがむかし彼女に贈られた名前だ。さまよい歩く皺くちゃ婆あ。卑しい姿に身をやつした不死の女神が征服者とやくざな謀叛人に仕える。両方になぶられる寝取られ女。不思議な朝のなかから現れた使者。仕えるために来たのか咎めるために来たのか、彼にはわからない。だが、彼女に取り入るつもりはない。

——本当だね、おかみさん、とバック・マリガンがみんなのカップにミルクをつぎながら言った。

——味わってごらんなさいましよ、と彼女が言った。

彼は言われるままに飲んだ。

——こういう上等な食いものを食って生きてりゃ、と彼はすこし声を張りあげて老婆に言った。この国に虫歯や腐りかけの腸なんぞがのさばることもなかったろうにねえ。ところが、じめつく沼地に住んで、粗末な食いものを食ってさ、通りには埃や馬の糞や肺病やみの痰が積り重なっている始末だ。

——こちらは医学生さんで？　と老婆がたずねた。

——そうだよ、おかみさん、とバック・マリガンが答えた。

——まあ、道理でねえ、と老婆が言った。

スティーヴンは軽蔑しながら黙って聞いていた。彼女は大声で語る声に老いた頭をさげる。骨つぎ師に、祈禱治療師に。ぼくなどを軽く見ている。告解を聞き、彼女のすべてに、女のけがれた腰、*神の姿をかたどらずに男の肉で造られたもの、蛇の餌食となるあそこは別として、ほかのすべてに終油を塗り、墓へ送る声に。いまは黙れと命じる大きな声に頭をさげている。とまどったようなおどおどした目つきで。

——この人の言うのがわかるかい？　とスティーヴンは老婆にたずねた。

——フランス語を話していらっしゃるんで？　と老婆がヘインズにたずねた。

ヘインズは自信たっぷりに、もう一度、もっと長くしゃべった。

——*アイルランド語だよ、とバック・マリガンが言った。ゲール語は知ってるかい？

——響きからしてアイルランド語だと思いましたよ、と彼女が言った。こちらは西からおいでですの？

——ぼくはイギリス人だ、とヘインズが答えた。

——この人はイギリス人だがね、とバック・マリガンが言った。アイルランドではアイルランド語を話すのが本当だって思っている。

――そうですとも、と老婆が言った。自分で話せないのが恥ずかしいですよ。知っている人に聞くと、立派な言葉だそうですけど。

――立派どころじゃない、とバック・マリガンが言った。まったく、すばらしいもんだぜ。もっとお茶をついでくれよ、キンチ。おかみさん、一杯どう？

――いえ、結構で、と老婆は言って、ミルク缶の輪に腕を通して帰りかけた。

ヘインズが彼女に言った。

――勘定書を持っているかい？　マリガン、金を払うほうがいいんじゃないか？

スティーヴンはまた三つのカップについだ。

――勘定書で？　と彼女は立ち止って言った。へえ、一パイント[*]が二ペンスの七日で二の七倍の一シリング二ペンスと、ここ三日は一クォートが四ペンスの三クォートで一シリング。しめて一シリングと一シリング二ペンスが、二シリング二ペンスで。

バック・マリガンは溜息をつき、両側にたっぷりバターを塗ったパンのひと切れを口に押しこみ、両脚をぐいと伸ばしてズボンのポケットをさぐりだした。

――気持よく払ってやれよ、とヘインズが微笑して言った。

スティーヴンは三つめのカップを満たした。スプーン一杯分のお茶がとろりと濃いミルクにわずかな色を添えた。バック・マリガンが*一枚のフロリン銀貨を引っ張り出すと、指先でひねりながら叫んだ。

——奇蹟だ！

彼はテーブル越しに老婆へ押しやって言った。

——*恋人よ、もはやわれに求むるな、能《あた》うかぎりを与うれば。

スティーヴンは気の進まない老婆の手に銀貨をのせた。

——二ペンスの借りだね、と彼が言った。

——いつでもいいんですよ、と彼女が銀貨を受け取って言った。いつでも。では、ごめんなすって。

彼女はおじぎをして出て行った。バック・マリガンのやさしい歌に送られて。

　——《いとしきものよ、なおあらば、
　　そをながもとに捧げむに》

彼はスティーヴンに向って言った。

——まじめな話だがね、ディーダラス。おれは空っけつなんだ。早くおんぼろ学校へ行って、金を持って来てくれ。今日は詩人どもで酒宴を張らなけりゃならない。*本日、アイルランドは各員がその義務を果すことを期待するよ。

——それで思い出した、とヘインズが立ちあがりながら言った。今日はここの国立図書館へ行かなくちゃ。

——まず泳いでからだ、とバック・マリガンが言った。

彼はやさしい声でスティーヴンにたずねた。

——今日は月一回の入浴日なのかい、キンチ？

それからヘインズに言った。

——この不潔な詩人さん、月に一度はかならず入浴なさるんでね。

——アイルランド全土が*湾流に洗われているのさ、とスティーヴンが一切れのパンに蜂蜜をたらしながら言った。

片隅で、テニス用シャツのゆるい襟まわりにスカーフを軽く結んでいたヘインズが言った。

——もしよければ、きみの名せりふを集めたいんだけどね。

ぼくに話しかけている。やつらは風呂にはいって、洗って、こする。*内心の呵責。良心。*まだ、ここにしみがある。

――召使のひび割れ鏡がアイルランド芸術の象徴だっていうあれなんか、じつによくできてる。

バック・マリガンがテーブルの下でスティーヴンの足を蹴ると、熱っぽい口調で言った。

――とにかく、こいつのハムレット論を聞いてみろよ、ヘインズ。

――いや、まじめな話がさ、とヘインズはなおもスティーヴンに言った。あのあわれな婆さんがはいって来たときに、そう考えていたんだ。

――それ、お金になるの？ とスティーヴンが聞いた。

ヘインズは笑った。それから、ハンモックの留金から柔らかなグレーの帽子を取って言った。

――いや、そりゃどうかな。

彼はぶらりと戸口へ出て行った。バック・マリガンはスティーヴンのほうに体を乗り出すと、荒っぽく言った。

――こいつ、へまをやりやがって。なぜあんなことを言う？

――へえ？ とスティーヴンが言った。問題は金をせしめることだ。でも、誰から？ ミルク売りの婆さんからか、あいつからか。どっちの見込みも似たようなものだろ。

——おれがせっかく吹きこんでいると、とバック・マリガンが言った。おまえがしゃしゃり出て、いやらしい流し目をくれたり、イエズス会士の陰気な面《つら》であざ笑ったりだ。

——まあ、見込みはないよね、とスティーヴンが言った、婆さんにも、あいつにも。

バック・マリガンは大げさに溜息をついて、スティーヴンの腕に手を置いた。

——おれにもな、キンチ、と彼は言った。

彼はとつぜん口調を変えてつけ加えた。

——本当はおまえの言うとおりだと思うよ。やつらがほかに何をやれるか知らないが、そんなものはくそくらえだ。おれみたいに、からかってやりゃいいじゃないか。みんなくたばりやがれってなもんさ。おんぼろ塔からお出ましとするか。

彼は立ちあがり、重々しく紐を解いてガウンをぬぎ、あきらめたように言った。

——マリガン、衣を剝がれたもう。*

彼はポケットの中身をテーブルの上にあけた。

——おまえの鼻拭き布だ、と彼は言った。

彼は固いカラーをつけたり、言うことをきかないネクタイを結んだりしながら、両方に話しかけ、叱りつけた。ぶらさがっている懐中時計の鎖にも小言を言った。トランクに両手を突っこんでなかを引っ掻きまわしながら、きれいなハンカチーフよ出て来いと呼んだ。*内心の呵責。ほんと、役に合う衣裳を着なけりゃどうしようもない。濃い茶いろの手袋と緑いろの靴がほしいな。矛盾だ。*ぼくは矛盾しているのか？　じゃあいい、ぼくは矛盾しているのだ。*メルクリウスみたいに陽気なマラカイ。柔らかな黒いものがおしゃべり屋の手から飛んで来た。

——そら、おまえの*ラテン区帽だ、と彼は言った。

スティーヴンは帽子を拾ってかぶった。ヘインズが戸口から呼んだ。

——きみたち、まだかい？

——すぐ行く、とバック・マリガンが答えてドアのほうへ歩いた。来いよ、キンチ。残り物は全部たいらげたんだろ。

あきらめて彼は外に出た。重い足どりで、重い言葉を、ほとんど悲しげに口にしながら。

——*かくて彼、外に出《い》でて、バタリーに会えり。

スティーヴンは*トネリコのステッキを立てかけて置いた場所から取って、あとから外に出ると、二人が階段を降りているあいだに、ゆっくりと鉄のドアを閉めて鍵をかけた。彼は大きな鍵を内ポケットに入れた。

階段の下でバック・マリガンがたずねた。

——鍵を持っているか？

——持っている、とスティーヴンは先に立って歩きながら言った。

彼は歩きつづけた。後ろから、バック・マリガンが重いバスタオルを棍棒代りにして羊歯《しだ》や雑草の若茎を打ち据えるのが聞えた。

——おすわりだ、こら！　おとなしくしろ！

ヘインズがたずねた。

——この塔の家賃は払っているの？

——十二ポンドさ、とバック・マリガンが言った。

——陸軍大臣にね、とスティーヴンが振り返ってつけ加えた。

みんなが立ち止った。ヘインズがつくづくと塔を眺めてからやっとこう言った。

——冬は吹きっさらしだろうな。マーテロ塔*って言うの？

——ビリー・ピットがこういうのをいくつも造らせた、とバック・マリガンが言った。フランス軍*が海にいたころにな。でも、おれたちの塔が《オムファロス》だよ。

――きみのハムレット論ってどんなんだい？　とヘインズがスティーヴンにたずねた。

――だめ、だめ、とバック・マリガンがあわてて叫んだ。いまはトマス・アクィナスも、やつの説を支える五十五の理由も聞く気になれない。まず二、三杯ひっかけてからにしてくれ。

彼は薄黄いろのチョッキの端をきっちり引き下げながらスティーヴンに言った。

――おまえだって三杯は飲まなけりゃ舌がまわるまい、キンチ、なあ？

――ずっと待たされたんだ、とスティーヴンが投げやりに言った。まだ待てるさ。

――好奇心をそそるね、とヘインズがにこやかに言った。逆説のようなものかい？

――冗談じゃない！　とバック・マリガンが言った。おれたちだってワイルドや逆説は卒業したよ。ほんとに簡単なんだ。やつはね、ハムレットの孫はシェイクスピアの祖父である、彼自身は父親の亡霊であるってのを代数で証明するのさ。

――なんだって？　とヘインズがスティーヴンを指さしかけた。彼自身が？

バック・マリガンはタオルをストラ*ふうに首に引っかけ、体を折り曲げてげらげら笑いながら、スティーヴンの耳もとで言った。

――おい、キンチの親父の亡霊め！　父を探すジャフェット*やい！

――ぼくら、いつも朝のうちは疲れているのでね、とスティーヴンがヘインズに言った。それに話せば長くなるから。

バック・マリガンがまた先に立って歩きながら、両手を差しあげた。

――聖なる一杯の酒だけが、よく、ディーダラスの舌を解きほぐすでありましょう、と彼は言った。

――ぼくが言いたいのはね、とヘインズはあとにつづきながらスティーヴンに説明した。この塔とこの崖はどこかエルシノアに似ているってことだよ。《岩盤に覆いかぶさり海に突き出す》*ところなんぞは。ねえ？

バック・マリガンが不意に振り向いてちらとスティーヴンを見たが、何も言わなかった。一瞬のきらめく沈黙のなかで、スティーヴンは安物の埃っぽい喪服を着た自分が派手な服の二人にはさまれて歩いている姿を見た。

――あれはすばらしい物語だよ、とヘインズがまた二人を引き止めて言った。

風に波立つ海のような薄い灰いろの目。いや、もっと薄くて、堅実で、慎重な目。海を支配する者らしく、彼は湾の南を眺めやった。輝く水平線にかすんでたなびく郵便船の煙と、*マグリンズ島のそばを間切って行く帆船のほかには、何もない。

――どこかであれの神学的解釈を読んだことがあるな、と彼はぼんやりした顔で言った。父と御子っていうあの考え方。父と一体になろうとする息子。

バック・マリガンはたちまち嬉しげなにたにた笑いを浮べた。彼は形のいい口をぽかんとあけて二人を見た。その目は不意に抜け目のない本性をぬぐい去り、代りに底抜けの陽気さをたたえてぱちくりまたたいた。彼は人形のように頭を前後に動かして、パナマ帽の広い縁をふるわせ、静かな楽しげな間のびした声で歌いはじめた。

――《*おれは珍妙きわまる若者さ。
おふくろはユダヤ女で、*おやじは鳥だ。
指物師のヨセフとは折合いがつかない。
だから、弟子どもやゴルゴタの丘に乾杯》

彼は気をつけろよと言うように人差指を立てた。

——《おれを神だと思わぬやつらにゃ、
ワインなんぞはめったに飲ませぬ。
*ビールをくれと言わせてやるぞ》

彼は別れの合図にスティーヴンのトネリコのステッキをぐいと引っ張って、崖っぷちへ走り、両側の手を魚のひれか、空に舞いあがる者の翼のようにひらひらさせて歌った。

——《さよなら、あばよ！ おれの言葉を
伝えておくれ、みごと復活したんだぜ。
空を飛ぶのは血筋のせいさ。落ちてたまるか、
*橄欖山《かんらんさん》はそよ風だい。——さよなら、あばよ！》

彼は二人の前を、翼のように両手をひらひらさせ、ぴょんぴょん飛び跳ねながら*フォーティフットの淵へ駆け降りて行った。さわやかな風がメルクリウスの帽子を揺らし、きれぎれに、鳥の歌のような叫び声を二人のもとに運んで来た。

用心して笑っていたヘインズがスティーヴンと並んで歩きながら言った。

——笑っちゃいけないんだろうな。罰当《ばち》りな歌だからね。と言っても、ぼくはべつに信者じゃないよ。でも、ああ陽気にやられるとなんだか毒気が抜けてしまうよね。なんて言うんだい、あれは？　指物師のヨセフ？

——おどけイエスのバラッドさ、とスティーヴンが答えた。

——へえ、とヘインズが言った。前にも聞いたことがあるのかい？

——一日三回、食後にね、とスティーヴンがそっけなく言った。

——きみは信者じゃなかろうね、とヘインズが聞いた。つまり、言葉の狭い意味での信者ってことだけど。無からの創造とか、奇蹟とか、位格神*とかさ。

——その言葉*には一つの意味しかないように思うけどね、とスティーヴンが言った。

ヘインズは立ち止って滑らかな銀のケースを出した。ケースを飾る緑の宝石が一つきらりと光った。彼は拇指《おやゆび》でぱちりと蓋をあけて差し出した。

——ありがとう、とスティーヴンは言って、煙草を一本取った。

ヘインズも一本取って、ぱちりと蓋を閉めた。それを脇ポケットに戻すと、チョッキのポケットからニッケル製のマッチ箱を取り出し、これもぱちりとあけて自分の煙草に火をつけ、マッチの炎を両手でかこってスティーヴンに差し出した。

——そりゃそうだ、二人がまた歩きだすと彼が言った。信じるか信じないか、どっちかしかないよね。実を言うと、ぼくはあの位格神という考えにはついて行けなかった。きみはあれを認めてやしないだろうな？

——このぼくは、とスティーヴンはむっとした顔で言った。自由思想の忌まわしい見本だってわけか。

彼は相手が話しかけるのを待って、脇のトネリコのステッキを引きずりながら歩きつづけた。その石突きがすぐ後ろから、きいきい鳴きながら、軽やかに道をたどって来た。ぼくの*使い魔が呼びながら追って来る。スティィィィィィィィヴン！　道に波がたの線ができていく。やつらは今夜、暗くなってここへ帰って来るときにこの線の上を歩く。あいつはあの鍵がほしいんだ。*鍵はこっちのものだよ。家賃を払ったんだからな。*いまは塩からいパンを食う身か。鍵もやっちまえ。何もかも。くれって言うさ。目つきでわかった。

――つまりね、とヘインズが口を切った……

スティーヴンは振り向いた。そして、自分を値踏みしていた冷たい眼ざしにまるっきり好意がないわけでもないのを知った。

――つまりね、きみには自由に行動する能力があると言いたいんだ。ぼくはきみが誰の指図も受けない男だと思う。

――ぼくは二人*の主人に仕える召使さ、とスティーヴンは言った。イギリスとイタリアの。

――イタリアの？　とヘインズが言った。

狂気の女王*。年老いて、嫉妬ぶかくて。わが前にひざまずけ。

――三人目*もいる、とスティーヴンが言った。使い走りをやらせたがるのが。

――イタリアの？　とヘインズがまた言った。それはどういう意味だい？

――大英帝国、とスティーヴンはかっとなって言った。それに、聖なるローマ・カトリック使徒継承公教会。

ヘインズは話しだす前に、下唇から煙草の屑を取った。

――それはよくわかる、と彼は静かに言った。アイルランド人はそう思うだろうね、きっと。われわれイギリスの人間は、きみたちに不当な仕打ちをしてきたと思っている。悪いのは歴史らしいな。

　誇らしく強大な名称がスティーヴンの記憶にこだまして、耳ざわりな勝利の鐘を鳴り響かせた。《*一《イッ》、聖、公、使徒継承ノ教会》。祭式と教理はゆっくりと成長し変貌してきた。彼自身の希有《けう》な思考のように、星々の化学変化のように。*教皇マルケルスのミサの使徒信経。まじり合う声々が、声々だけが、高らかに信仰のあかしを歌う。その聖歌の背後で、*戦いの教会の守護天使が異端の首領らの武器を奪い威嚇した。司教冠をあみだにかぶって逃げてゆく異端の群。*フォティウスと嘲笑者たちの一族。マリガンもその一人だ。一生をかけて御子と父の同一実体性に戦いを挑んだ*アリウス。キリストの現世肉体説をはねつけた*ヴァレンティヌス。父御自身がみずからの御子であると主張した難解なアフリカの異端指導者*サベリウス。いましがた、マリガンがこのよそ者にふざけちらしてしゃべった言葉。空しい嘲笑だ。*風を織る者たちすべてを待つものはただ空無のみ。隊列を組んだ教会の守護天使たちが、威嚇し、武器を奪い、破滅せしめる。いったん危急生ずれば、いつなりとも、ミカエルの率いるこの天軍が槍と楯をもって教会を守る。

　いいぞ！　長くつづく拍手。《*ちぇっ！　馬鹿ばかしいや！》

　――そりゃあぼくはイギリス人だし、とヘインズの声が言った。そういう人間として考えるよ。ぼくだって自分の国がドイツ系ユダヤ人に支配されるのを見たかあない。これがいまの国家的な問題なんだけどね。

二人の男が崖っぷちに立って眺めていた。商人と船頭だ。

――*ブロック港へ行きますぜ。

船頭はいくらか軽蔑するように湾の北を顎でしゃくった。

――向うが五*尋《ひろ》の淵だからね、と彼は言った。一時になって潮が満ちりゃあっちへ流れまさ。今日で九日になるんだから。

溺死した男。一隻の帆船が空っぽの湾をあちこち動きながら待っている。ふくれた水死体がぽっかり浮いて、ぐるりと仰向き、塩水で白くふやけた顔を日にさらすのを。そら、おれはここだよ。

二人は曲りくねった小道をたどって入江に降りた。バック・マリガンが上衣をぬいで石の上に立っていた。クリップをはずしたネクタイを肩越しに風になびかせて。一人の若者が近くの岩の突出しにつかまり、深いゼリー状の水のなかで緑いろの脚を蛙のようにゆっくり動かしていた。

――弟さんもいっしょかい、マラカイ？

――やつはウェストミーズだ。バノンの家に泊っている。

——まだ向うなの？　バノンから葉書をもらったよ。あっちで*いい娘を見つけたって。フォート・ガールだとさ。

——*スナップショット一発ってわけか？　短時間露出だな。

バック・マリガンは腰をおろして靴の紐をほどいた。岩の突出しの近くで、一人の初老の男がぽっかり赤い顔を出して潮を吹いた。彼は石伝いによじ登った。頭のてっぺんや、*そのまわりを花冠状に取り巻く灰いろの髪に水が光り、胸や腹を水が流れ伝い、だらりと垂れた黒いパンツから水がほとばしり落ちた。

バック・マリガンはよじ登って行く男に道をあけて、ヘインズとスティーヴンをちらりと見やり、拇指の爪で*額と唇と胸骨の上にうやうやしく十字を切った。

——シーマーが町に帰って来たぜ、と若者がまた岩の突出しにつかまりながら言った。医者になるのはやめて軍隊に行くんだとさ。

——*へえ、神様のところへでも行きやがれ！　とバック・マリガンが言った。

——来週、猛勉しに向うへ行くんだって。あのカーライルの家の赤毛の娘を知ってるだろ、リリーってのを？

——ああ。

——ゆうべ、桟橋でやつといちゃついていたぜ。父親がくさるほど金を持ってる。

――彼女、はらんでるのか？

――そいつはシーマーに聞くんだね。

――シーマーが将校とはねえ！　とバック・マリガンが言った。

彼は一人でうなずきながらズボンをぬぎ、立ちあがって月並なことを言った。

――赤毛の女は山羊みたいに跳ねるってな。

彼はぎょっとして言葉を切り、はためくシャツの下の脇腹をさぐった。

――十二番目の肋骨がないぞ、と彼は叫んだ。おれは*《超人》だ。歯なしのキンチとおれは超人だ。

彼は身をよじってシャツをぬぐと、後ろの服を置いてある場所へほうった。

――ここからはいるの、マラカイ？

――ああ、ベッドをすこしあけてくれ。

若者はぐいと水を切って体を後ろへ押しやり、ゆっくりした、きれいな抜き手の二掻きで入江のなかに出た。ヘインズは石に腰をおろして煙草を吸った。

――はいらないのか？　とバック・マリガンが聞いた。

――あとでね、とヘインズが言った。朝飯を食べてすぐはやめとく。

スティーヴンは戻りかけた。

――もう行くよ、マリガン、と彼は言った。

――あの鍵をくれよ、キンチ、とバック・マリガンが言った。おれのシュミーズ*の重しにするからさ。

スティーヴンは鍵を渡した。バック・マリガンは積み重ねた服の上に置いた。

――それから二ペンス、と彼は言った。一杯やる分だ。そこへ投げてくれ。

スティーヴンは柔らかな塊の上に銅貨を二枚ほうった。服を着る、服をぬぐ。バック・マリガンはまっすぐに立ち、体の前で両手を組み、おごそかに言った。

――*貧しき者より盗む者はエホバに貸すなり。ツァラトゥストラかく語りき。

肉づきのいい体が水に飛びこんだ。

――あとで会おう、とヘインズは振り向いて、小道を登るスティーヴンに言った。とっぴなアイルランドふうの表現に微笑しながら。

*牡牛の角、馬の蹄《ひづめ》、サクソン人の微笑。

――シップでな、とバック・マリガンが叫んだ。十二時半だ。

――わかった、とスティーヴンが言った。

彼は曲りくねる崖の小道を登った。

《百合ニ飾ラレ輝ク。
歓ビ歌ウ童貞ナンジヲ。
囲マンコトヲ》

窪みのなかでつつましく服を着る司祭の*灰いろの輪光。今夜はここでは寝ない。家に帰ることもできない。

甘い長く尾を引く声が海から彼に呼びかけた。彼は角を曲りながら手を振った。声がまた呼んだ。つややかな茶いろの頭が、あざらしの頭が、遠くの水の上に、まるく。

*王位を奪うやつ。

2　ネストル

場所——ドーキーの学校

時刻——午前十時

スティーヴンは塔から歩いて約十五分のところにある学校で、勉強する気のない生徒たちに古代ローマ史と一七世紀のイギリスの詩を教える。生徒に質問を出して、彼らが理解できないことを口走るが、これは彼の屈託と関係がある。授業のあとで一人の生徒に代数の手ほどき。校長のディージーから給料を受け取り、彼の書いた口蹄疫についての投書を知り合いの編集者に渡してくれと頼まれ、話してみようと言う。

学芸——歴史　色彩——褐色　象徴——馬　技術——教義問答（個人的）

神話的対応——ディージーが『オデュッセイア』のネストル（トロイアで戦うギリシアの将軍たちの最年長で最も賢い者）に対応する。

主要人物

○ギャレット・ディージー　Garrett Deasy ——校長。近在の裕福な家庭の子弟のため、イギリス式の教育をほどこすのが目的の小さな私立学校を経営する。アルスター出身のプロテスタント。イギリスの支持者で、ユダヤ人嫌い。スティーヴンを過激派フィニア会の仲間と考えているが、才能は買っている。

——きみ、コクラン、*どの都市が彼を呼んだ？

——タレントゥムです。

——よろしい。それで？

——戦争になりました。

——よろしい。どこで？

少年の空ろな顔が*空ろな窓にたずねた。

*記憶の娘たちの作り話かな。でも、記憶が作りあげたとおりではなくとも、ともかく実在してはいたのだ。だから、いらだちの言葉が、ブレイクの*放逸の翼の重い羽ばたきが。ぼくは全空間が廃墟となり、鏡が砕け、石の建築が崩れ落ち、時がついに一つの青白い炎となって燃えるのを聞く。じゃあ、あとには何が残る？

——場所は忘れました。紀元前二七九年です。

——アスクルムだ、とスティーヴンは言った。*血まみれ傷だらけの本の地名と年代に目をやりながら。

——そうです。そして彼は言いました、《もう一度こういう勝ち方をしたらわれらは破滅するぞ》。

全世界がその言葉を記憶に留めた。冴えない気休めだ。丘の上から死体の散らばる平野を見おろし、槍にすがって、将軍は幕僚たちに語りかける。どの将軍も、どの幕僚たちにでも。彼らは耳を貸しはする。

——きみ、アームストロング、とスティーヴンは言った。ピュロスの最期はどんなだった？

——ピュロスの最期ですか？

——知ってます、先生。ぼくに当てて、とカミンが言った。

——待ちなさい。きみだ、アームストロング。何かピュロスのことを知ってるかい？

アームストロングの鞄には、*乾イチジク入りロールの袋がちんまりと収まっていた。ときどき、彼はそれを両の掌のあいだで捻《ひね》ってそっと呑み込む。唇の薄皮にロールの屑がくっついていた。甘ったるい少年の息。金持の一家だ。長男が海軍にいるのを自慢している。ドーキーの*ヴィーコ道路。

――ピュロスですか？　ピュロスは*ピア。

みんなが笑った。陰気な、意地の悪い高笑い。アームストロングは級友たちを見まわした。間の抜けた嬉しそうな横顔を見せて。もうすぐ、こいつらはもっと大きな声で笑い出すだろう。ぼくには抑え切れないのも、パパたちが月謝を払っているのも知ってるからな。

――じゃあ聞くが、とスティーヴンは本で少年の肩をこづきながら言った。ピアってなんだい？

――ピアって、とアームストロングが言った。海に突き出ているものです。橋みたいに。*キングズタウン・ピアとか。

何人かがまた笑った。陰気に、意味ありげに。後ろの席の二人がこそこそささやいた。そう。こいつらは知ってる。教わったことはないのに無知ではない。みんな。彼は妬ましげにみんなの顔を眺めた。イーディス、エセル、ガーティ、リリー。その同類。あの女たちの息もお茶とジャムの甘ったるい匂いがした。いちゃつくたびに、腕輪がくすくす笑った。

――キングズタウン・ピアか、とスティーヴンが言った。そう、*当て外れの橋だね。

この言葉がみんなの眼差しをとまどわせた。

――どうしてですか？　とカミンが聞いた。橋は川にかけるものですよ。

ヘインズの*チャップブックにお誂え向き。ここで話したってしようがない。今夜、酒盛りと馬鹿っ話の最中に、磨きあげたやつの心の鎧《よろい》をみんごと刺し貫いてやるか。それでどうなる？　*大目に見てもらい軽んじられる宮廷道化師が寛大な御主人様にお褒めいただくだけのこと。みんなはなぜあんな役を選んだのかな？　頭を撫でてもらうためだけじゃあるまい。連中にとっても歴史なんて聞き飽きたお話みたいなもので、*自分たちの国は質屋みたいなものなんだ。

ピュロスがアルゴスの町で老婆の手にかからなかったら、またはユリウス・カエサルが刺し殺されなかったら。考えて消してしまえるわけじゃなし。時が二人に烙印を押したのだから。二人は足枷《あしかせ》をはめられて、自分が追い払った無数の可能性と一つ部屋に閉じ込められたのだから。でも、そういう可能性はつまりは実現しなかったのだから、可能だったと言えるのかな？　それとも、実現したものだけが可能だったのかしら？　織るがいい、*風の織り手よ。

――先生、お話して下さい。

――して下さいよ。幽霊の話がいいや。

――これはどこからだった？　とスティーヴンは別の本を開いてたずねた。

――《泣くな》からです、とカミンが言った。

――じゃあ、そこから、トールボット。

――お話は、先生？

――あとで、とスティーヴンが言った。はじめなさい、トールボット。

浅黒い少年が本を開いて、すばやく鞄の胸壁の陰に立てかけた。彼は本にちらちら目をやり、ぎくしゃくしながら詩を暗誦するふりをした。

――《*泣くな、悲しむ羊飼たちよ、泣くな、
そなたらの歎きの元、リシダスは死んだのではない、
たとえ水底《みなそこ》深く沈んだにしても……》

*だからこれは、つまり可能なものとしての可能態が現実態になることは、一つの運動でなければならない。口早にしゃべり立てられる詩句のなかで、アリストテレスの言葉が形を成し、聖*ジュヌヴィエーヴ図書館の勤勉な静けさのなかに流れ出て

行く。あそこで、毎夜、パリの罪を避けて読書にいそしんだものだ。隣の席ではきゃしゃな*シャム人が戦略教本に読みふけっていたっけ。ぼくのまわりには*養分を受け入れ、養分を与える頭脳たちがいた。白熱灯の下で、釘づけになって、かすかに触角をふるわせながら。ぼくの心の闇のなかで、意識下に住まう怠惰が光にさらされるのを嫌いながら、仕方なげに、竜の鱗に覆われたとぐろを動かした。*思考とは思考について思考することである。静かな輝き。*魂とは、いわば、存在するもののすべてである。*魂とは形相の形相である。とつぜんに生じる、広大な、白熱する静寂。形相の形相。

トールボットが繰り返した。

――《*波の上を歩まれた主の御力により、
御力により……》

――ページをめくれよ、とスティーヴンは静かに言った。ぼくは何も見ていない。

――なんですか？　とトールボットは体を乗り出してさりげなく聞いた。

彼の手はページをめくった。彼は体をもとに戻してまた先をつづけた。たったいま思い出したように。波の上を歩まれた主のことを。ここにも、こいつらのけちな心にも主の影がおよんでいる。*あの嘲笑する男の心と唇にも、ぼくのにも。貢《みつぎ》の銀貨一枚を差し出した者たちの熱心な顔にも。*カエサルのものはカエサルに、神のものは神に。*黒い目がじっとみつめる。教会の織機で織り直され、織り返される謎にみちた言葉。まことに。

≪*この謎なあに、この謎なあに。
父さんが種まきの種くれた≫

トールボットが本を閉じてそっと鞄のなかに入れた。
――これでみんなに当てたかな？　とスティーヴンが聞いた。
――はい。十時からホッケーです。
――半日なんです。木曜日だから。
――誰か謎が解けるかい？　とスティーヴンが聞いた。
みんなは鉛筆をかちゃかちゃ鳴らし、ページをかさかささせて教科書をまとめた。みんなが集まってやかましくしゃべりながら、鞄の革紐を締め、留金をかけた。

——謎ですか？　ぼくに聞いて。

——ねえ、ぼくに聞いて。

——むずかしいのをね、先生。

——謎はこうだよ、とスティーヴンが言った。

《雄鶏*が鳴いた。
空は青かった。
天の鐘が
十一時を打った。
このあわれな魂が
天国へ行くときだ》

——これは何か？

——なんですか？

――先生、もう一度。聞えなかった。

謎を繰り返すと、少年たちの目がもっと大きくなった。ちょっと静まったあとでコクランが言った。

――それ、なんですか？　ぼくら降参します。

スティーヴンは喉がむずがゆくなるのを感じながら答えた。

――狐が自分の婆さんをヒイラギの下に埋めているところさ。

彼が立ちあがって神経質な高笑いをほとばしらせると、少年たちの叫び声がとまどうようにこだまし合った。

スティックがドアを叩き、廊下の声が呼んだ。

――ホッケーだぞ！

みんなはベンチからにじり出たり飛び越えたりして散らばった。すぐにみんないなくなり、物置部屋からスティックががちゃがちゃぶつかる音や靴音やおしゃべりの騒がしい響きが聞えてきた。

ひとり残ったサージャントがのろのろと前に出てきた。練習帳を開いて見せながら。もしゃもしゃの髪の毛と筋張った首がのろまな気質をさらけ出している。曇った眼鏡越しに、弱い目が訴えるように見あげた。青白い血の気の失せた頰にナツメヤシの実のようなぼやけたインキの汚れ。さっきくっつけたばかり、カタツムリの寝床みたいに湿って。

彼は練習帳を差し出した。見出しに《算術》という言葉が書いてある。その下に斜めにかしいだ数字が並び、最後に、いくつもの輪飾りがくっついているねじれた署名。それにインキのしみがぽつんと一つ。シリル・サージャント、名前と押印《おういん》か。

——ディージー先生がこれをみんな書き直せって言ったんです、と彼は言った。そして先生に見てもらえって。

スティーヴンは練習帳の縁にさわった。空しい仕事。

——もうやり方はわかったのかい？　と彼は聞いた。

——十一番から十五番までは、とサージャントが答えた。ディージー先生が黒板のを写せって言ったんです。

——自分で解けるの？　とスティーヴンが聞いた。

——解けません。

醜くて空しい。細い首、もしゃもしゃの髪の毛、インキのしみ、カタツムリの寝床。でも、どこかの女がこの子を愛した。彼を腕に抱き心にかけた。彼女がいなかったら世間の生存競争に巻きこまれて踏みにじられていたろう。ぐしゃりつぶれた骨なしのカタツムリ。彼女はわが血を引くこの弱い水っぽい血を愛した。*じゃあ、あれは実在していたのか？　人生でただ一つの真実なのか？　*火のような気性のコルンバヌスは信仰の熱意に駆られて、横たわる母親の体をまたいだけれど。彼女はもういない。ふるえる小枝のような骨が炎のなかで燃えた。紫檀と濡れた灰の匂い。彼が踏みにじられるのを救って、いなくなった。この世にいたなんて言えないくらい。あわれな魂が天国に行った。荒野のなかで、またたく星明りの下で、一匹の狐が獲物の赤い血の匂いを下毛にからませ、無情な目を光らせて、土を掘り起す。聞き耳を立て、土を掘り返し、聞き耳を立て、掘り返し、また掘り返す。

スティーヴンは彼のそばに腰をおろして問題を解いた。やつはシェイクスピアの亡霊がハムレットの祖父であるってのを代数で証明するのさ。サージャントはずり落ちかけた眼鏡越しに横目でのぞいた。物置部屋でホッケースティックががちゃがちゃ鳴った。運動場から聞える鈍い球の音と叫び声。

ページの上を、記号たちがおごそかに*モリス・ダンスを踊りながら横切って行く。文字のだんまり劇のなかを、二乗や三乗の古風な帽子をかぶって。*手を与えて、交差して、相手におじぎ。そう。ムーア人たちの空想から生れた小鬼たち。*アヴェロエスも、モーゼズ・マイモニデスもこの世からいなくなった。顔つきも振舞いも暗くて定かならぬ男たちが、闇に包まれた世界霊魂*を、光*のなかで輝いているが光には理解できない暗闇を、嘲笑の鏡にきらりと反射させてから。

——これでわかった？　二度目は自分でできるかい？

——はい。

サージャントはおぼつかない手つきでゆっくりと数字を写した。絶えず助けの言葉を待ちながら、頼りなげな記号を忠実に動かした。その青白い肌の奥でかすかな恥の赤らみがゆらめいた。《母ノ愛》*。主格的属格、および対格的属格。彼女は薄い血と酸っぱい乳で彼を育て、彼の産着《うぶぎ》を人目から隠した。

ぼくもこんなだった。この撫で肩。このぶざまな恰好。ぼくの少年時代がいま隣でうつむいている。あまりにも遠すぎてほんの軽く手を添えてやることさえできない。ぼくの少年時代は遠い彼方。彼のは秘密を隠している、ぼくらの目のように。二人の心の暗い宮殿には、さまざまな秘密が黙りこくったまま石のようにじっと坐っているのさ。自分たちの専制に飽きた秘密どもが。王座から引きずりおろされるのを待っている暴君たちが。

計算は終った。

――ほんとに簡単だろ、とスティーヴンは立ちあがりながら言った。

――はい。どうもありがとう、とサージャントが答えた。

彼は薄い吸取紙を当ててページを乾かしてから、練習帳を席に持ち帰った。

――スティックを持ってみんなのところへ行けよ、とスティーヴンは少年のぶざまな姿を追ってドアに歩きながら言った。

――はい。

廊下に出ると、運動場から彼の名前を呼ぶ声が聞えた。

――サージャント！

――さあ、走れ、とスティーヴンが言った。ディージー先生が呼んでるぞ。

彼はポーチに立って、のろまな少年が戦いの場へ急ぐのを見まもった。甲高い声が争っていた。チーム分けが終ると、ミスタ・ディージーはゲートルを巻いた足でまばらな草地を踏みながらこちらへ来た。校舎まで来ると、声がまた口々に争って彼を呼び立てた。彼は怒って白い口ひげを振り向けた。

――今度はなんだ？　と彼はろくに聞きもせずにどなりつづけた。

――コクランとハリデイが同じチームにいるんです、とスティーヴンが言った。

――ちょっと書斎で待っててくれないか、とミスタ・ディージーが言った。この騒ぎを静めて行くから。

せわしい足どりで運動場を戻って行く老人の声がきびしく響いた。

——どうした？　今度はなんだ？

少年たちの甲高い声が彼を取り巻いて叫んだ。みんなが彼のまわりにひしめき合い、まばゆい陽光がまだら染め蜂蜜いろの頭を白くさらした。よどんだ煙《けむ》っぽい空気が書斎にただよい、すり切れた薄茶いろの革椅子の匂いとまじり合っていた。最初の日にここで話を決めたときもそうだった。*初めにありしごとく、いまも。サイドボードの上に*スチュアート貨幣を入れた皿がある。沼地から掘り出したつまらぬ宝物。いつも。色あせた紫ビロードのスプーンケースのなかには、十二の*使徒像スプーンがすべてのキリスト教徒たちに説教をなし終えてきっちりと納まっている。世々にいたるまで。

せかせかした足音がポーチの石の床から廊下にはいってくる。ミスタ・ディージーは吐く息でまばらな口ひげをそよがせながらテーブルのそばに立った。

——まず、ささやかな精算、と彼は言った。

彼は上衣から革紐を巻いた札入れを取り出し、ぱさりと開けると、なかから二枚の紙幣を出してそっとテーブルの上に置いた。その一枚は二つに裂けたのをつないだものだ。

――二ポンド、と彼は札入れに革紐をかけてしまいながら言った。

さて、次は黄金を入れておく宝箱。スティーヴンの手は、所在なげに、冷たい石の鉢に盛った貝殻の上をさまよった。バイ、宝貝、枕貝。これはアラブ首長のターバンみたいに渦を巻いている。こっちは聖ヤコブの帆立貝。老いた巡礼の秘蔵の品、死んだ宝物、空っぽの貝。

真新しいぴかぴかのソヴリン金貨が柔らかな厚ぼったいテーブルクロスの上に落ちた。

――三ポンド、とミスタ・ディージーが小さな貯金箱を手のなかでひねくりながら言った。こんなのが手もとにあると便利だよ。ほら。ここにソヴリン金貨を入れる。ここにシリング銀貨を入れる。六ペンス銀貨、半クラウン銀貨。ここがクラウン銀貨。ほら。

彼はその箱からクラウン銀貨二枚とシリング銀貨二枚をはじき出した。

――三ポンド十二シリング、と彼は言った。これで合っていると思うが。

――ありがとうございます、とスティーヴンは恥ずかしげに急いで金を掻き集めると、まとめてズボンのポケットに突っこみながら言った。

――なあに、礼を言うことはありません、とミスタ・ディィージーが言った。きみがかせいだ金だ。

スティーヴンの手はまた自由になって、空っぽの貝殻の山へ戻った。美と力の象徴でもある。ポケットの一握り。貪欲と貧困にけがされた象徴だ。

――そんなところに金を入れるもんじゃない、とミスタ・ディージーが言った。どこかで引っ張り出すときになくしてしまう。ともかく、こういう仕掛けを買いなさい。じつに便利なものだよ。

何か答えろ。

――ぼくが買っても空っぽのほうが多いでしょう、とスティーヴンは言った。

同じ部屋と時間、同じ処世訓。それに、ぼくも同じ。これで三度目だ。ここで三本の首吊り縄が巻きついた。どうする？　その気になればたったいまでも断ち切ることはできるさ。

――きみは貯金をしないから、とミスタ・ディージーが指を突きつけて言った。金がどういうものかわからないのです。金は力だよ。きみもわたしぐらい長く生きればなあ。わかってる、わかってる。もし青春が知るならば、だ。だがシェイクスピアはどう言ってる？　《ともかく財布には金を入れておけ》[*]だよ。

——*イヤーゴーです、とスティーヴンはつぶやいた。

彼は無用の貝殻から目をあげて、ミスタ・ディージーを見返した。

——彼は金がどういうものか知っていた、とミスタ・ディージーが言った。金を儲けた。詩人ですよ、確かにね。だがイギリス人でもある。イギリス人が誇りにするのは何か知ってるかい？ イギリスの人間が何より誇らしげに口にする言葉は何か知ってるかい？

海洋の支配者。*海のように冷たいあいつの目が空っぽの湾を眺めた。悪いのは歴史らしいな。ぼくと、ぼくの言葉を。憎しみなしに。

——わが帝国に、とスティーヴンが言った。太陽の沈むことなしっていうあれ。*

——へっ！ とミスタ・ディージーが叫んだ。あれはイギリス人のじゃない。フランスのケルト人が言ったのさ。

彼は貯金箱で拇指の爪をこつこつと叩いた。

——教えてあげよう、と彼はおごそかに言った。イギリス人が何より誇らしげに自慢するのは、《自分の金で生きた》ということです。

律儀な男だ、律儀な男だ。

——《わたしは自分の金で生きた。これまでに一シリングの借金もしていない》。

これは身にこたえるかな？《なんの借りもない》。どうだね？　カランに十ギニー。*マリガンに九ポンド、靴下三足、ぼろ靴一足、ネクタイ数本。テンプルに昼飯二回。ラッセルに一ギニー。カズンズに十シリング。ボブ・レノルズに半ギニー。コーラーに三ギニー。ミセス・マッカーナンに下宿代五週間分。この一握りじゃどうしようもない。

――いまは別に、とスティーヴンは答えた。

ミスタ・ディージーは貯金箱を下に置きながら、心からおもしろそうに笑った。

――こたえないと思った、と彼は楽しげに言った。だが、いつかはこたえるにちがいない。*われわれは気前のいい民族だが公正でもなけりゃならないからね。

――そういう大げさな言葉はこわいな、とスティーヴンが言った。それがみんなを不幸にするんですよ。

ミスタ・ディージーはすこしの間いかめしい顔になって、暖炉の上の格子縞キルトの体格のいい男をみつめた。*イギリス皇太子アルバート・エドワード。

――*きみは老いぼれの時代遅れの保守主義者めと思っているんだろうが、と彼の思慮深げな声が言った。わたしはオコネルの時から三世代の変転を見てきた。四六年の飢饉も覚えている。オレンジ会員らが連合の撤廃を叫んで騒乱を起したのを知ってるかな？　オコネルが撤廃運動をやって、きみらの教会のお偉方に煽動政治家呼ばわりされる、その二十年も前の話なんだよ。きみたちフィニア会の連中は何か忘れてやしませんか。

栄光に輝き、敬虔にして、不滅の思い出に。輝かしきアーマー州のダイヤモンド集会所に、法王の手先どもの死骸を吊して。声をからし、顔を覆い隠し、武器を手に、植民者の契約を。黒い北、ゆるがぬ青の聖書。くたばれ、クロッピーども。

スティーヴンはちょいとした仕種《しぐさ》を見せた。

――わたしも反逆者の血を引いている、とミスタ・ディージーが言った。母方からね。だが、わたしは連合に賛成の投票をしたサー・*ジョン・ブラックウッドの子孫です。われわれはみんなアイルランド人なんだ。みんなが*王たちの子ですよ。

――悲しいことに、とスティーヴンが言った。

――《*正シキ道ニヨリテ》、とミスタ・ディージーがきっぱり言った。これが彼の銘です。彼は賛成の一票を投じた。そのために*トップブーツをはいて、*ダウン州のアーズからダブリンまで馬で出るつもりになった。

《*ぶらり、ぶらぶら、
岩の小道をダブリンへ》

ぴかぴかのトップブーツをはいて馬に乗った、いかつい地主さん。いいおしめりで、サー・ジョン！　いいおしめりで、旦那様！……おしめりで！……おしめりで！……二本のトップブーツがぶらりと揺れてダブリンへ。ぶらり、ぶらぶら。ぶらぶら、ぶらり。

——それで思い出したぞ、とミスタ・ディージーが言った。ミスタ・ディーダラス、ひとつ、きみの文学仲間に口をきいてもらえないかな。新聞に投書をするのでね。まあ坐ってくれ。最後を清書すればすむから。

彼は窓のそばのデスクへ行き、二度ほど椅子を引き寄せ、タイプライターの円筒に巻いてある紙面の言葉のいくつかを確かめた。

——かけなさい。失礼するよ、と彼は肩越しに振り返って言った。《良識の命じるところ》と。すぐです。

彼は太い眉の下から手もとの原稿をのぞいて、ぶつぶつつぶやき、重いキーボードのキーをゆっくり叩きだした。ときどき円筒を巻き上げ、間違いを消し、息で吹き払いながら。

スティーヴンは皇太子の御前にそっと腰をおろした。まわりの壁には、いまは亡い名馬たちが額縁に収まって恭順の意を示している。おとなしい頭を高くもたげて。*ヘイスティングズ卿の持馬《リパルス》、ウェストミンスター公爵の《ショットオーヴァー》、ボーフォート公爵の《セイロン》、一八六六年《パリ賞》。小さな騎手たちが乗って、合図を待ちかまえている。彼は馬たちが疾走するのをみつめ、英国国旗に賭け、いまは亡い観衆の喚声にまじって叫んだ。

——終り、とミスタ・ディージーがキーに命じた。《しかし、このまことに重要な問題を直ちに公表することが……》

クランリーが手軽に儲かるぜと言って引っ張って行った場所。勝馬をさぐるために、泥散《はね》をかぶった四輪馬車の群をくぐり抜け、店を張る馬券屋のわめき声を浴び、屋台から流れる食い物の匂いを突っ切り、こね返されたぬかるみを歩きまわった。《フェアレベル！　フェアレベル！》本命は一対一。その他の全出走馬は十対一。ぼくらは蹄や競い合う騎手帽やジャケットを追って、さいころ賭博師やいかさま手品師のそばを駆け抜け、ぼってりした顔つきの女のそばを通り過ぎた。肉屋のかみさんだ。オレンジの一切れに鼻を突っ込んで、むさぼるようにしゃぶってい

た。

少年たちのいる運動場で甲高い叫びが湧き、ホイッスルがピリピリと鳴った。もう一度。ゴール。ぼくもみんなの一人だ。入り乱れてぶつかり合う肉体の一つ。人生の馬上槍試合で。あのすこし腹痛気味みたいな内股のお母さんっ子が？*馬上槍試合。時間がぶつかって跳ね返る。ぶつかるたびに。馬上槍試合。戦場の泥《でい》濘《ねい》と怒号。刺し殺された者の血へどがこごりつく。血まみれの内臓を穂先に引っかけた槍の雄叫《おたけ》び。

——さあ、よし、とミスタ・ディージーが立ちあがって言った。

彼は手紙をピンで綴じながらテーブルのそばへ来た。スティーヴンは立ちあがった。

——論旨は簡潔しごく、とミスタ・ディージーが言った。口蹄疫《*こうていえき》のことでね。まあ、目を通してごらん。この問題については、もうほかに言いようがないでしょう。

御紙の貴重な紙面をお借りしたく。かの《自由経済主義》*はわが国の歴史にまことにしばしば。われわれの家畜貿易は。わが旧来の諸産業のすべてがたどる道。ゴールウェイ築港計画を邪魔だてしたリヴァプールの同業者一味。ヨーロッパに大戦火が起れば。狭い海峡水路から穀物を供給するのは。完璧きわまる農林省の沈着ぶり。古典の引用をお許しいただき。*女預言者カッサンドラ。*ふしだらな女のために。当面の問題にはいるならば。

——歯に衣《きぬ》は着せていないはずだが、とミスタ・ディージーは読みつづけるスティーヴンに聞いた。

口蹄疫。コッホ予防法として知られ。血清と痘苗《とうびょう》。予防接種をした馬の比率。牛疫。*ニーダーエスターライヒ州ミュルツシュテークの皇帝御料馬は。獣医たち。ミスタ・*ヘンリー・ブラックウッド・プライス。公正な試用を乞うとの鄭重な申し出があり。良識の命じるところ。まことに重要な問題。文字どおり*牡牛の角を引っ捕え。貴欄掲載の御好意に感謝して。

——これを新聞に載せて読んでもらいたいと思っている、とミスタ・ディージーが言った。今度、疫病が流行したら、アイルランドの牛は輸出の差し止めをくらいますよ。それに、これは治せる。現に治っている。いとこのブラックウッド・プライスの手紙によると、オーストリアの獣医たちは適正な治療を施して治しているそうです。連中はこっちへ来ようと申し出ている。わたしは農林省を動かそうとしているのだが。今度は世論に訴えてみるよ。いろいろと邪魔がはいってね、……陰謀とか、……裏口の取引とか、それに……

彼は人差指を立てると、言葉が出てこないのをもどかしがるように振りつづけた。

——よく聞いてくれよ、ミスタ・ディーダラス、と彼は言った。イギリスはユダヤ人の手に握られている。最高の地位にいるのは全部そう。財界も、新聞も。これは国家衰亡の兆しですよ。やつらが集まれば、かならず国家の生命力を食らいつくす。わたしは長年のあいだ事態の成行きを見てきたのだ。ユダヤ商人どもがもう破壊工作をはじめているのは絶対に確実だよ。昔ながらのイギリスは死にかけているのです。

彼がつとその場を離れて明るい日の光*のなかにはいると、目の青さが生き生きとよみがえった。彼は横を向いてから、また顔をもとに戻した。

——死にかけている、と彼はまた言った。もう死んでいるのでなければね。

*《通りから通りへ伝わる娼婦の叫びが

古いイギリスの死衣を織りあげよう》

ヴィジョンを追い求めて大きく見開いた目が、自分の立っている日射しの向うをいかめしくみつめた。

――商人ってのは、とスティーヴンが言った。ユダヤ人だろうとキリスト教徒だろうと、安く買って高く売るものでしょう？

――やつらは光に背いて罪を犯したのです、とミスタ・ディージーはおごそかに言った。だから、見るとおりやつらの目には暗闇がある。だから今日まで地上を放浪しつづけている。

パリの株式取引所の階段の上で、黄金の肌の男たちが宝石をはめた指で値をつける。鵞鳥みたいにぎゃあぎゃあわめいて。彼らは声高にしゃべり、寺院のまわりに群がる。異様な風体で。ぶざまなシルクハットをかぶって頭にびっしり策略を詰め込んで。彼らのではない。この服装も、この言葉も、この身振りも。彼らの強くて重々しい眼差しは、その言葉や、ひたむきで控えめな身振りにそぐわないのだ。だがその目は、まわりに積み上げられた憎しみを知っている。自分たちの熱意が空しく終るのを知っている。耐えながら積み重ね貯め込んでも空しい。時がすべてを蹴散らすに決ってる。道ばたに積み上げた宝の山だ。かすめ取られ、人手に渡り。その目は放浪の歳月を知っている。耐えるがゆえに、おのれの肉の汚辱を知っている。

——誰*だってそうでしょう？　とスティーヴンが言った。

——どういうこと？　とミスタ・ディージーが聞いた。

彼は一歩前に出てテーブルのそばに立った。下顎が横っちょにゆがんで、不安げにぽかんと開いた。これ*が老年の知恵かしら？　こっちの言葉を聞きたがってる。

——歴史というのは、とスティーヴンが言った。ぼくがなんとか目を覚ましたいと思っている悪夢なんです。

運動場で少年たちの喚声が湧いた。ホイッスルがピリピリと鳴った。ゴール。その悪夢がおまえを蹴返したらどうなる？

——創造主の道はわれわれの道とは違う、とミスタ・ディージーが言った。すべての歴史は一つの大いなる目的に向って動いているのです、神の顕示に向って。

スティーヴンは拇指をぐいと窓に向けて言った。

——あれが神です。

いいぞう！　わあい！　ピリピリィ！

——何が？　とミスタ・ディージーが聞いた。

——通り*の叫びがです、とスティーヴンは肩をすくめて答えた。

ミスタ・ディージーは下を向いて、指先でちょっと小鼻をひねり、また上を向いて指を放した。

――わたしはきみより幸せだな、と彼は言った。われわれはたくさんの過ちやたくさんの罪を犯しましたよ。*一人の女がこの世に罪を持ち込んだせいでね。ヘレネというふしだら女、夫メネラオスを捨てて逃げた妻のために、ギリシア人は十年かけてトロイアを攻めた。また、一人の不実な女がこのわれわれの土地によそ者を引き入れた。*マクマローの妻と、その情夫ブレフニーの領主オロークがね。一人の女が*パーネルを失脚させもした。わたしはたくさんの過ちやたくさんのへまをしでかしてきたがね、*その一つの罪だけは犯していません。老い先短い身の上でいまも戦っている。だが、死ぬまで正義のために戦うつもりですよ。

《*アルスターは戦うぞ。
アルスターは正しいぞ》

スティーヴンは手にした手紙を上げてみせた。

――さて、じゃあ、と彼は口を切った。

――わたしにはわかる、とミスタ・ディージーが言った。きみはいつまでもここの仕事をつづけちゃあいないだろうね。教師って柄《がら》じゃない、そう思いますよ。間違いかもしれないが。

――むしろ、学ぶ人ってところでしょう、とスティーヴンが言った。

では、この上ここで何を学ぶ？

ミスタ・ディージーは首を横に振った。

――どうかな、と彼は言った。学ぶには謙虚でなけりゃあ。でも、人生ってやつは偉大な教師だから。

スティーヴンはまた手紙をがさがささせた。

――こっちのほうは、と彼は口を切った。

――そう、とミスタ・ディージーが言った。そのコピーは二通ある。両方を同時に載せてもらえれば。

《テレグラフ》[*]。《アイリッシュ・ホームステッド》[*]。

――やってみましょう、とスティーヴンが言った。明日お知らせします。編集者を二人、ちょっと知っていますから。

――それで結構、とミスタ・ディージーが即座に言った。ゆうべ、下院議員[*]のミスタ・フィールドに手紙を書きましたよ。今日、シティ・アームズ・ホテルで家畜業者組合の会合があるのでね。そこでわたしの手紙を披露してくれと頼んでおいた。だから、こいつをその二つの新聞に載せてもらえば。どんな新聞かね？

――《イヴニング・テレグラフ》と……

――それで結構、とミスタ・ディージーが言った。一刻の猶予もならないからな。さて、いとこの手紙に返事を書かなければ。

――さようなら、とスティーヴンは手紙をポケットに入れながら言った。どうもありがとう。

――なんのなんの、とミスタ・ディージーがデスクの書類を掻きまわしながら言った。老いたりといえども、きみと一戦交えるのは好むところさ。

――さようなら、とスティーヴンはまた言って、まるい背中におじぎをした。あけ放ったままのポーチから外へ出て、並木の砂利道を歩いていると、運動場から叫び声やスティックの音が聞えてきた。門から外へ出るときに、柱の上で*腹這いになり頭をもたげている二頭の獅子像のそばを通り過ぎた。歯なしの脅威。それでも、彼が戦うのなら助けるぞ。マリガンが新しい名前をつけてくれるさ。*去勢牛を助ける歌びととか。

――ミスタ・ディーダラス！

追いかけてくる。また手紙じゃないだろうな。

――ちょっと待ってくれ。

――はい、とスティーヴンは門のそばで振り向きながら言った。

ミスタ・ディージーは立ち止ると、ぜいぜい喘ぎながら息を呑みこんだ。

――ひとこと言っておきたい、と彼は言った。アイルランドはユダヤ人を迫害したことのない唯一の国という名誉を担ってるそうだ。知ってるかい？　ほう、知らない。では、なぜだかわかりますかな？

彼は明るい大気に向っていかめしげに眉をひそめてみせた。

――なぜです？*　とスティーヴンは微笑を洩らしながら聞いた。

――つまり、やつらを絶対に国に入れなかったからです、とミスタ・ディージーはおごそかに言った。

せきこむような笑いの球が喉から飛び出し、がらがら音を立てて痰の鎖を引きずり出した。彼はくるりと背を向け、せきこみ、笑い、両腕を高く上げて振った。

――絶対に入れなかった、と彼は笑いの発作の合間にまた叫ぶと、ゲートルを巻いた足で砂利道を踏みつけた。そういうわけさ。

木々の葉の格子縞から洩れ落ちる陽光が、*賢者の肩の上に、金ぴかまだらを、踊り跳ねる金貨の数々をまき散らした。

3

プロテウス

場所――遠浅の海岸（ダブリン市内南東サンディマウント）
時刻――午前十一時
　スティーヴンはドーキーから汽車か電車でダブリンへ来たらしい。彼は新聞社に向う前に、リフィ川河口南岸の突堤まで浜辺沿いに歩き、海辺の風景や人や犬を見ながら、人間の意識と外界との関係について考え、パリ滞在を回想する。アイルランドの歴史、政治、宗教のことも尾を引く。彼の視界にはいる人物は想像力によって脚色される。最初に見かける二人の女たちが特別区の出身で、その一人がフロレンス・マッケイブという産婆であるというのも、目の前を通る犬を連れたザル貝採りの男女がジプシーで、ならず者と安淫売であるというのも、視覚の世界とスティーヴンの心が融合して作りだしたもの。そして彼の、以前の自分についての回想は、距離を置いた見方で、ユーモアがあり、『若い芸術家の肖像』のころより成熟したことを示す。
　学芸――言語学　色彩――緑　象徴――潮流　技術――独白（男の）
　神話的対応――スティーヴンの想念が、『オデュッセイア』の「海の翁」プロテウス（海神ポセイドンの牛飼いつまりあざらしの群の番人で、やすやすと姿を変える）のように変幻自在である。ケヴィン・イーガンはメネラオス（テレマコスをスパルタで歓待）に相当する。

視覚世界という避けがたい様態。ほかはともかく、それだけはこの目を通過した思考だ。ぼくはここであらゆる物の署名を読みとる。魚の卵や、浜辺の海草や、満ちて来る潮や、あの赤錆いろの深靴などを。*青っぽな緑、青みがかった銀、赤錆。彩色した記号。透明なものの限界。*でも彼はつけ足しているぞ、物体における、と。それなら、彩色した物体に気づくよりもまえに物体そのものに気がついていたのだ。どうやって？　そりゃ物体におつむをぶっつけてさ。気をつけろよ。*禿頭でおまけに百万長者だったからな、《*この物知る人々の師》は。物体における透明なものの限界。なぜ、おける、なんだろう？　透明な、不透明な。五本の指が通ればそれは門だ。通らなければドアだ。目を閉じて見ろ。

スティーヴンは目を閉じて、深靴が海草や貝殻をぐしゃりと踏みつぶすのを聞いた。どうやら通り抜けているらしい。そう、いちどきに一歩ずつ。ほんのわずかな時間をかけて、ほんのわずかな空間を通り抜けている。五歩、六歩。《*順次に連続するもの》か。まさにその通り。これが聴覚世界という避けがたい様態だ。目をあけろ。いやだ。まっぴらだ！　もしも*岩盤に覆いかぶさり海に突き出る崖から落っこちたら、《同時に並列するもの》を通り抜けて避けようもなく落っこちたらどうする！　暗闇のなかでも結構うまくやってるぜ。トネリコの剣は腰にぶらさがっているし。そいつでこつこつ叩け。連中はそうするんだ。*やつの深靴をはいたぼくの二本の足がやつの脛《すね》の先にくっついている、《同時に並列して》な。固い音がするぞ。《*造物主ロス》の木槌の響きだ。ぼくはいま、サンディマウントの海岸を歩いて永遠のなかへはいって行くのかしら？　ぐしゃり、ぴしり、ぱしゃり、ぱしゃり。*荒海の宝。*ディージー師匠なら貝のことはなんでも知っておじゃろうよ。

　　《*サンディマウントへ行かないか、
　　　マデリン牝馬ちゃん？》

*リズムが始まるぞ、ほら。うん、聞える。*不完全詩行で弱強四歩格の行進調だ。いや、ギャロップ調だよ、《デリン牝馬ちゃん》。

さあ目をあけろ。あけるさ。でもちょっと待った。あれから全部消えてなくなったのか？　目をあけても永遠に暗い不透明のなかにいるんじゃあ。*《もういい！》見えるかどうか見てみよう。

さあ、見ろ。おまえがいなくてもずっとそこにあったのさ。*いつも、世々にいたるまで。

リーヒー台地の階段を用心しながら降りて来るぞ、《女ども》が。なだらかに下る浜辺をだらだらと歩いて来る。外股の扁平足がどろりとした砂に埋まる。*われらが大いなる母のもとに来るのさ、ぼくみたいに、アルジーみたいに。一人は産婆用バッグを重そうにぶら下げて、もう一人は大きな雨傘を砂浜に突き刺しながら。一日のひまを見つけて*特別区から出て来たんだ。ミセス・フロレンス・マッケイブ、深く惜しまれて世を去ったブライド通り故パトリック・マッケイブの未亡人。彼女の同業者の一人がひいひい泣きわめくぼくをこの世に引きずり出した。*無からの創造ってやつ。あのバッグには何がはいっているのか？　へその緒をぶら下げた堕胎児が血染めのウールにくるみこまれ。すべての緒がつながって過去にさかのぼる、すべての肉体の太綱《ふとづな》が撚り合されて。だから秘儀を知る僧たちが。神々のようになりたいか？　そなたの*《オムファロス》をじっくりと見るがよい。もしもし。こち

らキンチ。エデンの園市《し》につないでくれ。*アレフ、アルファ、〇〇一番だ。*アダム・カドモンの花嫁であり妻であるヘヴァ、裸のイヴ。彼女にはへそがなかった。じっくりと見よ。まあるく膨れた傷のない腹。子牛皮を張った丸楯。いや、*積み重ねたる白い麦かな。つややかに輝き、*不滅にして、永遠から永遠にいたる。罪の子宮。

ぼくも罪の暗闇のなかではらまれた。*生れたのではない、造られたのだ。あの二人に。ぼくの声やぼくの目を持つ男と、息に灰の匂いがまじる亡霊の女に。二人はひしと抱き合い、そして引き離された。つがわせる者の意志のままに。神は大昔からぼくを存在させようと思っていたのだ。そしていまはもう、ぼくを消すことはできない。これからさきも。《*永遠法》が神とともにあるからな。じゃあ、父と御子が同体となった聖なる実体とはこれのことか？　あわれな*アリウスくんはいまどこにいて論戦を挑むつもりなの？　一生かけて、*同一全質変聖マリア賛ユダヤ人やっつけろ実体説と戦ったのに。星まわりが悪かったなあ、異端説の親分！　*ギリシアふう水洗便所のなかで息を引き取るなんて。《安楽往生》か。*主人を失った司教区の*男やもめが数珠《じゅず》玉つきの司教冠をかぶり、司教杖を手に、司教高座に着座して、《*オモフォリオン》をぴんと跳ねあげ、尻に汚れをこびりつかせて。

風が彼のまわりで飛び跳ねた。*身を切るような鋭い風。こっちへ来るぞ、波が。白いたてがみの*海馬が歯を嚙み鳴らし、*光る風の手綱にあやつられて、*マナナーンの駿馬どもが。

あの新聞投稿を忘れちゃいけない。そのあとは？　シップに、十二時半だ。ところで例の金をむだに使うなよ、おりこうでとんまな若者らしく振舞おうぜ。そうとも、気をつけなくちゃあ。

彼の歩みが遅くなった。ここだ。セアラ叔母さんの家へ行くのか行かないのか？ぼくと同一実体の親父の声が聞える。このごろ、*芸術家のスティーヴン兄さんの影かたちでも見かけるかい？　見かけない？　まさか*ストラスバーグ台地の*サリー叔母さんの家じゃあるまいな？　*あれも、もうちいっと高いところを飛べないものかねえ、ええ？　*そんで、そんで、そんで、どうだい、スティーヴン、サイ伯父さんは元気かね、ってんだろう？　まったく神様も泣きますよ、結婚したおかげでとんだ連中と親戚になっちまったなあ！　むすごらは納屋の二がいか。飲んだくれのけちな訴訟費用見積人にコルネット吹きの弟ときた。*真っ当しごくなゴンドラ船頭さ。そのくせ、やぶにらみのウォルターはてめえの父親に、なんと、です、ます調だからねえ。お父さん。そうです、お父さん。違います、お父さん。*イエス涙を流したもうってな。無理もないやね、キリストにかけて言うけどさ！

ぼくは鎧戸を閉め切った家の前に立ち、ぜいぜい喘ぐベルを鳴らして、待つ。みんなはぼくを借金取りと間違えて、*見やすい場所から様子をうかがう。

——スティーヴンですよ、お父さん。

——入れてやれ、スティーヴンを入れてやれ。

掛金が外されて、ウォルターが出迎える。

——ほかの男だと思ったんでね。

*大きなベッドの上からリチー叔父が、枕を当て、毛布にくるまったまま、膝の小山越しにがっしりした腕を差し伸べる。きれいな胸だ。上半身を洗ったところ。

——おはよう、甥ごさんよ。*腰をおろして散歩でもしろや。

彼は膝のボードを脇にのける。そのボードの上で、同意書やら、一般調書やら、《証拠物件携帯出廷》令状やらを綴じこみ、*ゴフ査定官とシャップランド・タンディ査定官に提出する費用見積書原案を作っていたところだ。禿頭の上には*泥炭オークの額縁がかかっている。ワイルドの*《安らかに眠れ》だ。低くうなる口笛の意味を取り違えて、ウォルターが戻って来る。

——なんでしょう、お父さん？

――リチーとスティーヴンにモルトを出せって、お母さんに言いな。いまどこにいる？

――クリシーにお湯をつかわせています。

パパのちいちゃなベッド友だち。愛の塊。

――いいんです、リチー叔父さん……

――リチーって呼びな。*リチア水なんぞくそっ食らえだ。力が抜けちまうぜ。ウィスキーを出せ！

――リチー叔父さん、ほんとに……

――腰かけろって。でなけりゃ、ほんとにぶんなぐり倒すぞ。

ウォルターがやぶにらみの目で椅子を探すけれど見当らない。

――*坐るものの持ち合せがないんですよ、お父さん。

――けつを置くものがないと言え、この間抜け。*チッペンデイルの椅子を持って来い。何かちょいとつまむかい？　この家じゃあ、おまえのくそったれなお上品ぶりなんて通用せんぞ。薄切りベーコンの脂身と鰊を揚げたのは？　ほんとに？　いや、助かったよ。家には腰痛の丸薬しかないんでね。

《*気をつけろ！》

彼はフェランドの《導入のアリア》の幾節かをうなる。このオペラの一番の聞きどころだぜ、スティーヴン。いいか。

甘美な口笛がまた鳴り響く、こまやかな陰影をつけて、懸命に息を継いで。詰物を当てた膝を大きな拳でとんとん叩きながら。


こっちの風のほうがさわやかだよ。

没落の家さ。ぼくの家も、叔父の家も、みんな。おまえはクロンゴーズの坊っちゃん連中に言ったっけ、ぼくには判事の叔父と将軍の叔父がいるんだって。そんな家から抜け出せよ、スティーヴン。美はそこにはないぜ。それに、マーシュの図書館のどんよりよどんだ柱間《はしらま》にだって。おまえはあそこで大修道院長ヨアキムの色あせた預言を読んだけれど。誰に与える預言を？ 大聖堂境内にうごめく百の頭の衆愚連中にさ。一人の人間嫌いがやつらを避けて狂気の森にのがれた。月光のなかで彼のたてがみが汗ばみ眼球は星となった。馬の鼻孔をひろげるフーイヌムだ。楕円形の馬づらども。テンプル、バック・マリガン、フォクシー・キャンベル、提灯あご。教父大修道院長よ、憤怒に狂う首席司祭よ、いかなる侮辱を受けて彼らの脳髄は燃えあがったのか？ ポン！ 《降リテ来イ、禿頭、イマヨリモット禿ゲナイウチニ》。灰いろの髪が花冠状に取り巻く呪われた頭よ、彼が、ぼくが、祭壇の段上に這い降りて来るのを見てくれ（降リテ来イ！）、聖体顕示台にしがみつき、*バシリスクの目をして這い降りて来るのを。降りて来い、禿頭！ 祭壇の四隅近くに控える聖歌隊が、えせ坊主どもの鼻息荒いラテン語に合せて威嚇の音調をこだまさせる。剃髪し、聖油を塗り、去勢され、*小麦のもっとも良きものを食らって肥え、長白衣を着てのし歩く坊主ども。

　同じこの瞬間に、たぶん角の向うでも、一人の司祭が*そいつを奉挙している。*チリンチリン！ 通り二つへだてた先では別なのがそいつを*聖体匣《せいたいこう》にしまう。チリリンチリン！ どこかの聖母礼拝堂ではまた別なのが聖体を一人占めにする。チリンチリン！ ひざまずき、立ちあがり、進み、しりぞく。あの無敵博士*オッカム師は*それを考えていたのさ。*ある霧の朝イギリスに、位格の小鬼が現れて、彼の脳髄くすぐった。*ホスチアをおろしてひざまずいたときに、彼は自分の二度目の鈴の音が袖廊の最初の鈴の音とからまるのを聞き（相手がそっちのを掲げ）、立ちあがりながら（いまはこちらが掲げ）、彼らの二つの鈴の音がからまり合い（向うがひざまずき）、二重母音となって鳴り響くのを聞いた、というわけだ。

　*スティーヴンくん、きみはいかにしても聖人にはなれまいよ。*聖人たちの島か。おまえも昔はひどく信心深かったってな。赤っ鼻になりませんようにって聖母マリ

アにお祈りしたろ。*サーペンタイン通りじゃ、前のずんぐり後家さんが濡れた道からもうちょい服をつまみあげますようにって、悪魔にお祈りしたろ。《*そうとも、確かだってば！》魂なんかあれと引替えに売っちまえ、なあ、女のまわりにピンで留めたあの色染めぼろ布と引替えにさ。もっと教えろよ、もっと！　*ホース岬の電車の二階では一人で雨に叫んだろ。《*裸の女たち！》って。それはどうなの、ええ？

何がどうした？　でなけりゃ、女たちは何のために造られたんだい？

毎晩、七冊の本を二ページずつ読んだろ、ええ？　ぼくも若かったよ。おまえは鏡のなかの姿におじぎをしたな、大まじめで拍手に答えてしゃしゃり出て、勿体らしい顔をして。いいぞう、底抜けのとんま野郎！　いいずぉう！　誰も見ていなかったぜ。誰にも言うなよ。おまえは*アルファベットを題名にした本を書くんだったな。あなた、彼のFをお読みになりまして？　読みましたとも。でもぼくはQのほうが好きですね。そうね、でもWはすてきよ。そうそう、Wね。おまえが*緑いろの楕円の葉っぱに書きつけた、深遠極まりない*エピファニーのことを覚えているかい？　おまえが死んだら世界中の大図書館に、*アレクサンドリアのを含めてだよ、写しを送る手筈がついてるんだってねえ。何千年かたって、*マハマンヴァンタラの年に誰かが読むってんだろ。*ピコ・デラ・ミランドラみたいに。*さよう、まさしく鯨のようにも。人は遠い昔の人が書いたかくも不思議な書物を読むと、ひとしなみに、その人もかくて在りし日と一つになったかのような感を……

　ざらめ状の砂粒はもう足もとから消えていた。彼の深靴は、また、ぐしゃりとつぶれる湿った帆柱や、マテ貝の貝殻や、きいきい軋る小石を踏んでいた。*無数の小石の上に打ち寄せる、か。舟食い虫に食い荒らされた木片、*藻屑と消えたスペイン無敵艦隊。きたならしい干潟が、踏みしめる靴底を吸いこもうと待ちかまえている、*汚水の吐息を吹き上げながら。彼は用心して干潟をよけながら歩いた。固まりかけた砂のパン種に黒ビールの瓶が腰まで埋って突っ立っている。歩哨だ。恐ろしい*渇きの島の。浜辺にはこわれた樽の箍《たが》、陸には暗い巧妙な網の迷路、もっと先にはチョークでなぐり書きした裏口のドア、浜の高みには二枚のシャツを磔《はりつけ》にした物干綱。*リングズエンドだ。日に灼けた舵取りや船頭たちの小屋。人間をくるむ殻。

　彼は立ち止った。セアラ叔母さんの家へ行く道は通り過ぎたぜ。あそこへは行かないのか？　行かないらしいな。あたりには誰もいない。彼は北東に向きを変えると、固めの砂地を横切って*ピジョンハウスのほうへ歩いた。

——《*誰のせいで、こんなとんでもねえことになんなすった？》

——《鳩のせいなのよ、ヨセフ》。

休暇帰郷のパトリスがぼくといっしょに*マクマオンの酒場へ行って、温かいミルクをぴちゃぴちゃなめた。パリのケヴィン・イーガン、あの*灰いろ雁の息子。*親父は鳥だ。彼はピンク色の若い舌で甘い《温かいミルク》をぴちゃぴちゃなめた。ぽっちゃり兎《うさ》ちゃんの顔。*ぴちゃぴちゃ、《うちゃこ》。富くじの《一等》を当てたいな。女の性質のことなら*ミシュレで読んだよ。でも、ムッシュー・レオ・タクシルの《イエスの生涯》はぜひともきみに送らなくちゃ。いまは友だちに貸してあるけど。

——《*あれは腹の皮がよじれるぜ。ぼくはね、社会主義者さ。神の存在なんて信じない。親父には言いっこなしだよ》。

——《あっちは信じてるの？》

——《親父かい、そうさ》。

《*シュルス》、彼はぴちゃぴちゃする。

*ぼくのラテン区帽。ほんと、役に合う衣裳を着なけりゃどうしようもない。濃い茶いろの手袋がほしいな。きみは学生だったね？　ほんとのところ何を勉強してる

の？　ペーセーエヌ*。Ｐ・Ｃ・Ｎだよ。《物理》、《化学》、《博物学》さ。へえぇ。おくびをする馭者たちの肘にこづかれながら、一グロート*の値の肺臓シチューを食って。エジプト*の肉の鍋を。なるったけ何気ない声で言えよ、ぼくがパリの《ブール・ミシュ*》に住んでたころは、いつもね、って。そうさ、いつもパンチを入れた切符を肌身はなさず持っていたよ、どこかの殺人事件で逮捕されたときのアリバイ用にね。裁判。一九〇四年二月十七日、被告は二人の証人に目撃された。やったのはほかの男です。ほかのぼくです。帽子、ネクタイ、外套、鼻。《彼はぼくだ*》。お楽しみだったらしいな。

　突っ張って歩いてるね。誰をまねて歩こうっての？　忘れろ。富を奪われた者。母が送って来た八シリングの郵便為替を持って行ったら、郵便局の小使が鼻っ先でばしいんとドアを閉めやがった。腹がへって歯が痛む。《まだ二分あるぜ*》。時計を見ろよ。どうしてもいるんだ。《閉まったよ》。雇われ犬め！　ずどんと一発、ショットガンでぐちゃぐちゃに吹き飛ばしてやろうか。血みどろの肉片がまわりの壁に貼りつくぜ。そいつがみんな真鍮のボタンになっちまって。その切れっ端がくるくるくるっと舞い戻って、かしゃりともとの形に納まって。けがしなかった？　いいや、大丈夫です。握手しようぜ。ぼくの気持もわかってくれるね？　なあに、いいんですよ。さあ握手だ。なあに、ほんとになんでもないんです。

おまえは奇蹟を行なうつもりだったろう、どうだい？　火のような*コルンバヌスのあとを追ってヨーロッパへ渡った宣教師ってところかな。天国の*三脚椅子に腰かけた*フィアクルと*スコトゥスが*白目《しろめ》ポットのビールをこぼしながら、ラテン語で大笑いしたとき、*《ヤンヤ、ヤンヤ！》って。赤帽三ペンス分の鞄を引きずって、*ニューヘイヴンのぬるぬるすべる桟橋を突っ切って、へたな英語しか話せない振りして。《なんです？》なんて。たいした獲物を持って帰ったよ。*《ル・チュチュ》、それに《白いパンタロンと赤いキュロット》のよれよれバックナンバー五冊、フランスの青い電報用紙。陳列するに足りる珍品だぜ。

——*ナハキトクカエレチチ。

*伯母はな、おまえが母親を殺したと思っている。だから、いやがる。

　*《じゃあ、マリガンの伯母に乾杯だ
　そのわけ教えてあげようか。
　伯母のおかげでハニガン一家、
　いつもお品のいい暮し》

彼の足はとつぜん誇らしげに歩調を取り、砂のうねを乗り越え、*南岸壁の丸石沿いに行進した。彼は誇らしげに丸石をみつめた。積みあげたのは石のマンモスの頭蓋骨さ。海の上に、砂の上に、丸石の上に、金いろの光が。太陽はあそこだ。細長い木々、レモンいろの家々。

パリがしどけなく目覚めかけている。まばゆい日の光がレモンいろの通りの上に。湿りを帯びた*四分円形パンの中味、雨蛙の緑いろをした*ニガヨモギ。このパリの朝の薫香がまわりの空気に忍びこむ。色男が自分の女房の情夫の女房のベッドから起きあがる。ネッカチーフをかぶったおかみさんが働きだす、*酢酸《さくさん》の皿を手に持って。*ロドの店では、イヴォンヌとマドレーヌがくずれた化粧を直しながら、金歯で《*果実入りパイ》をむしゃむしゃ食べる。口のまわりに《*ブルターニュ菓子》の《*膿《うみ》》をくっつけて。パリの男らの顔が通り過ぎる。女を満足させて、満足して。ちぢれっ毛の《*征服者たち》が。

昼がまどろむ。ケヴィン・イーガンは印刷インキに汚れた指で*火薬煙草を巻き、*緑の妖精をする。息子のパトリスが白いのをするみたいに。ぼくたちのまわりで、がつがつ食らうやつらがフォークに突き刺した味つけインゲンを食道に押しこむ。《*半スチエくれ！》磨きあげた大鍋からコーヒーの湯気が勢いよく立ち昇る。彼が合図をすると、女がぼくの注文を取りに来る。《*この人アイルランドの人。オランダの？　チーズじゃないよ。わたしら二人ともアイルランド人。アイルランド、わかる？　ああ、そうだよ！》彼女はオランダ・チーズの注文かと思ったのさ。食後のお楽しみだ。この言葉、知ってるかね？　食後のお楽しみ。むかし、バルセロナで知りあった男がいてね、妙なやつだったが。チーズのことを食後のお楽しみと呼んでいたよ。じゃあ《*スラーンチャ！》平石張りテーブルのまわりで、酒臭い息やごくりと鳴る喉の音がからみ合う。ソースで汚れた皿の上に彼の息がただよう。緑の妖精の牙が唇のあいだから突き出る。アイルランドについて、*ダルカシア一族について、希望と陰謀について、いまの*アーサー・グリフィスについて、A*E、ポイマンドレス、人々のよき牧者について。ぼくを一つ軛《くびき》の仲間に引っ張りこんで、つなぎ止める気だ。われらが罪、すなわちわれらが大義。きみも父親の息子だねえ。声でわかるよ。彼が内幕話をはじめると、真っ赤な花模様のコール天のシャツがスペインふうの房飾りをふるわせる。*ムッシュー・ドリュモン、有名なジャーナリストのドリュモンがさ、ヴィクトリア女王のことをなんて言ったか知ってるかい？　黄いろい歯の老いぼれ婆あだって。《*黄いろい歯》をした《老いぼれ婆あ》だとさ。*モード・ゴンね、美しい女だよ、《*祖国》とか、ムッシュー・ミルヴォワとか。*フェリックス・フォールがどんな死に方をしたか知ってるかい？　好色な連中さ。*ウプサラの浴場に行くと《*雑用係》の若い女ってのがいてねえ、裸の男のマッサージをやる。《*わたししますわよ》とくるんだ、《ムッシュー方なら誰にでも》って。この《ムッシュー》はごめんだね、と言ってやったよ。まったく好色な風習さね。入浴ってのは人目をはばかる行為だろう。わたしなら兄弟にだって、このわたしの兄弟にだって見せやしないよ。じつに好色な話だ。*緑いろの目よ、ぼくはおまえを見る。牙よ、ぼくは感じる。好色な連中さ。

　両手のなかで青い導火線が死を予告するようにくすぶり、明るく燃えあがる。ほつれた煙草の切れ端が火をとらえる。炎と喉を刺す煙がぼくたちのいる片隅を照らす。*夜明け組ふう帽子の下から痩せこけた頬骨がのぞく。*本部中央がどうやって逃げたかっていうと、これは本当の実話だがね。なんと若い花嫁に変装してな、ヴェールをかぶって、*オレンジの花を持って、*マラハイドまで馬車を走らせたんだぜ。いや、ほんとに。挫折した指導者たち、裏切られ、きわどく逃れ。変装して、捕まりかけて、すり抜けて、ここにはいないぞ。

追い出された恋人。当時のわたしはがっしりした若い衆でね、ほんとに。いつか写真を見せてあげるよ。いや、ほんとだって。恋人か。*愛ゆえに、一族の後継者*リチャード・バーク大佐とともに、*クラーケンウェルの壁の下をさぐり、身を伏せ、霧のなかに復讐の炎がほとばしり壁を吹き飛ばすのを見た。*鏡が砕け、石の建築が崩れ落ちる。花の都に隠れ住む、パリのイーガン。ぼくのほかには訪れる人もいない。*一日のうちに足を留める場所。薄汚い印刷工場、三か所の酒場、短い夜を眠りに帰るモンマルトルのねぐら。《ラ・グット・ドール通り》、死んだ者たちの肖像が、蝿の糞のしみがついたままで飾ってある。愛もなく、土地もなく、妻もいない。《ジ・ル・クール通り》のマダムのほうはね、落ちぶれた亭主なんぞいなくたってけっこう楽しくやってるのさ、カナリアがいるし、伊達男の下宿人を二人かかえているし。桃のような頬、縞模様のスカート、小娘みたいにぴちぴちして。追い出されても絶望はしない。パットにはわたしに会ったって伝えてくれないか？ パットに仕事を見つけてやろうと思ったこともあるんだが。《わが息子》はフランスの兵隊だ。歌を教えたよ。*《キルケニーの若者は腕たくましい元気者》ってのを。この古い歌を知ってるかな？ これをパトリスに教えたのさ。なつかしいキルケニー、聖カニス教会、ノア川のほとりに立つストロングボウの城。こんなふうなんだぜ。《おお、おお》。彼、*ナッパー・タンディはぼくの手を取る。

《おお、おお、キルケニーの
若者は……》

弱々しい痩せ細った手がぼくの手の上に。みんながケヴィン・イーガンを忘れても、彼はみんなを忘れない。*なれを思い出でたり、おお、シオンよ。

彼は海の縁に近づいていた。濡れた砂が深靴にはねをあげる。新しい風の歌が彼を迎える、荒々しい心の弦を掻き鳴らして。光輝の種子をはらむ荒々しい歌の風が。おい、*キッシュの灯台船まで歩いて行くつもりじゃあるまいな？　彼は急に立ち止った。ふるえる砂のなかに、両足がゆっくり沈みはじめた。引き返そう。

彼は引き返しながら*南の海岸を眺めやった。両足がまた新しい窪みのなかにゆっくり沈んでいった。塔の冷たい円天井の部屋が待っている。銃眼から射しこむ光の筋が絶えず動いている。ぼくの両足が沈んでいくように、絶えずゆっくりと、日時計の床の上を、夕暮れのほうへにじり寄って行く。青い夕暮れ、夜のとばり、深い青い夜。円天井の暗闇のなかで待っているのはテーブルの上の食べ散らした皿、そのまわりには、やつらが後ろに押しやったままの椅子、オベリスクみたいなぼくの鞄。誰が片づける？　*やつが鍵を持っている。今夜はもうあそこでは寝ないぞ。ドアを閉めてひっそり静まり返った塔のなかに、やつらの正体を失った体が死んだように横たわる。*豹の旦那とその猟犬が。呼んでみろ。返事がない。彼は吸いこまれる両足を引き抜いて、丸石の防波堤沿いに戻った。みんな取れよ、みんな取っておけよ。ぼくの魂はぼくといっしょに歩いているぞ。*形相の形相が。こうして、月が夜の見張りをしているときに、ぼくは岩の上の小道を歩くのさ、*銀まじりの黒衣に身を包んで、エルシノアの誘いかけるような潮の音を聞きながら。

　潮がぼくを追って来る。潮がぼくを追い越して流れて行くのがここから見える。じゃあ、*プールベッグ道路からあそこの岸へ戻ればいい。彼は菅《すげ》の茂みと、くねくねうねる昆布を乗り越えて、台座のような岩の上に腰をおろし、トネリコのステッキを割目に立てた。

　ふくれあがった犬の死骸がヒバマタの上にだらりと舌を垂らして横たわっていた。目の前に砂に埋ったボートの船縁《ふなべり》がある。*《砂に埋もれた乗合馬車》って、*ルイ・ヴイヨが*ゴーチエの散文を呼んだっけ。この重い砂洲《さす》は潮と風がここに積みあげた言葉なのさ。そしてこれ、死んだ建造者らが築いた石の堤防はイタチネズミの穴ぐらだ。そこに黄金を隠せ。やってみろよ。いくらか持ってるんだろ。砂洲と石垣。過去の記憶をずっしりと溜めこんで。無骨者*さまの玩具《おもちゃ》だぜ。横っ面に一発くらうなよ。おれさまはよ、でっけえ大男さまでよ、こんなちっこい丸石や骨なんざあ転がしてよ、踏石代りにしちまわあ。フィーファーファム*。ウイルランドずんの血の匂いがすっぞお。

一つの点が、生きている犬が、目にはいった。広い砂地を横切って駆けて来る。こりゃ困った。飛びかかって来るかな？　彼の自由を重んぜよ。他人の主人になるのも奴隷になるのもいやだ。ぼくにはステッキがある。じっとしてろ。もっと遠くから波頭を突っ切って、岸のほうへ歩いて来る人の姿が二つ。二人のマリア*たち。あれをこっそり葦*の茂みに隠して来たのさ。ばあ。見いつけた。違う*、犬がいる。二人のほうへ駆け戻って行くぞ。誰だろう？

北欧民族*のガレー船が獲物を求めてこの浜にやって来た。血塗られた嘴《くちばし》のへさきを白目を溶かしたような大波にぐいと乗り入れて。スカンディナヴィア半島のヴァイキング族、斧で作った首鎖がきらりと胸に輝く。マラカイ*が金の首飾りをつけていたころに。暑い真昼に、鼻頭鯨*の群が浜辺*に乗りあげて潮を吹き浅瀬をのたうちまわった。すると柵に囲まれた飢餓の町から、革胴衣を着た小人の大群が、ぼくの種族が、皮剝ぎ刀を手に現れて走りまわり、よじ登り、緑いろの鯨の脂身にまみれて切り刻んだ。飢饉と、疫病と、殺戮と。彼らの血がぼくの体を流れる。その欲情がぼくのなかでうねる。ぼくは*凍てついたリフィ川の上をみんなといっしょに動きまわった。あのぼくが、*取替え子が、ププッと松脂のはぜる篝火《かがりび》のあいだを縫って。ぼくは誰にも話しかけなかった。誰もぼくに話しかけなかった。

犬の吠え声が彼に駆け寄り、立ち止り、駆け戻った。わが敵の犬。*ぼくはなすすべもなく立っていた。青ざめて、黙って、追いつめられて。*《恐ロシキ物ヲ思イナガラ》。*薄黄いろのチョッキが、*運命に仕える従僕が、ぼくの恐れるさまを見てにやりと笑った。おまえはあれが欲しくてたまらないんだろ、みんなの喝采という吠え声が？　*王位をねらう者よ、生きたいように生きるがいいさ。ブルースの弟。トマス・フィッツジェラルド、絹の騎士。パーキン・ウォーベック、白薔薇象牙いろの絹のズボンをはいたヨーク家の偽世継ぎ、たった一日だけの驚異。ランバート・シムネル、女中や下僕をぞろぞろ引き連れて王位についた皿洗い。*みんなが王たちの子さ。むかしもいまも*王位をねらうやつらの天国だよ。*やつは溺れて死にかけた連中を助けたけれど、おまえは駄犬に吠えつかれてふるえている。でも、*オル・サン・ミケーレでグイドをからかった宮廷人どもは自分たちの家にいた。その家ってのは……おまえの中世ふう難解考証癖はもううんざりだよ。やつがやったことをやる気があるのかい？　ボートは近くにあると思うぜ、救命ブイも。*《もちろん》、おまえのために置いてあるのさ。やるの、やらないの？　九日前に*メイドン岩の沖で溺れた男。みんなはその死体があがるのを待ってる。本音を吐けよ。やりたい。試してみたい。泳ぐのは得意じゃないんだ。水は冷たくて柔らかい。クロンゴーズの学校で、洗面器の水に顔をひたしたときのこと。見えないよ！　後ろにいるのは誰？　早く出してくれ、早く！　見えるだろう、四方から潮がすみやかに流れこみ、すみやかに砂地の窪みを覆い隠し、*殻まじりココアの色に変えて行くのが？　足が地についていればなあ。彼には長生きしてほしいけど、ぼくだって命は惜しい。溺れかけた男。その人間の目が死の恐怖のなかから、ぼくに向って金切り声をあげる。ぼくは……いっしょに沈むのは……母を救うこともできなかったし。水、苦い死、消えた。

女と男だ。女のペチコートが見える。*まくりあげてピンで留めてるのさ、きっと。

彼らの犬はせばまっていく砂洲のあちこちをうろつき、走り、嗅ぎまわった。前世に失った物を探しているのかな。犬はいきなり駆け出した。飛びはねる野兎のように両耳を後ろになびかせて、低空をかすめる鷗の影を追って。男の鋭い口笛の音が犬のしなやかな耳を打った。犬は振り返り、飛びはねながら戻り、近くまで来るときらきら光る脛で小走りに走った。*黄褐色の紋地に右向きに前片足をあげた牡鹿が、自然色で、装具なしに。*水際のレース編みのそばまで来ると、犬は両前足を突っ張って踏みとどまり、海のほうに耳をぴんと立てた。上にあげた鼻面が波の音に向って吠え立てた。*押し寄せるセイウチの群に向って。犬の足もとに向って蛇のようにうねり寄せ、つぎつぎに波頭を巻き込んでは振りほどき、*九つ目の波ごとに砕け散り、しぶきをあげる、遠くから、さらに遠くの沖から、波、また波が。

ザル貝採りか。浅瀬のなかをすこし歩き、かがんで袋を水にひたし、また持ちあげて浅瀬を出る。犬はきゃんきゃん鳴いて二人に駆け寄り、後足で立ち、前足でじゃれかかり、四つ足になり、また立ちあがり、声を出さずに熊のようにじゃれついた。相手にしてもらえないまま、やや乾いた砂地にあがる二人にまつわりつく。狼の赤い舌を顎からだらりと垂らして喘ぎながら。ぶちの体が二人の先に立ってゆっくりと歩き、それから飛びはねると、子牛のように全速力で駆け出した。行手にはあの死骸が横たわっている。犬は立ち止り、匂いを嗅ぎ、抜き足でぐるりをまわり、仲間だぞ、鼻を近づけ、ひとまわりして、びしょ濡れの犬の死骸の毛皮を、犬らしく、すばやく、くまなく嗅ぎまわった。犬の頭が、犬の鼻が、地面に目を落して、*一つの大いなる目的に向って動く。やれやれ、*あわれな使いっ走り犬め。ここにあわれな使いっ走り犬のむくろが横たわる。

——*ぼろっきれ！ よせったら、このろくでなし犬め。

この叫び声に犬はこそこそと主人のそばに戻り、はだしの足に思い切り蹴飛ばされると、けがをするでもなく、体をちぢめ、出洲を突っ切って逃げた。ぐるりと弧を描いてこっそり戻って来る。ぼくのほうを見ない。犬は堤防の縁沿いにのそのそ歩き、ぶらつき、岩の匂いを嗅ぎ、ぴんとあげた後足の下から小便をひっかけた。犬は小走りに進み、また後足をもたげ、匂いを嗅ぎもせずに、すばやく、短く、岩に小便をひっかけた。*貧しい者の素朴なお楽しみ。それから両方の後足が砂を蹴散らかした。次に、両方の前足が水をはね散らして穴を掘った。あそこに何かを埋めたのかな、*やつの婆さんでも。犬は砂のなかに鼻を突っこみ、はね散らし、穴を掘り、ふと掘りやめて風に耳をすませ、またしても猛然と前足を動かして砂を掻きあげ、やがて足を止めた。*豹、大豹、*姦通によって生れ、*禿鷲《はげわし》のように死者を引き裂く。

ゆうべ、*やつに起されたあとで同じ夢を見た。いや、そうだったかな？ 待てよ。開きっぱなしの表口。娼婦たちのいる通り。思い出せ。*ハルーン・アル・ラシード。もうすこしなんだが。あの男が案内してしゃべった。こわくはなかった。そいつは手に持っていたメロンをぼくの顔に突きつけた。にやりと笑って。*クリームフルーツの匂いが。それがきまりなんでね、そう言った。おはいり。おいで。赤い絨毯《じゅうたん》が敷いてある。すぐにわかるよ、誰が。

　袋を肩にひっかけてとぼとぼと歩いて行く、*赤い肌のジプシーたち。めくりあげたズボンから突き出た血の気のない男の足が、濡れてべとつく砂をぴちゃぴちゃはねる。くすんだ赤煉瓦いろのマフラーが不精ひげを生やした首を締めつける。女が女っぽい足どりであとをついて行く。*ならず者と連れの安淫売。女は獲物を背中にしょって。砂粒や貝殻の屑を素足にこびりつかせて。風にさらされた顔のまわりに髪の毛がなびく。亭主についてその連れ合いが、*まぶい都へ行くところ。夜が体のあらを隠してくれるころ、犬の糞尿に汚れたアーチ道に出て、茶いろのショールの下から客を引く。女のひもは*ブラックピッツのオラフリンの店で、ロイヤルダブリン歩兵小銃連隊の二人と取引をする。抱いてキスしてやんなよ、やくざの上等隠語で言やあ、ねじこんでやんなってこと、ああ、かわいい淫売ねえちゃんよ、ってな。悪臭を放つぼろ布の下に魔女の白い肌。あの夜、ファンバリー小路で。*皮なめし場の匂いが。

《おてて*は白くて、くちびる赤い。
姿かたちもいかすじゃないか。
いっしょにお寝んねしておくれ。
夜になったら、だっこしてキスだ》

酒樽腹のアクィナスはこれを陰気*な快楽と呼ぶ。《ヤマアラシ*修道士》が。堕ちる前のアダムは乗りはしたが発情したのではない。彼をして心をそらせしめよ。《姿かたちもいかすじゃないか》。この言葉だって彼のにくらべて別に悪かあないさ。修道僧の言葉、ロザリオが腰紐にぶらさがってちゃらちゃら話す。やくざの言葉、いかがわしい現なまがポケットのなかでじゃらじゃらしゃべる。

いま通り過ぎるぞ。

ぼくのハムレット*帽をちらりと横目で見た。ここに坐ったままでいきなり裸になったら？　いまは裸じゃない。全世界の砂漠を踏み越えて、太陽*の炎の剣に追われながら、西へ、夕暮れの国へ旅をつづけるのか。彼女*はとぼとぼ歩む、重荷を引っ《シュレ》張る《ツプス》、曳く《トレンズ》、引きずる《ドラッグズ》、牽引する《トラシンズ》。潮が月に引かれ、女を追って西へ流れる。女のなかの潮が、無数の島をかかえて、ぼくのとは違う血が、*《葡萄酒イロノ海》が、葡萄酒のように暗い海が。見よ、*われは月の婢女《はしため》なり。眠りのなかで来潮のしるしが彼女に時を告げる。立てと命じる。花嫁の床、出産の床、青白い蠟燭に照らされた死の床。*《諸人コゾリテナンジニ来ラン》。やつが来る、青白い吸血鬼が、その目が嵐をつらぬき、蝙蝠《こうもり》の帆が海を血に染め、口が女の口の接吻に。

これだ。*そのひび割れにピンを突っこんでおけ。*ぼくの文字板は。口が女の接吻に。いや、*エムは二つなけりゃ。*エムをぴったりくっつけろ。口が女の口の接吻に。

彼の唇は空に浮ぶ肉のない唇に唇を重ね、口を合せた。口を女の*ムームに。ウーム、子宮、あらゆるものをはらむ墓。彼の口は形を作って息を吐き出したが、言葉にはならなかった。ウゥイィィハー。巨大な滝となって落下する惑星群の響き。球となり、燃えあがり、響きわたりながら消えて行く、遠い、遠い、遠い、遠い、遠い向うへ。紙がある。紙幣だよ、ちくしょうめ。ディージー爺さんの手紙が。これこれ。*御好意に感謝して、端っこの白いところを引き裂いてしまえ。*彼は太陽に背を向け、平らな岩の上に乗り出して書きつづった。これで二度目だぞ、図書館のカウンターから借出用紙をくすね忘れたのは。

身をかがめると体の影が岩を覆って、とぎれた。影はなぜ終ることなしに、いちばん遠い星まで伸びて行かないのかな？　この光の後ろ側に暗くおぼろにひそんでいるんだ、*光のなかで輝く暗闇が、カシオペイア星座のデルタ星が、いくつもの世界が。そこにぼくが坐っている、占師のトネリコの杖を持って、借り物のサンダルをはいて、昼に、青黒い海のそばに、誰にも見られずに。紫いろの夜になると、見知らぬ星々が支配する空の下を歩く。ぼくはこのとぎれる影を投げかける、*避けがたい人間の形を。そしてそいつを呼び戻す。終ることなく伸びて行くとしたら、そいつはぼくの影なのかしら、ぼくの形相の形相なのかしら？　誰がここにいるぼくを見ている？　いったい、どこの誰がここに書いた言葉を読んでくれる？　白い地に書いた記号を。どこかで、誰かに向って、取って置きの柔らかな澄んだ声で。広縁牧師帽の*クロインの主教様が*寺院のとばりを引き剝いでみせた。空間のヴェールを。*紋地に線彫りした表象的な色つきの諸物体が存在する空間のヴェール。ちょっと待て。平たい紋地に彩色した、だ。そう、そのとおり。ぼくが見るのは平たい面だ。それから距離を考える、近い、遠い、平たく見る、東、後ろ。さあ、見てみろ！　そいつは不意に後ろに引きしりぞき、立体鏡のなかで凍りつく。この手品、ぴしゃりと決るぞ。ぼくの言葉は暗くておぼろだそうな。闇黒はぼくらの魂のなかにある。そう思わないか？　もっと柔らかな澄んだ声で言えば。ぼくらの魂はぼくらの罪を恥じて傷ついているから、なおさらぼくらにしがみつくのです。恋人にしがみつく女みたいに、傷つけば傷つくほどもっと強く。

　彼女はぼくを信じている。あのやさしい手、長いまつげの目。いったい、ヴェールの向うのどこに彼女を連れて行くつもりなんだ？　避けがたい視覚世界の避けがたい様態のなかへさ。彼女、彼女、彼女か。どの彼女なんだ？　月曜日に、ホッジ*ズ・フィギスのウィンドウで、おまえが書くというアルファベットの本の一冊を探していた娘。おまえはじろりと彼女を見やった。日傘の編革の緒に通した手首。リ*ーソン・パークに住んでいる、悲しみの種やちょいとしゃれた安物飾りの類といっしょに。文学趣味の女。そんなことはほかの人にお話しして、スティーヴィ*。男を待ってるような女にでも。あのいまいましいコルセットや、靴下留めや、黄いろいストッキングなんかを身につけてるに決ってる。それもよれよれの毛糸でかがったのを。《むしろ》*、林檎*入り蒸しパンの話でもしろよ。いつもの才覚はどうした？

　触*れておくれ。やさしい目よ。やさしい、やさしい、やさしい手よ。ここにいると、寂しい。ああ、触れておくれ、すぐに、いま。誰もが知っているあの言葉とは何？　ここで、たった一人。それに悲しい。触れておくれ、触れておくれ。

彼はごつごつした岩にながながと寝そべって、書きつけた紙と鉛筆をポケットに突っこみ、帽子を目深に引き下げた。いまのはケヴィン・イーガンの仕種だ。頭をこっくりさせてひと寝入り、安息日の眠りにはいるときの。《*神視《ミ》タマイケルニ。ハナハダ善カリキ》と。やあ！《*こんにちは》、*五月の花のように喜び迎え。彼は帽子の縁の下から、孔雀のように震えるまつげを通して、南へ行く太陽を眺めた。ぼくはこの燃える情景にとらわれた。*パンの神の時、牧羊神の真昼。樹液をたっぷり含むインド蛇木《じゃぼく》の茂みのなかで、乳をしたたらせる果実の下で、黄土いろの水面に広々と葉がひろがるあたりで。苦痛は遠い彼方。

《*もはや顔をそむけて思いまどうな》

彼の目が爪先のひろがった深靴をつくづくと見つめた。伊達男の使い捨てが《同時に並列して》いる。彼はひび割れた革靴の皺をかぞえた。かつては、このなかに他人の足が暖かく収まっていた。祭儀の踊りをおどりながら大地を打った足、ぼくが愛することをやめた足。でも、*エステル・オスヴァルトの靴がはいったとき、おまえは喜んだじゃないか。パリで知りあった娘。《おや、なんてちいさな足なの！》

頼りになる友、兄弟づきあい、ワイルドのその*名を口にし得ぬ愛。*彼の腕、クランリーの腕。これであいつは離れて行くだろう。悪いのは？ ぼくはあるがままだよ、あるがまま。すべてを取るか、でなければ、すべてを捨てるか。

*コック潟から潮はいくつもの細長い*投げ輪縄となってたっぷりと流れこみ、砂浜の干潟を金緑いろで覆い、湧きあがり、満ちあふれた。トネリコのステッキが流されてしまうぞ。待とう。いや、潮は通り過ぎて行くさ、低い岩間にぶつかっては通り過ぎ、渦を巻いては通り過ぎ。手もとの仕事をさっさとすませろ。聞けよ。波のお話は四つの言葉でできているぜ。シィィスゥゥ、フルッス、ルッシィイッス、ウゥゥス。海蛇の群や、後足で立ちあがる馬どもや、岩々などのあいだで、水が激しい吐息をつく。岩の窪みのなかで水がぴしゃりと跳ねる。ぱしゃり、ぽしゃり、ぴちゃり。樽のなかで揺すられて。それから、疲れて話しやむ。水は渦を巻いて流れ、ひろがって流れ、一面に泡を浮べ、花を開かせる。

彼は見た、うねり高まる潮の下で、身悶えする海草がもの憂げに、いやいやながらに両腕を上げ、揺り動かし、*ペチコートをばまくりあげ、ささやきかける水のなかで、恥ずかしげに銀いろの葉状体をゆすり裏返すのを。昼は日ごとに、夜は夜な夜な。持ちあげられ、潮に身をまかせ、捨てられる。まったくこれじゃあ疲れるよ。それで、囁きかけられると溜息をつく。*聖アンブロシウスは聞いたのさ、時が満ちるのを待ち望み、待ちつづけている海草と波の溜息を。《*昼モ夜モ迫害ニ耐エテ呻イテイル》のを。何とはなしに呼び集められ、空しく解き放たれ、押し流されてはもとに戻る。月の機《はた》織り。こちらも恋人たちや好色な男らの目にさらされて、やつれて。おのれの宮廷にあって光り輝く裸の女。彼女が水の網を引く。*向うが五尋《ひろ》の淵なんでね。*そなたの父はもはや五尋の水の底。一時になればと言ったな、あの男。溺死体にて発見。ダブリン湾口の浅瀬に潮が満ちれば。小砂利の流れ溜りや、扇状に群がる魚どもや、貝殻などを押しのけて。死体は塩に白くさらされ、引波から浮びあがり。*そら、ぽっかり、ぽっかり、イルカくん、頭を見せては陸地のほうへ。あそこだ。はやく鉤《かぎ》にかけろ。引っ張れ。*たとえ水底《みなそこ》深く沈んだにしても。つかまえたぞ。気をつけろよ。

忌まわしい塩水に浸かった死体ガスの袋。水漬けの珍味を食らって肥えたハヤどもが、ぴりぴりふるえながら、ボタンをはめたズボンの前合せのあいだをきらりと通り抜ける。*神は人となり、人は魚となり、魚はカオジロ黒雁となり、カオジロ黒雁はフェザーベッド山となる。ぼくは生きながら死人の息を吐き、死人の体を踏みつけ、あらゆる死人どもの小便くさい屑肉をむさぼり食らう。硬直したのが船縁越しに引きあげられると、緑の墓場の悪臭を吹きあげる。崩れ落ちた鼻の穴が太陽に向っていびきをかく。

　これが海変りだ。茶いろの目が塩水の青に。海の死。人間の知るあらゆる死に方のなかでいちばん安楽な死に方。老いし父なる大洋。《パリ賞》、偽物に御注意。一度きっちりとお試しのほどを。たっぷり楽しませてもらいましたよ。

　行こう。われ渇く。曇ってきたぞ。黒い雲はどこにも見えないだろ？　雷雨かな。光輝に包まれて落ちる誇らしげな知性の電光。《ワレハ言ウ、落チルヲ知ラヌ明ケノ星》。見えない。ぼくの帆立貝帽と杖と、やつのぼくのサンダル靴と。どこへ行く？　夕暮れの国へさ。夕暮れはなすべき仕事を見いだすであろうよ。

　彼はトネリコの握りをつかみ、軽く突きを入れた。まだぐずつきながら。そうさ、夕暮れはいずれぼくのなかで、ぼくの外で、なすべき仕事を見いだすだろう。すべての日々に終りが来る。ところで今度はいつだっけ、火曜日がいちばん長い日だ。楽しくて新しい年のうちでも、お母さん、らん、らん、ららん、らん。ローン・テニソンか。紳士の詩人だよ。《とにかくもう》。黄いろい歯の婆あのために。それにムッシュー・ドリュモン、紳士の新聞屋さ。《とにかくもう》。ぼくの歯はひどいな。なぜだろう？　さわってみろ。これも抜けそう。貝殻。あの金で歯医者へ行くほうがいいかしら？　そっちも。*歯なしのキンチは超人だ。なぜそう言うのかな、何か意味があるのかもしれない。

ぼくのハンカチーフ。やつはほうってよこしたぞ。覚えてる。拾ったっけ？

彼の手は空しくポケットをさぐった。いや、拾わなかった。一枚買うほうがいい。

彼は鼻の穴から乾いた鼻くそをほじり出して、そっと岩棚の上にのせた。あとは見たけりゃ見てごらん。

後ろ。誰かいるのかも。

彼は肩越しに振り向いて*後方注目の姿勢をとった。三本マストの帆船の高い柱材が空のなかを動いている。横桁の帆をしぼり、家路に向って、*流れに逆らいながら、音もなく動いている、静かな船が。

第二部

4 カリュプソ

場所――ダブリン市内エクルズ通り七

時刻――午前八時

ブルームは自宅の半地下の台所で妻のモリーのためにバターつきパンと紅茶を用意し、自分の朝食のために近所の肉屋に豚の腎臓を買いに行く。店の主人は彼と同様にユダヤ系らしい。帰宅すると手紙が三通来ている。娘のミリーからブルームとモリーに一通ずつ、それに興行師ボイランからモリーへの手紙。ブルームは寝室のモリーに朝食を運んでから台所で腎臓を食べ、裏庭の便所へ行く。ボイランは午後モリーを訪ねて来るらしい。

器官――腎臓　学芸――経済学　色彩――オレンジいろ　象徴――ニンフ　技術――語り（中年者の）

神話的対応――ベッドの上にかかっている絵《ニンフの浴《ゆあ》み》のニンフが『オデュッセイア』のカリュプソ（難破したオデュッセウスを七年間もてなす）に当る。

主要人物

○レオポルド・ブルーム（愛称ポールディ）Leopold Bloom――いくつかの職業を転々としたあげく、現在はフリーマンズ・ジャーナル社の広告取り。三十八歳。父親ルドルフ・ブルームはハンガリーから移住したユダヤ人だが、十八年前の六月二十七日、トリカブトを飲んで自殺。母親エレン・ヒギンズもハンガリー系ユダヤ人の血を引く。プロテスタントとカトリック双方の洗礼を受けたが、ダブリンの社会は彼をユダヤ人として扱う。マリアン・ブルームの夫で、十五歳になる娘ミリセント・ブルーム（愛称ミリー）の父。生後まもなく死亡した一人息子を思う気持が強い。

○マリアン・ブルーム（愛称モリー）Marion Bloom――ジブラルタル生れのソプラノ歌手。三十三歳。父親はもとジブラルタル要塞勤務の下士官ブライアン・トウィーディ。母親はルニタ・ラレドというスペイン系ユダヤ人。両親は結婚していないらしい。母とは若いころに別れた。十五歳のころ父といっしょにダブリンに来た。レオポルド・ブルームと結婚。娘ミリーがいる。十一年前に生れた男児ルーディは生後すぐに死亡。

*ミスタ・レオポルド・ブルームは好んで獣や鳥の内臓を食べる。好物はこってりしたもつのスープ、こくのある砂嚢《すなぶくろ》、詰めものをして焼いた心臓、パン粉をまぶしていためた薄切りの肝臓、*生鱈子《なまたらこ》のソテー。なかでも大好物は羊の腎臓のグリルで、ほのかな尿の匂いが彼の味覚を微妙に刺激してくれる。

その腎臓のことを考えながら彼は台所でそっと動きまわり、でこぼこしている盆に彼女の朝食を並べていた。冷たい光と空気が台所にみちているけれども戸外はどこまでもなごやかな夏の朝だ。おかげでだいぶ腹もへったような気がする。

石炭が赤く燃えてきた。

バターつきパンをもう一きれ。三つ、四つ、よし。皿に山盛りだと彼女がいやがるからな。よし。彼は盆から振り向いて暖炉の台から湯わかしを取り、横向きに火にかけた。もっそりと坐りこんで、注ぎ口をとがらせている湯わかし。もうすぐお茶が飲める。いいぞ。口がからからだ。

猫がからだを硬くして尻尾を立てたままテーブルの脚のまわりを歩いた。

——*ムクニャオ！

——おお、いたのか、とミスタ・ブルームは炉から振り向いて言った。

猫はミューと答え、からだを硬くしてもう一度テーブルの脚のまわりを歩きながらミューと鳴きつづけた。おれの書き物テーブルの上を歩きまわるときとまったく同じだ。プルル。頭を掻いてちょうだい。プルル。

ミスタ・ブルームは愛情をこめてしげしげと、そのしなやかな黒いからだを眺めていた。清潔な感じ。なめらかな皮膚の艶、尻尾のつけ根の下に見える白いボタンのような尻の穴、きらめく緑いろの目。彼は両手を膝にあてて猫のほうにかがみこんだ。

——猫ちゃんにはミルクだな、と彼は言った。

——*ムルクニャオ！　と猫は叫んだ。

猫は頭が悪いとみんなが言う。しかしこいつらは人間の言うことがよくわかるんだ、人間がこいつらを理解するのよりよっぽどよく。この雌猫なんて、わかりたいことだけはぜんぶわかってる。しかも執念ぶかい。*残忍で。彼女の本性。ふしぎなことに鼠がちっとも悲鳴をあげない。残忍にあつかわれるのが好きみたい。彼女にはおれがどんなふうに見えるんだろう？　高い塔か？　いや、飛び越せるんだからな。

――それでいてひよこをこわがるんだよ、この猫ちゃんは、と彼はからかった。*チュクチュクちゃんがこわいとさ。この猫みたいに阿呆な猫ちゃん見たことない。

――*ムルクルニャオ！　と猫は大声で言った。

彼女は貪欲な両目を恥ずかしそうにつぼめながら見上げ、訴えるように長くミューと鳴いて乳白色の歯並を見せた。眺めていると黒い細長い目が欲望のためにますますせばまり緑いろの宝石二つだけになった。それから彼は*調理台へ行って、*ハンロン牛乳店の配達人が一杯にして行ったばかりの大瓶を取りあげ、温かく泡だつミルクを皿についで、ゆっくりと床におろしてやった。

――グルルル！　と叫びながら猫は駆けよって舐めた。

見まもっていると猫は弱い光のなかで口ひげを針金のように光らせながら三回かがみこんで軽く舐めた。あれを切ると鼠が取れなくなるというのは本当かな。なぜだろう？　闇のなかで光るんだろうな、あの先端が。それとも闇のなかで触角みたいな働きをするのか。

舐める猫の舌の音に彼は聞き耳を立てていた。ハムエッグにしようか、いや。こう日照りがつづくとろくな卵がない。新鮮なきれいな水が必要。木曜日、とすると*バックリーの店にもないだろうな、うまい羊の腎臓は。バターでいためて、胡椒をふりかけて。いっそ*ドルゴッシュの店で豚の腎臓を買って来るか。湯が沸くまでのあいだに。舐める速度がにぶり、皿をきれいにしゃぶりはじめた。猫の舌はどうしてあざらざらしてるのか？ しゃぶりやすいように、一面にこまかい穴がある。猫に食べさせるものはないかな？ 彼はあたりを見まわした。ない。

深靴をあまり軋らせないように*階段を昇ってホールに出た彼は、寝室のドアの前で立ち止った。*彼女は何かおいしいものを欲しがるかもしれないな。朝は薄いパンとバターが好き。しかし、ひょっとしたら。たまには変ったものが。

がらんとしたホールで彼は低い声で言った。

——ちょっと出て来るよ。すぐに帰る。

そして自分の声がそう言ったのを聞いてから彼は言い添えた。

——朝食になにか欲しいものはないかい？

眠そうな低い唸り声が答えた。

——むん。

そうか。なにも欲しくないんだ。つづいて暖かそうな深い溜息がいっそう低く聞え、彼女が寝返りを打ったらしく、ベッドの枠材のゆるんだ真鍮の輪飾りがジャランと鳴った。ちゃんと修理させなければ。残念だよ。はるばるジブラルタルから運んで来たのに。彼女はスペイン語の片言すらみんな忘れてしまった。彼女の親父はあれをいくらで買ったんだろう。時代もの。ああ、そうそう！総督邸の競売で買ったんだから。安く落札して。取引にはまったく抜け目がないんだ、トウィーディ爺さんは。そうなんだよ。*プレヴナ戦のときだった。わしは一兵卒から昇進したし、それを誇りに思っておる。そのくせ頭のいい男で、切手の買占めまでやった。あれは先見の明だったな。

彼の手はイニシアル入りの重い外套と遺失物保管所払いさげの中古レインコートの上の釘から帽子を取った。切手。裏に糊のついた絵。その売り買いで稼いでる将校も多いだろう。わかりきったことだ。帽子のてっぺんの汗のにじんだ商標が無言で彼に語りかけた。プラストー商会の*高級帽。彼は帽子の*びん革の内側をすばやくのぞきこんだ。*白い紙きれ。ちゃんとはいっている。

戸口の石段の上で彼は尻のポケットに手を入れて鍵をさぐった。ここではない。ぬいだズボンのなか。取って来なくては。*じゃがいもはある。軋る洋服ダンス。彼女を起さないほうがいい。さっき眠そうに寝返りを打ってたし。彼は外に出ると表のドアをきわめて慎重に閉めた。もうすこし。やっとドア*の裾皮が静かに敷居をふさいだ。しなやかな瞼みたいに。しまっているように見える。とにかく帰って来るまではこれで大丈夫。

*七五番地の地下室のゆるんだ揚げ蓋を避けて、彼は日のあたる側へ渡った。朝日が*ジョージ教会の尖塔に近づいている。今日は暑くなりそうだ。こんな黒い服を着てると特に暑さがこたえる。黒は熱を伝導し反射(屈折、だったかな?)する。しかしまさかあの明るい色の服を着て行くわけにも行かない。まるでピクニックの感じになる。幸福な暖かさのなかを歩きながら彼の瞼は何度も静かに閉じた。*ボーランド社のパン配達車が*われらの日用の糧を盆に載せて配達してるが彼女は前日のパンのほうが好きなんだ。パイのようにぱりぱりしていててっぺんを熱く焼いたやつ。まるで若がえったような気がする。東方のどこかの国で、朝早く。夜明けとともに出発して、たえず太陽より先にぐるりと、一日分の行程をこっそり先まわりすればいい。永久にそれをつづければちっとも年をとらないはず。浜辺を歩き、見なれない土地を、都市の城門へと到着する。歩哨がいる。兵卒あがりの老将校もいる。トウィーディ爺さんそっくりの大きな口ひげを生やし、長い槍によりかかって

いる。日よけの天幕を張りめぐらした商店街を歩いて行く。ターバンを巻いた顔がたくさん通り過ぎる。暗い洞窟みたいな絨毯商の店々、*怪傑ターコーもどきの大男が、あぐらをかいて螺旋形に巻いた水煙管《みずぎせる》をふかしている。街路では呼売りの声。茴香《ういきょう》の香りをつけた水を飲む、シャーベット。一日じゅう歩きまわる。盗賊にも一人や二人は出くわすかもしれぬ。それもよかろう。歩きつづけて日が沈む。円柱の連なるあたりに回教寺院の影、巻物をかかえこんだ僧侶。樹々が身をふるわせる。夕風のしるし。おれは歩きつづける。暮れて行く金いろの空。母親がひとり戸口からおれを見つめている。謎めいた東洋の言葉で子供たちを家に呼び戻す。高い壁、その向うで弦楽器の音が響く。夜空、月、菫《すみれ》いろ、モリーの新調の靴下留めの色。弦楽器。耳を澄ますんだ。少女がかき鳴らすあの何とかいう楽器、*ダルシマーだ。おれは歩きつづける。

たぶん本当はこんなもんじゃないだろう。要するに本で読むお話さ。*太陽を追いかけて。見出しのページには輝く太陽の光。彼はひとりで思い出し笑いをした。*アーサー・グリフィスが*《フリーマン》の社説欄上の飾り絵について言ったこと。自治の太陽は北西のアイルランド銀行の裏通りから昇る。彼は楽しげにひとり笑いをつづけた。なかなか抜け目がない。北西から昇る自治の太陽、か。

彼はラリー・オローク*の酒場まで来た。地下の酒蔵の格子窓から黒ビールの気の抜けた匂いが漂って来る。酒場は入口の開いたドアからショウガ*やお茶がらや練りビスケットの鼻をつく匂いを吐き出している。いい店だな、しかし。ちょうど繁華街の人の流れの終着点。たとえばあのさきのマコーリー*の酒場なんて、場所としてはお話にならない。もちろん家畜市場から河岸まで北環状道路に電車の路線を敷けば、ぐんと値打ちが出るだろうが。

ブラインドごしに禿頭。抜け目のないへんくつ爺だ。新聞広告を勧誘したってちっとも話に乗ってこない。とにかく自分の商売をよく呑みこんでるよ。いるいる、あそこにいるぞ、図太いラリーめ、シャツ一枚で砂糖の大箱によりかかり、エプロン姿のバーテンがモップとバケツで拭き掃除するのを監視している。サイモン・ディーダラスはあいつの物真似がうまい。目を細めて。わしが何を言おうとしてるかわかるかね？　何です、ミスタ・オローク？　わかるかね？　ロシア軍*は、日本軍にかかっては八時の朝飯前だよ。

ちょっと声をかけて行こう。今日の葬式の話でも。ディグナム*は気の毒なことでしたねえ、ミスタ・オローク。

角を曲ってドーセット通りにはいるとすぐ、彼は戸口の外から元気よく挨拶した。

――こんにちは、ミスタ・オローク。

――やあ、こんにちは。

――いい天気ですね。

――まったく。

この連中はどうやって金をつくるんだろう？ *リートリム州あたりから来たぽっと出の*赤毛のバーテンが、酒蔵で空瓶を洗って客の飲み残しを詰めたりして。それが、見ろよ、あっという間に花ざかり、*アダム・フィンドレイターとか*ダン・タロンみたいな金持になる。競争だって激しいんだ。町じゅうみんなよく飲むがね。*居酒屋の前を一度も通らないでダブリンを端から端まで歩けというのは相当な難題だろう。そんなに溜るはずがない。酔っぱらいからまきあげるのかな。三シリングのつけを五シリングに書きかえたり。あっちこっちで一シリングずつ、ちびりちびり稼いでもたかが知れてる。たぶん問屋との取引のときにでも。注文取りとぐるになってごまかす。ボスには辻褄を合せとけよ、儲けは二人で山分けだ、いいな？

それで黒ビールから月にいくら儲かるだろう？ *十樽として。彼の儲けが十パーセントとして。いや、もっと。十五パーセント。彼は聖ヨセフ公立小学校の前を通り過ぎた。餓鬼どもの大声。窓があいてる。きれいな空気は記憶を助ける。それとも調子をつけて読むせいかな。*アービーシー・デフィージー・ケローメン・オーピーキュー・ラステューヴィー・ダブルユー。男の子たちかな？ そう。*イニシュターク、イニシャーク、イニシュボフィン。地理をやってる。おれの名。*ブルーム山脈。

　彼はドルゴッシュ食肉店のウィンドウの前で立ち止り、ソーセージの束を、白や黒の*燻製ソーセージをみつめた。*十五パーセントかけるいくつだろうな。答えが出ないままに数字は頭のなかで白くかすみ、彼は不愉快になって、そのまま消えて行くに任せた。挽き肉を詰め込んだぴかぴかのソーセージの繋がりを眺めただけで彼は満ち足りた気分になり、薬味をつけて焼いた豚の血のなまぬるい匂いを静かに吸いこんだ。

　柳模様の皿の腎臓からべっとりと血がにじみ出ている。これ一つしか残っていない。カウンターのそばで隣家の女中といっしょになった。彼女もあれを買うんだろうか？ 手に持った紙きれから品物の名前を読みあげている。荒れた手、洗濯ソーダのせい。それから*デニー印のソーセージを一ポンド半ちょうだい。彼の視線は彼女のもりあがったお尻の上に止った。隣の男はウッズといったな。あいつめ何をしているやら。女房はちょっと年をくってる。新しい血。おれの女中に手を出すな。たくましい両腕。物干綱にかけた絨毯をばんばん叩く。ばんばんと、猛烈なもんだ。叩くたびにスカートがよじれて波を打って。

*いたちの目をした豚肉屋はソーセージをちぎり取って重ねた。その指はソーセージみたいなピンクいろで、しかもできものだらけ。*いきのいい肉ですよ、牛舎で肥らせた若い牝牛のような。

新聞紙を切ったの山からブルームは一枚とって見た。*テベリア湖畔のキンネレテ模範牧場。冬期のサナトリウムにも理想的。*モーゼズ・モンテフィオーレ。*やはりユダヤ人なんだな。農場の建物。まわりにめぐらした塀。草を食べる牛の群がぼやけて写っている。彼は新聞紙を遠く離して眺めた。面白い。近づけて読んだ。見出し。草を食べるぼやけた牛の群。新聞紙ががさがさ音を立てた。若い白い牝牛。家畜市場であのころ毎朝見た光景、囲いのなかで鳴いている動物たち、烙印を押された羊、どさりどさりと落ちる糞。飼主たちは鋲を打った長靴で敷藁の上を歩きまわり、肉づきのいい尻を平手でぴしゃりと打って、どうだ、極上の牛だぜ。*皮を剝いだ木の小枝を手に持って。彼は新聞紙を辛抱づよく斜めにかざし、五官と意志力を集中しながら、下向きの視線をそっと一点にとめた。叩くたびにスカートがよじれて波を打って、ばん、ばん、ばん。

豚肉屋は新聞紙の山からすばやく二枚とって極上のソーセージを包み、赤ら顔をゆがめてみせた。

――さあ、ねえさん、と彼は言った。

彼女は硬貨を一つ出して、厚かましい感じの笑顔を見せながら、太い手首を差し出した。

――ありがとう、ねえさん。すると一シリング三ペンスのおつりだね。こちらさんには何を差し上げましょう？

ミスタ・ブルームは急いで指さした。もしも彼女がゆっくり歩いてたら追いついて、あとをつけて行こう。ぶるぶる揺れるあの*お尻の。朝はじめて見るものとしては悪くない。早くしろよ、畜生め。ぐずぐずしてると日が暮れる。彼女は店の前で日ざしのなかに立ち、ゆっくりと*右のほうに歩きはじめた。彼は鼻から溜息をもらした。察しが悪いからなあ、女なんて。ソーダで荒れた手。足の爪もひび割れて。ぼろぼろになった茶いろの*スカプラリオが、前も後ろも彼女を防禦している。無視された苦痛が彼の胸のなかで燃えあがり、弱々しい快感になった。ほかの男のものなんだ。非番の巡査が*エクルズ小路で彼女を抱きしめる。*たくましいやつには弱い女たち。極上のソーセージ。*ああ、お巡りさん、お願い、あたし森で迷っちゃったの。

――三ペンスでございます。

彼の手は湿った柔らかい内臓を受け取って脇のポケットに入れた。次にズボンのポケットから三枚の硬貨を出し、ゴムの受け皿の上に置いた。並んだ三枚はすばやく数えられ、すばやく一枚ずつ銭箱へとすべりこんだ。

――ありがとうございました。またどうぞ。

狐のような目のなかで*熱烈な光がちらつき彼に感謝した。まもなく彼は視線をそらした。いや、よしたほうがいい、*またにしよう。

――さよなら、と彼は立ち去りながら言った。

――さようなら。

影も形もない、行ってしまった。別にいいさ。

彼はドーセット通りを戻った。まじめな顔であの新聞を読みながら。*アゲンダット・ネタイム、開拓会社。トルコ政府から不毛の砂地を買い入れ、ユーカリを植樹。日蔭、燃料、建材に最適。*ヤッファ北方にオレンジ林と広大なメロン畑。*八十マルクの御投資ごとに当社は*一ドゥナムの土地にオリーヴ、オレンジ、アーモンドあるいは*シトロンを植えてあなたのものとします。オリーヴのほうが安価。オレンジには人工灌漑が必要。毎年の収穫をあなたにお送りいたします。あなたのお名前は終身所有者として会社の台帳に記入。頭金十マルク、残額は年賦払いも可。ベルリン、西十五区、ブライプトロイ通り三四番地。

やってみる気はしないね。しかしちょっとしたアイデアだな。

彼は銀いろの熱気にかすむ牛の群を眺めた。銀いろの粉を吹いたオリーヴの樹。おだやかな長い毎日。枝を刈りこんで、次第に熟して。オリーヴは瓶に詰めるのかな？ アンドルーズの店で買ったのがまだすこし残っている。モリーはあれを吐き出して。今では味がわかるようだが。オレンジは薄紙に包んで籠に入れる。シトロンもそうだ。そういえば*かわいそうなシトロンはまだセント・ケヴィンズ・パレイドに住んでいるだろうか。それにあの古めかしい*シターンを奏くマスティアンスキー。あのころは毎晩楽しかったな。モリーがシトロン家の*籐椅子に腰かけて。手ざわりのいい、ひやりとなめらかなシトロンを手に持って、鼻さきにあげて香りを嗅ぐ。あれみたいに重みのある、甘い、野性の香り。いつも変らずに、毎年毎年。しかもいい値で売れる、とモイゼルが言ってたっけ。*アービュータス・プレイス、プレザンツ通り、楽しかったあのころ。*一つでも疵《きず》があると駄目なんだ、と彼は言ってた。はるばる運ばれて来る。スペイン、ジブラルタル、地中海、レヴァント地方。ヤッファの埠頭にずらりと並んだ籠、それを帳簿につける男、汚れた作業服を着て裸足《はだし》で運びこむ仲仕たち。なんだか見覚えのある男が来たぞ。こんにちは。気がつかない。挨拶するだけの顔見知りというのはどうも始末が悪いよ。後ろ姿は*あのノルウェーの船長に似てる。いずれ今日じゅうに顔を合せるのかな。撒水車だ。雨を呼ぶため。*天に行なわるるごとく地にも。

*雲がしだいに太陽を覆いはじめ、すっかり隠しきった。灰いろ。遠い。いや、そうは行かないよ。不毛の土地、裸の荒野。火口湖、死の湖。魚もいない、水草もない、地中深く陥没して。風が波を立てることもなく、灰いろの金属のような、毒気と靄に包まれた湖。降り注ぐものを彼らは硫黄と名づけた。平野の町々、*ソドム、ゴモラ、エドム。すべて死に絶えた名。死んだ土地の死んだ海、灰いろで、古くて。もうたいへんな年齢だよ。最古の、最初の人類を生んだんだから。腰の曲った老婆が*キャシディ酒店から出て来て道を横切った。四分の一パイント瓶のくびを握りしめている。最古の人類。遠く大地の果てまでさまよい歩いて、捕囚から捕囚へ、いたるところで子孫をふやし、死んだり、生れたり。今はそこに横たわって。もう生めない。死んだ。老婆の。灰いろの陥没した世界の陰門。

荒廃。
灰いろの恐怖が彼の肉体をちぢみあがらせた。彼は新聞紙をたたんでポケットに入れ、角を曲ってエクルズ通りへはいり、家路を急いだ。冷たい油が血管を流れ、血を凍らせ、老齢がおれを*塩の外套で押し包む。まあ、今のところはこの通り。朝のうちは口のなかも考えることもすっきりしない。間違って*ベッドの左側から降りたせいかな。またあの*サンドー式の体操をはじめなくちゃ。腕立て伏せ。よごれた茶いろの煉瓦の家並。八〇番地はまだ借り手がつかない。なぜだろう？　評価額はたった*二十八ポンドなのに。*タワーズ、バターズビー、ノース、マカーサー。居間の窓にべたべた貼りつけた広告。ただれた目に貼った膏薬のよう。お茶のなごやかな湯気と、鍋に沸きたつバターの匂いを吸いこめば。彼女のふくよかな、ベッドで暖まったからだのそばで。それだよ、それ。

すばやい暖かい日光が*バークリー道路から小走りに近づいて来る。急いで、華奢なサンダルをはいて、明るくなってゆく歩道に沿って。小走りに、彼女は小走りにおれを迎えに来る。*金髪を風になびかせた少女が。

手紙二通と葉書一枚がホールの床の上にあった。彼はかがんで拾いあげた。*ミセス・マリアン・ブルーム。彼の弾んだ心がたちまち勢いを失った。*大胆な筆跡。ミセス・マリアンか。

——ポールディ！

寝室にはいって彼はなかば目をつむり、暖かな黄いろい薄明りのなかを彼女の寝乱れた頭のほうへ歩いた。

——誰に来たお手紙？

彼は手紙を眺めた。*マリンガーにて。*ミリー。

——ミリーからぼくに手紙が一通、と彼は用心深く言った。君には葉書が一枚。それから君あての手紙が一通。

彼女への葉書と手紙を彼は綾織りの*ベッドカバーの上、彼女の膝の曲線のそばに置いた。

——ブラインドをあげたほうがいいかい？

静かに紐を引き、ブラインドを半分ほどあげてそっと後ろを振り返ると、彼女が手紙をちらりと見て枕の下に押しこむのが見えた。

——これくらいでいいかい？　と彼は向き直ってたずねた。

彼女は頬杖をついて、葉書を読んでいる。

——ミリーは小包を受け取ったそうよ、と彼女は言った。

彼女が葉書を横に置いて、気持のよさそうな溜息をもらしながらまたゆっくり丸くなるまで、彼はじっと待っていた。

——お茶早くしてね、と彼女は言った。喉がからから。

——お湯は沸いてるよ、と彼は言った。

しかしすぐ出て行かずに彼は椅子の上のものを片づけた。縞柄のペチコート、投げ出したままの汚れた肌着。それをぜんぶ腕いっぱいにかかえてベッドの足もとにのせた。

彼が台所への階段を降りはじめたとき彼女が声をかけた。

——ポールディ！

——なんだい？

——ティーポットにお湯を通してね。

沸いてるどころじゃない。口から派手に湯気を吹きあげてる。彼はティーポットに湯を通してすすぎティースプーンに山盛り四杯の紅茶を入れてから、湯わかしを傾けて湯をついだ。茶がよく出るまでポットはそのままにして彼は湯わかしをおろし、燃えている石炭の上にぴしゃりとフライパンを叩きつけ、バターのかたまりがすべって溶けるのを見まもった。腎臓の包みを開きかけたら猫がすりよって来てひもじそうに鳴いた。餌をやりすぎると鼠を捕らない。豚肉は食べないと言うけど。*コーシャーだよ、ほら。彼は血まみれの新聞紙を猫の前に落し、しゅうしゅうと溶けているバターのなかに腎臓を入れた。胡椒。縁のかけたゆで卵いれのなかの胡椒を彼は指のあいだから輪を描くように振りかけた。

それから彼は封筒を破って手紙を開き、上から下へ、そして裏へと目を通した。ありがとう、新しい*タム、*ミスタ・コフラン、*オーエル湖までピクニック、*若い学生、*ブレイゼズ・ボイランが歌っていた*海辺の娘たち。

お茶はよく出てる。彼はそれを自分用の*蓋つきカップにつぎながら微笑した。にせものの*クラウン・ダービー磁器。*おばかのミリーがくれた誕生日の贈物。あのときはまだ五つだった。いや、待てよ。四つだ。琥珀まがいのネックレスをあの子に贈ったのに、こわしてしまった。茶いろの紙きれを折りたたんで郵便箱に入れてやったっけ。お茶をつぎながら微笑が浮んでくる。

≪*おお、ミリー・ブルーム、ぼくの恋人。
夜から朝まできみはぼくの鏡。
たとえ一文なしでもきみが好きさ

驢馬《ろば》と畑持ちのケイティ・キョーよりも》

気の毒なグッドウィン*老教授。どうしようもない爺さんだった。しかし礼儀だけは正しかったな。モリーが舞台から引っ込むとき、いつも昔風のおじぎをして見送って。それに彼のシルクハットのなかのあの小さな鏡。ミリーがそれを客間まで持って来たあの晩ときたら。まあ、グッドウィン先生の帽子にはこんなものがはいってるのよ！　われわれはみんなして笑った。あのころすでに色気づいていたな。おしゃまな子だったよ、たしかに。

彼は腎臓にフォークを突き刺して一気に裏返した。それからティーポットを盆に載せた。持ちあげたとき盆の底がポコンと音を立てた。みんな載ってるかな？　バターつきパン、四枚、砂糖、スプーン、彼女のクリーム。よし。彼はティーポットの取っ手にしっかり拇指をかけ、盆を持って階段を昇った。

膝でドアを押し開き、運びこんだ盆をベッドの枕もとの椅子の上に置いた。

──ずいぶん遅いのね！　と彼女は言った。

彼女が片肘を枕についていきおいよく身を起すと、ベッドの真鍮の輪飾りがジャランと鳴った。彼はその大柄なからだをおだやかに見おろし、ナイトドレスのなかで牝山羊の乳房のように盛りあがっている大きな柔らかい二つの乳房のあいだを眺めた。寝そべっている女体の暖かみが空中に立ちのぼり、彼女がついだ紅茶の香りとまじりあった。

破った封筒の切れはしがくぼんだ枕の下からのぞいていた。彼は部屋を出て行く途中で立ち止ってベッドカバーの具合を直してやった。

――誰からの手紙だった？　と彼はたずねた。

大胆な筆跡、マリアン。

――ああ、ボイランよ、と彼女は言った。プログラム*を持って来るんですって。

――君は何を歌うの？

――《あそこへ行って》*をJ・C・ドイルと歌うの、と彼女は言った。それと《愛のなつかしいやさしい歌》*を。

彼女のふくよかな唇が、お茶を飲みながらほほえんだ。ああいう香りは翌日になると饐《す》えたような匂いを残す。腐ったフラワーウォーター*のような。

――窓をすこしあけとこうか？

彼女はパンの一枚を二つに折って口に押しこみながら言った。

――お葬式は何時からなの？

――十一時だよ、たしか、と彼は言った。新聞を見ていないけどね。

彼女の指がさす方向を目で追って、彼はベッドの上から汚れたズロースの脚の片方をつまみあげた。違う？ それなら灰いろのよじれた靴下留め。それがからみついているストッキング、皺くちゃで足裏だけぴかぴか光っている。

――違う、あの本よ。

もう片方のストッキング。彼女のペチコート。

――下*に落ちたのね、きっと、と彼女は言った。

彼はあちらこちら手さぐりした。《*行きたいけれど行きたくもなし》。あそこを彼女は、ちゃんと発音できるだろうか？ ヴォーリオ、と。ベッドのなかにはない。すべって落ちたんだろう。彼はかがみこみ、ベッドの縁《へり》の掛け布を持ちあげてみた。本は落ちてオ*レンジいろの鍵模様のついた室内便器の横腹にぶざまによりかかっていた。

――見せて、と彼女は言った。しるしをつけといたの。たしかめたい言葉が一つあったのよ。

彼女は茶碗の取っ手でないところを持ってひとくち飲み、毛布で指さきを器用にぬぐってから、ヘヤピンで文章をたどり、その言葉を探し当てた。

——*彼に会った《メット・ヒム》だって？　と彼は言った。

——これよ、と彼女は言った。どんな意味なの？

彼はかがみこんで、彼女の拇指の磨いた爪のそばを読んだ。

——*輪廻転生《メテンプサイコーシス》？

——そう。その人いったいどこの誰なの？

——輪廻転生、と彼はつぶやいて顔をしかめた。ギリシア語だよ。ギリシア語から来た言葉だ。霊魂の転生という意味だよ。

——*ちんぷんかんぷん！　と彼女は言った。易しい言葉を使いましょうよ。

彼はほほえんで横目づかいに彼女のいたずらっぽい目を眺めた。ちっとも変らない若々しい目。はじめて出会った夜、ジェスチャー遊びをしたあとで。*ドルフィンズ・バーン。彼は手垢で汚れたページをめくってみた。*《サーカスの花ルービー》。ほほう。挿絵だ。鞭を手にした獰猛《どうもう》なイタリア人。たしかにルービーは花形だろうな、床の上に裸で。*ありがたく敷布を拝借。《極悪非道のマッフェイはそこで思いとどまり、呪いの言葉とともに彼の犠牲者を突きとばした》。*サーカスなんて裏では残忍なもんだ。動物に興奮剤を飲ませたり。ヘングラー・サーカス団の空中ぶらんこ。目をそむけたくなったよ。口をあけて見ている群集。おまえが首の骨を折れば、腹の皮がよじれるまで笑ってやる。みんな家族ぐるみなんだ。子供のうちから骨を抜いて*変形変態《メタムスパイコーシス》させてしまう。死後も生きつづけるように。われわれの霊魂。死後の人間の霊魂が。ディグナムの霊魂が……

――みんな読んだの？　と彼は聞いた。

――そう、と彼女は言った。ちっともいやらしくない小説よ。彼女はずっと最初の男を愛してたのかしら？

――読んでないんだ。別のを読みたいかい？

――ええ、もう一冊*ポール・ド・コックのを借りてきてよ。いい名前だわね。

彼女はカップにお茶をつぎたし、ポットから出てくる流れを*横から眺めた。

*ケイペル通りの図書館であの本の借出しを延期しないと保証人の*カーニーに催促状が行くだろうな。魂の再生。そうだ、この言葉がいい。

――こんなことを信じてる人がいる、と彼は言った。われわれは死んだあとも別の肉体のなかで生きつづけるし、前にも生きていたって。これを魂の再生というんだ。われわれはみんな何千年も前の地球とか他の遊星とかで生きていた。ただそれを忘れただけだ、というんだな。自分の過去の人生を覚えているという人もある。

とろりとしたクリームが彼女の紅茶のなかで輪をえがき螺旋形に凝結しはじめ

た。もう一度あの言葉を思い出させてやらなければ。輪廻転生。具体的な例をあげたほうがいい。どんな例を？

《ニンフの浴《ゆあ》み》がベッドの上にかかっている。《フォート・ビッツ》*の復活祭特別号の付録で、アート・カラーの最高傑作。ミルクを入れる前の紅茶の色。髪を垂らしたモリーに似ていなくもない。もっとすらりとしてる。額縁に三シリング六ペンス払わされた。ベッドの上にかけたらすてきね、と彼女が言ったから。裸体のニンフたち。ギリシア。あのころ生きていた人々なら誰の例でもいい。

彼はページをめくりかえした。

——輪廻転生、と彼は言った。昔のギリシア人が使ってた言葉でね。人間がたとえば動物とか樹とかに変ることがあると彼らは信じていた。たとえばニンフなんてものに。

砂糖をかきまわしていたスプーンの動きが止った。彼女はまっすぐ正面をみつめ、ふくらんだ鼻の穴から空気を吸った。

——焦げてる、と彼女は言った。何か火にかけてきたんじゃない？

——腎臓だ！　と、とっさに彼は叫んだ。

彼は本を手荒く内ポケットに押し込み、こわれた椅子型便器*に爪さきをぶつけながら部屋を出て匂いのほうへ急ぎ、あわてたコウノトリみたいな足つきで階段を駆け降りた。鼻をつく煙がフライパンの片側から怒ったように吹きあげていた。フォークのさきを腎臓の下に押し込んで鍋底から剝がし、ごろりと裏返した。ほんのすこし焦げただけだ。彼はそれを鍋から皿の上にほうり出し、わずかしかない茶いろの肉汁をそそぎかけた。

さあお茶だ。彼は腰をおろし、パンを一きれ切ってバターを塗った。腎臓の焦げたところを切り取って猫に投げてやった。それからフォークで大きな一きれを口に入れ、香ばしいしなやかな肉をよく味わいながら嚙んだ。ちょうどいい焼け具合だ。紅茶を一口。それからパンを賽《さい》の目に切り、その一きれを肉汁にひたして口に入れた。たしか若い学生とかピクニックとか書いてあったな？　彼はかたわらに置いた手紙の折り目をのばし、ゆっくり読みながらパンを嚙み、次の一きれを肉汁にひたしてまた口もとへ持って行った。

やさしいパパちゃん

すてきな誕生日の贈物ほんとにどうもありがとう。あたしにとってもよく似合うの。あの新しいタムをかぶるとけっこう美人にみえるってみんながそう言ってくれるわ。ママからもすてきなクリーム菓子を一箱いただいたから葉書を出します。すてきなお菓子よ。あたしの写真商売もだいぶ板についてきました。ミスタ・コフランがあたしと奥さんをいっしょに写してくださったわ。現像ができたら送ります。きのうはとても忙しかったの。お天気がよくて大根足がぞろぞろやってきたわ。月曜日にはお友だち四、五人とオーエル湖まで気軽なピクニックに行きます。ママによろしくね、お父さんには大きなキスと感謝をさしあげます。みんなが階下でピアノをひいてます。土曜日にグレヴィル・アームズ・ホテルで音楽会があるの。バノンっていう若い学生が夕方ときどき遊びにくるのよ、従兄だかなんだかにすごいお金持がいるんですって。そのひとはボイラン（ついブレイゼズ・ボイランって書いちゃいそう）がよく歌ってた海辺の娘たちを歌うの。おばかのミリーからよろしくとボイランに言っといてね。もうおしまいにしないと。心からの愛をこめて、

大好きなあなたの娘

ミリー

P・S　乱筆ごめんなさい、急いでるの。バイバイ。

M

昨日で十五歳。*誕生日もたまたま今月の十五日。生れてはじめて家を離れての誕生日だ。別離か。あの子が生れた夏の朝を思い出すよ、*デンジル通りのミセス・ソーントンをたたき起しに行ったっけ。愉快な婆さんだった。さぞたくさんの赤ん坊を取りあげたことだろう。死んだ*ルーディのときにははじめから長くもたないと見抜いていた。ねえ、神さまの思し召しですわ。一目で見抜いた。生きていればあの子ももう十一になるはずだ。

彼のうつろな顔が憐れみをこめて追伸をみつめた。乱筆ごめんなさい。急いでる。階下でピアノ。あの子もそろそろ一人前だ。*XLカフェではブレスレットのことで口喧嘩をしたっけ。ケーキを食べようともせず、口もきかず、そっぽを向いて。生意気な子だよ。彼は残りのパンを肉汁にひたし、一きれずつ腎臓を食べた。*週給十二シリング六ペンス。多くはない。でも、あの子の職場としてはいいほうだよ。ミュージックホールの舞台よりは。若い学生。彼はさめかけたお茶をひとくち飲んで肉を流しこんだ。それから手紙を読み直した。二回目。

まあよかろう。あの子も自分で気をつけるぐらいのことはできるはずだ。しかし、もしできなかったら? いや、まだ何も起っていない。これから起るかもしれないが、それはその時のこと。なにしろおてんば娘なんだ。階段を駆けあがる彼女のすらりとした脚。宿命さ。いま熟しかけている。見栄っぱり、とても。
彼は台所の窓を見ながら不安な愛情の微笑を浮べた。いつだったか、あの子が町を歩きながら頬をつねって血色をよくしようとしてるのに出会ったっけ。*貧血性の気味がある。いつまでもミルクを飲ませたから。*エリンズ・キング号に乗ってキッシュの灯台船めぐりをしたあの日。古いぼろ船でひどく揺れた。ちっともこわがらなかったな。あの子の薄いブルーのスカーフが髪といっしょに風に吹かれて。

《*どの子を見てもえくぼと巻毛、
きみの頭は渦を巻く》

海辺の娘たち。破った封筒。*まるで休日の駆者だよ、両手をズボンのポケットに突っこんで、歌って。家族ぐるみの友人。《おずを巻く》とあの男は発音する。桟橋に灯がともり、夏の夜、楽隊。

《娘たち、あの娘たち、
かわいい海辺の娘たち》

ミリーもそう。若いキス、はじめての。もう遠い昔のことだ。ミセス・マリアン。いまは寝そべって本を読み、自分の髪の房をかぞえ、ほほえみながら、それを編んで。

かすかな不安、悲嘆が、彼の背骨を駆け降りながら勢いを増した。起るだろうな、やはり。防いでやる。無駄なこと。打つ手はない。若い娘の柔らかな軽い唇。*モリーにも起るだろう。不安の流れが全身にひろがって行くのを彼は感じた。今は打つ手がない。キスされる唇、キスされてキスして。ふくよかに吸いつく女の唇。いまの所にいるほうが彼女のためにいいだろう。家を離れて。することがあって。時間つぶしに犬を飼いたいと言っていたな。一度行ってみてやるか。八月の休日に。往復でわずか二シリング六ペンス。しかし六週間さきの話だ。新聞社のパスを手に入れようか。それとも*マッコイに頼んで。

猫は全身の毛をきれいに舐め終って、また腎臓の血のついた包み紙のところに帰り、鼻で嗅いでからゆったりとドアに向って歩いた。彼のほうを振り返って、ミューと鳴く。外へ出たいらしい。ドアの前で待ってればいつかは開く。待つがよかろう。そわそわしてる。電気のせい。雷*が来るのか。そういえば火に背を向けてしきりに耳を洗っていた。

ずっしりと満腹した感じだった。そして腸がしずかにゆるんできた。彼は立ちあがり、ズボンをゆるめた。猫が彼に向って鳴いた。

──ミャオー！と彼は返事をした。こっちの用意ができるまで待ってな。

重苦しい。暑い日になりそうだ。踊り場*まで階段を昇らされるのはかなわないな。

新聞。彼は便器に腰かけて読むのが好きだ。そんなときノックする馬鹿がいなければいいが。

テーブルの引出しに《ティットビッツ》*の古いのが一冊あった。彼はそれを折りたたんで脇にはさみ、戸口まで歩いてドアをあけた。猫が柔らかくはねながら駆けあがって行った。ああ、上へ行って、ベッドの上でまるくなりたかったんだ。

耳を澄ますと彼女の声が聞えてきた。

──おいで、おいで、猫ちゃん。おいで。

彼は裏口から庭へ出た。立ち止って、隣の庭のほうに聞き耳を立てた。何も聞えない。たぶん洗濯物を外に干しているところ。*女中は庭に出てました。いい朝だ。

彼はかがみこんで、壁ぎわに生えている痩せたオランダハッカの列を眺めた。ここにあずまやを建てようか。べにばな隠元。アメリカ蔦《つた》。この土地全体に肥料をやらないと。ばさばさした土壌。一面に硫化カリみたいな色。こやしをやらない土地はみんなこうだ。台所の流し水。ローム土壌、いったいこいつは何だろう？ *隣の庭の鶏たち。鶏糞は極上の撒布肥料だ。しかし一番いいのは牛、特に油糟《あぶらかす》を食べてる牛のがいい。牛糞の根ごやし。キッドの婦人用手袋の汚れを落すにもあれが一番。きたならしい浄化法。灰もいい。ここをぜんぶ耕そうか。あの隅に豆を植えて。レタス。そうすればいつも新鮮な野菜が食べられる。しかし菜園もいいことばかりではない。*ここで蜂だか青蠅だかに刺されたあの聖霊降臨節翌日の月曜日。

彼は歩きつづけた。ところで帽子はどこに置いたっけ？ たしか元の釘にかけた。それとも一階のどこかにひっかけたか。おかしいな、覚えがないぞ。玄関のスタンドはもうぎっしりだ。傘が四本、彼女の雨外套。手紙を拾いあげたな。*ドラゴー理髪店の戸口の鈴が鳴ったのは。たまたまおれがあの男のことを考えてるときだった。カラーの上にチックで固めた褐色の髪。いま洗って磨きたてたという感じ。今日は朝のうちに*風呂屋に行く時間があるだろうか。タラ通り。あそこの勘定台にいる男だそうだ、*ジェイムズ・スティーヴンズを逃がしてやったのは。オブライエン。

あのドルゴッシュという男は奥行きのある声をしてるな。アゲンダット何とかいう会社だっけ？　さあ、ねえさん、か。熱狂的シオニスト。

彼は建てつけの悪い便所のドアを蹴飛ばしてあけた。気をつけないと葬式に行くのにズボンを汚したら大変だ。彼は頭をさげて低い鴨居をくぐり、なかにはいった。ドアを完全には閉めないで、かびくさい石灰や古い蜘蛛の巣などの悪臭のなかでズボン吊りをはずした。腰をおろす前に壁の隙間から隣の家の窓のあたりをのぞいてみた。*王様は会計室にお出ましだ。誰もいない。

*懲罰椅子に腰かけて彼は新聞を開き、裸の膝の上でページをめくった。なにか新しくて肩の凝らないもの。そう急ぐことはない。出るまで待とう。本誌入選面白読物、《マッチャムのあざやかな手並》。作者ミスタ・*フィリップ・ボーフォイはロンドン演劇鑑賞家クラブ会員。*一段につき一ギニーの稿料をお送りしました。三段半。三ポンド三シリング。三ポンド十三シリング六ペンス。

じっと我慢しながら彼は静かに一段目を読み、そして、出しながらしかも抑えながら、二段目を読みはじめた。半分まで来て、もう抑えることをやめ、しずかに内臓が開いてゆくに任せながら読み、さらに辛抱づよく読みつづけるうちに、昨日の軽い便秘はどうやら解消した。頼むぜ、あまり大きいとまた痔になってしまう。いや、ちょうどいい。そう。ああ！ 便秘薬。*カスカラ・サグラダを一錠。人生がすっかり明るく。感動も情緒もかきたてない話だけど、歯切れがよくて気がきいてる。今は何でも活字になる。*ねた涸れ時だ。彼は自分自身の立ちのぼる臭気のなかにじっと坐ったまま読みつづけた。たしかに気がきいてる。《マッチャムがたびたび思い出す、あのあざやかな手並が笑う魔女を陥落させ、いまや彼女も》。はじめと終りとに教訓がつく。《手に手をとって》。うまいもんだ。彼は読み終った文章をもう一度ちらりと眺め、自分の尿が静かに流れるのを感じながら、これを書いて三ポンド十三シリング六ペンスの稿料をせしめたミスタ・ボーフォイを素直に羨ましいと思った。

短いものならなんとか書けるかもしれない。*ミスタ・アンド・ミセス・L・M・ブルーム作。諺を一つの物語に仕立てようか。どんな諺？ 彼女が着替えをしながらしゃべることをシャツのカフスに書きとめたこともあったな。いっしょに着替えるのはいやだ。ひげを剃りながらつい怪我をしてしまった。下唇を噛んで、スカートの横のホックを留めている彼女。彼女がしゃべった時刻をつけて。九時十五分。

*ロバーツはもうお金を払ってくれた？　九時二十分。*グレタ・コンロイはどんな服を着てたの？　九時二十三分。何だってあたしこんな櫛を買ったのかしら？　九時二十四分。あのキャベツでおなかがふくれちゃったわ。彼女の靴のエナメル革にすこし埃がついてたんで、器用に片方ずつ*細革をストッキングのふくらはぎにこすりつけてた。*メイの楽隊が*ポンキエッリの時間の踊りを演奏したあの慈善舞踏会の翌朝。あれを説明して。朝の時間、昼、それから夕方が来て、それから夜の時間なのさ。彼女は歯を磨いていた。*あれが最初の晩だった。ダンスをしている彼女の頭。扇の柄がかたかた鳴って。あのボイランってお金持なの？　金はあるよ、だけどなぜ？　ダンスしてるとき彼の息がとってもいい匂いだったの。これでは曲を口ずさんでみせても無駄。遠まわしに言おう。昨晩のあれは奇妙な音楽だったね。鏡が影になっていた。彼女は揺れる豊かな乳房に手鏡を押しつけウールのベストでごしごし拭った。じっと手鏡をのぞきこんで。目尻の皺。どうしても話に乗ってこなかった。

　夕べの時間、灰いろの薄物を着た娘たち。次に夜の時間が黒い服で短刀を持ち仮面をつけて。詩的な着想だな、ピンク、それから金いろ、それから灰いろ、そして黒。それでいて写実性もある。昼間、それから夜。

彼は懸賞小説を真っ二つに裂き、それで尻を拭いた。それからズボンを引きあげ、ズボン吊りとボタンをかけた。がたがた揺れる便所のドアをあけて彼は暗がりから戸外に出た。

まぶしい光のなかで、手足も軽くさわやかに、彼は黒いズボンを丹念に点検した。裾、膝、膝の後ろ。葬式は何時だったかな？　新聞で確かめたほうがいい。

上空高く金属音と暗い唸り。ジョージ教会の鐘だ。時を告げる弔鐘、高鳴る暗い鉄。

≪*ヘイホー！　ヘイホー！
ヘイホー！　ヘイホー！
ヘイホー！　ヘイホー！≫

*十五分前。もう一つ鳴った。空気のなかで倍音が尾を引く。*三度だ。

かわいそうなディグナム！

5

食蓮人《しょくれんじん》たち

場所――リフィ川南岸の通り、郵便局、教会、薬局、浴場
時刻――午前十時

自宅を出たブルームはリフィ川の南側に来て、河岸沿いに歩いてから、郵便局に立ち寄り、局留の手紙を受け取る。彼はヘンリー・フラワーという偽名でマーサ・クリフォードという女性（これも偽名か）とひそかに文通している。郵便局を出たところでマッコイに出会って世間話をしながら、通りの向いで馬車に乗ろうとしている女に気をとられる。マッコイと別れ、女の手紙を読むために人気のない通りへはいる。手紙には花がはさんであり、ブルームは花言葉について考える。オール・ハローズ教会の裏口から中にはいり、司祭があげているミサをしばらく眺めたのち、今度は正面入口から外に出る。それから薬局に寄って、モリーの化粧水をつくるよう頼み、知人の葬式に参列する前に風呂にはいって行こうと思いながら石鹸を一つ買う。薬局を出たところでバンタム・ライアンズに出会い、アスコット競馬の記事を見たいという彼に、「ちょうど捨てよう《スローアウェイ》と思ってたんだ」と言って新聞を渡す。スローアウェイは今日の出走馬の一頭。最後に、入浴中の自分の姿を想像しながら、トルコ式浴場へ向う。

器官――生殖器　　学芸――植物学、化学　　象徴――聖餐式　　技術――ナルシシズム

神話的対応――辻馬車の馬たち、教会の聖餐拝受者たち、ポスターの兵士たち、ブルームが思い浮べる入浴者とクリケットの観客は、『オデュッセイア』のオデュッセウスの部下たち（蓮を食べたため帰郷の欲望を失い、蓮の国で怠けている）に対応する。

*サー・ジョン・ロジャーソン河岸に並んでいる*荷馬車のそばをミスタ・ブルームはまじめな顔で歩きつづけ、ウィンドミル小路、*リースク亜麻仁《あまに》圧搾工場、*郵便電報局を通り過ぎた。*宛名をここの局留にしてもよかったな。それから*船員宿泊所を通り過ぎると、彼は波止場の朝の騒音に背を向けて右に曲りライム通りを歩いて行った。*ブレイディ共同住宅のそばで使い走りの少年が臓物のバケツをぶら下げ、齧みつぶした安煙草の吸いさしを吹かしながらぶらついていた。額に湿疹のあとの残っているもっと小さな女の子が退屈そうに、*樽の箍《たが》のひしゃげたのを手にして彼のほうを見ている。煙草をのむと大きくなれないぞと言ってやるか。まあ、ほっとけ！　薔薇の花に囲まれて安楽に暮してるわけじゃなし。父親を連れ戻そうと酒場の入口で待つとか。*母ちゃんとこへ帰ろうよ、父ちゃん。ひまな時間、客もあまりいないだろう。彼はタウンゼンド通りを横切って、しかめ面を見せている*ベセルの

建物の前を通った。*エル、そう、神。の家というのは、アレフ、ベースのベース。そしてニコルズ葬儀店を通り過ぎた。葬式は十一時。まだ時間はある。この仕事はたぶん*コーニー・ケラハーがオニール葬儀店のものにしたんだろう。目をつぶって歌う。野暮《コーニー》なやつ。*あの娘《こ》にいつだか公園で会ったよ。真っ暗だったよ。楽しかったよ。警察の犬め。あの娘は名前と住所を教えてくれたよ、おれは鼻唄トゥーラルーム・トゥーラルーム・テイ。そう、たしかにあいつがものにしたんだ。どこでもいいから安く埋めちまえ。おれはトゥーラルーム、トゥーラルーム、トゥーラルーム。

ウェストランド通りで彼は*ベルファスト・アンド・オリエンタル紅茶商会のウィンドウの前に立ち止り、銀紙の包装の宣伝文句を読んだ。精撰ブレンド、品質極上、御家庭用紅茶。かなり暑いな。茶。*トム・カーナンの店ですこし買っておかなければ。でも葬式のとき頼むのはまずいよな、やっぱり。目で流し読みをつづけながら彼はのんびりと帽子をぬいで静かに自分の髪油の匂いを吸いこみ右手でゆっくり鷹揚に額と髪を撫でた。ひどく暑い朝だ。彼の目は垂れた瞼の下から高級帽のびん革の小さな結び目を見た。そこにある。右手が帽子の鉢の内側に降りた。指がびん革の奥からすばやく一枚のカードをさぐり出してチョッキのポケットに移した。

いやに暑い。彼の右手がもう一度*もっとゆっくり撫でた。精撰ブレンド、セイロン産の極上品。極東。いいところだろうな、きっと。地上の楽園、大きな物憂げな葉に乗って水の上をただよい、サボテン、花の咲く草原、蛇の蔦かずらとかいうもの。本当にそんなだろうか？ セイロンの住民たちは日光のなかでのらりくらりと《*甘美な無為の暮し》を送り、一日じゅう手も動かさない。一年のうち六か月は眠ってる。暑すぎて喧嘩もしない。風土の影響。無気力。無為の花。空気がいちばんの栄養。窒素。*植物園の温室。おじぎ草。睡蓮《すいれん》。花びらもぐったりして。眠り病があたりに広まって。薔薇の花びらの上を歩く。牛の胃袋や足の煮込みを食べたらどんなことになるだろう。どこかで写真に写ってた男、あれはどこだったっけ？ そうそう、死海だな、あおむけに水に浮んで、パラソルをさして本を読んでいた。沈もうったって沈まない、それくらい塩分が濃い。なぜならば水の重量は、じゃなかった、水中にある物体の重量は、いったい何の重量に等しかったっけ？ それとも容積が重量と等しいんだったかな？ とにかく*そんなふうな法則。高校で*ヴァンスが指の関節を鳴らし《クラッキング》ながら教えてくれた。大学進学用カリキュラム。猛烈《クラッキング》なカリキュラム。重さというのはほんとうは何のことですか？ *毎秒毎秒三十二フィート。落下体の法則、毎秒毎秒。すべてのものが地面に落ちる。地球。つまり地球の引力が重さというものなんだ。

彼は向きを変えてゆっくり道を横切った。あの女中はソーセージを持ってどんなふうに歩いてたっけ？　あの調子でやってみるか。歩きながら彼は脇ポケットから折りたたんだ《フリーマン》*を出し、いったん広げてから縦に長く棒のように巻いて、ぶらぶら歩きの一歩ごとにズボンの上から脚を叩いた。さりげない様子。ついでに寄ってみただけという。毎秒毎秒。毎秒とは一秒ごとという意味。歩道の縁石から彼は郵便局のドアの内側へ鋭い視線を投げた。時間外郵便受け。ここへ投函して下さい。誰*もいない。はいろう。

彼は真鍮の格子のあいだからカードを差し出した。

——わたしあての手紙が来てませんか？　と彼はたずねた。

女の郵便局長が仕切り棚のなかをさがしているあいだ彼は各兵科の兵隊が分列行進をしている志願兵募集のポスターを眺めていた。そして巻いた新聞紙の先端を鼻孔に押し当て、印刷したばかりのざら紙の匂いを嗅いだ。たぶん返事は来てないだろう。このあいだすこしやりすぎたからな。

女の郵便局長は格子越しに彼のカードと一通の手紙をいっしょに返してよこした。彼はお礼を言って封筒にタイプで打った宛名をすばやく見た。

市内
ウェストランド通り郵便局気付
*ヘンリー・フラワー様

とにかく返事をくれた。彼はカードと手紙を脇ポケットに押し込み、もう一度兵士たちの分列行進を眺めた。トウィーディ爺さんのいた連隊はどこだろう？　捨てられた兵隊。あれだ。黒の毛皮帽と羽根飾り。いや、あれは近衛歩兵第一連隊兵だ。袖口の折返しがとがっていたはず。ああ、あそこにいる。ロイヤルダブリン小銃歩兵連隊。*赤服。派手すぎる。だから女たちが追いかけるんだろうな。制服。募集にも教練にもそのほうが便利だから。*モード・ゴンは投書して、兵隊たちの夜間オコネル通り立入りを禁止せよと要求した。わがアイルランドの首都の恥辱。*グリフィスの新聞もこのところそんな論調だ。性病で腐敗した陸軍。海外駐屯《ちゅうとん》のほろ酔い気分帝国。おつむの足りない顔ばかり。催眠術にかけられたように。かしら、なか！　足踏み。ひだり、みぎ。ひだり、みぎ。*国王の連隊。国王が消防夫とか巡査の制服を着たのは見たことがないな。*フリーメイソンのは着てたけど。

彼は郵便局からぶらりと出て右に曲った。おしゃべり、それで問題が片付きっこないのに。彼の手がポケットにはいりこみ、指さきが封筒の折り返しを探り当てて、びりっと破った。女は用心ぶかい、なんてのは嘘ですよ。彼の指が手紙を引きずり出し、ポケットのなかで封筒をくしゃくしゃにまるめた。何かがピンで貼りつけてある。写真だろう、たぶん。毛*？　違う。マッコイだ。さっさと追っぱらってしまえ。おれの邪魔をする気か。こんなときに人に会うなんて、せっかく。

——やあ、ブルーム。どこへ？

——やあ、マッコイ。別にどこってわけじゃない。

——からだの調子はどう？

——元気だよ。きみは？

——どうにか生きてる、とマッコイは言った。

黒のネクタイと服とをみつめながら彼は遠慮がちに低い声でたずねた。

——何か……不幸があったんじゃないだろうね？　きみの服装が……

——いやいや、とミスタ・ブルームは言った。ディグナムは気の毒なことだった。今日が葬式なんだよ。

——そうだったね、気の毒に。その通りだ。何時だっけ？

写真ではない。*教会員バッジかもしれない。

——十……十一時だよ、とミスタ・ブルームは答えた。

——ぼくも何とか顔を出さなきゃいかんな、とマッコイは言った。十一時だね？ 昨夜はじめて聞いたんだよ。誰が教えてくれたっけ？ *ホロハンだ。きみもホッピーを知ってるだろう？

——知ってる。

ミスタ・ブルームは道路の向う側の*グローヴナー・ホテルの入口にとまっている二輪馬車をみつめた。ポーターが旅行鞄を荷物台に載せている。女がじっと立って待っている横で、男は、夫か、それとも似ているから兄弟だろうか、ポケットの小銭をさがしている。あの折返し襟の恰好のいい上衣、今日みたいな日には暑いだろう、毛布みたいな布地だからな。*縫いつけのポケットに両手を突っ込んで無造作に立っている。ポロの試合に来ていたあのつんとした女のよう。女はみんなあそこにさわられるまでは気位が高いんだ。*みめ麗わしく品行も麗わし。落ちる間際までつつましいけど。*高潔な令夫人そしてブルータスは高潔の人であります。抱いてしまえば骨なしさ。

——ボブ・ドーランといっしょだったんだがね、あいつはまた例の飲んだくれの発作を起しているし、おまけにあのバンタム・ライアンズとかいう男もいた。すぐそこのコンウェイ*の酒場だよ。

ドーランとライアンズがコンウェイの店に。彼女は手袋をはめた手を髪のところにあげたぞ。そこにホッピーがはいって来てね。一杯やってさ。頭を後ろに引き、かぶせ気味の瞼の下から遠くに目をこらすと、日ざしのなかで光りかがやく子鹿皮*と、組紐編みの手首覆いが見えた。今日はものがはっきり見える。湿気があると遠くまで見えるのかな。取りとめもなくしゃべってる。上流婦人の手。どちら側から乗るんだろう?

——そしたら彼が《パディはどうも気の毒なことだったね!》と言うんで、《パディって?》と聞いたら、《パディ・ディグナムだよ、かわいそうに》と言うんだ。

田舎へ行くんだな、たぶんブロードストン*から。茶いろの長いブーツ*から紐がぶらさがっている。形のいい足。あの男は何だって小銭を出すのにぐずぐずしてるんだ? おれが見てるのに気がついたな。目がいつもほかの男をさがしてる。よっかかりの予備を。備えあれば憂いなし。

——《なぜだい?》とぼくはたずねたんだ。《彼がどうかしたの?》ってね。

気位が高い。金持。絹のストッキング。

——なるほど、とミスタ・ブルームは言った。

彼はすこし脇へ寄って、しゃべっているマッコイの顔を避けた。もうすぐ馬車に乗るぞ。

——《どうかしたかだって?》と彼が言うんだ。《死んだんだよ》とね。そうして、ほんとに彼、涙ぐんでた。《パディ・ディグナムがかい?》とぼくは聞き返したよ。言われてもまさかと思ったんだ。ついこないだ、先週の金曜日だったか木曜日だったか、*アーチ酒場でいっしょになったんだからね。《そうだよ》と彼が言うんだ。《あいつは死んだ。月曜日に死んだんだ、かわいそうに》とね。

見てろ! 見てろ! 絹の輝き豪奢なストッキング白い。見てろ!

重い電車がけたたましく警笛を鳴らしながら向きを変えて割ってはいって来た。見えないぞ。このやかましい*獅子っ鼻野郎め。閉めだしを食わせやがって。*天国と妖精。いつもこうだ。いざという瞬間に。ユースタス通りの戸口のところで、あれは月曜だったかな、靴下留めを直していた女の子。友達がかばって見えなくして。*《仲間意識》。ちょっと、何をぽかんと見てるのよ?

——まったくねえ、とミスタ・ブルームは気のない溜息をついて言った。また一人いっちゃったよ。

——まったく惜しい男だった、とマッコイは言った。

電車が通り過ぎた。彼らの馬車はループ線橋のほうへ走り去った、彼女の贅沢な手袋が鉄の手摺を握って。きらきら、きらきら。日ざしを浴びて彼女の帽子のレースがきらめく。きらきら、きら。

——奥さんは元気だろうね？とマッコイが口調を切りかえて言った。

——ああ、元気だ、とミスタ・ブルームは言った。ぴんぴんしてるよ、ありがとう。

彼は巻いた新聞紙をなんとなく開いて、なんとなく文字を読んだ。

*《もしも家庭に
プラムツリー社の瓶詰肉がなかったら？
もの足りない。
これを食べれば幸福の家》

——うちの家内に演奏会の口がかかってね。まだ、はっきりした話じゃないんだけど。

また旅行鞄*を狙ってるぞ。まあいいさ。その手は食わぬ、おあいにくさま。

ミスタ・ブルームはゆとりのある親しみをみせて大きな瞼の目を彼に向けた。

――うちの家内もさ、と彼は言った。ベルファストのアルスター・ホールで派手な演奏会があってね、歌うらしいよ、この二十五日に。

――そうなの？　とマッコイは言った。それはよかったね。誰のお膳立てだい？

ミセス・マリアン・ブルーム。まだ起きていない。女王様*は寝室でパンを召上り。本はない。黒ずんだトランプの絵札を七枚ずつ、彼女の腿に沿って並べて。黒*髪の女と金髪の男。ボールのようにまるくなった黒い毛の猫。破った封筒のきれはし。

《愛*の
なつかしい
やさしい
歌
聞えて来るあーいのなつかしい……》

――一種の巡回公演なんだ、とミスタ・ブルームは*用心ぶかく言った。《*やさしぃぃい歌》。運営委員会ができててね。出費と利潤を分けあう。

マッコイはうなずいて、わずかに伸びた口ひげをつまんだ。

――そうか、と彼は言った。そりゃいいね。

彼は歩き出そうとした。

――とにかく、きみが元気でよかった、と彼は言った。またどこかでばったり出会うだろう。

――そうだね、とミスタ・ブルームは言った。

――ところで、とマッコイは言った。葬式に行ったらぼくの名前も書きこんどいてくれないかな？　行きたいけど、行けるかどうかわからないんだ。サンディコーヴで溺死事件があってね、もしも死体があがれば、検屍官といっしょに現場へ行かなきゃならない。ぼくがいなかったら名前だけ書きこんでくれないか？

――書いとくよ、と答えながらミスタ・ブルームは歩き去ろうとした。引き受けた。

――そうか、とマッコイは朗らかに言った。ありがとう。助かるよ。行けたら行くけどさ。じゃあ、適当にね。C・P・マッコイと、それだけでいいから。

——そう書いとく、とミスタ・ブルームはきっぱりと答えた。

例の手を食わずにすんだ。すぐだまされる人間。いいカモ。おれにしちゃ上出来さ。お気に入りの旅行鞄だからな。革製。四隅の金具、縁の鋲、二重作動式レバー錠。去年の*ウィックロー・レガッタ演奏会のとき*ボブ・カウリーがこいつに貸した旅行鞄は、それっきりいまだに消息不明だ。

ミスタ・ブルームは、*ブランズウィック通りに向ってゆっくり歩きながら、微笑を浮べた。うちの家内に演奏会の口が。痩せっぽちの雀斑《そばかす》だらけのソプラノ。薄くとがった鼻。それなりには聞ける、バラッドの小曲でも歌えば。迫力がない。きみとぼく、わかるだろう、同じ立場なんだよ。泣き落し。あれにはどうもいらいらする。違いを聞き分けられないのかな？　どうもあっちのほうの趣味があるらしい。とにかくおれの性《しょう》には合わないよ。ベルファストの演奏会の話は効果満点だった。あそこの*天然痘がひどくならなきゃいいが。彼女は種痘のやり直しをいやがるだろう。きみの奥さんもぼくの奥さんも。

*おれのあとをつける気かな？

ミスタ・ブルームは街角で立ち止り、色とりどりの広告板に目を走らせた。キャントレル・アンド・コクラン商会のジンジャーエール（香料入り）。クリアリー百貨店のサマーセール。いや、あいつはまっすぐ行くらしい。ほほう。今夜は《リア》*の公演が。ミセス・バンドマン・パーマー*。あの役に扮した彼女をもう一度見たいよ。彼女は昨夜《ハムレット》をやった。男役。ハムレット*は女だったのかもしれない。それがオフィーリアの自殺した理由かな？　かわいそうなパパ！*　リアルフィ劇場の外で昼過ぎからずっと行列してやっとはいったそうだ。ロンドンのアデを演じたケイト・ベイトマン*のことをよく話してくれたものだが。おれが生れる前の年だ。一八六五年。それからウィーンで主演したリストーリ*のことを。本当の名前は何だっけ？　作者はモーゼンタールだが。《ラヘル》*か？　違う。パパがいつも話してたのは盲目のアブラハム*老人がナータンの声を聞き分けて、彼の顔を指でまさぐる場面だ。

――ナータンの声！　彼の息子の声！　ナータンの声が聞える。父親を捨てて家出したナータン、その悲しみゆえに彼の父親はわたしの腕のなかで死んだ。父親の家と父親の神を捨てて出て行ったナータン。

一言ひとことが身にしみるよ、レオポルド。

かわいそうなパパ！　かわいそうな男！　部屋にはいって行って死顔を見なくて

よかった。あの日！　ああ、なんてことだ！　なんてことだ！　フー！　まあ、パパのためにはあれが一番よかったのかも。

ミスタ・ブルームは街角を曲り、馬車溜りで首を垂れている馬たちのそばを通った。もう考えたって仕方がない。かいば袋の時間。マッコイなんかに出会わなきゃよかった。

近づいて行くと金いろの燕麦《えんばく》を噛みくだく音が聞えた。静かに噛みつづける歯。馬たちの大きな牡鹿のような目に見られながら、彼は甘い燕麦くさい馬の尿の匂いのなかを歩いた。馬たちの黄金郷。哀れな間抜けども！　何ひとつ知らず、気にもかけず、ただ長い鼻づらをかいば袋につっこんで。言葉も出ぬほどいっぱいに。だが餌や寝床にはこと欠かない。去勢までされて。黒いゴムの切れはしが股のあいだにだらりと垂れさがって。あれでもそれなりに幸福なのかな。善良であわれなけだものの顔。しかし馬のいななきはひどく癇にさわることもある。

彼はポケットから手紙を取り出し、手にした新聞紙にはさんだ。ここだと彼女に出くわす恐れがある。小路のほうが安全だな。

彼は馭者溜りを通り過ぎた。流しの馭者の暮しって奇妙なもんだよ。どんな天候でも、どんな場所へでも、時間ぎめでも距離ぎめでも、自分の意志なんてなんのかかわりもない。《*行きたいけれど行きたくも》。煙草の一本もやりたいね。愛想がいい。通りすがりに二言三言、大声に叫んで走り過ぎたり。彼は口のなかで歌った。

《*あそこへ行って手を取って
ラ・ラ・ララ・ラ・ラ》

*角を曲ってカンバーランド通りにはいり、数歩あるいてから彼は*停車場の塀のかげに立ち止った。誰もいない。*ミード建築店の材木置場だ。積み重ねられた梁材。*廃屋不動産。彼は慎重な足どりで、石蹴り石が一つ置き忘れたままになっている石蹴り遊びの枠の線をまたいだ。線は踏んでないよ。材木置場の近くに子供が一人しゃがみこんでビー玉をしていた。内側に曲げた拇指で玉をはじきとばす。賢そうなぶち猫が一匹、まばたきするスフィンクスみたいなのが、暖かい敷居の上からそれを見ている。この連中の邪魔はしたくないな。マホメットは猫を目覚めさせないようにマントの一部を切り取ったそうだ。手紙を開こう。おれも昔あの婆さん先生の塾に行ってたころビー玉遊びをした。木犀草《もくせいそう》の好きな先生。ミセス・エリスの学

校。亭主*は？　彼は新聞紙のなかの手紙を開いた。

花。たぶんこの花は。押花にした黄いろい花。すると怒ってはいないかな？　何と書いてよこしたんだろう？

ヘンリー様

あたしあての今度のお手紙、ほんとうにありがとう。このあいださしあげたお手紙がお気に召さなくてごめんなさい。なぜ切手を同封なさったの？　あたしとっても怒っちゃった。罰としてあなたをこらしめたいくらい。あなたを、おいたさん、と呼んだのはもうひとつのあの世界《ワールド》*がいやだからよ。あの言葉《ワード》のほんとうの意味を教えてほしいわ。あなたは家庭でしあわせじゃないのかしら？　かわいそうなおいたさん、何とかしてあげたいわ。あわれなあたしをどう思ってらっしゃるか教えてちょうだい。よくあなたの美しい名前のことを考えます。ねえヘンリー、あたしたちはいつ会えるの？　いつもあなたのことばかり考えてるわ、あなたには想像もつかないくらい。こんなに男のひとにひきつけられたのははじめてよ。とってもつらいの。もっとくわしくて長い手紙をください。くださらなかったら罰がひどいのを覚悟してね。わかったでしょう、おいたさん、もし手紙を書いてくださらなかったらどんな目にあうか。ああ、お会いするのが待ちどおしいわ。ねえヘンリー、あたしの我慢が途切れないうちにこのお願いを聞いてね。そしたらあたし何もかもお話しします。ではさようなら、いとしいおいたさん。あたしひどく頭が痛いの、今日は。ですから《折り返し》返事をください。

待*ちこがれているあなたのマーサ

P・S　奥さんがどんな香水をつけてるのかぜ*ひ教えてね。知りたいの。

彼はまじめな顔をしてピンで留めた花をはずし、ほとんど消え失せた匂いを嗅いでから胸のポケットにおさめた。花言葉。誰にも聞えない言葉だから女たちが愛用する。男を倒す毒の花束も。それからゆっくりと歩きながらもう一度手紙を読み、そこここの言葉をつぶやいた。怒っちゃったチューリップあなたにいとしい男の花《マンフラワー》罰としてあなたのサボテンくださらなかったらきっとあわれな忘れな草待ちどおしいわ菫ねえ薔薇あたしたちはいつまもなくアネモネ会えます何もかもおいたさん夜の茎《ナイトストーク》奥さんマーサの香水。読み終ると彼は手紙を新聞紙から抜きとって脇のポケットに戻した。

淡い喜びが彼の唇を開かせた。最初の手紙とだいぶ違う。あれも自分で書いたのかな。怒ったふりをして。あたしのような良家の娘、品位ある女性を。いつか日曜日にロザリオの祈りのあとでお会いしたいわ。いやけっこう、ごめんだよ。おきまりの痴話喧嘩。そしてこそこそ逃げまわる。モリーとの喧嘩と同じくらいたいへんだ。葉巻には鎮静の作用がある。麻酔薬。この次はもうすこし踏みこんでやろう。おいたさん。罰。言葉を恐れてる。無理もない。乱暴か、いいじゃないか？　とにかくやってみろ。一度にすこしずつ。

彼はポケットのなかの手紙をなおも指でさぐりながらピンを引き抜いた。なんだ、ふつうのピンじゃないか。彼はそれを道に投げ捨てた。彼女の服のどこかからはずしたんだろう、どこかをとじあわせていたピン。女はいつも不思議なくらいピンをたくさん持ってるからな。*どんな薔薇にもとげはある。

ダブリン訛りの単調な声が頭のなかでわめきたてた。あの晩*クームを歩いていた二人の娼婦、雨のなかで腕を組んで。

《*あら、メアリのズロースのピンがない。

どうしていいかわからない、
それがずり落ちるのを留めるには
それがずり落ちるのを留めるには》

それが？　ズロースのことだよ。ひどく頭が痛いの。たぶん薔薇の期間だろう。それとも一日じゅう坐ってタイプを打ってたせい。目の緊張は胃の神経によくない。奥さんがどんな香水をつけてるのか。そんなことをいったい何のために聞くんだろう？

《それがずり落ちるのを留めるには》。

マーサ、[*]メアリ。あの絵を見たのはどこだったか忘れてしまったが。昔の[*]巨匠の作品かそれとも金目当ての偽作。イエスが彼女たちの家に坐って話をしている。神秘的。クームの二人の娼婦もやはり耳を傾けるだろうな。

《それがずり落ちるのを留めるには》。

いい感じの夕方の雰囲気。もうさまよい歩くこともない。ただゆったりと、静かな夕暮れ。何もかも成行きにまかせて。忘れよう。今までに行ったいろいろな場所や、変った風俗の話でもしよう。もう一人の女が、頭に水がめをのせたまま、夕食の支度をしている。果物、オリーヴ、*アッシュタウンの石壁の穴のようにひんやりした井戸から汲んだ冷たいうまい水。こんど速歩競馬に行くときはぜひ紙コップを持って行こう。彼女は大きな黒い優しい目で話を聞いている。話してあげよう、もっともっと、何もかも。それから溜息を一つ、沈黙。長い長い長い休息。

線路のアーチの下を歩きながら彼は封筒を取り出し、手ばやくちぎって道に撒き散らした。切れはしがひらひら飛んで、湿っぽい空気のなかを落ちて行く。白いひらひら、そしてみんな下に落ちた。

ヘンリー・フラワー。百ポンドの小切手をこんなふうに破り捨てることもできるわけだ。ただの紙っきれ。アイヴァー卿はかつてアイルランド銀行で七桁数字の小切手を百万ポンドの現金に換えたそうな。黒ビールがどんなにもうかるかという証拠。しかも兄のアーディローン卿は一日に四回シャツを替えなければ気がすまないという噂だ。皮膚には虱やだにが湧く。百万ポンド、ちょっと待てよ。黒ビール一パイントが二ペンス、一クォートで四ペンス、一ガロンで八ペンス、いや、黒ビール一ガロンが一シリング四ペンスだ。一シリング四ペンスで二十シリングを割ると、だいたい十五。そう、ぴったり十五だ。黒ビール千五百万樽。何を言ってるんだ、樽だなんて。ガロンじゃないか。しかしとにかく約百万樽ということだな。

駅*にはいって来る列車が重い響きを立てて一輛また一輛と頭上を通過した。彼の頭のなかで樽がぶつかりあい、どろりとした黒ビールがはねて渦巻いた。ぶつかった樽の栓口があちこちでぱっくり口を開き、大量のどろりとした液体が流れ出し寄り集まり、泥の洲のあいだを縫って流れながら平地全体をひたし、どんよりした酒の洪水がまるで大きな花びらみたいな泡を運んで行く。

彼はオール・ハローズ*教会の裏口の開いたドアの前まで来た。ポーチにはいって行きながら帽子*をぬぎ、ポケットからカードを出し、元通り帽子のびん革に差しこんだ。しまった、マリンガー*行きの無料切符を都合してくれとマッコイに頼んでみるんだった。

ドアには同じ掲示がある。イエズス会士ジョン・コンミー*師による説教、イエズス会士聖ペドロ・クラベル*とアフリカ伝道について。カトリック*の連中はグラッドストンが昏睡状態に陥ったとき彼の改宗を祈ったりした。プロテスタントだって同じさ。神学博士ウィリアム・J・ウォルシュを正しい宗教に改宗させたいというんだから。何百万もの中国大衆を救済したい。異教徒の中国人にどうやって説明するんだろう。阿片一オンスのほうをありがたがるだろうに。*至福の民。彼らにとってはけがらわしい異端邪説だ。*彼らの神ブッダは博物館で横向きに寝そべっている。頬杖をついてゆったりした姿勢で。線香が燃えて。キリストの十字架像とは大違い。荊棘《いばら》の冠と十字架。*シャムロックというのは聖パトリックの名案だった。箸なんてのは？　コンミー。マーティン・カニンガムの知り合い。威厳のある顔。あの神父に頼めばなんとかしてモリーを*聖歌隊に入れてくれたろうにな、ファーリー神父に頼んだのがまずかった。馬鹿じゃないのに馬鹿面をして。あんなふうに仕込まれてるんだ。でもまさか、青っぽいサングラスをかけて汗水流して黒人どもに洗礼をさずけに行くなんて気はないだろう？　眼鏡は黒人を惹きつけそうだな、きらきらして。彼らが輪になって坐ったところはさぞ見ものだろう、分厚い唇で、うっとりと聞き惚れて。静かな生活。神父の言葉をミルクみたいにしゃぶりつくすんだろう。

　神聖な石の冷たい匂いが彼を呼んだ。彼はすりへった石段を踏み、スウィングドアを押して祭壇の裏側からそっとはいって行った。

何かやってる。信者の集まりだ。残念ながらがらあき。女の子の隣に坐っても目立たずにすむ絶好の場所。わが隣*とは誰なるか？ ゆるやかな音楽に合せて何時間も押しあいをして。深夜ミサのときのあの女。まさに第七*の天国だったな。女たちが首に深紅の胸当て*を結んでベンチにひざまずき、頭を垂れている。祭壇の手摺の前にも何人かひざまずいている。司祭が両手に例*のものを捧げ持ち、つぶやきながら彼女らのあいだを歩いて行く。一人ひとりの前で立ち止り、聖体のパンを一かけら取り出し、一滴か二滴しずくを切って（水*にひたしてあるのか？）手ぎわよく口に入れてやる。女の帽子と頭とがさがる。さあ次のひと。その帽子がすぐにさがる。さあ次のひと、小柄なお婆さんだ。司祭はかがみこんで彼女の口に入れてやりながら、絶え間なくつぶやいて*いる。ラテン語。次のひと。さあ目をつぶって口をあけて。何だっけ？《コルプス》*、つまり肉体。死体《コープス》。ラテン語というのはうまい手だな。まず煙にまいてしまう。臨終*を迎える者たちのホスピスだ。彼女たちは嚙まないで、どうやら丸呑みしてるらしい。変な思いつきだよ。死体のかけらを食べる。だから人食い人種どもに受けるんだ。

彼が片隅に立って眺めていると、女たちの放心した顔がつぎつぎに側廊を歩いて来て、自分の席を見つける。彼は一つのベンチに近づき、帽子と新聞紙をかかえたまま端っこに腰をおろした。*こんな山高みたいなものをかぶらなくたって。自分の頭に合せて帽子をつくるほうがいい。まわりのそこここで、深紅の胸当てをつけた女たちがじっと頭を垂れたまま、胃のなかで聖体が溶けるのを待っている。*過越祭のマッツォみたいな、あの種のパンだよ、*酵母のはいってないお供えもの。見ろよ。おかげで彼女らは幸せな気分になってるじゃないか。飴《あめ》みたいなものさ。てきめんだよ。そう、天使たちのパンという名がついてたっけ。とにかくすばらしい思いつきだ、*神の国が自分の内部にあるという実感。はじめて聖体を拝領する人たち。*アイス一つが一ペニー。それだけでみんなが一家一族みたいな気分になれるんでね、劇場もそうだが、みんなが同じ流れに乗る。そうなんだ。絶対にそうさ。もう淋しくありませんよ、わたしたちの教団にはいっていれば。そしていくらかは浮かれ気分で出てこられる。もやもやを晴らして。大切なのは信じきること。*ルルドの奇蹟、忘却の水とか、*ノック村での聖母出現とか、血を流すキリスト像とか。あそこの告解室のそばで年寄りが居眠りしてる。あれだよ、さっきからのいびきは。盲目的信仰。*み国の来たらん腕に安らかに抱かれて。あらゆる苦しみを癒す。来年のいまごろ目を覚しな。

見ていると司祭は*聖餐杯を片付けはじめた。しっかりしまいこんでから、その前でちょっとひざまずいたとき、レースの裾から大きな灰いろの靴底がのぞいた。あそこのピンがなくなったら。どうしていいかわからないだろう。後ろに禿げがあるぞ。背中には文字が。*I・N・R・Iかな？　いや、*I・H・Sだ。いつだかモリーに聞いたら何とか言ってたな。わたしは罪を犯した。いや、違う。わたしは苦しんだ、だった。もう一つは？　鉄の釘は打ちこまれた、か。

いつか日曜日にロザリオの祈りのあとでお会いしたいわ。このお願いを聞いてね。ヴェールをかぶり黒のバッグをさげて来る。暗がりのなかで逆光を浴びて。ここでは首に*リボンなんか巻いてても陰ではこそこそまるで違うことをする。カトリックの連中はみんなそうだ。*無敵革命党の同志を裏切って検察側の証人に立ったあの男、ケアリーという名前だっけ、あいつも毎朝聖餐を受けてた。しかもこの教会で。ピーター・ケアリー、そう。いや違う、ピーターはペドロ・クラベルが頭にあったから。*デニス・ケアリーだ。まったく呆れた野郎だよ。家には女房と子供が六人。そのくせずっとあの暗殺をたくらんでいた。猫っかぶりの篤信者、これこそやつらにぴったりの綽名だ、いつ見てもどことなくずるそうな感じがする。まっとうな商売人でもないし。いや、いないよ、彼女がここにいるもんか。あの花。いない、いないよ。ところでおれは封筒をちゃんと破り捨てたかな？　うん、陸橋の下で。

神父は聖杯をゆすぎながら残りの葡萄酒を一息できれいに飲みほした。葡萄酒。このほうが貴族的な感じがするな、みんながふだん飲んでるギネスの黒ビールとか、ウィートリー製のダブリン・ホップ・ビターズやキャントレル・アンド・コクラン商会のジンジャーエール（香料入り）みたいなアルコール抜き飲料なんかを飲むより。*参列者にはちっとも飲ませない。*お供えの葡萄酒。パンのほうだけ。冷淡なもてなし。敬虔なまやかしだが無理もないか。そうしないと飲み助どもが次から次へと押しかけて酒にありつこうとする。雰囲気が台なし。無理もない。まことに当然のことです。

ミスタ・ブルームは聖歌隊席のほうを振り返った。音楽はやらないらしい。残念。ここのオルガンは誰が奏くんだろう？　グリン老人、あの男はオルガンの鳴らし方を心得てたよ。あの《ヴィブラート》。*ガーディナー通りの教会で年に五十ポンドもらってたそうだ。あの日のモリーはいい声だったな、ロッシーニの《聖母ハ立テリ》を歌ったとき。はじめに*バーナード・ヴォーン神父の説教があった。キリストか*ピラトか？　キリストさ、だけど一晩じゅうその話をやらないでくださいよ。みんな音楽を聞きたがってた。足ずりがぴたりと収まって。ピンの落ちる音でも聞えるほど。あそこの隅に向って思いきり声を張れよとおれは教えておいた。人々の興奮が高まるのをおれは感じとり、極限まで高まって、みんなが見あげて、

《*誰《タレ》カアラン！》

古い宗教音楽にはすばらしいのがある。*メルカダンテ、七つの最後の言葉。モーツァルトのミサ曲十二番、なかでも《グローリア》。昔の法王たちは音楽、美術、あらゆる種類の彫像とか絵画とかに熱中した。*パレストリーナなんかにも目をかけて。命あるかぎり人生を楽しんだわけだ。しかも健康的ですよ、聖歌を歌って、規則ただしい生活をまもって、おまけにリキュールまで醸造して。*ベネディクティーヌ。緑のシャルトルーズ。しかし、*去勢した男たちを聖歌隊に入れるのはちょっとやりすぎだよ。どんな感じの声だろう？ 自分たちの逞ましいバスのあとで聞くのは奇妙な感じだろうな。玄人ごのみ。去勢されてしまえばもう何も感じないのかな。一種おだやかな気分。悩みもない。だからぶくぶく肥るんじゃないか。大食漢で、背が高く、足は長い。かもしれないな。去勢。一つの解決策だ。

*見ていると司祭はかがみこんで祭壇に接吻し、それから向き直って人々を祝福した。みんなは十字を切って立ちあがった。ミスタ・ブルームはまわりを見てから立ちあがり、人々の帽子越しに前を眺めた。もちろん福音書の朗読だから立つんだな。そのあとでみんながふたたびひざまずくと彼もそっとベンチに腰をおろした。司祭は例*のものを捧げ持ちながら祭壇から降りて来て、ラテン語で*ミサ・ボーイと問答をした。それから司祭はひざまずいて、*カードの言葉を読みはじめた。

――*われらのより頼みと力にまします天主……

ミスタ・ブルームは言葉を聞き取ろうとして顔を突き出した。英語だ。食べやすい餌を投げてやる。すこしは覚えてるぞ。この前ミサに来たのはいつだっけ？ *永福にして原罪なき童貞。その夫ヨセフ。ペトロとパウロ。そのへんの事情がわかるともっと面白くなる。たしかにすごい組織、まるで時計じかけみたいに動く。告解。みんなが告解したがる。では何もかもお話しいたします。悔悛《かいしゅん》。どうかあたくしを罰して。大変な武器を握ってるんだよ。医者や弁護士どころじゃない。特に女はうずうずしてる。それからあたくしシュシュシュシュシュシュ。それであなたはチャチャチャチャチャチャしたのですか？ なぜしましたか？ うつむいて自分の指輪をみつめながら言いわけをさがす。*囁きの回廊の壁に耳がある。亭主が聞いたらびっくり仰天。神様のちょっとしたいたずら。終って出て来る女。うわっつらだけの後悔。可憐な羞恥。祭壇でお祈りをして。*めでたしマリア、聖母マリア。花々、香の煙、溶けていく蠟燭。女の顔の赤らみをかくす。救世軍はこれを騒々しく模倣しただけ。悔い改めた売春婦が聴衆に向って演説する。わたしはいかにして神を見出したか。頭の切れる連中がちゃんとローマに腰をすえて、何もかもお膳立てしてるんだよ。金だってうんとかき集めるんだろう？　遺産も来る。当面は教区の司祭様の意のままに使用せられたく。わが魂の平安のためにドアをあけ放ち公開のミサをあげられたし。男子修道院と女子修道院。*ファーマナ州の遺言書事件で証人席に立ったあの司祭。おどしに動じない。何を聞かれてもすきのない答えをした。*母なる公教会の自由と栄え。*教会博士たち。彼らが厖大な神学の骨組をつくったんだ。

司祭は祈った。

——*大天使聖ミカエル、戦いにおいてわれらを守り、悪魔の兇悪なるはかりごとに勝たしめたまえ（天主の彼に命を下したまわんことを伏して願い奉る）。ああ天軍の総帥、霊魂をそこなわんとてこの世を徘徊するサタンおよびその他の悪魔を、天主の御力によりて地獄に閉じこめたまえ。

司祭とミサ・ボーイが立ちあがって退出した。すべては終った。女たちはあとに残った。感謝の祈りだ。
抜け出したほうがいい。*平修士バズ。たぶん盆を持って廻って来る。*復活祭の義務を果して下さい。

彼は立ちあがった。おやおや。おれのチョッキのボタン二つ、ずっとはずれていたのかな。女は楽しんで見てるだけ。絶対に教えてくれない。だのにおれたちは。もしもし、お嬢さん、ここに（ふっ！）ちょっと（ふっ！）綿毛がついてますよ。あるいは、スカートの後ろ、ホックがはずれてますよ。*ちらりとお月様が見える。*教えてやらないと腹を立てる。なぜもっと早く言って下さらないの。しかし男だとすこし服装が乱れてるほうが好き。もっと下のボタンでなくて助かったよ。そっとボタンをかけながら彼は側廊を通り抜け、正面入口から光のなかへ出た。ちょっと目がくらみ冷たい黒い大理石の*聖水盤のそばに立っていると、前と後ろで二人の参拝者が浅い聖水にそっと手をひたした。電車、*プレスコット染物工場の荷馬車、喪服姿の未亡人ひとり。自分も着てるから喪服が目につくんだろうな。彼は帽子をかぶった。いま何時ごろだろう？　*十五分過ぎ。時間はまだたっぷりある。*あの化粧水をつくらせとくほうがいい。どこの店で？　ああそうだ、この前は。リンカン・プレイスの*スウィニー薬局。薬屋はめったに引越しをしない。看板にしている緑と金いろの広口瓶は重くて動かしにくいからな。*ハミルトン・ロング薬局、*洪水の年に創業。*ユグノー教徒の墓地があの近くにある。いつか行ってみよう。

彼はウェストランド通りを南に向って歩いた。だがあの処方箋はもう一つのズボンにはいってる。困ったな、おまけに鍵まで忘れて来た。みんな葬式さわぎのせい。いやいや、気の毒に、死んだ当人の罪じゃない。いつだったかな、この前つくってもらったのは？ 待てよ。あのときおれは一ポンド金貨をくずしたはずだ。今月の、たしか一日か二日。そうだ、処方箋の台帳を見てもらえばいいじゃないか。*薬屋は一ページずつめくり返した。埃っぽい、しなびたような匂いのする男だ。縮んだ頭蓋骨。年もくってる。*賢者の石を求めて。錬金術師。麻薬は精神を興奮させ、その分だけ老化させる。やがて無気力状態。なぜだろう？ 反作用さ。一つの生涯に匹敵する一晩。だんだん性格も変ってくる。朝から晩まで薬草や膏薬や消毒薬のなかで暮してたら。ずらりと雪花石膏の薬品壺に取りまかれて。乳鉢と乳棒。*Aq. Dist. Fol. Laur. *Te Virid. 匂いだけで病気が治ったりするからな、歯医者の玄関のベルとおんなじだよ。威嚇博士。*まず御自分を治療してみるべきですな。舐《し》剤《ざい》とか乳剤とか。自分を治すためにはじめて薬草をつんだ男は勇気がある。薬用植物。用心しないとあぶない。ここに並んでる分量だけで充分麻酔がかかるからな。

試験、青いリトマス紙が赤くなる。クロロフォルム。定量以上の阿片チンキ。眠り薬。惚れ薬。下痢どめ用の阿片シロップは咳に悪い。気道をふさぐか痰がかたまるか。毒薬だけが良薬になる。いちばん意外なところに薬。大自然は頭がいいよ。

——二週間ほど前ですね？

——そう、とミスタ・ブルームは言った。

カウンターの前で待ちながら、彼は薬品のきつい匂いと、海綿やへちまの埃っぽい乾いた匂いをゆっくり吸っていた。どこが痛いとか苦しいとか説明するために浪費する厖大な時間。

——甘扁桃油と安息香チンキ、とミスタ・ブルームは言った。それからオレンジフラワー・ウォーター……

たしかにあれで彼女の肌は蠟みたいに微妙に白くなった。

——それから白蠟も、と彼は言った。

彼女の目の黒さを引き立てる。こちらを向いて、スペインふうの目もとまでシーツにもぐって自分の匂いを嗅ぎながら、おれがカフ・リンクスをとめるのを眺めてたな。こういう自家製の処方はよくきくことが多いんだ。歯にはいちごがいい。いらくさと雨水も。バターミルクにオートミールをひたしたのも効くらしい。皮膚の栄養。老女王のあの息子は、オールバニー公だったっけ？　皮膚*が一重しかなかった。そうそう、名前はレオポルドだ。普通の皮膚は三重。おまけにいぼだのたこだの吹き出物だの、ひどいもんだ。そのくせ香水なんかつけたがる。奥さんはどんな香水を？　《スペインの肌》*ってやつ。あのオレンジフラワー・ウォーター*はほんとうに気持がいい。ここにある石鹸もいい匂いだな。純粋な牛乳石鹸。時間があるからすぐ先の浴場に寄ることにしよう。ハマーム*。トルコ風呂。マッサージ。垢が臍のなかに溜る。きれいな女の子がやってくれるとますますいい。それにどうやらおれは。そうだおれは。風呂*のなかでやろう。おかしなことに憧れるおれ。水のなかに水を。用事と楽しみを一度に果す。マッサージの時間がないのは残念だ。そのあと一日じゅうすっきりするのに。葬式は気がめいるからな。

――わかりました、と薬剤師は言った。あれは二シリング九ペンスでした。瓶をお持ちになりましたか？

――いや、とミスタ・ブルームは言った。こしらえといて下さい、今日のうちに取りに来るから。それからこの石鹸を一つもらおう。いくらですか？

――四ペンスです。

ミスタ・ブルームは石鹸を一つ鼻へ持って行った。甘いレモンのような蠟。

——これをもらおう、と彼は言った。両方で三シリングと一ペニーだね。

——そうです、と薬剤師は言った。ごいっしょで結構ですよ、あとでいらしたと

きに。

——そうしよう、とミスタ・ブルームは言った。

店を出てぶらぶら歩きながら彼は、巻いた新聞紙を脇の下に、冷たい手ざわりの紙に包んだ石鹸を左手に握っていた。

その脇の下へバンタム・ライアンズの声と手が伸びてきた。

——やあ、ブルーム、なにかいいニュースがあるかね？　これは今日のかい？　ちょいと見せてくれ。

また口ひげを剃り落したな、こいつめ！　間のびして寒そうな鼻の下。若く見せたいんだ。ひどくのっぺりして。おれより若い。

バンタム・ライアンズの黒い爪と黄いろい指が、巻いた新聞紙をひろげた。これも洗う必要があるな。こびりついた垢を落して。*おはようございます、ペアズ石鹸

をお使いになりましたか？　ふけが肩に。頭皮に油をつけないと。

——今日の競馬に出るあのフランス馬のことを知りたいんだ、とバンタム・ライアンズは言った。どこに載ってやがるんだ？

彼は折り目のついた新聞紙をぱさりと開いて、高いカラーの上に顎を突き出した。剃刀まけ。*窮屈なカラーをしていると頭が禿げるぞ。こいつに新聞をやって逃げ出すほうがよさそうだ。

――それきみにあげるよ、とミスタ・ブルームは言った。

――アスコット競馬場。*ゴールドカップ・レース。待ってくれ、とバンタム・ライアンズはつぶやいた。ほんのちょい。マキシマム二世号か。

――*ちょうど捨てよう《スローアウェイ》と思ってたんだ、とミスタ・ブルームは言った。

バンタム・ライアンズは不意に目をあげ、こっそり流し目をくれた。

――なんだって？　と彼の甲高い声が言った。

――あげると言ったんだよ、とミスタ・ブルームは答えた。ちょうど捨てようと思ってたところなんでね。

バンタム・ライアンズは流し目をくれながら一瞬ためらったあとで、ひろげた新聞紙をミスタ・ブルームの腕に押しつけた。

――*思い切ってやってみるよ、と彼は言った。これ、どうもありがとう。

彼は急ぎ足でコンウェイ酒場へと去って行った。幸運を祈るぜ、あわて者め。

ミスタ・ブルームは新聞紙をきっちりと四角形にたたみ直し、そのなかに石鹸をはさんで微笑した。あいつの間の抜けた口つき。賭け。いまやすっかり悪の温床になってる。使い走りの小僧どもが六ペンス賭けたいばっかりに盗みをはたらいたり。でかくて柔らかい七面鳥が当る富籤。お宅のクリスマス・ディナーをわずか三ペンスで。ジャック・フレミングは賭けのために使い込んでアメリカへ高飛びした。いまはホテル経営。行った連中は二度と帰って来ない。エジプト*の肉の鍋がいいんだろうな。

彼は明るい気分でモスク*ふうの浴場へ歩いて行った。たしかにモスクを思わせるよ、赤く焼いた煉瓦、尖塔。今日は大学のスポーツ大会なのか。彼はトリニティ・コレッジ運動場の門の上に貼ってある馬蹄形のポスターを眺めた。鍋*のなかの鱈みたいにからだを折り曲げた自転車乗り。へたくそな広告だな。せめて丸い車輪のかたちにしたら。スポークの位置に、スポーツ、スポーツ、スポーツと文字を並べ、車軸には大きくコレッジと入れる。それならぱっと目立つのに。

守衛の詰所にホーンブローア*が立ってる。顔をつないでおくんだな。会釈ひとつで入れてもらうのは悪くないぜ。元気かね、ミスタ・ホーンブローア？ お元気ですか、あなたは？

まったくすばらしい天気。人生がいつもこうだといいんだがな。クリケット日和。日傘の下に腰をおろして。投球交替コールが繰り返され。アウト。アイルランド人はクリケットが下手だ。六打席得点なし。でもブラー主将だけは思い切り左翼に引っ張って*キルデア通りクラブの窓をこわしたっけ。*ドニーブルックの村祭みたいな馬鹿さわぎのほうがアイルランド人の性《しょう》に合う。*マッカーシーが立ちあがり、おれたちゃどんちゃん大さわぎ。熱波。長つづきしない。*はかなく過ぎ行く、命の流れ、これぞわれらがたどる命の流れのなかで何にもまぁぁぁさる宝。

さて*入浴を楽しもう。きれいな浴槽、さわやかなエナメル、おだやかな微温湯の流れ。これがおれのからだ。

想像のなかで彼の白っぽいからだがのびのびと浴槽に横たわり、裸で、ぬくもりの子宮のなかで、溶けて行く石鹸のかぐわしいぬめりに包みこまれて、静かな湯あみ。胴体も手足もひたひたとさざ波をかぶりながら静止し、軽い浮力に押しあげられて、黄いろいレモンいろに見える。おれの臍、肉のつぼみ。そして黒くもつれあう縮れた茂みが漂うあたり、漂う毛の渦のなかに幾千人の子らのしぼんだ父親が、ものうげに漂う一つの花が見えた。

6

ハデス

場所――墓地
時刻――午前十一時
ブルームの一行はダブリン市内南東サンディマウントのディグナムの家から、三台の会葬馬車に分乗して、霊柩車につづき、市内を通り抜けて、北にある墓地に向う。ブルームはサイモン・ディーダラスに「君の跡とり息子」が歩いていると告げ、自分の息子ルーディが生きていればと考える。彼が、午後ボイランがモリーを訪ねて来ることを気にしていると、そのとき一行の一人が通行中のボイランに挨拶する。ブルームの父が自殺したことを知らないジャック・パワーが自殺を非難すると、マーティン・カニンガムが話題をそらす。墓地に到着し、ディグナムを埋葬する。ブルームが、自分が十三人目であることを気にしていると、雨外套を着た見知らぬ男がいて、それが十三人目なので安心する。

器官――心臓　学芸――宗教　色彩――黒、白　象徴――管理人　技術――インキュビズム（Incubism　ジョイスの造語で、incubus〔夢魔〕に基づく。インキュバスは夢の中で人を襲い、女性を犯す悪霊だが、この挿話では夢魔のかわりに、ディグナムほかの死者たちや零落した人物たちが、ブルームの意識に忍び込み、つきまとう。インキュビズムはこういう精神状態の描写を指すと考えられている。）

神話的対応――ドダー川、グランド運河、リフィ川、ロイヤル運河が冥府の四河に対応する。コフィ神父は冥府の入口の番犬ケルベロスに、管理人は死者の国の支配者ハデスに、ディグナムはオデュッセウスの部下でキルケの宮殿の屋根から落ちて死んだエルペノルに対応する。

主要人物
○サイモン・ディーダラス Simon Dedalus ――スティーヴンの父。経済的に失敗して、困窮しているが、おもしろい話を聞かせるし、テノールの美声の持主なので人気がある。ダブリンの名物男。ジョイスの父ジョン・スタニスロース・ジョイスがモデル。

マーティン・カニンガムがまっさきに、シルクハットをかぶった頭を軋む馬車に突っこみ、手ぎわよく体をいれて腰かけた。ミスタ・パワーがそのあとから、長身を用心ぶかく曲げて乗りこんだ。

――乗れよ、サイモン。

――どうぞおさきに、とミスタ・ブルームが言った。

ミスタ・ディーダラスがすばやく帽子をかぶって乗りこみながら返事をした。

――はい、はい。

――みんな揃ったかね？　とマーティン・カニンガムがたずねた。乗れよ、*さあ、ブルーム。

ミスタ・ブルームはなかにはいり、あいている席に腰かけた。ドアを引きよせ、二度もばたんと音を立ててようやく固く閉めた。片腕を腕革に通してから鹿爪《しかつめ》らしい顔で、あけっ放しの馬車の窓から通り*を見わたすと、軒並*ブラインドをおろしている。一つだけ横に引きよせた隙間から、こちらをのぞいている老婆の顔。鼻が白く平たくなるほどぴったりガラスに押しつけて。自分の番でなかったことを運命の星に感謝してる。女は異常なほど死体に関心を持つからな。われわれが生れるときにさんざん苦労させたから、死ぬのを見ると嬉しいのか。女向きの仕事なんだ。隅のほうでこそこそ。死人が目覚めないようにスリッパの忍び足で動きまわる。それから死体を整えて。入棺の支度をして。*モリーとミセス・フレミングが寝床を整える。もうすこしそちらに引っ張ってよ。われわれの屍衣。死んじまったら誰にさわられることやら。洗いとシャンプー。爪や髪もきっと切ってくれるだろう。すこし封筒に入れて取って置く。だけど、そのあとでもまだ伸びる。汚い手間仕事。

　みんなが待っていた。誰も口をきかなかった。花輪を積んでいるのかな。尻の下に何だか固いものがあるぞ。ああ、尻ポケットのあの石鹸だ。出してどこかに移したいが、適当な機会を待つとしよう。

　みんなが待っていた。やがて先頭のほうで車輪のまわる音がした。それがもっと近くなって、それから馬の蹄の音。がくんという衝撃。彼らの馬車が動きはじめ、軋んで揺れた。後ろのほうでも馬蹄が響き車輪が軋んで出発した。通りのブラインドの列が流れ去る。*九番地の黒クレープをかぶせたノッカーも、半開きのドアも。並足の速度で。

　みんなは膝をぶつけ合いながらまだ待っていた。やがて馬車が角を曲って電車道にさしかかるまで。*トライトンヴィル道路。速くなった。車輪はがたがた鳴りながら玉石の路上でまわりつづけ、ドアの窓枠のなかではガラスがぐらついてかたかた音を立てる。

　——どのルートを行くつもりなんだろう？　ミスタ・パワーが両側の窓の外を見ながらたずねた。

　——アイリッシュタウンさ、とマーティン・カニンガムが言った。それからリングズエンド。ブランズウィック通り。

　ミスタ・ディーダラスがうなずきながら外を眺めた。

　——*昔ながらの奥ゆかしい習慣だね、と彼は言った。嬉しいことにまだすたれていなかった。

　しばらくのあいだみんなが窓越しに眺めていると、通行人が次々に帽子をぬいで見送ってくれる。敬意。馬車は電車道をそれてもっと平坦な通りにはいり、ウォータリー小路口を過ぎた。じっと外を眺めていたミスタ・ブルームの視線が、若い男のしなやかな姿をとらえた。喪服を着て、つば広の帽子をかぶっている。

――きみの知り合いとすれ違いましたよ、ディーダラス、と彼は言った。

――誰だい？

――きみの跡とり息子ですよ。

――どこにいる？ と言いながらミスタ・ディーダラスはこちら側に身を乗り出した。

馬車はちょうど棟割長屋の前のむき出しの下水溝や掘り返した道路の盛土のそばを通過し、不意に身を傾けながら角を曲り、ふたたび電車道に出ると、かまびすしい車輪の響きとともに突進した。ミスタ・ディーダラスは元の席に腰を落しながら言った。

――あのマリガンというろくでなしもいたかい？ *《忠実ナル友人》 気どりも？

――いや、とミスタ・ブルームは言った。ひとりだった。

――サリー叔母の家へでも行ったんだな、とミスタ・ディーダラスは言った。グールディング一族さ。飲んだくれのけちな訴訟費用見積人とその娘クリシー、パパの可愛いうんこ娘だ。利口な子で、*自分の父親が誰なのか知っているよ。

ミスタ・ブルームが気のない微笑を浮べたとき馬車はすでにリングズエンド道路

を走っていた。[*]ウォレス兄弟瓶製造工場。[*]ドダー橋。リチー・グールディング愛用の書類鞄。[*]グールディング・コリス・アンド・ウォード弁護士事務所という名前をつけてる。あいつの冗談もだいぶ切れ味が悪くなったな。往年の名物男なのに。いつだったか日曜の朝[*]ステイマー通りで[*]イグネイシャス・ギャラハーとワルツを踊ったときなんか、下宿屋のおかみの帽子を二つ、頭にピンでとめてた。徹夜で暴れまわってた。いまごろあれがこたえてきて、背中が痛んだりするらしい。女房が[*]背中にアイロンを当てる。薬を飲めば治ると思ってるようだが。みんなパン屑だよ、薬なんて。だいたい六百パーセントの利潤。

——うちの息子は最低の仲間とつき合ってて、とミスタ・ディーダラスが唸るような声を出した。あのマリガンなんかどう見ても堕落しきった極めつけの悪党だよ。ダブリンじゅうに悪名が知れわたってる。だけどおれはね、そのうちにかならず神と聖母の御力によって、あいつの母親だか伯母だかなんだかに手紙を書いて、はっきりと目を開かせてやるよ。[*]やつをきりきり舞いさせてやる。

彼は車輪の響きよりも大きな声で叫んだ。

——あの女のろくでもない甥っ子におれの息子を台なしにされてたまるかい。けちな店員の倅のくせに。やつの親父は紐かなんか売ってたんだ、おれのいとこ[*]ピーター・ポール・マクスウィニーの店でだよ。許せるもんか。

彼は黙った。その怒った口ひげからミスタ・ブルームは目をそらして、ミスタ・パワーのおだやかな顔とマーティン・カニンガムの目や顎ひげが重々しく揺れているのを見た。やかましい身勝手な男だ。自分の息子のことばかり。無理もないな。自分を受けついでくれるもの。*ルーディがもし生きていたら。成長する姿を眺めて。家のなかでその声が響き。*イートン・スーツを着てモリーと並んで歩く。おれの息子。息子の目に映ったおれ。不思議な感じだろうな。おれから出たもの。まったくの偶然。きっとあの朝のことだ、*レイモンド台町の家で彼女が窓際に立って、*悪を行なうことを止めよの塀のそばで犬と犬がやっているのを眺めてたとき。巡査がにやりとこちらを見あげて。彼女が着ていたあのクリームいろのガウン、裂け目ができたのに彼女はいつまでも繕わなかった。ねえ、ちょうだい、ポールディ。*ああ、あたしもう、たまらないわ。かくて生命ははじまる。

それから身重になった。*グレイストーンズの演奏会を断らなくちゃならなかった。彼女のなかにおれの息子。生きてれば力になってやれたのに。いろいろと。一本立ちにして。*ドイツ語も覚えさせて。

——遅れてるかね？　とミスタ・パワーがたずねた。

――十分、とマーティン・カニンガムが時計を見ながら言った。

モリー。ミリー。水で薄めた同じもの。あのおてんばな言葉遣い。ちぇっ、*畜生め！　呆れかえるの尻尾《しっぽ》だわ！　でもあれはいい娘だ。まもなく一人前の女になる。マリンガーにて。やさしいパパちゃん。若い学生が。そうだ、そうだ、そうなんだ、あれも女なんだ。人生。人生。

馬車が傾いて元に戻り、四人の上体が揺れ動いた。

――*コーニーのやつ、もっとまともな車をよこせばいいのに、とミスタ・パワーが言った。

――まあね、とミスタ・ディーダラスが言った。あのやぶにらみ根性*につける薬が見つかればいいがな。*ついて来られる？

彼は左の目をつぶって見せた。マーティン・カニンガムが自分の腿《もも》の下からパン屑を払いのけはじめた。

――なんだろう？　と彼は言った。いったい全体。パン屑か？

――誰かが最近このなかでピクニック・パーティをやったらしい、とミスタ・パワーが言った。

みんなが腿を浮して腰かけの革を不快そうに眺めた。かびが生えて鋲も取れている。ミスタ・ディーダラスは鼻をひくひくさせ、下向きの顔をしかめながら言った。

――気のせいばかりじゃなさそうだが……きみはどう思う、マーティン？

――おれも気がついてた、とマーティン・カニンガムは言った。

ミスタ・ブルームは腿をおろした。風呂にはいって来てよかった。足がじつに清潔な感じ。だがミセス・フレミングがもっとちゃんと靴下を繕っといてくれたら。

ミスタ・ディーダラスが諦めたような溜息をもらした。

――とにかく、と彼は言った。これは世界で一番ありふれたことだからな。

――トム・カーナンは来てるかい？　とマーティン・カニンガムが顎ひげの先端を軽くひねりながらたずねた。

――うん、とミスタ・ブルームが答えた。後ろの車に乗ってる、ネッド・ランバートやハインズといっしょに。

――肝心のコーニー・ケラハーはどうなんだ？　とミスタ・パワーがたずねた。

――墓地に行ってる、とマーティン・カニンガムが言った。

――けさマッコイに会ったんだがね、とミスタ・ブルームが言った。できれば彼も来るそうだよ。

馬車がとつぜん止った。

――どうしたんだろう？

――止ったね。

――どこだい、ここは？

ミスタ・ブルームが窓から首を出した。

――グランド運河*だよ、と彼は言った。

ガス工場。ガスで百日咳が治るそうだな。ミリーがあれを患わなくてよかった。かわいそうな子供たち！ 痙攣で体が二つに折れて顔も青黒くなって。ひどいもんだよ。あれほど重い病気にはかからないですんだ。はしかだけ。亜麻仁《あまに》煎薬。猩《しょう》紅《こう》熱、流行性インフルエンザ。死亡広告の注文取り。このチャンスをお見のがしなきよう。あそこに犬の収容所*がある。あわれなあの老犬アトス*！ アトスによくしてやってくれよ、レオポルド、おれの最後の願いだ。御旨*の行なわれんことを。墓にはいった人には誰も逆らわない。臨終の走り書き。あいつは主人の死が胸にこたえて、やつれて死んだ。静かな獣。老人に飼われた犬はたいていそうだ。

雨が一しずく彼の帽子に散った。彼は体を引っこめ、一瞬の俄雨《にわかあめ》が灰いろの鋪道を点々と濡らしているのを見た。一粒ずつに分れて。不思議なことだ。まるで水切りで漉したみたい。降りそうな気がしたよ。そう言えば深靴がきゅっきゅっと鳴ったじゃないか。

——雲行きがおかしくなって来たよ、と彼はおだやかに言った。

——残念だな、天気がもたなくて、とマーティン・カニンガムが言った。

——田舎ではほっとしてるよ、とミスタ・パワーが言った。また太陽が出て来そうだ。

ミスタ・ディーダラスはかすんだ太陽を眼鏡越しに見やりながら、無言の罵りを空に向って投げた。

——まったく当てにならん、子供の尻みたいだ、と彼は言った。

——また走り出したぜ。

馬車はふたたび硬い車輪をまわしはじめ、彼らの上体は静かに揺れた。マーティン・カニンガムはひげの先端をいっそうせわしなくひねりはじめた。

——トム・カーナンがゆうべ大演説をぶったんだ、と彼は言った。それをパデ*ィ・レナードが御当人の面前で声帯模写してみせた。

——ああ、あの内容を披露しろよ、マーティン、とミスタ・パワーが熱心に言った。聞きものだったぜ、サイモン、*《クロッピー・ボーイ》を歌うベン・ドラードの技法についての感想だが。

――大演説さ、とマーティン・カニンガムが大げさに言った。《あの単純なバラッドでも彼が歌うとね、マーティン、切々と心にしみるんだよ。ぼくが聞いたかぎりではまさに空前絶後だった》と言うんだから。

――切々と心にしみるか、とミスタ・パワーは笑った。あの男の一つ覚えなんだよ。それとあの《過去*を振り返って整理しなおす》ってやつ。

――ダン*・ドーソンの演説を読んだかい？　とマーティン・カニンガムがたずねた。

――いや、とミスタ・ディーダラスが言った。どこに載ってる？

――今朝の新聞だよ。

ミスタ・ブルームは内ポケットから新聞を出した。彼女に代りの本を借りてやらなきゃ。

――いや、いや、とミスタ・ディーダラスは急いで言った。あとで読もう。

ミスタ・ブルームの視線は紙面の縁に沿ってさがり、死亡欄*を走り読みした。キャラン、コールマン、ディグナム、フォーセット、ラウリー、ナウマン、ピーク、どのピークだろう？　クロズビー・アンド・アリン弁護士事務所に勤めていたあの男か？　まさか。セクストン、アーブライト。縁がいたんで破れかけた紙の上でたちまち色褪せて行く印刷インキの名前たち。*小さき花への感謝。惜しまれて。言葉もなく悲嘆にくれる遺族たちは。長いうとましい病の果てに八十八で。死後ひと月のミサ。クィンラン。その魂にやさしきイエスが憐れみを垂れたまわんことを。

《*いとしいヘンリーが天上の
永住の地へ去ってすでにひと月
遺族らは悲嘆の涙にくれて待つ
いつの日か天国でまた会うときを》

　封筒はちゃんと破り捨てたっけ？　うん。手紙のほうは風呂のなかで読んだあと、どこにしまったろう？　彼はチョッキのポケットを叩いてみた。はいってる、大丈夫だ。いとしいヘンリーは去った。*あたしの我慢が途切れないうちに。
*公立小学校。ミード建築店の材木置場。馬車溜り。今は二頭しかいない。頭を垂れて。腹いっぱい詰めこんで。頭蓋の骨が太すぎるんだ。もう一頭は客を乗せて走

りまわってる。一時間前におれはここを通ったな。馭者たちが脱帽してるぞ。

ミスタ・ブルームの窓の外では、電車道の電柱を背にして、一人の転轍手《てんてつしゅ》の背中がとつぜんまっすぐに伸びた。なんとかもっと手がるに車輪をあつかえる自動装置が作れないものかな？　ただしそうなるとあの男は失業か？　でもそのかわり別の男が新装置を製造する仕事にありつけるわけ？

*エインシェント音楽堂。何もやってない。淡黄いろの革服を着た男が腕に喪章を巻いて。あまり悲しそうじゃない。*四分の一喪服というところ。義理の親類かなんかだろう。

彼らは*聖マルコ教会の陰鬱な礼拝堂を通り過ぎ、鉄道の陸橋をくぐり、*クイーン座の前を通った。みんな黙っていた。広告板、*ユージーン・ストラットン、ミセス・バンドマン・パーマー。今夜おれは《*リア》を見に行けるだろうか。行くとは言ったが。それとも《*キラーニーの百合》？　エルスター・グライムズ歌劇団。迫力満点の新企画。来週の出しものの色あざやかな刷りたてポスター。《*ブリストル号の愉快な航海》。マーティン・カニンガムに顔をきかせてもらえばゲイアティ座のパスが手にはいるだろう。一杯か二杯おごらなきゃならない。結局おなじことだ。

*彼が午後うちに来る。彼女の歌。

プラストー帽子店。*サー・フィリップ・クランプトン記念の噴水と胸像。何をした男だっけ？

――やあ、こんにちは、とマーティン・カニンガムが掌を額にあげて挨拶した。

――気がついてないよ、とミスタ・パワーが言った。あ、気がついた。こんにちは。

――誰だい？　とミスタ・ディーダラスがたずねた。

――ブレイゼズ・ボイランさ、とミスタ・パワーが言った。帽子をあげて挨拶してるぜ。

ちょうどおれが考えていたとき。

ミスタ・ディーダラスが身を乗り出して挨拶した。それに応えて、*レッドバンク食堂の入口のところで麦藁帽子の白い円盤がひらめいた。*粋な姿。通り過ぎた。

*ミスタ・ブルームは自分の左手の爪、つづいて右手の爪を眺めた。爪、そうだよ。それ以外のどこに、あいつが*女たちを彼女を惹きつける理由がある？　魅力。ダブリンで最低の男。あいつはそれで生きてるんだ。女はとかく感じで人を評価する。本能。しかし何もあんな男を。おれの爪。いまおれは自分の爪を眺めてる。き

れいに切ってある。そのあと、一人になってから考える。体がすこしたるんできたわ。むかしを思い出すとおれにもわかる。どうしてそうなるのかな？　たぶん肉が落ちたのに皮膚の収縮が追いつかない。しかし体の形はまだそのままだ。依然として形はある。肩。腰。むっちり。ダンスの晩に着替えてたとき。シュミーズが尻の両頬のあいだにはさまってた。

彼は膝のあいだで両手を握り合せ、納得した思いで、なんとなくみんなの顔を見まわした。

ミスタ・パワーが言った。

――演奏旅行の話はどうなったの、ブルーム？

――ああ、うまく行ってます。景気のいい話をいろいろ聞かされてね。なかなかいい計画だし……

――きみもついてくの？

――いや、ぼくは、とミスタ・ブルームは言った。実は*個人的な用事でクレア州に行かなきゃならない。演奏旅行のほうは主な町だけをまわるのが狙いでね。一つの町が赤字でも次の町で取り返せるから。

――そういうことだな、とマーティン・カニンガムが言った。*メアリ・アンダーソンがいまあそこに出てるよ。いい出演者はそろっているの？

――ルイス・ワーナーがあちらの興行主ですね、とミスタ・ブルームは言った。

大丈夫さ、一流どころはみんなこっちに来てくれるだろう。*J・C・ドイルも、たぶんジョン・*マコーマックも、そのほか。一流ばかりですよ。

――それに《マダム》もね、とミスタ・パワーが微笑を浮べながら言った。最後にあげたけど重要な名前だよ。

ミスタ・ブルームは握り合せていた両手を開いて謙遜の身ぶりを見せ、もういちど握り合せた。*スミス・オブライエン。誰かがあそこに花束を置いて行った。女。きっと彼の命日だ。*今日のよき日が幾たびもめぐって来ますよう。*ファレル作の像の前を走り過ぎる馬車のなかで彼らの無抵抗な膝が音もなくくっつき合った。

くつうう、と見すぼらしい服の老人が歩道の縁から売りたい品を差し出しながら大きく口をあけた。靴うう。

――靴紐四本で一ペニー。

この男はなぜ弁護士資格を取りあげられたのかな？ヒューム通りに事務所を持ってた。モリーと同じ名前の*トウィーディ、ウォーターフォード州法務官。その法務官と同じ建物にいた。あれからずっとあのシルクハットをかぶってる。*昔の体面の名残り。あの喪服もそう。おそろしく落ちたもんだな、かわいそうに！　通夜の晩の嗅ぎ煙草みたいにぞんざいにあつかわれて。落ちぶれ果てた*オキャラハン。

　それに《マダム》もね。*十一時二十分。もう起きてるな。ミセス・フレミングが掃除をはじめて。髪の手入れをしながら彼女は口ずさむ。*《行きたいけれど行きたくもなし》。いや、*《行きたくもあり行きたくも》だ。枝毛になってやしないかと髪の先っぽを見つめながら。*《すこしおののく》。あの《おの》のところで彼女は美しい声を出す。すすり泣く調子。つぐみ。歌つぐみ。歌つぐみという言葉はまさにあの声にぴったりだ。

　彼の目はミスタ・パワーのととのった顔をそっと眺めた。耳の上あたりが白髪まじり。《マダム》と言いながら微笑して。おれも微笑を返した。微笑ってのは効果てきめん。ただのお愛想だろうけど。感じのいい男だよ。女を囲ってるという話は本当かな？　細君は愉快じゃないだろう。しかし噂では、誰から聞いたんだっけ、肉体関係はないそうだ。それではあまり長つづきしないだろうに。そうそう、あれは*クロフトンだ、ある晩たまたま出会ったら彼がランプステーキを一ポンド女のところに持って行く途中だったという。何をしてる女だっけ？　*ジュアリ・ホテルのバーの女給。それとも*モイラ・ホテルだったかな？

彼らは*巨大なマントをまとった解放者の銅像の下を通り過ぎた。

マーティン・カニンガムがミスタ・パワーをつついた。

——*ルベンの子孫がいるぜ、と彼は言った。

黒い顎ひげをはやした長身の人影が杖をつきながら重い足どりで*エルヴァリのエレファント・ハウスの角を曲って行く。背骨にのせた片手の掌は開いたまま、曲った指を見せていた。

——古代民族の美しさがそっくり残っているね、とミスタ・パワーが言った。

ミスタ・ディーダラスは、重い足どりで歩くその人影を見送りながら静かな声で言った。

——やつの背中の蝶番《ちようつがい》を悪魔がへし折ってくれるといい！

ミスタ・パワーが窓から見えないように顔を隠して笑いくずれているうちに、馬車は*グレイの像を通り過ぎた。

——われわれは一人残らず彼のところに行ったことがあるはずだ、とマーティン・カニンガムがあけすけに言った。

彼の目がミスタ・ブルームの目と合った。彼はひげを撫でながら言い添えた。

——まあ、例外もあるだろうが。

ミスタ・ブルームがとつぜん熱のこもった口調で同乗者たちの顔にしゃべりはじめた。

――あれはじつに傑作ですね、*ルーベン・Jと息子の件で広まったあのゴシップ。

――船員の話かい？　とミスタ・パワーがたずねた。

――そう。じつに傑作でしょう？

――どういうこと？　とミスタ・ディーダラスがたずねた。わたしは聞いてないよ。

――女がからんでいましてね、とミスタ・ブルームがはじめた。深みにはまらないうちに息子を*マン島にやってしまおうと、親父が決心したんです、いよいよ彼を連れて……

――何だって？　とミスタ・ディーダラスがたずねた。あの札つきの若造を？

――そう、とミスタ・ブルームは言った。いっしょに船まで歩いて行く途中で、いきなり彼が水中に……

――*バラバを突き落したのか！　とミスタ・ディーダラスが叫んだ。よくぞやってくれた！

ミスタ・パワーは手で鼻を覆いながら長々と笑いつづけた。

――いや、とミスタ・ブルームは言った。息子のほうが飛びこんで……

マーティン・カニンガムが無遠慮に彼の話に割り込んだ。

――ルーベン・Jが息子をマン島行きの船に乗せようってんで川沿いの河岸を歩いてたら若造がとつぜん逃げ出して石垣を乗り越えリフィ川に飛び込んだわけさ。

――そりゃ大変だ！　とミスタ・ディーダラスは恐怖の叫びをあげた。それで死んだの？

――死ぬもんか！　とマーティン・カニンガムが叫んだ。死ぬようなやつじゃない！　船員の一人が棹にズボンのたるみを引っかけて、河岸の親父の目の前に引き上げたんだが、半死半生。市内の人口の半分は見物に来たぜ。

――そうなんです、とミスタ・ブルームが言った。だけど傑作なのは……

――そしたらルーベン・Jがね、とマーティン・カニンガムが言った。息子の命を助けてくれたお礼だと言って船員にフロリン銀貨一枚を差し出した。

ミスタ・パワーの手の奥から押し殺した溜息がもれた。

――ほんとなんだぜ、とマーティン・カニンガムは断言した。お大尽気どりで。フロリン銀貨一枚だよ。

――じつに傑作でしょう？　とミスタ・ブルームが熱をこめて言った。

――*一シリング八ペンス多すぎる、とミスタ・ディーダラスはまじめな顔で言った。

ミスタ・パワーの押し殺していた笑いが馬車のなかで静かにはじけた。

*ネルソン塔。

――プラムが八つで一ペニー！　プラムが八つで一ペニー！

――もうすこし厳粛な顔をしようじゃないか、とマーティン・カニンガムが言った。

ミスタ・ディーダラスは溜息をついた。

――だけどねえ、と彼は言った。すこしぐらい笑ったって死んだパディは許してくれるさ。あいつもいろいろ傑作な話を聞かせてくれたからね。

――神よお許しあれ！　とミスタ・パワーが指で目をぬぐいながら言った。気の毒なパディ！　一週間前、最後に会ったときだっていつも通りに元気でね、まさかこんなふうに彼のあとについて行くなどとは思いもしなかったのに。われわれを置いて行っちゃったよ。

――あんないい男はなかったな、とミスタ・ディーダラスが言った。まったく、とつぜん行ってしまった。心臓の。

——発作だよ、とマーティン・カニンガムが言った。

彼は悲しげに胸を叩いた。

てかてかの顔、赤くほてって。*麦のお酒の飲みすぎ。赤っ鼻の治療法。*鼻が灰いろになるまで痛飲する。あんな色になるまでにはずいぶん金を使ったんだ。

ミスタ・パワーは去って行く家々を沈痛な不安げな顔で眺めていた。

——とつぜん死んだね、かわいそうに、と彼は言った。

——一番いい死に方ですよ、とミスタ・ブルームは言った。

*みんなが大きく目を見開いて彼を見た。

——苦しみもなく、と彼は言った。一瞬にしてすべてが終る。眠りながら死ぬようなもので。

誰も口をきかなかった。

死んだような町並だな、*こちら側は。日中もぱっとしない商売、*土地管理人事務所とか、*禁酒ホテルとか、フォーコナー鉄道ガイド出版社、公務員養成所、*ギル書店、カトリック・クラブ、盲人職業訓練所。なぜだろう？ 何か理由が。日あたりか風向き。夜になっても同じこと。使い走りの小僧だの女中だの。*故マシュー神父の守護のもとに。パーネル像の*礎石。発作。心臓。

*白い馬たちが額に白の羽根飾りをつけてロータンダの角からギャロップで走って来た。ちらっと小さな棺桶が見えた。埋葬への疾走。霊柩車。未婚。既婚者なら黒馬だ。独身者は白黒まだら。尼僧にはくすんだ栗毛。

——かわいそうに、とマーティン・カニンガムが言った。子供だよ。

こびとの顔、藤いろで皺だらけで、死んだルーディの顔そっくり。こびとの体、パテみたいにもろいのが、白い線を入れた松材の棺に納められて。葬式互助会が費用を払う。週一ペニーで一かけらの芝土。うちの。小さな。餓鬼。赤ん坊。なんの意味もなかった。大自然の過失。健康なのは母親のおかげ。不健康は父親のせい。こんど生れるときはもっと幸福に。

——かわいそうな子供、とミスタ・ディーダラスが言った。こんな世の中はおさらばするがいい。

馬車は速度を落してラットランド広場の坂道を登って行った。彼の骨が*がたがたと鳴る。石の上で。乞食にすぎぬ。誰も気にしない。

——*生の只中において、とマーティン・カニンガムが言った。

——しかしいちばん悪いのは、とミスタ・パワーが言った。自分で自分の命を断つ人間だよ。

マーティン・カニンガムがそそくさと懐中時計を引っ張り出し、一つ咳ばらいしてから元に戻した。

——家族にとっても最大の不名誉だし、とミスタ・パワーがつけ加えた。

——一時的な狂気のせいなんだからね、とマーティン・カニンガムがきっぱりと言った。同情的に考えてやるべきだ。

——自殺する人間は臆病者だというじゃないか、とミスタ・ディーダラスが言った。

——われわれ人間が裁くことではない、とマーティン・カニンガムが言った。

ミスタ・ブルームは何か言おうとして、そのまま口をつぐんだ。マーティン・カニンガムの大きな目。その目を今そらしている。同情心のあるやさしい男なんだ。知性もある。シェイクスピアみたいな顔。どんな場合にもいいことを言ってくれる。アイルランド人は自殺にはきびしい、幼児殺しに対しても。*キリスト教徒としての埋葬を拒否する。昔は*墓穴にいれてから心臓に木の杭を打ち込んだそうだ。すでに張り裂けた心臓だろうに。しかし手遅れになってから後悔する自殺者もいるらしい。河底で水草にしがみついていた死体。彼はおれの顔を見た。あんなひどい酔っぱらいの女房をかかえて。家具一式を何度買い揃えてやっても、ほとんど毎週土曜日ごとに女房がごっそり質にいれてしまう。おかげで彼の生活は地獄。あれじゃあ石の心臓でもすりへるよ、まったく。月曜の朝に、また新規まきなおし。精一杯つとめてみても。やれやれ、あの晩のあの女は見ものだったにちがいあるまいよ、おれはその場にいたんだ、とディーダラスが話していた。酔いどれてほっつき歩いて、マーティンの傘を振りまわして。

《*あたしはアジアの宝石よ
　アジアの宝石
　ゲイシャなの》

彼はおれから目をそらした。*知ってるんだ。*彼の骨ががたがたと鳴る。あの午後の検屍。赤ラベルの瓶がテーブルに載ってた。狩猟の絵のかかったホテルの一室。蒸し暑かった。ブラインドの細い隙間から日がさしこんで。検屍官の耳は大きくて毛が生えていて、*日があたっていた。雑用係の証言。はじめは眠ってるのかと思いました。よく見たら顔に黄いろい筋があるし。ベッドの足もとに滑り落ちてて。検屍結果、薬の飲みすぎ。過失死。あの書置き。わが子レオポルドへ。
もう苦しまない。もう目覚めない。誰も気にしない。

馬車はブレシントン通りをがたがた揺れながら疾駆した。石の上を。

——飛ばしてるようだね、とマーティン・カニンガムが言った。

——お客をおっことさないように頼むぜ、とミスタ・パワーが言った。

——まったくだ、とマーティン・カニンガムが言った。あしたのドイツのレースはたいへんな勝負になりそうだね。*ゴードン・ベネット杯自動車レース。

——うん、まったく、とミスタ・ディーダラスが言った。たしかに見ものだ。

角を曲ってバークリー通りにはいったとき貯水池のあたりで手回しオルガンの陽気な騒がしい流行歌が聞えはじめ、通り過ぎてからもあとを追って来た。*ケリーを見た人いませんか？ K、E、ダブルL、Y。*《サウル》の葬送行進曲。*彼ってアントーニオみたいにひどい人。あたしをひとーりにするなんて。*つまさき旋回！ *《慈悲の聖母病院》。エクルズ通りだ。あのさきがおれの家。大きな施設。不治の患者の病棟もある。ありがたい話さ。*臨終を迎える者たちのための聖母ホスピス。地階には手まわしよく霊安室まである。*ミセス・リオーダンはあそこで死んだ。ひどい顔になるな、女たちは。彼女の流動食のコップ、そしてスプーンで口のまわりをこするだけ。そのうち寝台の周囲に仕切りがめぐらされ。死ぬのを待つ。[*]おれが蜂に刺されたとき包帯を巻いてくれたあの親切な若い見習い医師。産科病院に移ったそうだ。極端から極端へ。

　馬車はギャロップで街角を曲り、停止した。

——今度はなんだ？

[*]烙印を押された牛の群が二列に分れて両側の窓の外を通り過ぎた。鳴きながら、[*]覆いをつけた蹄でのろのろと歩き、糞のこびりついた骨ばった尻のまわりを尻尾でゆっくり振りはらう。その列の外側や内側を混乱した羊たちが怯えた声で鳴きながら走っている。

——まるで移民だな、とミスタ・パワーが言った。

——ほおーい！　と牛追いの声が叫び、獣たちの横腹で鞭が鳴った。ほおーい！そこをどけい！

　木曜日だからな。あすが屠畜日。仔をはらんだ牝牛たち。[*]カフが一頭二十七ポンドで売りこんだ。たぶんリヴァプールへ送るんだろう。[*]イギリス好みのローストビーフ。汁気たっぷりなのはみんな彼らが買い占める。そして余計なものを捨てる、皮だの、毛だの、角だの、いろんな原料を。一年分たまれば大変な量だ。死獣の肉の密売。屠畜場の副産物がなめし革や石鹸やマーガリンに変る。*クロンシラでは今でも例のあの装置を使って汽車から屑肉をおろしているのかな？

馬車はそのまま牛の群のなかを進んだ。

――いったいなぜ市役所は*公園正門から河岸まで電車の線路を敷かないんだろう、とミスタ・ブルームが言った。牛も羊もみんな貨車で船まで運べるじゃないですか。

――道もふさがないしね、とマーティン・カニンガムが言った。まったくだ。ぜひやるべきだよ。

――そう、とミスタ・ブルームが言った。それからもう一つ、ぼくはいつも思うんだが、市営の葬式電車を作るべきだな。ミラノにあるような、あれですよ。墓地の門まで線路を敷いて、特別電車を走らせる。霊柩車も会葬者用の客車もみんな揃えて。わかるでしょう？

――なんとまあ、あきれた話だね、とミスタ・ディーダラスが言った。寝台車に特別食堂車か。

――コーニーにとっちゃあ商売あがったりだぜ、とミスタ・パワーが言い添えた。

――どうして？　とミスタ・ブルームがミスタ・ディーダラスのほうに向き直ってたずねた。二頭立てで駆けつけるよりましでしょう？

――うん、それもそうだな、とミスタ・ディーダラスは認めた。

――それに、とマーティン・カニンガムが言った。*ダンフィの角で霊柩車が引っくり返って棺を道路にほうり出すなんて事故もなくなるよ。

――あれはひどかった、とミスタ・パワーが眉をひそめて言った。しかも死体まで道路に転がり出て。ひどかった！

――ダンフィの角で先頭あらそい、とミスタ・ディーダラスがうなずきながら言った。まるでゴードン・ベネット杯自動車レースだ。

――神を称《たた》えよう！　とマーティン・カニンガムが敬虔な口調で言った。

どかん！　転覆する。棺がどしんと道に落ちる。蓋がぱっくり開く。パディ・ディグナムの硬直死体が飛び出して、*大きすぎる茶いろの服を着たまま土の上を転がる。赤い顔、いまは灰いろ。だらりと口をあけて。何事だいとたずねているみたい。やっぱり閉じてやるべきだ。あいてるとひどい形相。それに内臓の腐敗も早い。穴はみんなふさぐほうがずっといい。そうだよ、あれも。蠟で。括約筋がゆるむ。すべて封印すること。

――ダンフィの角だ、とミスタ・パワーが言って馬車は右に曲った。

ダンフィの角。葬式帰りの馬車が何台も横づけになって悲しみを洗い流す。道端で一休み。酒場にはもってこいの場所だ。たぶんわれわれも帰りに寄って、彼の健康のために乾杯するだろう。*おれにも慰めを。生命の霊薬を。

だがもしも今それが起ったら。転がるうちに釘かなんかで死体に傷がついたら血が出るだろうか？　出るかもしれんし出ないかもしれん、というところ。傷の場所による。血液の循環は止る。それでも多少は動脈からにじみ出るだろう。赤い屍衣にくるんで埋葬したほうがいい、黒っぽい赤だな。

沈黙したまま彼らはフィブズバラ道路を走っていた。空の霊柩車が一台すれ違った。墓地からの帰りで、ほっとした表情。

クロスガンズ橋。*ロイヤル運河。

水は轟々と水門を走りぬけていた。*さがってゆく艀の上に男が一人泥炭の山に囲まれて立っている。閘門《こうもん》わきの曳き舟道には馬が一頭長い綱でつないである。*≪お化け≫号で船の旅、か。

彼らの目は男を見まもっていた。水草が生えているゆるやかな流れに艀を浮べ海岸めざして彼はアイルランドを横断して来た。曳き綱に引かれて、葦の密集地帯や、沼地や、泥の詰まった瓶や、犬どもの腐乱死体を乗り越えて。アスローン*、マリンガー、モイヴァリー、おれも一つミリーに会いに運河沿いの徒歩旅行をしようか。自転車という手もある。古いのを、安全自転車*を借りて。このまえレン*が競売で一台出していたけれど、あれは婦人用だった。発展する水路。ジェイムズ・マッキャン*の道楽は渡し場の漕ぎ手になっておれをわたすことだよ。安あがりの輸送。無理をしないでゆっくり。宿泊設備つきボートで。野営しながら。霊柩船もある。水路で天国へ。手紙で知らせないで行こうか。とつぜん現れる、リーシュリップ*、クロンシラ。閘門ごとに水位をさげながらダブリンへ。内陸の沼沢地帯から泥炭を積んで。敬礼。彼が茶いろの麦藁帽子を持ちあげ、パディ・ディグナムに敬礼した。

　彼らはブライアン・ボルー*酒場を通り過ぎた。さあ、もうすぐだ。

——ところでわれらが友フォーガティ*は最近どうしてるんだろうね？　とミスタ・パワーが言った。

——トム・カーナンに聞いてごらん、とミスタ・ディーダラスが言った。

——どういうこと？　とマーティン・カニンガムが言った。勘定を踏み倒して泣かせたのか？

——*姿は消えても、とミスタ・ディーダラスが言った。忘られぬ人だ。

馬車は左折してフィングラス道路に出た。

右手に石屋の仕事場。最後の一息。細長い地面にぎっしりと物言わぬ像たちが、白く、悲しげに、静かに両手を差し出したり、ひざまずいて悲嘆にくれたり、何かを指さしたりしている。石に刻まれた人体の断片。白く黙ったまま、訴えかけてる。御予算に合せて最高のものを。記念碑製作および彫刻、トマス・H・デナニー。

通り過ぎた。

年老いた浮浪者が一人、墓掘り人ジミー・ギアリーの家の前で歩道の縁に坐りこみ、ぶつぶつつぶやきながら、埃で白茶けてぱっくり口をあけた大きな深靴から泥や石ころをはたき落していた。人生の旅路の果て。

それからいくつかの陰気な庭を通り過ぎた。一つまた一つ。陰気な家々。

ミスタ・パワーが指さした。

——あそこだよ、*チャイルズが殺されたのは、と彼は言った。あの端っこの家。

——そうだったね、とミスタ・ディーダラスが言った。陰惨な事件さ。シーマー・ブッシュの弁護で無罪になったけど。弟が兄を殺した。ともかく噂ではそうなってる。
――検察側に証拠がない、とミスタ・パワーが言った。
――情況証拠だけではね、とマーティン・カニンガムがつけ加えた。それが裁判の鉄則だよ。一人を無実の罪で処刑するより九十九人の犯人を無罪にするほうがいい。

彼らは見た。殺人犯の敷地。それは陰鬱な光景を見せて過ぎて行った。鎧戸をおろして、借り手もなく、雑草の生いしげった庭。敷地全体が見捨てられた。無実の罪で処刑。殺人。*殺された者の目に焼きついた殺人者の姿。みんな殺人の記事が好きだ。庭で男の首を発見。その女性の着衣は。彼女はどうやって殺されたか。直前に暴行。使われた兇器。殺人犯はまだつかまらない。手がかり。靴紐が一本。遺体を掘り起す予定。殺人は露見する。

窮屈な馬車だな。予告なしに行くといやがるかもしれない。女は慎重にあつかわないと。うっかり間の悪い思いをさせると。一生うらまれる。十五歳。

*プロスペクト墓地の高い柵が波打ちながら彼らの視野のなかを走り去った。黒っぽいポプラ並木、ときたま白い石像。しだいに像の数が増えて、木々のあいだに白い姿がひしめき、白い人体や断片が中空で空しいポーズをとりながら黙って流れ過

ぎる。

　車輪が歩道の縁石をこすって耳障りな音を立てた。止った。マーティン・カニンガムが腕をのばして取っ手をひねり、膝でドアを押し開けた。降りて行った。ミスタ・パワーとミスタ・ディーダラスがあとにつづいた。

　あの石鹸を入れ替えるのはいまだ。ミスタ・ブルームの手が尻ポケットのボタンをすばやくはずし、紙にくるんだ石鹸をハンカチ用の内ポケットに移した。そして馬車から降りながら、もう一方の手に持ちつづけていた新聞紙を元に戻した。

　けちな葬式。*大型馬車一台と小型が三台。まあどうだって同じことだ。棺の担い手たち、金いろの手綱、死者のためのミサ、弔礼銃の一斉射撃まであって。豪華な死。最後尾の馬車の向うに呼売り商人が一人、手押車に菓子と果物を載せて立っている。*シムネル・ケーキだな、あれは、みんなくっついて。死者のための菓子。犬のビスケット。誰が食べたんだろう？　会葬者たちが出て来るところだ。

　彼は連れの三人を追った。後ろにはミスタ・カーナンとネッド・ランバート、さらにその後ろをハインズが歩いている。コーニー・*ケラハーが開かれた霊柩車のそばに立って、花輪を二つ取り出し、そのうちの一つを男の子に渡した。

　あの子供の葬式はいったいどこへ消えたんだろう？

馬の一群が*フィングラスの石切り場から重そうな足どりでゆっくりとやって来た。切り出した花崗岩を積んだ荷馬車を軋らせながら葬式の沈黙のなかを通り過ぎる。馬たちの先頭にいる馬車曳きが会釈した。さあ棺だ。死んだ人間がわれわれよりさきに到着したじゃないか。馬が羽根飾りをかしげて振り返りながら棺を見つめている。どんよりした目。首当てがきつすぎて、血管か何かを圧迫している。馬たちは毎日ここへ運んで来るのが何か知ってるんだろうか？　毎日二十や三十は葬式があるはずだ。それに*マウント・ジェロームへ行くプロテスタントの葬式もあるし。世界じゅういたるところで一分ごとに葬式が出る。荷車いっぱいの死体を大急ぎで次から次へと埋めて行く。毎時数千人。この世に人間が多すぎるんだ。

　親族たちが門から出て来た。女と少女。顎のとがった強欲女、商売となると抜け目ないけど、ボンネットが曲ってる。少女の顔は埃と涙とで汚れ、女の腕につかまって見あげながら泣けという合図を待っている。魚みたいな顔、血の気がなくて鉛いろ。

　葬儀人たちが棺を担いで門のなかへ運び入れた。死体の自重ってのがこれだけある。おれだって*さっき浴槽から出るとき重くなった感じがした。先頭が死体、つづいて死体の親族友人。コーニー・ケラハーと男の子が花輪を持って棺の後ろを歩いてる。その横にいるのは誰だろう？　そうか、義理の弟だ。

みんながあとについて行った。

*マーティン・カニンガムが囁いた。

――おれはもう生きた心地もなかったぜ、きみがブルームの前で自殺の話なんか持ち出すから。

――なぜ？　とミスタ・パワーが囁いた。どうして？

――彼の親父は服毒自殺したんだよ、とマーティン・カニンガムが囁いた。*エニスでクイーンズ・ホテルを経営してた男でね。クレアに行く用があると話してただろう？　命日なんだよ。

――なんとまあ！　とミスタ・パワーが言った。初めて聞いた。服毒したのかい？

彼が振り向いて見ると、暗い考え深げな目をした顔が後ろから*枢機卿の墓所のほうへと歩いて来る。何かしゃべっている。

――保険はかけてあったの？　とミスタ・ブルームはたずねた。

――そうらしいよ、とミスタ・カーナンが答えた。しかし保険金を担保にだいぶ借金して*たからね。マーティンが男の子を*アーティンの施設にいれてやろうと骨折っている。

――子供は何人？

――五人。ネッド・ランバートが女の子の一人を*トッドの店に世話しようと言ってる。

――悲しいことだね、とミスタ・ブルームが静かに言った。小さな子が五人もいて。

――気の毒に奥さんには大打撃だよ、とミスタ・カーナンがつけ加えた。

――まったくだ、とミスタ・ブルームが相槌を打った。

とうとう亭主に勝ち残ったわけだ。

彼は視線を落とし、自分で靴墨をつけて磨いた靴を眺めた。彼女は彼より長生きして夫を失った。おれなんかよりもずっと身にしみて感じているだろう。どちらか一方があとに残る運命だ。賢人たちがそう言う。*世界には男よりも女のほうが多い。彼女を慰める。さぞお力落しでしょう。*さっそくにもあとを追われますように。ヒンズー教徒の未亡人にしか言えない言葉。彼女はほかの男と再婚するさ。*あの男と？　まさか。しかしさきのことはわからない。*ヴィクトリア女王が死んで以来、後家を通すのはもう流行おくれ。砲車に載せて運んで。ヴィクトリアとアルバート。*フログモア記念霊廟での葬儀。しかし彼女も晩年にはボンネットに何本か菫《すみれ》をさした。心の底では虚栄心が強いんだ。影法師のための大騒ぎ。女王の夫というだけで王でさえないのに。実体は*彼女の息子のほう。希望の持てる新世代だ。彼女が待ちつづけ呼び戻そうとした過去とは違う。過去は帰って来やしない。かならず一方がさきに死ぬ。一人ぼっちで土のなか。もう彼女の暖かいベッドで寝ることはない。

——元気かね、サイモン？　ネッド・ランバートが低い声で言いながら手を握りしめた。ずいぶん会わなかったね。

——元気そのものさ。*コークのおらが町民たちはどうしてる？

——復活祭の月曜日に*コーク公園の競馬に行ったんだがね、とネッド・ランバートは言った。むかしのままで何ひとつ変ってない。ディック・タイヴィのとこに泊めてもらったよ。

——それでディックは健在かい？　あのしっかり者は。

——頭と天国をさえぎるものなしだ、とネッド・ランバートは答えた。

——それは意外だね！　とミスタ・ディーダラスが驚きをおさえた声で言った。ディック・タイヴィが禿頭かい？

――マーティンが子供たちのために寄付を集めるんだ、とネッド・ランバートは前のほうを指さしながら言った。一人あたま何シリングか。保険のことが片づくまで当面の生活費としてね。

――そう、そうだな、とミスタ・ディーダラスは曖昧に答えた。あの先頭にいるのが長男かい？

――うん、とネッド・ランバートは言った。細君の弟と並んでる。その後ろがジ*ョン・ヘンリー・メントン。彼は一ポンドの寄付に署名した。

――あの男ならするだろう、とミスタ・ディーダラスは言った。ぼくはよくパディに言ったんだ、あいつのとこの仕事はきちんとやれよとね。ジョン・ヘンリーは決して悪い男じゃない。

――どうして首になったんだろう？　とネッド・ランバートがたずねた。酒かい？

――善人にありがちな欠点さ、とミスタ・ディーダラスは溜息まじりに答えた。

彼らは墓地礼拝堂のドアのそばで立ち止った。ミスタ・ブルームは花輪を持った男の子の後ろに立ち、櫛で撫でつけた頭と、真新しいカラーに締めつけられて皺のよった細い首とを見おろしていた。かわいそうに！　父親が死ぬときその場にいたのかな？　*どちらも意識していなかった。最後の瞬間にぱっと意識が明らかになって、これが見おさめだと思い知る。いろいろやっておきたかったが。*オグレイディに三シリング借りがある。わかってくれるだろうか？　葬儀人たちが棺を礼拝堂に担ぎこんだ。*どっちの端が頭だろう？

　しばらくしてから彼はみんなのあとについてなかにはいり、外の光を遮断した薄暗がりのなかで目をしばたたいた。棺は内陣の前の柩台に置かれ、四隅には背の高い黄いろい蠟燭が立っていた。いつもわれわれの前にいる。コーニー・ケラハーが棺の頭の両側にそれぞれ花輪を置いてから、ひざまずきなさいと男の子に合図した。会葬者たちはそこここの祈禱台にひざまずいた。後ろの聖水盤のそばに立っていたミスタ・ブルームは、みんながひざまずくとポケットから出した新聞をひろげて慎重に下に置き、そこに右膝をついてひざまずいた。黒い帽子をそっと左膝にかぶせ、その縁に手をかけたまま彼は敬虔に上体をかがめた。

　侍者が*何かのはいった真鍮のバケツを持ってドアから出て来た。つづいて白い上っぱり姿の司祭が片手で*ストラを整えながら出て来た。もう一方の手は、ひきがえるのような腹の上で小さな本を支えている。*誰が本を読むんだろう？　ぼくだよ、と深山がらすが言ったとさ。

彼らは柩台のそばに立ち止り、司祭はその本の一節を流暢なしわがれ声で読みはじめた。

コフィ神父だ。棺桶《コフイン》そっくりの名前だから覚えてた。ドミネナミネ*。厚ぼったいでかい口。采配をふるうタイプ。筋骨*たくましいキリスト教徒か。彼によこしまな目を向ける者に災いあれ。司祭。汝*はペテロなり。あの腹はぱっくりパンクするぜ、クローバー畑の羊みたいに、とディーダラスが言ってたな。毒をもられた犬ころみたいな腹をしてさ。じつに愉快な言いまわしを見つける男だ。ふむふむ、ぱっくりパンクする。

――《汝*ノシモベノ審判《サバキ》ニカカズライタマウナカレ、主ヨ》。

ラテン語でお祈りをしてもらうと偉くなった気がするんだな。死者のためのミサ。クレープの喪章。黒枠の便箋。会葬者名簿にお名前を。ずいぶん冷えるな、ここは。たらふく食べたくなるだろうよ、朝からこんな薄暗いところに坐って長いことじっと待っていたら。さあ次の方、どうぞ。目までひきがえるみたい。何を食べてあんなに膨れたんだろう？　モリーはキャベツを食べると膨らむ。ここの空気のせいだろうか。悪いガスが充満してるみたい。墓地一帯にものすごい有毒ガスが溜ってるにちがいない。たとえば肉屋なんか、生焼けのビフテキみたいになる。誰に聞いた話だっけ？ *マーヴィン・ブラウンだ。*聖ウェルブルガ教会には百五十年前の古くて立派なオルガンがあるけれど、あすこの地下納骨所ではときどき棺に穴をあけて悪いガスを出して火をつけるそうだ。噴出する青いガス。それを一息吸ったらお陀仏。

膝がしらが痛い。うう。これでいい。

司祭は*末端に球のついた棒を助手のバケツから取って棺の上で振った。それから反対側にまわってもういちど振った。それから元の位置に帰ってバケツのなかに棒を返した。ありし日のままに。みんな本に書いてあって、彼はその通りにしなければならない。

――《*ワレラヲ試ミニ引キタマワザレ》。

侍者が甲高い声で応答を唱えた。おれはよく思うんだが、こんなことは男の子にやらせるほうがいい。十五歳ぐらいまでの。それを過ぎるとどうしても……

聖水だろうな、さっきのは。眠りを振りかけてやる。きっとこんな仕事にはうんざりしているんだろう、次々に馬で運びこまれる死体にあんなものを振りかけて。そのたびに死体を見たからって気がめいるでもない。人生の一日ごとに新しい一山。中年男たち、老女たち、子供たち、お産で死んだ女たち、ひげをたくわえた男たち、禿頭の実業家たち、小雀みたいな胸をした肺病やみの娘たち。一年じゅう彼はみんなに同じお祈りをして上から水を振りかける。眠りを。いまはディグナムの上に。

――《天国ニ*》。

彼が天国に行くとか、居る、とか言ったらしい。誰にでもあれを言う。退屈きわまる仕事。だがとにかく何か言うしかないからな。

司祭は本を閉じると、侍者を従えて出て行った。コーニー・ケラハーが横のドアを開き、墓掘りたちがはいって来てふたたび棺を担ぎあげ、外に運び出して手押車に載せた。コーニー・ケラハーは花束の一つを男の子に、もう一つを義弟に手渡した。みんなが彼らのあとについて横のドアからおだやかな灰いろの空気のなかに出た。ミスタ・ブルームはいちばん後ろから出るとまた新聞紙をたたんでポケットに入れた。彼がおごそかに地面をみつめているうちに棺の荷車が左のほうに動きはじめた。金属の車輪が玉砂利を嚙んで鋭い軋り声を立て、その手押車のあとから人々の深靴の群が重い音を立てて墓地の小道を進んで行く。

タリータラタリータラタルー。大変だぞ、こんなところで鼻唄なんか歌ったら。

――*オコネル・サークルだぜ、とミスタ・ディーダラスがまわりに向って言った。

ミスタ・パワーの柔和な目が、聳え立つ円錐形の頂点を見あげた。

――眠ってる、と彼は言った。ダン・オー親父は同胞に囲まれて眠っている。しかし彼の*心臓《ハート》はローマに埋められてるんだ。どんなに多くの傷ついた心がここに埋っていることかねえ、サイモン！

――そのさきに*彼女の墓があるんだよ、ジャック、とミスタ・ディーダラスが言った。ぼくもやがて隣に横たわるだろう。いつでもお望みのときに、主よ、わたしは参上いたします。

こらえかねて、彼は静かに一人で泣きだし、よろめくような足どりになった。ミスタ・パワーが彼の腕をとった。

――彼女はいまこそしあわせなんだよ、と彼は暖かく言った。

――そうだろうな、とミスタ・ディーダラスは弱々しくあえぎながら言った。きっと天国にいるんだから、もしも天国というものがあるなら。

コーニー・ケラハーが列の外に出て、会葬者たちをやりすごした。

――悲しいことだねえ、とミスタ・カーナンが型どおりに話しかけた。

ミスタ・ブルームは目を閉じて悲しげに頭を二回さげた。

――ほかの連中はもう帽子をかぶってる、とミスタ・カーナンは言った。われわれもかぶっていいだろう。われわれが最後だよ。*この墓地では油断ができないからな。

彼らは帽子をかぶった。

――司祭さんはお祈りのあげ方が早すぎたな、そう思うだろう？　とミスタ・カーナンは非難がましい口調で言った。

ミスタ・ブルームは重々しくうなずきながら、彼の落ち着かない血走った目をのぞきこんだ。秘密のある目、秘密をさぐる目。*フリーメイソンじゃないかな、ひょっとすると。またこの男と隣合せだ。われわれが最後。同じ立場。何か違う話をしてくれ。

ミスタ・カーナンは言葉をつづけた。

――マウント・ジェロームで使ってる*アイルランド教会のお祈りのほうがもっと簡潔だし、もっと感銘ぶかいと思うな。

ミスタ・ブルームは用心ぶかく同意した。*言葉はもちろん別の話だ。

ミスタ・カーナンは荘重に英語で言った。

――《*われは復活《よみがえり》なり生命《いのち》なり》。これなんか人の心の奥底にまでしみるよ。

——まったくだ、とミスタ・ブルームは言った。

おまえの心にはしみるとしても縦六フィート横二フィートの棺のなかで雛菊に足を突っこんだ男にとってはなんになる？　しみとおるはずがない。愛情が宿る場所。*いたんだ心臓。要するにポンプなんで、毎日せっせと何千ガロンもの血液を押し出してる。とある日に栓がふさがると、はいそれまで。このあたりにはそんなのがごろごろしてるんだ。肺臓、心臓、肝臓など。古びて錆びついたポンプ、それだけのことじゃないか。復活なり生命なり、か。死んだ者は死んだ者。*最後の日というあの観念。墓のなかからみんなを叩き起して。*出でよ、ラザロ！　ところが彼は*五番目に出て来たのでみすみす運を逃がしました。起きろ！　最後の日だぞ！　するとみんなが自分の肝臓とか肺臓とかそのほか部品一式をさがしまわる。その朝にかぎって自分の体が一つも見あたらない。頭蓋骨のなかには粉末が一ペニーウェイトだけ。十二グラムで一ペニーウェイトだ。*トロイ衡なら。

コーニー・ケラハーが彼らと並んで歩きはじめた。

——何もかも最高にうまく行った、と彼は言った。だろう？

彼はいつものどんよりした目で彼らを眺めた。巡査のような肩。*きみのトゥーラルーム、トゥーラルーム。

──申し分なかった、とミスタ・カーナンが言った。

──だろう？　ねえ？　とコーニー・ケラハーが言った。

ミスタ・カーナンは同意した。

──後ろのトム・カーナンといっしょに歩いてる男は何者だい？　とジョン・ヘンリー・メントンがたずねた。顔は知ってるんだ。

ネッド・ランバートが振り返った。

──ブルームだよ、と彼は言った。マダム・マリアン・トウィーディっていうソプラノ歌手がいただろう、まだ現役だが。あの女の亭主さ。

──ああ、そういえば、とジョン・ヘンリー・メントンは言った。久しく顔を見ないが、ちょっときれいな女だったよ。いっしょに踊ったことがある、待てよ、十五年、十七年前の若かりし日だ、*ラウンドタウンのマット・ディロンのところで。抱き心地は満点だったな。

彼は人々の頭越しに後ろを見た。

──何者だい？　と彼は言った。何をやってる男かね？　文房具か何か売ってたんだっけ？　いつだったか夕方に彼と喧嘩したことがある。たしか*ローンボウリングの試合のとき。

ネッド・ランバートは微笑した。

——そうなんだ、と彼は言った。*ウィズダム・ヒーリーの店にいたよ。吸取紙の注文取りだった。

——いったいなんで、とジョン・ヘンリー・メントンは言った。あんな能なしと結婚したんだろう? とても生きのいい女だったのに、あのころは。

——いまでもそうだよ、とネッド・ランバートは言った。あの男はいま新聞の広告取りをやってる。

ジョン・ヘンリー・メントンは大きな目でまっすぐ前をみつめていた。

手押車は曲って横道にはいった。草むらのなかで待っていた恰幅《かっぷく》のいい男が、帽子をあげて挨拶した。墓掘りたちが帽子に手を当てた。

——*ジョン・オコネルだ、とミスタ・パワーが嬉しそうに言った。友だち甲斐のある男だよ。

ミスタ・オコネルは黙ったままで彼らと握手をかわした。ミスタ・ディーダラスが言った。

——またきみの顔を見に来たわけだ。

——よしてくれよ、サイモン、と墓地管理人は低い声で答えた。きみの御用は務めたくない。

管理人はネッド・ランバートとジョン・ヘンリー・メントンに会釈してからマーティン・カニンガムと並んで歩きだした。後ろ手に二本の長い鍵をいじっている。

――あの話を聞いたかい？　と彼は彼らにたずねた。*クームのマルカヒーの話。

――聞いてないよ、とマーティン・カニンガムが言った。

彼らは申し合せたようにシルクハットを傾け、ハインズは耳を寄せた。管理人は垂れさがった金時計の鎖に両手の拇指をかけ、声をおさえて彼らのうつろな笑顔に話しかけた。

――話によるとね、と彼は言った。ある霧の深い晩に酔っぱらいが二人、友だちの墓をさがしにやって来た。クームのマルカヒーの墓はどこですかとたずねて、場所を教えてもらった。それから霧のなかをうろつきまわって、たしかに目的の墓をさがし当てた。酔っぱらいの一人が名前の綴りをたしかめた、テレンス・マルカヒー。もう一人の酔っぱらいは目をパチクリさせながら、未亡人が建てさせた救世主キリストの像を振り仰いでいた。

管理人は目をパチクリさせながら通りすがりの墓の一つを振り仰ぎ、また話しはじめた。

――そして彼は目をパチクリさせながらキリストの像を仰ぎ見たあげく、《ちっとも似ていないぞ》と言いだした。《こりゃマルカヒーじゃない》ってね。《誰が彫ったんだか知らないが》。

みんなの微笑に酬いられて彼は列を離れ、コーニー・ケラハーと話をして埋葬認可書を受け取り、それをめくってざっと目を通しながら歩きつづけた。

――わざとあんな話をしたんだよ、とマーティン・カニンガムがハインズに説明した。

――わかるよ、とハインズは言った。よくわかる。

――われわれを陽気にさせるためさ、とマーティン・カニンガムは言った。純粋の善意だよ。それ以外の何ものでもない。

ミスタ・ブルームは管理人の恰幅のいい体つきに感心していた。みんながこの男とは仲よくしたがる。よくできた男、ジョン・オコネル、ほんとにいいやつだ。二本の鍵か、*キーズ商店の広告みたいだ。誰も出て行く心配はない。出入りの検問もない。*《人身保護令状》。葬式が終ったら例の広告の手配をしなくちゃ、あの封筒におれは*ボールズブリッジと書いたかな？　マーサに手紙を書いているとき、彼女が不意にはいって来たもんだからごまかそうとして。まさか配達返還不能郵便取扱課で処分されてやしないだろうな。ひげを剃ればこの男もましに見えるんだが。白髪まじりのひげが伸びて。これが最初の徴候で、頭も白髪まじりになる。同時に気むずかしくなる。*灰いろのなかに銀の糸。この男の女房になるなんて大変だよなあ。よくまあ女の子に結婚を申しこんだもんだ。さあいっしょに墓場で暮そうよ。これを餌にして女を釣る。はじめは女もスリルを感じるかもしれない。死に言い寄る。まわりに死者たちが横たわるこの場所に夜の影たちがさまよい出る。*墓場があくびする時刻に吐き出された亡霊たちが、それにダニエル・オコネルが、たぶん子孫だろうな、誰だったかよく話してたけど、*むやみに子供をこしらえたそうだが、それでも立派なカトリックだった、それが暗闇の巨人のように大きく立ちはだかる。鬼火。墓場のガス。女房にうっかりそんなことを言うと妊娠なんかできっこない。女はとかくひどく神経質だから。寝物語に幽霊の話をして眠らせる。幽霊を見たことがある？　うん、ぼくは見たよ。真っ暗な晩だった。時計が十二時を打っていた。それでもうまく気分を引き出してやれば女はちゃんとキスするんだ。*トルコの墓地の売春婦たち。若いうちにはじめれば何でも身につく。ここなら若い未亡人を引っかけられるかな。男たちの好みに合う。*墓石のなかでの恋。*ロミオ。快楽の薬味になる。*死の只中においてわれらは生のなかにある。*帳尻合せだよ。見せつけられて気の毒なのは死人たちだ。飢えてるやつが*直火《じかび》で焼いたビフテキの匂いをかがされたら。急所に容赦なく食いこんで。みんなを焦らしてやりたい。モリーは窓際でやりたがった。とにかく*あの男には八人の子供があるからな。

これまでに彼が見た死体の数はかなりになるし、次から次へと埋められてまわりの土地に横たわっている。神聖な土地。立ったまま埋めればもっと詰めこめる。坐るとか、ひざまずくとか、そんな姿勢では駄目だ。立ったまま？　そのうち地すべりでも起ると頭がにょっきり地上に出て、片手は前をさしていたりするかも。地中はすっかり蜂の巣みたいになってるんだろうな、長方形の穴蔵だらけ。それに彼はじつにきれいにしてるじゃないか、芝の手入れをして縁をととのえて。*ギャンブル少佐はマウント・ジェローム墓地を自分の庭と称している。実際にそうなんだ。眠りの花を植えるべきだな。中国の墓地には大きな罌粟《けし》の花が植えてあって最高級の阿片がとれるんだってマスティアンスキーが話してた。そう言えばこの近くにも植物園があるじゃないか。血が地面にしみこんで新しい生命を産む。そう考えてユダヤ人は*キリスト教徒の男の子を殺したそうだ。人によって値段が違う。保存のいい肥った死体、紳士、美食家、果樹園にはもってこい。お買い得。最近なくなった会計監査官兼会計士*ウィリアム・ウィルキンソンの死体は三ポンド十三シリング六ペンスになります。毎度ありがとう。
たしかに土地を肥沃にするには死体肥料がいいだろう、骨だの、肉だの、爪だの。納骨堂。ぞっとする。緑やピンクに変色しながら分解して。早く腐って行くのは湿気の多い土地。やせた老人はもちがいい。そのうちに牛脂みたいなチーズみたいなものになる。それからだんだん黒くなって、黒い糖蜜みたいなのがにじみ出て。それから干からびる。*死の蛾。もちろん細胞だか何だか、あれは生きつづける。いろいろ変化しながら。ほとんど永久に生きる。養分がないと自分自身を養分にして。

それにしてもものすごく蛆《うじ》がわくだろうな。きっと大地のいたるところで蛆虫が渦を巻いてうごめいている。*きみの頭はおずを巻く。かあゆい海辺の娘たち。この男はいつも朗らかな顔でそれを眺めてる。みんなが自分よりさきに埋葬されてゆくのを見ると権力を意識するんだろう。どんな人生観なのか。冗談まで飛ばしながら、喜びを噛みしめてる。埋葬告示のあの話。スパージョンは本日午前四時に天国へと出発、午後十一時（閉店時間）。いまだ到着せず、*ペテロ。死人だって男ならたまには冗談を聞きたがるし、女なら最近の流行を知りたがるはずだ。汁気たっぷりの梨とか、御婦人向けパンチ酒の熱くて、強くて、甘いのなんかもほしいだろう。湿っぽくならずにすむ。ときにはこうやって笑ったほうがいいよ。*《ハムレット》の墓掘りたち。*人間の心をいかに深く理解していたかがわかる。死んだ親父のことでは二年以上も冗談を言う気になれなかったな。*《死者について語るな巡回陪審裁判》。まずは喪が明けてからでなけりゃ。*この男の葬式なんて想像もつかないよ。なんだか冗談話みたい。自分の死亡広告を読むと寿命が延びるそうな。新規まきなおしの元気が出る。人生の契約更新。

――明日《あした》は何人だい？　と管理人がたずねた。

――二人だよ、とコーニー・ケラハーが言った。十時半と十一時。

管理人は書類をポケットに入れた。手押車の動きが止った。会葬者たちは列を崩し、慎重な足どりで墓のあいだをまわり、墓穴の両側に分れた。墓掘りたちが棺を持ちあげ、先端が穴の縁に来るように置いて、まわりに綱をかけた。

彼を葬る。われらは*シーザーを葬るために来た。彼の*三月十五日《アイズ・オヴ・マーチ》いや六月のか。
彼はここに誰がいるかを知らないし、知る気もない。

おや、あの*マッキントッシュを着たひょろ長い間抜け面は誰だろう？　さて誰だろう？　教えてくれ。教えてくれたら薄謝を進呈するんだがな。思いもかけない顔にばったり出くわすことが多い。人間は死ぬまでずっと孤独に暮すことができる。

そうとも、できるんだ。だけど死んだあとでは誰かに土をかぶせてもらわなけりゃならない、墓穴は自分で掘って置くとしても。われわれはみんなそうなんだ。人間だけが死体を埋める。いや、蟻も埋める。誰でもすぐに思いつくさ。死人を埋める。ロビンソン・クルーソーが現実の人間だったら。なあにフライデイが埋めてくれたろうよ。考えてみりゃあらゆる金曜日《フライデイ》は木曜日《サーズデイ》を葬るんだ。

《おお*、気の毒なロビンソン・クルーソー！
どうしてそんなことしたの？》

気の毒なディグナム！　地上に横たわるのもこれが最後だ、箱のなかで。死人の数を考えるとなんだか材木の無駄づかいだな。みんなさんざん食いあらされて。いっそ小綺麗な柩台にスライディング・パネルでもつけて、すとんと死体を落す仕掛けを発明したらどうだ。もっとも、他人が使った道具で葬られるのはいやだと言うかも知れないな。埋葬のことにはみんなうるさいから。故郷の土に葬ってほしい。聖地の土を一握り入れてほしい。一つの棺にはいれるのは母親と死産の子供だけ。わかるよ、この意味。わかる。土のなかででもできるかぎり子供を守ってやるため。*アイルランド人の家庭は彼の棺桶なんだ。死体防腐処置をほどこして地下墓地へ、ミイラ、みんな同じ考え方。

ミスタ・ブルームはずっと後ろで帽子を手にして立ち、脱帽した頭の数を数えていた。十二。おれが十三人目。いや、あのマッキントッシュの男が*十三人目だ。死の番号。あの男はいったいどこから出て来たんだ？　礼拝堂にはいなかったよ、絶対に。十三がどうとかいうのは馬鹿げた迷信だ。

柔らかくていいツイードだな、ネッド・ランバートのあの服は。紫がかった色。おれも西ロンバード通りに住んでたころには、あんな服を一着持っていた。あの男むかしはおしゃれだったがな。一日のうちに三着も服を替えたりして。おれのあのグレーの服、*メサイアス洋服店で裏返しをしてもらわないと。ほほう。あの服は染め直しだ。奥さんが、そうかあの男は独身だった、下宿のおかみでもいいあんな糸を取ってやればいいのに。

墓穴の脚立にまたがった男たちが徐々に綱をくりだして行くにつれて、棺は沈下して見えなくなった。男たちが這いあがって来た。そしてみんな脱帽した。二十人。

沈黙。

もしわれわれみんながとつぜん別人になったら。

遠くで*驢馬《ろば》が鳴いた。雨になるぞ。驢馬は決して馬鹿じゃない。驢馬の死体を見た人間はいないそうだ。死の恥辱。身を隠すんだ。かわいそうに、*親父も遠くへ行って死んだ。

脱帽した頭たちのまわりでさわやかな風が囁くように吹いた。囁き。墓穴の上手にいる男の子が両手に花輪をささげ、黒いうつろな空間を静かに見おろしていた。ミスタ・ブルームは恰幅のいい親切な管理人の後ろに動いた。仕立のいいフロックコート。次に死ぬのは誰かみんなを値ぶみしてるのかな。まあ長い眠りだから。もう何も感じない。問題は気がついた瞬間だよ。ひどく不愉快な気分だろう。はじめはとても信じられない。きっと人違いだ、おれじゃない。向いの家の人じゃないのか。待ってくれ、おれは生きていたい。おれはまだ。そして薄暗い臨終の部屋。みんな光をほしがる。自分のまわりで囁く声。神父様を呼びましょうか？ そして取り止めのないたわごとをしゃべり出す。錯乱のなかで生涯ずっと隠し通して来たことを。断末魔のあがき。これは普通の眠りじゃないみたいよ。下瞼を押してごらん。*鼻がとがって、顎ががくりと垂れて、足の裏が黄いろいかどうか確かめてごらん。*枕を引き抜いて床の上で息の根をとめてやれ。どうせもう助かりっこないんだから。*罪びとの死というあの絵のなかで悪魔は男に女を見せていた。寝巻姿の男が死ぬほど女に抱きつきたがる。《*ルチア》の最後の幕。《*もう二度とおまえを見ることはないのか？》バン！　絶命。ついに死んだ。しばらくはみんながきみの話をして、それっきり忘れてしまう。彼のために祈ることを忘れるな。お祈りのとき彼の名も唱えてくれ。パーネルでさえ。*蔦《つた》の日も忘れられてゆく。そして誰もかもあとを追って穴のなかに落ちて行く、次から次に。

われわれはいま彼の魂の安息を祈っている。きみが元気でいるように、地獄に落ちていませんように。転地も悪くないさ。*人生のフライパンから煉獄の炎のなかへのな。

自分を待ち受けている穴のことを彼は考えていただろうか？　日向にいて身震いするときがそうだという。*誰かが自分のはいる墓の上を歩いている。呼出し係の警告。もうすぐあなたの番ですよ。おれの穴はあっちの*フィングラスの近くに買った一画だ。ママ、かわいそうなママ、そして小さなルーディ。

墓掘りたちが鋤を取りあげて重い土くれを棺の上に落しはじめた。ミスタ・ブルームは顔をそむけた。もしも彼がまだ生きていたら？　ひえーっ！　冗談じゃないぜ、気味が悪い！　いや、いや、彼はもう死んでるよ、もちろん。もちろん死んでる。月曜日に死んだんだ。何か法律でも作って、心臓にしっかりとどめを刺すとか、それとも棺桶のなかに電気時計か電話を入れるとか帆布で通気孔みたいなものを作るとかすべきだな。遭難信号旗。三日間。夏だとそんなに死体がもたない。やっぱり駄目とわかったらすぐに密閉したほうがいいか。

土くれの音が低くなった。忘却の始まり。姿が消えれば記憶も消える。

墓地管理人は二、三歩離れて帽子をかぶった。もうたくさん。会葬者たちもほっと気を取りなおして、一人ずつ、遠慮がちに帽子をかぶった。ミスタ・ブルームが帽子をかぶってから見ると、恰幅のいい管理人の体が墓地の迷路を巧みに通り抜けて行く。静かに、確かな足どりで、彼は陰鬱な土地を横断した。

ハインズが手帖に何か書きこんでいた。ああ、みんなの名前だな。しかし、全部わかってるはずだ。いや、おれのほうに来る。

——名前を書いてるんだがね、とハインズが声を落して言った。きみのクリスチャン・ネームは何だった？　はっきり覚えてないんだ。

——L、とミスタ・ブルームは言った。レオポルドです。ついでにマッコイの名前も入れといてくれないかな。彼に頼まれたんだよ。

——チャーリーだな、と言いながらハインズは書いた。知ってるよ。むかし《フリーマン》にいた男だ。

そうだった、そのあと死体保管所の*ルイス・バーンの下で働きはじめたんだ。医者に死体解剖をやらせるのはいい思いつきだ。わかってるつもりのことを確かめる。彼は*火曜日のせいで死んだ。首になった。多少の広告料を着服して。*チャーリー、きみはわがいとしの人。だからおれに頼んだのか。まあいいさ、損をするわけじゃなし。書き入れさせておいたよ、マッコイ。ああ、ありがとう、恩に着るよ。恩を着せておくか、金のかかることじゃないんだから。

――ちょっと聞きたいんだがね、とハインズが言った。あの男を知ってるかい？あの、あのへんに立ってたあの……

彼はあたりを見まわした。

――*マッキントッシュか。うん、ぼくも見たよ、とミスタ・ブルームは言った。どこへ消えたんだろう？

――*マッキントッシュ、とハインズは走り書きしながら言った。おれの知らない男だ。それが名前かい？

彼はあたりを見まわしながら離れて行った。

――違うよ、とミスタ・ブルームは振り返って呼びとめようと声をかけた。おい、ハインズ！

聞えなかったらしい。どうしたんだろう？　どこに消えたのかな？　影も形もない。なんと不思議な。*見た人いませんか？　K、E、ダブルL。姿を消した。いったいどうなったんだ？

七人目の墓掘りがミスタ・ブルームのそばに来て、あいている鋤を拾いあげた。

――ああ、どうも失礼！

彼はすばやく脇に寄った。

茶いろの湿った土が穴のなかに見えはじめた。たんだん高くなる。地面とすれすれ。湿った土がうずたかく盛りあがり、さらに高くなって、墓掘りたちは鋤を休めた。みんながまたちょっとのあいだ脱帽した。男の子が盛土の一隅に花輪を立てかけ、義弟は自分の花輪を土くれの上に置いた。墓掘りたちが帽子をかぶり、土のついた鋤を手押車のほうに持って行った。そして芝土に軽くぶつけて鋤の刃をきれいにした。一人がかがんで柄についた長い草の束を取りのぞいた。一人が仲間から離れてゆっくり歩きだした。武器のように肩に担いだ鋤の刃が青く光っている。墓の上手ではもう一人が黙々として棺の綱を束ねていた。ディグナムの臍の緒みたい。義弟が、立ち去るときに、その男のあいている手に何かを握らせた。無言の感謝。

すみませんね、旦那、わざわざ。首を振って。わかってるよ。あとできみたちだけで、ちょっと。

会葬者たちは当てもなしにゆっくり歩きだし、寄り道をしながら、ときおり立ち止っては墓の上の氏名を読んだ。

――*党首の墓に寄って行こうじゃないか、とハインズが言った。時間はあるよ。

――寄ろう、とミスタ・パワーが言った。

彼らはゆっくりと考えこみながら右に曲った。ミスタ・パワーがうつろな声に畏敬をこめて言った。

――彼はあの墓のなかにいないという噂もあるね。棺には石が詰めてあった。いつの日かふたたび帰って来るという。

ハインズが首を振った。

――パーネルは二度と帰らない、と彼は言った。ここにいるんだよ、彼の肉体のすべてが。遺骨よ安らかなれ。

ミスタ・ブルームは誰に話しかけられることもなくパーネルの並木道を歩き、悲しみの天使たち、十字架たち、折れた柱たち、家族の墓所の円天井たち、天を仰いで祈る石の希望たち、*古いアイルランドの心たち手たちのそばを通り過ぎた。どうせ金をかけるなら生きている人間の慈善に使うほうが有意義だよ。魂の安息のために祈る。本気かね、みなさん？　さっさと埋めて片づけてしまう。石炭を地下倉に落すように。そして時間を節約するために十把ひとからげ。万霊節*に。二十七日*におれは親父の墓に行く。墓守りに十シリング。草とりをしてくれる。あの老人が自分で。背中を折り曲げて大鋏でじょきじょきと。死の扉に近く。彼方へと去りし。この世を離れし。みんなまるで自分の意志で死んだみたいな墓碑銘じゃないか。突き落されたのさ、誰も彼も。くたばりし。生前の職業まで書けばもっとおもしろい。何の誰がし、車大工。わたしはコルク・リノリューム*の注文取りであった。わたしは借金の四分の一しか返済できなかった。もし女なら墓石に鍋のかたちを刻んで。あたしはおいしいアイリッシュ・シチューを作っていた。ワーズワース*だかトマス・キャンベルだかのあの詩は、田舎の墓地での賛辞《ユーロジー》とすべきだな。安らかに憩う、とプロテスタントならそう書く。ドクタ・マレンの墓。全能の名医*が彼を呼び戻された。まあ墓地は彼らにとって神の分譲地*なんだから。高級別荘。壁土ペンキともに新装。静かに煙草をふかしながら《教会タイムズ*》を読むには理想的な環境です。結婚広告は飾りたてようとしないのにな。取っ手に掛けた花輪が錆びて、青銅箔の花飾り。そのほうが安あがりだろうけど。やっぱりほんとの花のほうが詩的だな。金属だとどうも飽きがくる、いつまでたってもしぼまないし。何も表現しない。不死の花。

小鳥が一羽おとなしくポプラの枝にとまっていた。剝製みたい。*フーパー参事会員がくれた結婚祝いにそっくりだ。フー！　ぴくりともしない。狙いをつけるパチンコがないのを知ってるな。動物に死なれるほうがずっと悲しい。*おばかのミリーが死んだ小鳥を台所のマッチ箱に入れて埋めてたっけ。墓の上には雛菊の花輪と、こわれたネックレスとを供えて。

*聖心だな、あれは。心臓をあらわにして見せる。包み隠しのない心。もっと横向きにして、ほんものの心臓みたいに赤く塗らなければ。アイルランドは聖心のたぐいならなんでも崇拝するけど。およそ楽しくなさそうな顔だ。なぜこんな目に会わされる？　小鳥たちが来てつつくかな、*果物籠をかかえた少年の絵みたいに、いや小鳥たちは少年をこわがって逃げるのが本当だって画家は言う。あれはアポロンという画家だった。

*なんという数だろう！　この連中がみんなかつてはダブリンを歩きまわっていたわけだ。信仰あつい死者たち。*われらもかつては現在の汝らのごとくであった。

みんなを一人ずつ覚えてるなんてことができるだろうか？　目、歩き方、声。そうだ、声なら、蓄音機ってものがある。どの墓にも蓄音機をとりつけるか、それとも家庭に置いとくか。日曜日の夕食後。亡くなった曾祖父《ひいじい》さんをかけてごらん、クラーフラーク！　もしもしもしたいへん嬉しいよ、クラーク、嬉しいよまた会えて、もしもし、たいへん、コプススス。写真で顔を思い出すみたいに声を思い出す。写真なしでは十五年かそこいらで顔を忘れてしまうだろう。たとえば誰の？　たとえば、ほら、おれがウィズダム・ヒーリーの店にいたころ死んだ男。

ルツットル！　砂利の音だ。待てよ。ストップ。

彼は目をこらして墓の石室《いしむろ》をのぞきこんだ。何か動物だ。待てよ。そら動いた。肥った灰いろの鼠が一匹、石室の側壁沿いにちょろちょろ走り、砂利が動く。古つわもの、曾祖父さん、すっかりこつをのみこんでる。この灰いろの生き物は無理やり土台石の下に押し入り、身をよじってもぐりこんだ。宝を隠すのに絶好の場所。

住人は誰だろう？　ロバート・エメリーの遺骨ここに眠る。*ロバート・エメットは松明に照らされながらこの墓地に埋められたんだっけな？　鼠めはあたりを巡回しているんだ。

尻尾が見えなくなった。

こういうやつなら人間ひとりたちまち片づけてしまうだろう。きれいにしゃぶって骨だけにする、誰の死体だろうとおかまいなしに。やつらにとっては普通の食事なんだ。死体とは腐った肉である。そうか、じゃあチーズはなんだい？　ミルクの死体さ。あの《中国の旅》[*]という本に書いてあったけど、中国人に言わせると白人は死体の匂いがするそうだ。火葬のほうがいいのに。神父[*]たちは猛反対。別の会社の下請けをしてるからな。バーナーやオランダ式[*]オヴンの卸売り商。ペスト大流行[*]の時代。熱病患者を生石灰の穴に投げこむ。毒ガス室。灰を灰に[*]。それとも水葬にする。パルシー[*]教の沈黙の塔があるのはどこだったっけ？　鳥に食わせる。土か、火か、水か。溺死がいちばんいい気持になるそうだな。一瞬のうちに自分の全生涯を見る。生き返ったらそうはいかない。だけど空には埋葬できない。空中飛行機からか。新しい死人を落すたびに情報がひろまるんじゃないかな。地下の通信網。人間はそれを鼠から学んだ。驚くことはないさ。彼らにとっては三度三度の食事なんだ。蠅はまだ死にきらないうちに飛んで来る。ディグナムを嗅ぎつけて。腐臭なんか気にかけない。塩みたいに白くて崩れやすい死体。匂いも、味もなまの白蕪そっくり。

前方に門がぼんやり光っていた。まだ開いてる。浮世に帰れる。もう墓場には来たくないよ。一回ごとにすこしずつ自分の番が近くなる。このまえ来たのはミ*セス・シニコーの葬式のときだ。親父も自殺したし。人を殺す愛。それどころか夜中にカンテラの明りで土を掘り起して、いつだか読んだあの記事みたいに埋葬したばかりの女の死体を手に入れようとするのがいる、ときには墓ずれの化膿した傷口から腐敗しかけていても。あとであなたをぞっとさせてやる。死んだあとであなたのところに出てやる。死んだあとであたしの亡霊を見せてやる。死んだあとは亡霊になってとりついてやる。死後には地獄というもうひとつの世界があるんだ。*もうひとつのあの世界《ワールド》は嫌いですと彼女が手紙に書いてたな。おれだっていやだ。まだこれから見たり聞いたりさわったりしたいものがいっぱいある。すぐそばで生きている暖かい体の感触。彼らは蛆虫のうごめくベッドで眠っていればいい。まだ当分おれは彼らにつかまらないぞ。暖かいベッド、暖かい血のみなぎる生命。

　マーティン・カニンガムが脇道から姿を現し、まじめな顔で誰かと話している。

　事務弁護士、だったな。見覚えのある顔。メントンだ。名前はジョン・ヘンリー、事務弁護士、宣誓書および供述書管理官。ディグナムが彼の事務所に勤めていた。ずっと前にマット・ディロンの家で。陽気なマット。和気あいあいの夜の集い。鶏の冷肉、葉巻、*タンタロス・グラス。ほんとに気のいい男だった。そう、メントン。あの夕方ボウリングの芝生で癇癪を起しやがった。こっちがあいつの球の内側に転がしたせい。まったくのまぐれで、変化球。以来、根っからおれが嫌いになった。一目嫌い。モリーとフローイ・ディロンとがライラックの樹の下で手をつないで笑ってた。男はいつでもそうだ、近くに女がいるとやたらにくやしがる。

帽子の横っちょがくぼんでる。たぶん馬車に乗ったとき。

——失礼ですが、とミスタ・ブルームは彼らの横から声をかけた。

彼らは立ち止った。

——帽子がちょっとへこんでますよ、とミスタ・ブルームは指さしながら言った。

ジョン・ヘンリー・メントンはしばらく身動きもせずに彼を睨んでいた。

——ほらそこだよ、とマーティン・カニンガムが助け船を出して、やはり指さした。

ジョン・ヘンリー・メントンは帽子をぬぎ、くぼみをふくらませてから上着の袖でラシャのけばを丹念に撫でつけた。そのあとでぽんと帽子をかぶり直した。

——それでいい、とマーティン・カニンガムが言った。

ジョン・ヘンリー・メントンは返事がわりにぐいとうなずいてみせた。

――ありがとう、と彼はぶっきらぼうに言った。

彼らは門のほうへ歩きはじめた。ミスタ・ブルームはうつむいて、盗み聞きしないようにと数歩おくれてついて行った。マーティンが指図をしている。あんな間抜けなんか、マーティンなら相手に気づかれずにわけなく丸めこむだろう。牡蠣《かき》みたいな目。かまうもんか。そのうちに気がついて自分が悪かったと思うかもしれない。そうすればこっちの勝ち。

ありがとう、か。今朝はみなさんなんと大様なことだろう！

7　アイオロス

場所――新聞社
時刻――正午

ブルームとスティーヴンは『フリーマンズ・ジャーナル』と『イヴニング・テレグラフ』を出している新聞社で出会いそうになる。ブルームは社内の印刷所で、酒商アレグザンダー・キーズの広告のことで印刷工の監督と相談する。葬儀から戻ったサイモン・ディーダラス、金を借りようとするオモロイなどが現れて談論風発。ここの編集室でスティーヴンはディージー校長の原稿を渡す。ダン・ドーソンの演説、イグネイシャス・ギャラハーのスクープ、J・F・テイラーの弁説などが話題にのぼる。この編集室に集まったのは、ブルームのほかはすべてケルト系アイルランド人。スティーヴンがみんなで酒場へ行こうと提案し、途中で彼はマクヒュー教授に自作の寓話を披露する。

器官――肺臓　学芸――修辞学　色彩――赤　象徴――編集長　技術――省略三段論法

神話的対応――編集長クローフォードが『オデュッセイア』の風の神アイオロスに対応する。アイオロスはオデュッセウスに、順風以外の風を封じこめた袋を与えた。

*ヒベルニアの首都の中心で

*ネルソン塔の前に来ると、電車は速度をゆるめ、ポイントを切り替え、ポールを移し替えて発車する。ブラックロック、キングズタウン、ドーキーへ、クロンスキー、ラスガー、テレニュアへ、パーマーストン・パーク、上ラスマインズへ、サンディマウント・グリーン、ラスマインズ、リングズエンド、サンディマウント・タワーへ、ハロルズ・クロスへ。ダブリン合同市電会社の発車係はしゃがれ声で電車を追い立てた。

——ラスガー、テレニュア行き！

——さあ行け、サンディマウント・グリーン！

二階建て電車と普通の電車が、右と左に並んで、がたがた車体をゆすり、りんりん鈴を鳴らし、発車場を離れ、ぐいと曲って下り線にはいり、並んで走った。
——パーマーストン・パーク、発車！

王冠*をいただく者

中央郵便局*のポーチの下で、靴磨きたちが呼びかけ、靴を磨いていた。北プリンス通りに、国王陛下の朱塗りの郵便車が並んでいる。王の頭文字E・R*を胴につけて。手紙や、葉書や、郵便書簡や、書留小包の袋が、どさりどさりと車に投げこまれる。市内向け、地方行き、イギリス本国行き、海外行きなど。

新聞社のお歴々

どた靴の荷車引きたちが、プリンス通り*の倉庫から、ずしりずしりと地響きを立てて酒樽を転がし出すと、醸造所の台車にどしんとほうり上げた。醸造所の台車の上では、どた靴の荷車引きたちの手でプリンス通りの倉庫から転がし出された酒樽が、ずしりずしりどしんとぶつかり合った。

――そらこれだ、と*レッド・マリーが言った。*アレグザンダー・キーズってのは。

――それ切り抜いてくれないかな、とミスタ・ブルームが言った。《*テレグラフ》の編集室に持って行くから。

*ラットレッジの事務室のドアがまたぎいっと鳴った。大きなマントにすっぽり埋ったデ*イヴィ・スティーヴンズが、小さなフェルト帽を長い巻毛の上にのっけて、くるくる巻いた書類をマントの下にかかえて出て行った。国王の使者というところ。

レッド・マリーの大鋏《おおばさみ》が四度きれいに動いて、新聞の広告を切り取った。*鋏と糊。

――印刷所に寄って行く、とミスタ・ブルームが四角い切抜きを手にして言った。

――もちろん、埋め草がいるなら、と耳の後ろにペンをはさんだレッド・マリーが熱心に言った。われわれがなんとかするぜ。

――わかった、とミスタ・ブルームはうなずいて言った。念を押しておくよ。

われわれ、か。

サンディマウント、オークランズ
*ウィリアム・ブレイデン殿

レッド・マリーが大鋏でミスタ・ブルームの腕に触れると、囁いた。

――ブレイデンだ。

ミスタ・ブルームが振り返って見ると、どっしりした人物が《ウィークリー・フリーマン・アンド・ナショナル・プレス》と《フリーマンズ・ジャーナル・アンド・ナショナル・プレス》の新聞掲示板のあいだを通ってはいって来る。制服姿の守衛が文字帯つきの制帽をあげて挨拶していた。ずしりずしりと地響きを立てるギネスの酒樽。*人物は雨傘にみちびかれて、どっしりと階段を昇って行った。ひげに縁どられたいかつい顔。上質黒ラシャ地の背中が一歩ずつ昇って行く。背中。やつの脳味噌は全部あの首根っこに集まってるのさ、とサイモン・ディーダラスは言う。後ろには肉のひだひだ。*脂肪のひだがぼってり、根っこに、ぼってり、根っこに、ぼってり、根っこに。

――あの顔、救世主に似てると思わないか？　とレッド・マリーが囁いた。

ラットレッジの事務室のドアが囁いた。きぃ、ぎぃぃ。いつもドアとドアが向い合せになっているのは、風を入れるのに。入口、出口。

*救世主、ひげに縁どられた楕円形の顔、夕闇のなかで話している。マリア、マルタ。雨傘剣にみちびかれてフットライトに進み出る、*テノール歌手のマリオ。

――マリオにも似てるよ、とミスタ・ブルームが言った。

――うん、とレッド・マリーが同意した。でも、マリオは救世主にそっくりだって言われてたんだぜ。

胴衣姿に細長い脚、赤い頬のイエスマリオ。胸に手を当て。《*マルタ》のなかで。

《*来ぉよや、なれ、去りにしひとよ、
来ぉよや、なれ、いとしきひとよ》

***司教杖とペン**

――*大司教様がね、今朝二度も電話をかけてきたんだ、とレッド・マリーが重々しく言った。

*二人は膝が、脚が、靴が、消えて行くのを見ていた。根っこに。

電報配達の少年がひょいとはいって来て、カウンターに封筒をほうり投げ、ひと声残してさっと出て行った。

――《フリーマン》宛！

ミスタ・ブルームがのろのろと言った。

――まあね、彼もわれらが救世主の一人さ。

彼はつつましい微笑を浮べて、カウンターの跳ね蓋をあげ、脇のドアを抜け、暖かくて暗い階段と廊下を通り抜け、騒音を反響させている掲示板に沿って歩いた。でも、*部数の落込みを救えるかな？　どすん、どすん。

彼はガラスのスウィングドアを押してなかにはいり、散らかっている包装紙をまたいだ。やかましく鳴り響く輪転機の円筒の列のあいだを抜けて、*ナネッティの校正用小部屋へ向う。

*ハインズも来ている。葬式のことだな、きっと。どすどすん、どすん。

ここにきわめて尊敬すべきダブリン市民の
死去を謹告し、
心から哀悼の意を表する

本日午前、故パトリック・ディグナム氏の遺体は。機械。こいつにつかまったら人間なんてこなごなに砕けてしまう。今日の世界を支配しているんだ。やつの機械装置も働きづめだぜ。こっちのと同じで、手のつけようがない。興奮してるのさ。せっせと働いて、しゃにむに動いて。それに、あの*老いぼれの灰いろ鼠も、もぐりこもうとしてもがいていた。

大新聞はいかにつくられるか

ミスタ・ブルームは印刷所監督の痩せた体の後ろに立って、つややかな禿頭を嘆賞した。

自分の本当の国を見たことがないとは妙なもんだ。アイルランドがわが祖国か。コレッジ・グリーン区選出議員。*あの平凡な労働者って筋をとことん押したからな。週刊紙の部数をふやすのは広告や雑文なんだ、かびの生えた*公報のニュースじゃないよ。*アン女王逝去、なんてみたいな。西暦一千何年、政府刊行。*ティナヒンチ郡ローズナリス村所在の私有地。*法令により*バリナから輸出した騾馬《らば》および雌騾馬の頭数報告一覧表を関係者各位に掲示。園芸メモ。漫画。フィル・ブレイクの週刊連載アイルランドちぐはぐ物語。トービーおじさんの子供読物。田舎者質問欄。記者様、腸にガスが溜るのですがいい治療法はありませんか。この役はいいね。人に教えながらけっこう覚える。個人消息。*M・A・P。文字はわずか、あとは、ピクチャー、かな。金いろに輝く海岸のスマートな水着姿。世界最大の気球。姉妹二組の結婚式がとり行なわれ。二人の花婿が顔を見合せて楽しげに笑う。*印刷工のキュプラーニもそう。*アイルランド人よりもアイルランド人らしい。

印刷機が四分の三拍子でやかましくまわっている。どすん、どすん、どすん。ここでやつが卒中を起して、止め方を知ってる人間がいなけりゃ、いつまでもやかましくまわりつづけて、同じものを何度も何度も刷りあげ刷り直すんだ。*何もかもお猿の落書きにしてしまう。冷静な男でなけりゃ。

――じゃあ、議員さん、これを夕刊に入れて下さい、とハインズが言った。

じきに市長さんって呼ぶことになるのさ。*ロング・ジョンが後押ししてるという噂だからな。

監督は返事をせずに、紙の端に印刷となぐり書きして、植字工に合図をした。彼は汚れたガラスの仕切りごしに黙って紙をわたした。

——けっこう。ありがとう、とハインズが離れながら言った。

ミスタ・ブルームが前に立ちふさがった。

——金をもらうんなら、いま会計主任が昼めしに出るところだよ、と彼は拇指で後ろを指しながら言った。

——きみはもらった？　とハインズが聞いた。

——まあね、とミスタ・ブルームが言った。急げばつかまえられるぜ。

——ありがとう、とハインズが言った。ぼくもせしめて来よう。

彼は急ぎ足で《フリーマンズ・ジャーナル》の事務室へ向った。

*マーの店でやつに三シリング貸した。三週間になる。三度目の当てこすり。

広告外交員の働きぶりを見る

ミスタ・ブルームはミスタ・ナネッティのデスクに切抜きを置いた。

――失礼します、議員さん、と彼は言った。この広告なんですがね。キーズの、御存じでしょう？

ミスタ・ナネッティはちらりと切抜きを見てうなずいた。

――七月に載せたいって言うんです、とミスタ・ブルームが言った。

監督は切抜きのほうに鉛筆を伸ばした。

――待って下さい、とミスタ・ブルームが言った。これを変えたいそうで。キーズでしょう。てっぺんに二つのキーをね、鍵をいれたいって言うんですよ。

それにしても、ものすごい音を立てるな。やつには聞えていないんだ。ナナン。鉄の神経。まあ、おれの言うことはわかったろうよ。*

監督は辛抱して聞こうというように振り向いて、肘をあげ、アルパカの上衣の脇の下をゆっくりと掻きはじめた。

――こんなふうに、とミスタ・ブルームは言って、切抜きのてっぺんに両人差指を交差してみせた。

まず、こいつを呑ませておいて。

ミスタ・ブルームは自分がこしらえた十字から流し目でちらりと見あげ、監督の黄ばんだ顔や、黄疸《おうだん》の気があるんじゃないかな、向うで巨大な巻紙を呑みこんでいる従順なリールを眺めた。がちゃりがちゃん、がちゃりがちゃん。引き伸ばせば何マイルにもなる。あとはどうするのかな？ そりゃ、肉*を包めばいい。小包とか。いろいろなことに使えるさ。千一*のことに。

彼はがちゃりがちゃりの合間にたくみに言葉をすべりこませると、傷だらけのデスクの上にすばやく図を描いた。

鍵の家*

——こんなふうに、ね。ここに二つの鍵を交差させる。円。それから、ここに名前。アレグザンダー・キーズ、茶、葡萄酒、蒸留酒商。などなど。

やつの仕事には口を出さないほうがいい。

——先方の注文は、議員さん、あなたがきっちり御存じでしょう。それから、てっぺんのまわりに活字の間をあけて、鍵の家。ねえ？ いい案だと思います？

監督は掻いていた手を下脇腹に持ってゆき、そこをそっと掻いた。

——案のもとは、とミスタ・ブルームが言った。ハウス・オヴ・キーズ、鍵の家ですよ。御存じでしょう、議員さん、マン島の議会です。アイルランド自治をそれとなくね。マン島からも観光客が来るし。目を引くし。やってもらえますか？あの voglio* ってのをどう発音するのか聞いてもいいかな。でも、知らなけりゃ気まずい思いをさせるだけだ。よすほうがいい。

——やれるだろう、と監督が言った。図案はあるのかね？

——持って来ます、とミスタ・ブルームが言った。キルケニー*の新聞に載ったんでね。あっちにも店を出しているんです。ひとっ走り行って聞いてみましょう。さてと、これに、ちょいと目を引く小見出しも入れてもらえますね。御存じの決り文句を。高級酒類公認取扱店。久しく御待望のところ。などなど。

監督はちょっと考えた。

——やれるだろう、と彼は言った。三か月契約にしてもらうよ。

一人の植字工がぐんにゃりしたゲラ刷りを持って来た。彼は黙って調べはじめた。ミスタ・ブルームはそばに立ったまま、クランクの大きな鼓動を聞き、活字箱の前で黙って働いている植字工らを眺めた。

正字法にかかわる

綴りをしっかり覚えておかなくちゃ。校正熱。今朝のマーティン・カニンガムは、いつもの綴り字パズルを出し忘れたな。墓場*の塀の下で皮をむいた梨の均衡を計量しながら悩む行商人の比類ない困惑ぶりを見るのは興味ぶかい。均衡(symmetry)にはワイ(y)があるぞ、計量しながら(gauging)の綴りはエイ、ユー(au)、比類ない(unparalleled)はアール(r)が一つ、困惑ぶり(embarrassment)はアールが二つ、だよな? それにエス(s)も二つ。馬鹿げてるよね? 墓場(cemetery)とあるのは、もちろん、均衡(symmetry)と来るせいだ。

やつが*シルクハットをかぶったときに言ってやればよかった。ありがとう、か。古い帽子でとかなんとか、何か言ってやるべきだったな。いや。こう言ってやればよかった。いまもまるで新品同様ですな。そのときのやつの顔が見ものさ。

するっ*と。最初の印刷機のいちばん下のデッキが、四列丁の最初の一束を紙取りボードに乗せて、するっと押し出した。するっと。そいつがするっと注意を引くところは、まるで人間そっくり。なんとか話そうとするんだ。あのドアもするっと軋む。閉めてもらいたがって。あらゆる物がそれなりに話しかける。するっと。

高名な聖職者で時には投稿者

監督はとつぜんゲラ刷りを突っ返して言った。

——待てよ。大司教の投書はどこにある？　《テレグラフ》にも載せなけりゃな。あのなんとかいうのはどこだ？

彼はあたりを見まわし、何も答えずにやかましく鳴りつづける機械を見わたした。

——マンクスですか？　と鋳造箱から一人の声が聞いた。

——そうだ。マンクスはどこにいる？

——マンクス！

ミスタ・ブルームは切抜きを取りあげた。もう行くほうがいい。

——じゃあ、図案を持って来ます、ミスタ・ナネッティ。いい場所を割り振って下さると思ってますよ。

——マンクス！

——はい。

三か月契約か。最初にかなりおしゃべりをしなけりゃならないな。とにかくやってみよう。八月を売りこめ。いい考えだ。*馬事大会の月だし。ボールズブリッジで。観光客が大会を見にこっちへ来るし。

植字工代表

彼は植字室を通るときに、前掛けをして、眼鏡をかけた、猫背の老人のそばをすり抜けた。植字工代表のマンクス爺さん。一生のあいだには、妙な記事もずいぶん手がけたろうな。死亡通知、酒場の広告、演説、離婚訴訟、水死体で発見。人生もそろそろ終りに近い。貯蓄銀行にいくらかの金を貯めたまじめな男というところ。女房は料理がうまくて洗濯が好き。娘は居間でミシンを踏む。地味な娘。上っ調子なまねは大嫌い。

*過越の祭なりき

彼は立ち止って、植字工がきれいに活字を並べるのを見まもった。まず逆に読む。それをすばやくやる。かなりの修業を積まなけりゃ。*ムナグィデ・クッリトパ。かわいそうなパパは、逆に指さしながら*ハッガダーを読んでくれたっけ。*ペサハ。*翌年はエルサレムにて。*まったくなあ、なんてこった！*われらをエジプトの国より出し奴隷の家に連れ込んだ*あの長い年月の苦難よ、*《アレルヤ》。*《いすらえるヨ、聴ケ、主ナルワレラノ神ハ》。いや、これは別のだ。それから、*十二人の兄弟たち、ヤコブの子ら。それから、*羊と、猫と、犬と、棒と、水と、肉屋と。それから、死の使いが肉屋を殺し、肉屋が牡牛を殺し、犬が猫を殺し。ちょっと馬鹿げてるみたいだけど、よく読めばわかる。裁きだっていうけど、じつはみんながみんなと食い合っているってことさ。要するに、それが人生。ずいぶん手早い仕事っぷりじゃないか。習うより慣れよだな。指先で読んでいるみたい。

ミスタ・ブルームはがちゃりがちゃりと鳴り響く騒音から抜けだして、廊下を通り、階段の踊り場に出た。あっちまで電車に乗って出かけても、留守ってこともある。まず電話で聞くほうがいい。番号は？ *シトロンの家のと同じ。二八だ。二八四四。

あの石鹸をもう一度だけ

彼は建物の階段を降りた。ここの壁一面にマッチ*をなすりつけたやつはどこのどいつらだ？　賭けに使ったみたい。こういう印刷所にはいつもしつこい油じみた匂いがこもっているな。隣のトム*の印刷所にいたときも、なまぬるい膠《にかわ》の匂いがしたっけ。

彼はハンカチーフを取り出して、鼻を押えた。シトロン*レモンか？　ああ、石鹸を入れておいたんだ。このポケットじゃ落してしまう。彼はハンカチーフを戻して、石鹸を取り出し、ズボンの尻ポケットにしまって、ボタンをかけた。

奥さんはどんな香水をつけているの？　まだ家に帰るひまはある。電車。何か忘れたとか。身支度をする、前に、ちょっと寄ってみたんだが。いや。ここだ。いや。

《イヴニング・テレグラフ》の編集室から不意に耳障りな笑い声が聞えた。誰だかわかるよ。何をしてるのかな？　ちょっと電話をかけに寄ってみよう。ネッド・ランバートさ。

彼はそっとはいった。

*銀の海に緑の宝石エリン

——*亡霊が歩いているぜ、と*マクヒュー教授がビスケットをほおばったまま、汚れた窓ガラスのほうにそっとつぶやいた。

ミスタ・ディーダラスが火のない暖炉のそばから、ネッド・ランバートのからかうような顔をみつめて、苦々しげにたずねた。

——*いやはや、お苦しみのキリスト様だい。それで尻《けつ》の穴がこそばゆくないかね？

ネッド・ランバートはテーブルにかけたまま先を読んだ。

——《あるいはまた、さやさやとうねり行く小川を見るがいい。行手をふさぐ岩石といさかい、泡立ち、苔むす堤のあいだを流れ、やさしいそよ風になぶられ、輝く日の光とたわむれ、また、森の巨木たちが宙に広げる葉むらの小暗い陰に憂愁の思いをいだき、ついに怒濤さかまく海神ネプトゥヌスの青海原《あおうなばら》にいたるのである》。

これはどうだい、サイモン？　と彼は新聞の縁越しに聞いた。見事なものじゃないか？

——*酒を変えやがったな、とミスタ・ディーダラスが言った。

ネッド・ランバートは笑って、新聞をぱたりと膝に置きながら、繰り返した。

——《*尻に広げる葉むらと憂愁の思い》か、こりゃあいい！　こりゃあいいや！

——*かくてクセノフォンはマラトンに臨み、とミスタ・ディーダラスは、また、暖炉の上と窓のほうを見ながら言った。マラトンは海に臨みたり。

——もういい、とマクヒュー教授が窓ぎわから叫んだ。そんなたわごとはもう聞きたくないよ。

彼はちびちび齧っていた三日月形の*水練りビスケットを食べ終え、腹がへっていたので、もう片方の手のビスケットに齧りつこうとした。

大げさなたわごと。ほら吹き袋。なるほど、ネッド・ランバートはまる一日休むつもりらしいや。ほんとに一日つぶしてしまうからな、葬式ってのは。やつは顔がきくって話だ。*副大法官のチャタートン爺さんが大伯父だとか、大大伯父だとか。もう九十歳近いそうだが。追悼社説はとっくに書きあがってるのさ、きっと。意地悪するために生きている。やつのほうが先に行くかもしれない。*ジョニー、おじさんに席をゆずってお あげ。ヘッジズ・エア・チャタートン判事。家賃支払日には、ふるえる手で小切手の一、二枚も書いてやるんだろうな。死ねば思わぬ遺産が転がりこむ。アレルヤ。

――もうひと節うならせてくれよ、とネッド・ランバートが言った。

――そりゃなんです？　とミスタ・ブルームが聞いた。

――ちかごろ発見されたキケロ*の断章ですぞ、とマクヒュー教授が勿体ぶった声で言った。《われわれの美しい国》という。

簡潔だが要を得ている

――誰の国？　とミスタ・ブルームはあっさり聞いた。

――じつに鋭い質問だ、と教授は口をもぐもぐ動かしながら言った。誰のを強調するところなんぞはな。

――ダン・ドーソン*の国だろ、とミスタ・ディーダラスが言った。

――ゆうべの演説？　とミスタ・ブルームが聞いた。

ネッド・ランバートがうなずいた。

——まあ、これを聞けよ。
ドアが押し開けられ、ドアの取っ手がミスタ・ブルームの腰にぶつかった。
——ごめん、とJ・J・オモロイがはいりながら言った。
ミスタ・ブルームはすっと横にどいた。
——いや、こちらこそ、と彼は言った。
——こんにちは、ジャック。
——おはいり、おはいり。
——こんにちは。
——どうだい、ディーダラス？
——元気だよ。あんたは？
J・J・オモロイは首を振った。

悲しい

若手の法廷弁護士のなかでは、いちばん切れる男だったが。かわいそうに肺病とはな。ああいう消耗性の赤みが出るようになっちゃあ、おしまいだ。もう、いつ行くかわからない。何しに来たんだろう。金の工面か。

――《あるいはまた、隙間なく並び立つ山々の頂きに登るがいい》。

――ずいぶん元気そうだよ。

――編集長に会えるかな？　とJ・J・オモロイは奥のドアのほうを見ながら聞いた。

――会えるとも、とマクヒュー教授が言った。会えもしよう、声も聞けよう。奥の神殿でレネハンと話をしてる。

J・J・オモロイは傾斜つきデスクのそばへ行くと、ファイルの*ピンクのページをめくりはじめた。

仕事はへっていく。ひとかどの人物になれたのに。気力が衰える。賭事に手を出す。負けがかさむ。*狂風《はやち》を刈り取らねばならなくなる。ひところは、*D・アンド・T・フィッツジェラルド事務所からかなりの依頼料を取っていたが。弁護士のかぶるかつらは灰白質《かいはく》のつもり。脳髄を見せびらかすのさ、グラスネヴィン墓地のあの彫像が心臓を見せびらかすみたいに。たしか、*ゲイブリエル・コンロイなんかと《エクスプレス》の文芸欄に書いていたっけ。本もよく読んでいる。*マイルズ・クローフォードが*《インデペンデント》を攻撃したな。こういう新聞屋どもが新しい風を嗅ぎつけて、くるりと向きを変えるところなんぞ、見ていておもしろいくらい。風見鶏。*右と思えばまた左。どっちを信じていいのかわからない。一つの話がまともでも、次の話はどう出るか。新聞で頭から湯気を立ててやり合っていたかと思うと、罵り合いがぴたりとやむ。その次は、もう手を取り肩叩き合う仲のよさ。

――ねえ、頼むから、これを聞いてくれよ、とネッド・ランバートが訴えた。《あるいはまた、隙間なく並び立つ山々の頂きに登るがいい……》

――誇張体だ！　と教授がいらだたしげに口をはさんだ。ふくれあがった風袋みたいなおしゃべりはもういいよ！

――《頂きに登るがいい》、とネッド・ランバートが言葉をつづけた。《それらは、高く、さらに高く聳え、あたかもわれわれの魂を沐浴させるかのようである。まことに……》

――やつの唇を沐浴させてやれ、とミスタ・ディーダラスが言った。ありがたい永遠の神様よってなもんだ！　なあ？　あいつはこれで何かもらうのかい？

――《まことに、他国の誇るすぐれた地域にも、称賛に値する模範なしとせずとは言え、下生え茂る小森、ゆるやかに波打つ平野、若草萌える甘美な牧場など、美そのものにかけてはたぐいないアイルランド画帖の至高のパノラマの只中にあって、あたかも、われわれの魂を沐浴させるかのようである。それはまた、おだやかで、神秘に満ちた、アイルランドの薄明のこの世のものならぬ透明な輝きにひたされ……》

——月*だ、とマクヒュー教授が言った。やつはハムレットを忘れたぞ。

故郷の訛り

——《薄明は遥か彼方の眺望までも包みこみ、輝く月の球体が照りわたって銀の光を振り撒くのを待つのである……》

——おお！ とミスタ・ディーダラスが絶望のうめきをもらしながら叫んだ。く*そったれの玉ねぎめ！ もういいよ、ネッド。人生は短いんだ。

彼はシルクハットをぬぎ、ふさふさした口ひげをじれったげに吹き払い、指を広げて髪の毛を掻きあげた。

ネッド・ランバートは嬉しげに含み笑いをもらして新聞を脇へほうった。一瞬の間をおいて、マクヒュー教授の黒縁眼鏡のひげづらの上に、しゃがれ声の高笑いがはじけた。

——*生焼けのどんがらすめ！　と彼は叫んだ。

***ウェザラップの言葉**

冷たい活字になってから嘲笑するのは、そりゃ結構ですけどね、こういうのは熱い焼きたてケーキみたいにどんどん売れるんだよ。やつもパン屋商売だったよな？　だから、生焼けのどんがらすって言われるんだ。とにかく、*巣にはたっぷり羽根を溜めこんでいるよ。娘はあの自動車持ちの国税局の男と婚約したし。うまく引っかけたぜ。宴会を開く。誰でも彼でも招待する。たらふく食わせる。ウェザラップがいつもそう言ってた。みんなの胃袋をしっかりつかめって。

　奥のドアがばしんと開いて、ふんわりした髪の毛をとさかのように突っ立てた、真っ赤な鷲鼻顔がひょいとのぞいた。ぎょろりとした青い目がみんなを睨みまわし、ざらつく声がたずねた。

——何事だ？

——*偽地主殿のお出ましい！　とマクヒュー教授が重々しげに言った。

——失せやがれ、くそったれの老いぼれ教師め！　と編集長が応じた。

――行こう、ネッド、とミスタ・ディーダラスが帽子をかぶりながら言った。あ
あいうことがあると飲まずにはいられないよ。
――飲むだと！　と編集長が叫んだ。ミサの前に酒は飲めんぞ。
――真っ当な振舞いでもあるしな、とミスタ・ディーダラスが外に出ながら言っ
た。行こうよ、ネッド。
ネッド・ランバートがそっとテーブルから降りた。編集長の青い目がうろうろと
動いて、微笑を浮べようとしているミスタ・ブルームのほうを見た。
――きみも来るかい、マイルズ？　とネッド・ランバートが聞いた。

忘れえぬ戦いを思う

――北コーク市民軍！*　と編集長は大股で暖炉のそばへ歩み寄りながら叫んだ。
われわれは戦うたびに勝った！　北コークとスペインの士官たちがだ！
――そりゃどこでだい、マイルズ？　とネッド・ランバートが、考えこむよう
に、靴の先革を見やりながらたずねた。
――オハイオでだ！　と編集長がわめいた。

——まったく、そうだったな、とネッド・ランバートが同意した。

彼は外へ出がけに、J・J・オモロイにささやいた。

——アル中初期の兆候だぜ。かわいそうに。

——オーハイオー！　と編集長が真っ赤な顔をのけ反らせ、金切り声でときを告げた。わがオーハイオー！

——みごとな長短長格*だ！　と教授が言った。長、短、また長。


おお、風神アイオロス*の竪琴よ！


彼はチョッキのポケットからリールに巻いたデンタル・フロス*を取り出すと、すこしちぎって、磨いてない二本の歯と二本の歯のあいだに張り、威勢よくはじいて、共鳴音を響かせた。

——びいんぼいん、ぼいんぼいん。

ミスタ・ブルームは道があいたのを見て、奥のドアに向った。

——ちょっと、ミスタ・クローフォード、と彼は言った。広告の件で電話を借ります。

彼はなかにはいった。

——今日の夕刊のあの社説はどうだい？　とマクヒュー教授が編集長のそばに行って、その肩をぐいと手でおさえながら言った。

——あれでいいだろう、とマイルズ・クローフォードはいくらか落ち着いて言った。気にするこたあない。やあ、ジャック。あれでいいよ。

——こんにちは、マイルズ、とJ・J・オモロイは、手もとのページが滑り落ちて、ぐにゃりとファイルに戻るのに任せながら言った。例の*カナダ詐欺事件は今日のに載るのかい？

なかで電話がぶるるるると鳴った。

——二八……いや、にじゅう……四四……そう。

勝馬を当てろ

レネハンが《*スポーツ》に載せる賭率表の束を手にして、奥の部屋から出て来た。

——ゴールド・カップ賞優勝確実って馬を知りたい人いる？　O・マッデン騎手

のセプターさ。

彼は賭率表の束をテーブルの上に投げ出した。

はだしの新聞売りの子供らのわめき声が入口の廊下を突っ走って来ると、ドアがぱっと開いた。

——しいっ、とレネハンが言った。*おとあしが聞えるぞよ。

マクヒュー教授が大股で部屋を横切り、ちぢこまっている腕白小僧の襟を引っつかむと、ほかの少年たちは廊下からわっと逃げ出して、表の階段を駆け降りた。賭率表が隙間風にかさかさと鳴って舞いあがり、青インキのなぐり書きをふわりと宙にただよわせて、テーブルの下に落ちた。

——おれじゃあないんです。大きいのが押したんです。

——そいつをつまみ出してドアを閉めろ、と編集長が言った。ハリケーンが吹いてるぞ。

レネハンがうなりながら二度かがんで床の賭率表を拾いだした。

——競馬特報を待っているんです、と新聞売りの少年が言った。パット・ファレルがおれを押したんです。

彼はドアの向うからのぞいている二人の顔を指さした。

——あいつです。

——失せろ、とマクヒュー教授がぶっきらぼうに言った。

彼は少年を押し出して、ドアをぴしゃりと閉めた。

J・J・オモロイがぶつぶつ呟きながら、さかんにファイルをめくって何かをさがした。

——六ページ、第四段につづく、か。

——はい……こちらは《イヴニング・テレグラフ》、ミスタ・ブルームが奥の部屋で電話をかけていた。だんなは……？　ええ、《テレグラフ》……どちらへ？……なるほど！　どの競売場へ？……なるほど！　わかりました……よろしい。つかまえましょう。

衝突する

彼が電話を切ると、またベルがぶるるると鳴った。彼が急ぎ足にはいって来て、二枚目の賭率表を拾いあげようとしていたレネハンにぶつかった。

——《ごめんよ、ムッシュー》、とレネハンが顔をしかめ、一瞬、彼にしがみついて言った。

――ぼくが悪い、とミスタ・ブルームがしがみつかれながら言った。けがをした？　急いでいたもんだから。

――膝さ、とレネハンが言った。

彼はおどけた顔をして膝をさすりながら、あわれっぽい声で嘆いてみせた。

――《*寄る年波》のせいでござい。

――悪かった、とミスタ・ブルームが言った。

彼はドアまで行くと、開けはなしたままで立ち止った。J・J・オモロイが重いページをぴしゃりと閉じた。表の階段にしゃがみこんでいた新聞売り少年たちのところから、二人の甲高い声とハーモニカの音ががらんとした入口のホールに流れこみ、ざわざわとこだました。

《*おれたちゃウェックスフォードの若者だい、
度胸ひとつで戦ったい》

ブルーム退場

——ひとっ走り、*バチェラーズ・ウォークまで行って来ます、とミスタ・ブルームが言った。このキーズの広告の件、まとめたいんでね。*ディロンの店にいるって話だから。

彼は一瞬ためらうようにみんなの顔を眺めた。暖炉棚によりかかり、手で頭を支えていた編集長が、不意に長々と腕を伸ばした。

——行け！　と彼は言った。*世界はきみの前に開けているぞ。

——すぐ戻って来ます、とミスタ・ブルームは急いで外に出ながら言った。

J・J・オモロイがレネハンの手から賭率表の束を取り、そっと息を吹きかけてめくりながら、何も言わずに読んだ。

——あの広告はまとめて来るだろうな、と教授が*半カーテンの上から、黒縁眼鏡越しに眺めて言った。やつの後ろにくっついて行く餓鬼《がき》どもを見ろよ。

——見せてくれ！　どこ？　とレネハンが窓に駆け寄って叫んだ。

　二人は微笑を浮べて、半カーテン越しに、ミスタ・ブルームのあとを飛びはねながらついて行く新聞売り少年たちの列を眺めた。いちばん後ろの白いのがジグザグに歩いて、そよ風に乗る茶化し凧、白い蝶結びをつらねた尻尾。

——あのちび餓鬼が後ろから追い立てるのを見ろよ、とレネハンが言った。死にそうになるぜ。ああ、おれのあばら骨が笑いやがる！　あの扁平でか足の歩きっぷりをまねてさ。見事なもんだよ。忍び寄っておふざけの種にするところなんざあ。

　彼はすばやい身ごなしでおどけマズルカを踊りだすと、すり足で部屋を横切り、暖炉のそばを通り、J・J・オモロイのそばへ行った。こちらはその差し出す手のなかに賭率表を押しつけた。

——どうした？　とマイルズ・クローフォードがびくりとして言った。あの二人はどこへ行った？

——誰が？　と教授が振り向いて言った。あの二人は*オーヴァルへ飲みに行ったよ。*パディ・フーパーがあそこでジャック・ホールと飲んでる。ゆうべこっちへ来たんだ。

——じゃあ、行こう、とマイルズ・クローフォードが言った。おれの帽子はどこだ？

彼は上衣の背割れを分け、尻ポケットの鍵をじゃらじゃらさせながら、引きつった足どりで奥の部屋にはいった。それから、鍵がポケットの外でじゃらじゃら鳴り、引出しに錠をかけるときにデスクにぶつかってじゃらじゃら鳴った。

——ありゃかなり酔ってるぞ、とマクヒュー教授が小声で言った。

——らしいね、とJ・J・オモロイがシガレットケースを取り出しながら、考えこむようにつぶやいた。でも、見かけほど酔っているとも限らないらしい。いちばんたくさんマッチを持っている人は誰？

和睦のきせる*

彼は教授に煙草を差し出すと自分も一本とった。レネハンがさっとマッチをすって、次々に二人の煙草に火をつけてやった。J・J・オモロイはまたケースを開いて、煙草を差し出した。

——《*ありがとさん》、とレネハンが言って、一本とった。

編集長が麦藁帽子をあみだにかぶって、奥の部屋から出て来た。彼はいかめしげにマクヒュー教授に指を突きつけると、高らかに歌の文句を唱えた。

　《*そなたを誘惑したのは地位と名誉、
　その心を引き寄せたのは帝国》

教授は長い唇をぴったり閉じたままで、にやりと笑った。

——どうだ？　この老いぼれローマ帝国め？　とマイルズ・クローフォードが言った。

彼は開いているケースから煙草を一本とった。レネハンが気持よくさっと火をつけてやりながら言った。

——お静かに、出来たてほやほやのわが謎なぞをお聞きあれ！

——《*イムペリウム・ローマーヌム》か、とJ・J・オモロイが静かに言った。ブリティッシュとか*ブリックストンなんてのよりも高貴な響きがあるよね。この言葉を聞くとなぜか*火のなかの脂ってのを思い出すな。

マイルズ・クローフォードが最初の一吹きをふうっと天井に吹きあげた。

――その通り、と彼は言った。おれたちは脂なのさ。きみたちも、おれも、火のなかの脂なんだ。*地獄の雪玉ほどの見込みもありはしないよ。

*かつてはローマであったこの壮麗

――ちょっと待った、とマクヒュー教授が静かに両の手をあげて言った。言葉や、言葉の響きにまどわされちゃいけない。われわれの考えるローマとは帝政であり、専制であり、圧政だ。

彼はすり切れ薄汚れたシャツの両袖口から雄弁に腕を伸ばして、言葉を切った。

――彼らの文明とはなんであったか？ たしかに広いよ。しかし卑しい。《排水溝》だ。下水だ。ユダヤ民族は荒野のなかで、山の頂きでこう言った、《*ここにあるは善し。エホバのために祭壇をつくらん》とな。ローマ人は、彼に倣《なら》うイギリス人もそうだが、自分が足をしるす新しい岸の一つ一つに（われわれの岸に足を踏み入れたことはかつてないのだぞ）、ただ下水溝造りの妄執を持ちこんだにすぎない。彼は*トーガに身をくるみ、あたりを見まわしてこう言う、《ここにあるは善し。われら水洗便所を造らん》とな。

——そして彼らはしかるべく造った、とレネハンが言った。*ギネス記一章にあるとおり、古い昔のわれらが御先祖様は流れ水が好きだったよ。

——彼らは生れつきの紳士だったからな、とJ・J・オモロイがつぶやいた。でも、*ローマ法ってのもあるぜ。

——そして、*ポンティオ・ピラトがその預言者だ、とマクヒュー教授が応じた。

——*財務裁判部長官パリスのあの話を知ってるかい？　とJ・J・オモロイが聞いた。*王立大学の晩餐会のときのこと。何もかもうまく行ってたのに……

——おれの謎なぞが先だよ、とレネハンが言った。さあ、いいかい？

大きな体をゆったりした*ドネゴール産灰いろツイードに包んだ*ミスタ・オマッデン・バークが、表口のホールからはいって来た。そのあとから、スティーヴン・ディーダラスが帽子をぬぎながらはいって来た。

——《*おはいり、みなさん！》とレネハンが叫んだ。

——わたしは請願人の付添い役です、とミスタ・オマッデン・バークが歌うように言った。*青春が経験に連れられて悪名をおとなう、ってところかな。

——これはいらっしゃい、と編集長が手を差しのべて言った。さあ、どうぞ。いましがた親父さんが帰ったところだ。

？　？　？

レネハンがみんなに言った。

――お静かに！　鉄道線路ふうオペラとかけて何と解く？　沈思、黙考、案出の上、お答えあれ。

スティーヴンはタイプした手紙をわたして、表題と署名を指さした。

――誰だ？　と編集長が聞いた。すこしちぎれている。

――ミスタ・ギャレット・ディージーです、とスティーヴンが言った。

――あの老いぼれ爺さんか、と編集長が言った。これ誰がやぶいた？　尻拭き紙にしたのか？

　《嵐*さかまく南から
　燃える赤い帆あげて来る、
　顔青ざめた吸血鬼、

わが口に口つけるため》

——こんにちは、スティーヴン、と教授がそばに来て、二人の肩越しにのぞきこみながら言った。口蹄疫だって？　きみはいつから……？　去勢牛[*]を助ける歌びと、になったのさ。

有名レストランでひと騒動

——こんにちは、とスティーヴンは赤くなって答えた。この手紙はぼくのじゃないんです。ミスタ・ギャレット・ディージーに頼まれて……

——うん、あの男は知ってる、とマイルズ・クローフォードが言った。あの女房も知ってた。天下珍無類のあばずれ婆あさ。ありゃどう見ても口蹄疫にやられてるに違いないや！　スター・アンド・ガーター[*]で、給仕のつらにスープを浴びせたあの夜を思うとなあ。へへっ！

一人の女がこの世に罪を持ちこんだ。ヘレネ[*]、夫メネラオスを捨てて逃げた妻のために、ギリシア人は十年かけて。ブレフニーの領主オロークが。

――あの人はやもめですか？　とスティーヴンがたずねた。

――ああ、別居やもめだ、とマイルズ・クローフォードがタイプした手紙に目を走らせながら言った。皇帝御料馬は。ハプスブルク。一*アイルランド人がウィーン城壁の上で皇帝の命をお救いした。忘れるな！　*マクシミリアン・カール・オドネル、フォン・ティアコネル・アイルランド伯爵。わが国王をオーストリア陸軍元帥に叙するため、大公殿下を遣わされた。いつの日か、かの地に騒乱が生じるであろう。*灰いろ雁が。まことに、いつかなる時でも。これを忘れるな！

――問題はね、彼は忘れちまったのかってことだ、とJ・J・オモロイが馬蹄形の文鎮をひねくりながら静かに言った。王侯を救助するってのはたっぷり酬われるべき仕事だよ。

マクヒュー教授がそっちに向き直った。

――忘れていなければ？と彼は言った。

――いきさつを教えてやろうか、とマイルズ・クローフォードが話しはじめた。ある日のことだ、一人のハンガリー人が……

負けるいくさ
高名な侯爵の名前あがる

――われわれは常に負けるいくさに忠誠を捧げた、と教授が言った。われわれにとって勝利とは、知性の死であり、想像力の死だ。われわれが勝利者に忠節をつくしたことはただの一度もない。ただ仕えるだけだ。わたしは卑しいラテン語を教えている。わたしが話しているのは、知性の頂点として、時は金なりという格言しか持っていない種族の言葉さ。物質が主人なんだよ。《*ドミネ！》*ロード！　精神の香りなんぞどこにある？　ロード・*ジーザスだと？　ロード・*ソールズベリーだ？　これじゃあ*ウェストエンドあたりのクラブのソファだよ。だが、ギリシア語はなあ！

***キュリエ・エレイソン！**

光のような微笑が黒縁眼鏡の目をきらきらと輝かせ、長い唇を引き伸ばした。

――ギリシア語はなあ！　と彼はまた言った。《*キュリオス！》輝く言葉だ！

セム族もサクソン族も知らない母音だ。《キュリエ！》知性のきらめきだ。わたしはギリシア語を、この精神の言葉を教えるべきだった。《キュリエ・エレイソン！》便所大工や下水工事人がわれらの魂の主人になることは決してあるまいよ。*トラファルガー沖で壊滅したヨーロッパのカトリック騎士道、*アイゴスポタモイでアテネ艦隊とともに沈んだ魂の帝国、《イムペリウム》じゃないぞ、われわれはこういうものたちの忠実なしもべなのだ。そうさ、そうとも。彼らは没落した。ピュロスは神託にまどわされて、ギリシアの運命を立て直すために最後の勝負を試みた。負けるいくさに忠誠をつくしたのだ。

彼はみんなから離れて、窓のほうへ歩いて行った。

——*彼らは戦場に行った、とミスタ・オマッデン・バークが灰いろっぽい声で言った。だが常に敗れた。

——おぉんおん！　とレネハンが小さな声で泣いてみせた。*《マチネ上演》の半ば過ぎ、煉瓦を投げつけられたとさ。あわれな、あわれな、あわれなピュロス！

それから、彼はスティーヴンの耳もとでささやいた。

レネハンの戯作詩

《勿体ぶり屋のマクヒュー先生、
　黒縁眼鏡をかけてはいるが
　いつも酔ってりゃ二つに見える、
　なぜにわざわざ眼鏡をかける？
　おいらにゃわからぬ。きみはどう？》

*サルスティウスの死を悼*んで引っかけているのさ、ってマリガンが言ったっけ。母親がひでえ死に方をした。

マイルズ・クローフォードが手紙を脇ポケットに突っこんだ。

――まあよかろう、と彼は言った。残りはあとで読む。まあよかろう。

レネハンが抗議するように、両手を広げた。

――おい、おれの謎なぞはどうしたい！　と彼は言った。鉄道線路みたいなオペラとかけて何と解く？

――オペラだって？　とミスタ・オマッデン・バークのスフィンクスめいた顔が

謎を繰り返した。

　レネハンが嬉しげに答えを明かした。

――《カスティールの薔薇》だよ。その心は？　*ローズ・オヴ・カースト・スティールさ。へへんだ！

　彼はミスタ・オマッデン・バークの脾臓《ひぞう》をちょいとつついた。ミスタ・オマッデン・バークは息がとまったように、のけ反り、優雅なしぐさで雨傘にもたれた。

――助けてくれ！　と彼は溜息をついた。*強く弱ってきたようだ。

　レネハンはつまさき立つと、賭率表の束をぱたぱたさせて、せわしげに顔をあおいでやった。

　教授がファイルのそばを通って戻って来ると、スティーヴンとミスタ・オマッデン・バークのゆるんだネクタイを片手でさっと撫でた。

――パリ、過去と現在、と彼は言った。きみらは*コミューンの一味みたいだなあ。

――バスティーユ牢獄を吹き飛ばしたやつらみたいだよ、とJ・J・オモロイがおだやかに冷かした。それとも、*フィンランド総督の暗殺はきみたちの共謀だったのかな？　なんだかやったみたいな顔つきだぜ。ボブリコフ将軍をさ。

——考*えただけのことでしてね、とスティーヴンが言った。

寄せ集め*

——才人たちの勢ぞろいだ、とマイルズ・クローフォードが言った。法律、古典……

——競馬、とレネハンが口をいれた。

——文学、新聞。

——ブルームがここにいれば、と教授が言った。広告業という優雅な技もね。

——それにマダム・ブルーム、とミスタ・オマッデン・バークがつけ足した。歌の女神。ダブリン一の人気だよ。

レネハンが大きく咳払いした。

——おほん！　と彼はとてもやさしい声で言った。*ねえ、空気な新鮮が吸いたい！　公園で風邪を引いてしまって。門が開いていたから。

きみならやれる！

編集長が神経質な手をスティーヴンの肩にかけた。

——何か書いてみないか、と彼は言った。ぴりっとしたのを。きみならやれる。顔を見りゃわかるよ。*《青春の辞書には……》だ。

顔を見りゃわかる。目を見りゃわかる。*ちびの怠け者のたくらみ屋め。

——口蹄疫だと！　と編集長が軽蔑して罵った。*ボリス・イン・オソリーで国民党の大集会だ。馬鹿ばかしいや！　大衆におどしをかけるんだ！　やつらにぴりっとしたものをあてがってやれ。こん畜生、おれたちの全部をぶちこめよ。父も御子も聖霊も、*ジェイクス・マッカーシーもな。

——われわれなら誰でも精神の糧を与えることができるぞ、とミスタ・オマッデン・バークが言った。

スティーヴンは目をあげて、ぎょろりと宙を見据えている相手の目を見た。

——きみを新聞屋仲間に引き入れようってわけだ、とJ・J・オモロイが言った。

――きみならやれる、とマイルズ・クローフォードは力をこめて、拳を握りしめながら繰り返した。いまに見てろよ。ヨーロッパをあっと言わせてやる。*イグネイシャス・ギャラハーがしょっちゅうそう言ってた。やつの放浪時代に、*クラレンス・ホテルでビリヤードのゲーム取りをしていたころにだ。ギャラハーな、あれが新聞記者ってもんさ。あれこそペン一本の男よ。どうやって名をあげたか知ってるか？ 教えてやろう。あれほど気のきいたスクープはちょっと例がないぜ。あれは*一八八一年五月六日、無敵革命党のころ、*フィーニックス公園の暗殺、*きみが生れる前だろうな。教えてやろう。

彼はみんなを押しのけてファイルのそばに行った。

――これを見ろ、と彼は振り向いて言った。《*ニューヨーク・ワールド》が海底電信で特報を打てと言ってきた。あのときを覚えているかい？

マクヒュー教授がうなずいた。

――《ニューヨーク・ワールド》がよ、と編集長は興奮して麦藁帽子を押しあげながら言った。事件現場の位置。*ティム・ケリー、いや、キャヴァナだ、ジョー・

ブレイディとその一党。山羊皮が馬車を走らせた場所。*道順を全部。なあ？

——山羊皮、とミスタ・オマッデン・バークが言った。つまり、*フィッツハリス。彼は*バット橋のそばのあの馭者溜りの持主だってね。*ホロハンがそう言ってた。ホロハンを知ってるね？

——ひょっこり足の使いっ走りだろ？　とマイルズ・クロフォードが言った。

——気の毒なガムリーもあそこにいると言ってたな。市の石材の番人をしてるそうだ。夜警だよ。

スティーヴンは驚いて振り向いた。

——ガムリーが？　と彼は言った。本当ですか？　父の友人でしょう？

——ガムリーなんざどうでもいい、とマイルズ・クロフォードが怒ってどなった。ガムリーには石の番をさせておけ。石が逃げ出さないようにな。こっちを見ろよ。イグネイシャス・ギャラハーはどうしたか？　教えてやろう。天才の霊感だな。やつはすぐに電信を打ち返した。《ウィークリー・フリーマン》三月十七日号はあるか？　了解。手もとに持って来たか？

彼はファイルのページを手荒にめくると、一点に指を突きつけた。

——第四ページ、*ブランサム・コーヒーの広告を見よ、としようか。見つけたか?　了解。

電話がぶるるると鳴った。

遠い声

——わたしが出よう、と教授が歩きながら言った。

——Bが*公園正門。了解。

彼の指がふるえながら跳びはねて、次々に点をさした。

——Tは*総督公邸。Cは暗殺現場。Kは*ノックマルーン門。

たるんだ首の肉が、雄鶏の喉袋のように揺れた。糊のきいていないシャツの前胸が飛び出すと、彼は手荒くチョッキのなかに押しこんだ。

——もしもし?　こちら《イヴニング・テレグラフ》……もしもし?……どなた?……うん……うん……うん。

——FからPまでは、アリバイを作るために山羊皮が馬車を走らせた道筋。インチコア、ラウンドタウン、ウィンディ・アーバー、パーマーストン・パーク、ラニラ。F・A・B・P。了解したか?　Xは上リーソン通り*デイヴィの酒場。

教授が奥の部屋のドア口に出て来た。

——ブルームから電話、と彼は言った。

——地獄へ落ちろって言えよ、と編集長がすぐさま言い返した。Xは*バークの酒場。なあ？

*あざやかだ、じつに

——あざやかだ、とレネハンが言った。じつに。

——出来たてのほやほやを教えてやったんだぜ、とマイルズ・クローフォードが言った。血みどろの歴史をそっくりそのままな。*決して目を覚すことのない悪夢。

——おれは見ていた、と編集長は誇らしげに言った。その場にいたんだ。この世に生れたコーク野郎のなかでもいちばん気のいい*ディック・アダムズと、このおれとでな。

レネハンが見えない姿におじぎをして、口上を述べた。

——*マダム、わたしはアダム。そうしてエルバを*見るまではできた。

――歴史をよ！　とマイルズ・クローフォードが叫んだ。*プリンス通りの婆あが抜いたんだ。これには、泣くやつも、歯ぎしりするやつもいたぜ。広告からだ。*グレガー・グレイが図案を描いた。この一件でやつにつきがまわった。それから*パディ・フーパーが*テイ・ペイに口をきいて、《スター》に引っこ抜いてもらう。いまは*ブルーメンフェルドとうまくやってらあ。これが新聞だ。これが才能ってもんだ。*ピヤットだぜ！　やつが新聞記者どものおやっつぁんよ！

――煽情ジャーナリズムの父親だよな、とレネハンが念を押した。それに*クリス・キャリナンの義兄弟でもある。

――もしもし？……聞える？……うん、彼はまだいる。きみがこっちに来いよ。

――いまどき、あんな新聞記者がどこにいる、ええ？　と編集長が叫んだ。

彼はファイルをばしんと閉じた。

――*ざったく、あまやかだね、とレネハンがミスタ・オマッデン・バークに言った。

――じつに抜け目がない、とミスタ・オマッデン・バークが言った。

マクヒュー教授が奥の部屋から出て来た。

――無敵革命党と言えば、と彼が言った。知ってるかい、大道商人どもがダブリン市裁判官の前に引き出されて……

——そうそう、とJ・J・オモロイが気負いこんで言った。*レイディ・ダドリーがね、*去年のあの竜巻で吹き倒された樹木を全部見ておこうってんで、公園を歩いて公邸に帰るとき、ダブリンの絵葉書を買おうとした。それがジョー・ブレイディだか、*ナンバー・ワンだか、山羊皮だかの記念絵葉書だったってさ。総督公邸のすぐそばでだぜ、考えてみろよ！

——やつらはただの下っ端どもさ、とマイルズ・クローフォードが言った。へっ！　新聞記者も弁護士もだ！　いまの弁護士に、*ホワイトサイドみたいな、*アイザック・バットみたいな、雄弁で鳴らした*オヘイガンみたいなのがいるかってんだ。ええ？　ああ、馬鹿ばかしいや。へっ！　一山いくらのやつばかりよ。

彼の口は閉じてからも、軽蔑するように神経質にめくれて、ぴくぴく痙攣していた。

あんな口に接吻したがる女なんているかな？　どうしてわかる？　じゃあ、なぜあれを書いた？

脚韻も理屈も

口（mouth）、南（south）。口って南みたいなのかな？　それとも、南が口なのか？　何かあるんだ。南（south）、とがらす（pout）、外に（out）、叫ぶ（shout）、日照り（drouth）。脚韻。おなじ服を着た二人の男、おなじ顔つきで、二人ずつ。

《……………………*なれがやすらい
……………………なれの語らわん願い
……いまわがために静もる風のたゆたい》

彼は見たのさ、三人ずつ、娘たちがやって来るのを、緑いろの服で、薔薇いろの服で、朽葉いろの服で、腕をからませて、《*暗闇の空を》、藤いろの服で、紫いろの服で、《*かの平和の焔章旗《えんしょうき》》、赤色聖旗の金のいろ、《いよいよ見るの願いに燃えしむる》のを。だがぼくが見るのは、夜の*暗下闇を、罪を悔い、鉛の足どりで歩いて来る老人たち。口、南。墓（tomb）、子宮（womb）。

——きみ、ひとつ弁じろよ、とミスタ・オマッデン・バークが言った。

……一日にて足れり

J・J・オモロイはうっすらと微笑を浮べて挑戦を受けた。

——ねえ、マイルズ、と彼は煙草をぽいとほうって言った。きみは*ぼくの言葉をねじ曲げて解釈しているんだ。いまはその折じゃないから、職業としての*第三職業を弁護するつもりはないがね、きみもコーク生れのせいか、*コルクの足が先っ走りしているぜ。*ヘンリー・グラタンでも、*フラッドでも、*デモステネスでも、*エドマンド・バークでも、引合いに出せばいいじゃないか？ イグネイシャス・ギャラハーのことなんて誰でも知ってるのさ、やつのボスで、チャペリゾッド生れの三文新聞発行者*ハームズワースや、アメリカの従兄弟で、*バワリー通りの赤新聞経営者のことも、*《パディ・ケリー報知》とか、*《ピュー新報》とか、われらが見張り役の友*《スキベリーンの鷲》なんぞはあえて言うまでもない。なぜホワイトサイドみたいな法廷弁論の大家を引合いに出すんだね？ *新聞なんてその一日で足りりゃいいんだ。

遠く過ぎし日々とのつながり

――グラタンとフラッドはな、ほかでもない、この新聞に書いたんだぜ、と編集長が真っ向から決めつけた。[*]アイルランド義勇軍よ。汝らはいまいずこにありや？ 一七六三年創刊だ。[*]ルーカス博士。[*]ジョン・フィルポット・カランみたいな男がいまどこにいる？ へっ！

――そりゃあ、とJ・J・オモロイが言った。たとえば、勅選弁護士のブッシュ。

――ブッシュ？ と編集長が言った。そうさな。ブッシュね。うん。やつの血にはそんなところがあるな。[*]ケンダル・ブッシュ、いや、[*]シーマー・ブッシュのほうだ。

――本当なら、とうに判事になっていたろうがな、と教授が言った。もし……いや、まあいい。

J・J・オモロイはスティーヴンのほうを向いて、静かな声で、ゆっくり言った。

――これまでに耳にしたうちでもっとも洗練された文章の一つだと思うのを、シーマー・ブッシュの口から聞いたんだよ。例の兄殺し、チャイルズ殺人事件のときに。ブッシュが彼の弁護をした。

*《わたしの耳の入口にそそぎこんだのだ》

そう言えば、彼はどうして知ったのかな？　眠っているあいだに死んだのに。それからもう一つの、*背中の二つある獣の話にしても？

——どんなだった？と教授が聞いた。

諸芸*ノ女教師いたりあ

——彼は証拠法*の話をしたのだ、とJ・J・オモロイが言った。ローマ人の裁きを、さらに古いモーセの律法、つまり《復讐法》*と比較してね。そうして、教皇庁にある*ミケランジェロのモーセ像を引合いに出した。

——ほほう。

——練りあげた僅かの言葉です、とレネハンが前置きをつけた。お静かに！

間があった。J・J・オモロイはシガレットケースを取り出した。うわべは何気なく。ごく*ありふれた話なのさ。使者*はもの思いにふけりながらマッチ箱を取り出すと、葉巻に火をつけた。あれから、あの不思議な時間を振り返ってはよく考えたものだ、その後のわたしたち二人の一生を決めたのは、それ自体はとるに足りない、あの小さな行為、あのマッチをするという行為であった、と。

洗練された文章

J・J・オモロイは言葉を練りながら、また話をはじめた。

――彼はこう言った。《凍り*ついた音楽ともいうべきあの石の像、角を生やした恐ろしい姿、神*のごとき人間の像、あの知恵と預言の永遠の象徴。彫刻家の想像力が、また技が、大理石に刻んだもの、浄化された魂から生れて、魂を浄化するもの、これに生きる価値ありとするなら、あの彫像こそが生きるに値するのです》。

彼のほっそりした手が空に舞って、反復と結末に花を添えた。

――見事だ！　とマイルズ・クローフォードがすぐに言った。

——すばらしい霊感だな、とミスタ・オマッデン・バークが言った。

——気に入ったかい？　とJ・J・オモロイがスティーヴンにたずねた。

スティーヴンは赤くなった。言葉と身振りの優雅な気品に、血が説き伏せられたのだ。彼はケースから煙草を取った。J・J・オモロイが自分のケースをマイルズ・クロフォードに差し出した。レネハンが前のようにみんなの煙草に火をつけてから、獲物を取って言った。

——*あつく御礼申しあげそろ。

廉直剛毅の人

——*マゲニス教授がきみの話をしていたっけ、とJ・J・オモロイがスティーヴンに言った。きみは、いったい、あの*オカルト信者連をどう思う、AEを神秘家大先生にまつりあげた*オパール秘めやか詩人どものことをさ？　例の*ブラヴァツキー女史ってのが事のはじまりだ。ありゃいろんな手口を心得ている婆さんだったからな。AEがヤンキーの訪問客に話してるぜ、きみが真夜中すぎに現れて、*意識のさまざまな層についての質問をしたってね。マゲニスはきみがAEをからかったにちがいないって言ってる。あれはじつにもって廉直剛毅の人だからね、マゲニスって男は。

ぼくの話をしていた。なんて言った？　なんて言った？　ぼくのことをなんて言った？　聞くんじゃない。

――いや、けっこう、とマクヒュー教授が手を振ってシガレットケースを押しやりながら言った。ちょっと待てよ。一つ言わせてくれ。わたしが聞いたうちでいちばん見事な雄弁は、大学の歴史学会で*ジョン・F・テイラーがやった演説だ。*フィッツギボン判事が、つまり、いまの控訴裁判所判事がだ、先に話をした。議論に取り上げたのが、アイルランド語の復活を弁護する論文だ（当時はまだ新しい話題でね）。

彼はマイルズ・クローフォードのほうを振り向いて言った。

――ジェラルド・フィッツギボンは知っているな。じゃあ、彼の話しっぷりがどんなか見当がつくだろう。

――噂によると、とJ・J・オモロイが言った。彼は*ティム・ヒーリーなんかと、トリニティ・コレッジの不動産管理委員になったんだってね。

――子供服の坊やといっしょにな、とマイルズ・クローフォードが言った。さあ、つづけた。それで？

――あれはな、いいかね、と教授が言った。洗練された雄弁家の演説ですよ。慇懃無礼の極みというか、練りあげた言葉を使って、この新しい運動に、まあね、憤恚《*いきどおり》の鉢をとは言わないが、驕《*おご》る者の嘲笑をそそぎこんだのさ。そのころは新しい運動だったからね。われわれは弱かった。ゆえに、無価値だった。

彼は長い薄い唇をちょっと閉じた。しかし、先をつづけようとして、広げた手を眼鏡のほうにあげ、ふるえる拇指と薬指をそっと黒い縁にかけて、焦点を定め直した。

即席の演説

彼は平静な声で、J・J・オモロイに話しかけた。

――言っておくが、テイラーは病気を押して出て来ていたのだ。前もって演説の準備をしていたはずがない。会場には一人の速記者もいなかったからな。浅黒い痩せた顔のまわりには、もじゃもじゃの髭が生えていた。首にスカーフをゆるく巻いている。まるっきり瀕死の病人って恰好だったな（実はそうじゃなかったがね）。

彼の視線はすぐに、しかしゆっくりと、J・J・オモロイの顔からスティーヴンの顔に移り、それからすぐ、探し物をするように下を向いた。うつむいた頭の後ろから、艶のないリネンの襟が現れた。萎《しお》れた髪の毛で汚れている。彼はまださがしながら言った。

——フィッツギボンの演説が終ると、ジョン・F・テイラーが立って答えた。手みじかに言うと、わたしに思い出せるかぎりでは、彼の言葉はこうだ。

彼はしっかりと頭をあげた。彼の目はまた記憶をたどった。厚いレンズのなかで、無知な貝が出口を求めてあちらこちらへ泳いだ。

彼ははじめた。

——《議長、紳士淑女のみなさん。ただいま、学識深いわが友人がアイルランドの若者に与えられた言葉を拝聴して、わたくしの賛嘆は大いなるものがあります。わたくしは、あたかも、この国から遥かな彼方の国へ、この時代から遥かな遠い時代へ連れ去られ、あたかも、古代エジプトの地に立って、かの国の大司祭が若いモーセに与える言葉を聞くかのような気がいたしました》。

聞く者たちは煙草の手をとめて耳をかたむけた。煙がかぼそい茎となって立ち昇り、演説とともに花を咲かせた。《渦巻き昇る煙をば*》。高貴な言葉がつづくぞ。気をつけて聞け。きみ、自分でやってみる気はない？

――《またわたくしは、あたかも、あのエジプトの大司祭の声が、ひとしく高慢と誇りの音調に高まるのを聞く思いをいたしました。わたくしはその言葉を聞き、その意味はここに明らかにされたのであります》。

父祖より伝わる*

滅びるもの*もやはり善いものであり、最高の善であれば滅びはしないが、また善いものでなければ滅びもしないことが、ここに明らかにされたのである。畜生！こりゃ聖アウグスティヌスだ。

――《おまえたちユダヤ人はなぜわれわれの文化を、われわれの宗教を、またわれわれの言語を受け入れようとしないのか？　おまえたちは居住定まらぬ遊牧の民。われわれは強大な民族だ。おまえたちには都市も富もない。われわれの都市は人類のむらがり集う中心であり、わがガレー船は三層、四層の櫂座を備え、あらゆる商品を積んで、この世界の海に乗り入れている。おまえたちは原始生活から抜け出したばかりだが、われわれには文学が、聖職が、古い歴史が、政治組織がある》。

*ナイル河。

子供、大人、彫像。

ナイルの岸で*あの赤子マリアたちがひざまずく。*葦の揺籃《ゆりかご》。*格闘でも身ごなしのすばやい男。*石の角に、石の髭に、石の心。

――《おまえたちは土地の名もない偶像に祈りをあげる。壮麗にして神秘をきわめるわれわれの寺院は、*イシスとオシリスの、ホールスとアモン・ラーのいますところだ。奴隷の身分、畏怖、屈従がおまえたちのもの。雷電と大海がわれわれのものだ。イスラエルは弱い。その子らの数もすくない。エジプトには多数の民があり、その軍隊は恐ろしい。おまえたちは浮浪者、日雇いと呼ばれている。われわれの名前を聞けば世界は恐れおののくのだぞ》。

声にならない空腹のおくびが彼の演説をとぎらせた。彼はおくびをおさえて、大胆に声を高めた。

――《しかしながら、みなさん、若いモーセがこういう人生観に耳をかたむけ、これを受け入れていたら、*この高慢な訓戒に頭を垂れ、意志を曲げ、屈伏していたら、*選ばれた人々を引き連れて奴隷の家を出ることもなく、*昼は雲の柱に導かれることもなく過ぎたでありましょう。*シナイ山頂の雷電のただなかにあって、永遠の神と語らうこともなく、国*なき民の言葉をもって刻まれた律法の板をかかえ、その顔から霊感の光を放ちつつ山*を下ることもなくして過ぎたでありましょう》。

彼はまわりの沈黙を感じ取り、言葉を切ってみんなを見た。

不吉だ——彼には！

J・J・オモロイがいくらかくやしげに言った。

——それなのに、彼*は約束の地にはいらずに死んだ。

——その－とき－には－突然の－しかし－前から－しばしば－喀痰《かくたん》をともなう－長い－病気のため－予期されてはいた－死、とレネハンが言い添えた。彼の後ろには大きな未来が控えていたのにな。

はだしの群が入口のホールを走り抜け、ばたばたと階段を昇って来るのが聞えた。

——あれが雄弁だ、と教授が言った。反対する者はいなかった。

風*とともに去った。マラマスト*に、諸王のいたタラに、大群衆がつどう。入口*のある耳が何マイルもつづく。民衆指導者が吠え、言葉が四方*の天風《てんぷう》に乗って散った。民衆はその声のなかに身を寄せた。消えた叫び。かつて、どの場所であれ、いたるところに存在していたものの一切を保有するアーカーシャ*の記録。彼を愛し称えよ。ぼくはもういい。

金はあるぞ。

――みなさん、とスティーヴンが言った。議事日程書に関し、次の動議として、議会の即時休会を提案するものであります。

――驚かせてくれるね。まさかフランス式*の御挨拶じゃあるまいな？　とミスタ・オマッデン・バークが聞いた。比喩で言えば、古き居酒屋の酒壺のこよなくめでたく思われる時刻らしいね。

――ただちに採択決定を求めます。賛成の諸君はイエスとお答え下さい、とレネハンが宣言した。反対の諸君はノーとお答え下さい。本件は可決せられました。どの居酒屋へ？……わが決定票は、ムーニー*の店だ！

彼は先導役を務めながらお説教をした。

――酒精類の供応に与《あずか》るのは厳に慎もうではありませんか。さよう、慎みますまい。いかようなりとも。

すぐあとにつづいたミスタ・オマッデン・バークが、雨傘で同盟軍の一突きをくれながら言った。

——さあ、来い、マクダフ！＊

——親父の生写しだぜ！と編集長がスティーヴンの肩をどやしながら言った。さあ行こう。畜生、鍵はどこだ？

彼はポケットのなかをさぐって、皺くちゃになったタイプの手紙を引っ張り出した。

——口蹄疫か。わかった。まあいいだろう。なんとかなるさ。どこへやったっけ？　まあよかろう。

彼は原稿をポケットに突っこんで、奥の事務室にはいった。

望みを持て

J・J・オモロイがそのあとを追ってなかにはいりながら、スティーヴンにそっと言った。

——きみが生きているうちに印刷されりゃいいがね。マイルズ、ちょっと。

彼は奥の事務室にはいってドアを閉めた。

——行こう、スティーヴン、と教授が言った。いまのはみごとだよね、なあ？　預言者のヴィジョンがある。《*いりうむ、今ヤナシ！》*風吹くトロイアは略奪された。*世のもろもろの王国も。地中海の支配者たちがいまは農夫だからな。

最初の新聞売り少年が二人のあとからばたばたと階段を駆け降り、通りに飛び出してわめいた。

——競馬特報！

ダブリン。ぼくはいろいろと学ばねばならない。

二人は左に曲って、アビー通り沿いに歩いた。

——ぼくにもヴィジョンはあります、とスティーヴンが言った。

——ほう？　と教授が歩調を合せるために足を踏み替えながら言った。クローフォードはあとから来るさ。

べつの新聞売り少年がすごい勢いで二人を追い越すと、走りながらわめいた。

——競馬特報！

大*好きな泥んこダブリン

ダ*ブリンの市民。

――純潔を守る二人のダブリン女がおりましてね、とスティーヴンが言った。もういい歳で、信心深いのが、五十年と五十三年の間、ファ*ンバリー小路に住んでいます。

――それはどこにあるんだね？　と教授が聞いた。

――ブラックピッツのはずれです。

湿*っぽい夜に、空腹をさそう生パンの匂いがただよって来る。塀を背にして。綿ビロードのショールにくるまった女の顔が、獣脂のように光る。狂ったように高鳴る心臓。アーカーシャの記録。もっと早く、おにいさん！

さあ、行け。やってみろ。生*命あれ。

――二人はネルソン塔のてっぺんからダブリンの風景を眺めようと思い立つ。赤いブリキ製の郵便受型貯金箱には、三シリング十ペンスの金がはいっています。箱を振って三ペンス硬貨や六ペンス硬貨をはじき出し、ナイフの刃でペニー硬貨をほじくり出す。銀貨で二シリング三ペンス、銅貨で一シリング七ペンス。二人はボンネットをかぶり、晴着に着替え、雨の用心に雨傘を持つ。

——*聡《さと》き乙女らだ、とマクヒュー教授が言った。

はだかの暮し

——二人はモールバラ通りの北シティ食堂で、女主人のミス・ケイト・コリンズから、一シリング四ペンス分の塩漬肉とパン四切れを買いこみます……ネルソン塔の下の娘から二十四個の熟したプラムを買って、塩漬肉で喉がかわくのを癒すことにする。回転木戸の係に三ペンス硬貨を二枚わたして、螺旋階段をえっちらおっちら昇りはじめる。ぶつぶつこぼし、互いに励まし合い、暗闇をこわがり、あえぎ、片方が相手に塩漬肉は持っているのと聞き、神様と聖母マリア様を称え、もう降りるわとおどしたり、明り窓からのぞいたりして。ほんとに神様はありがたいこと、こんなに高いとはねえ。

二人の名前はアン・カーンズと、*フロレンス・マッケイブ。アン・カーンズは腰痛持ちで、*御受難修道会の神父様に一瓶いただいたというさる御婦人から分けてもらった*ルルドの聖水を、腰になすりこんでいる。フロレンス・マッケイブのほうは毎週土曜日の晩に豚足を食べて、ダブルX*を一本空ける。

——逆のタイプだな、と教授が二度うなずいて言った。純潔を守る乙女らか。目に見えるよ。わが友は何をぐずぐずしている？

彼は振り返った。

新聞売り少年の一隊がどやどやと階段を駆け降りて来ると、わめきながら、白い新聞をひらひらさせながら、ぱっと四方へ散った。すぐあとから、マイルズ・クローフォードが階段の上に現れた。帽子が真っ赤な顔を輪光のように縁取っている。彼はJ・J・オモロイと話しこんでいた。

——来いよ、と教授が腕を振って呼んだ。

彼はまたスティーヴン*と並んで歩きはじめた。

——うん、と彼は言った。目に見えるよ。

ブルームの帰還

ミスタ・ブルームが、《アイリッシュ・カソリック》*と《ダブリン・ペニー・ジャーナル》の建物のそばで、荒っぽい新聞売り少年らの渦に巻きこまれ、息を切らせながら呼んだ。
――ミスタ・クローフォード！　ちょっと！
――《テレグラフ》！　競馬特報！
――なんだ？　とマイルズ・クローフォードが一歩戻って言った。
一人の新聞売り少年がミスタ・ブルームの鼻先で叫んだ。
――ラスマインズの惨事！　子供がふいごにはさまれた！

編集長と面談

――ちょっとこの広告で、とミスタ・ブルームは群をかき分けて階段へ歩き、ぜいぜいあえぎながら、ポケットの切抜きを取り出して言った。いま、ミスタ・キーズと話して来たんですがね。二か月契約なら乗るって言うんですよ。あとは様子を見てって。でも、《テレグラフ》の*土曜日最終版に、何か人目を引く雑文を書いてくれと言うんです。それから、間に合えば、これはナネッティ議員にも言ったんですがね、*《キルケニー・ピープル》の図案を使いたいそうです。国立図書館に行けば見られるから。ハウス・オヴ・キーズ、鍵の家、ねえ？　名前がキーズだから。

名前の語呂合せ。だけど、事実上、契約の約束はしたんですよ。でも、ちょいと景気をつけてほしいってんで。どう言いましょう、ミスタ・クローフォード？

K・M・A*

——おれの尻《けつ》を舐めろと言ってくれ、とマイルズ・クローフォードはぐいと腕を突き出して言葉を強めながら言った。ほかでもない、このおれがそう言ったと言ってやれよ。

ちょっと苛《いら》ついてるぞ。雲ゆきに気をつけろ。みんなで飲みに行くんだ。腕を組んで。レネハンのヨット帽がたかる気でくっついて行く。いつものおべっかさ。ディーダラスの息子が音頭取りとはね。今日はまともな靴をはいてるな。この前見かけたときは、踵《かかと》がまる見えだったよ。どこか泥のなかを歩いて来たんだ。かまわない男だな。アイリッシュタウン*で何をしてたんだろう？

——まあ、とミスタ・ブルームは視線を戻して言った。図案が手にはいれば、ちょいとした雑文にはなると思うし。広告はくれますよ。ぼくが言っておきましょう……

K*・M・R・I・A

——おれの高貴なアイルランドの尻を舐めろってんだ、とマイルズ・クローフォードが肩越しに振り返ってわめいた。いつでも好きなときに来な。そう言ってやれ。

ミスタ・ブルームが真意を測りかねて、微笑を浮べようとしているうちに、彼は引きつった足どりで大股に歩み去った。

風*を起す

——《無*資産報告》ってやつだ。空っけつなのさ、ジャック、と彼は顎に手をあげて言った。ここまで漬かってるんだよ。おれもひでえ目に会ったんだぜ。つい先週は、手形を裏書してくれる男を探してたんだからな。その気はあっても実行できずってとこだ。悪いがね、ジャック。何とか風を起せりゃ喜んで役に立つけど。

J・J・オモロイは浮かぬ顔をしてむっつりと歩きつづけた。二人はみんなに追いついて、いっしょに歩いた。

——二人は塩漬肉とパンを食べ終り、パンの包紙で二十本の指を拭いてしまうと、柵へ近づきます。

——きみ向きの話だぜ、と教授がマイルズ・クローフォードに説明した。ダブリンの婆さんが二人、ネルソン塔のてっぺんにいる。

たいした塔だよ！——

よちよち婆さんが言う

——こりゃ新手だ、とマイルズ・クローフォードが言った。種になる。靴直し連*の遠出だ。二人のお婆ちゃん、てなわけだな？

——でも、二人は塔が倒れはしまいかと心配になる、とスティーヴンが先をつづけた。家々の屋根を見ながら、どれがどの教会なのと論じ合う。ラスマインズ*の青い円屋根、アダム・アンド・イヴ教会*、聖ロレンス・オトゥール教会*なんかを。でも、眺めていると目がまわるので、スカートをまくりあげ……

すこし無作法なこの女たち

——漕ぎ方やめい、とマイルズ・クローフォードが言った。詩人の勝手は許しませんぞ。ここは大司教区だからな。

——縞模様のペチコートの上に腰をおろし、片柄つき間男*の銅像を見あげます。

——片柄つき間男ねえ！　と教授が叫んだ。こりゃあいい。思いつきだな。狙いがわかるよ。

御婦人方よりダブリン市民にスピード丸を寄贈、高速度石質隕石と見られる

——やがて首が引きつってくる、とスティーヴンが言った。二人とも疲れきって、見あげることも、見おろすことも、話すこともできない。二人のあいだにプラムの袋を置き、一つずつ取り出しては食べ、口から垂れるプラムの汁をハンカチーフでぬぐい、柵の間からゆっくりと種を吐き出す。

彼は不意に大きな若々しい笑い声をあげて、終りにした。レネハンとミスタ・オ

マッデン・バークはこれを聞くと、振り向き、手招きをして、*通りを突っ切り、ムーニーの酒場へ行った。

――終りかい？　とマイルズ・クローフォードが言った。これくらいの悪さですめばな。

詭弁哲学者がヘレネの高慢の鼻をへし折る
スパルタ人は歯ぎしり
イタケ人はペンこそ美女代表と宣言

――きみは*アンティステネスを思い出させるよ、と教授が言った。詭弁哲学者*ゴルギアスの弟子のな。他人に対してと、自分に対してと、どっちに辛辣だったのかわからないと言われている男で、貴族と女奴隷の息子だ。*本を書いてね、*アルゴスのヘレネから美女第一位の棕櫚《しゅろ》の冠を取りあげて、あわれなペネロペイアに渡している。

あわれなペネロペイア、プーア・ペネロピー。*ペネロピー・リッチ。

彼らはオコネル通りに差しかかっていた。

もしもし、中央電話局！

八つの路線のあちこちで、ポールを止めたまま、電車が立往生している。ラスマインズ、ラスファーナム、ブラックロック、キングズタウンとドーキー、サンディマウント・グリーン、リングズエンドとサンディマウント・タワー、ドニーブルック、パーマーストン・パークと上ラスマインズ、出て行くのも、帰るのも、停電のために、どれもじっと止っている。貸馬車、辻馬車、配達馬車、郵便馬車、自家用の一頭立幌馬車、がたがた鳴る木枠の瓶といっしょに揺れる炭酸水、がたがた、ごろごろ、馬に引かれて、大急ぎ。

どういう？——また——どこで？

——しかし、どういう題をつける？　とマイルズ・クローフォードが聞いた。婆さんたちはどこでプラムを買った？

ウェルギリウスがいいと教授。大学二年目の学生は老モーセに投票

――そうさな、待てよ、と教授が長い唇をぱっくりあけて考えながら言った。そうねえ、どうかな、《神ハワレラニコノ安楽ヲ作ッタ》*というのは。

――いや、ぼくなら《ピスガ山からパレスチナを見る。またはプラムの寓話》*とします。

――なるほど、と教授が言った。

彼はたっぷりとした声で笑った。

――なるほど、と彼はまた嬉しげな顔になって繰り返した。モーセと約束の地ね。この思いつきはわれわれが教えたんだぜ、と彼はJ・J・オモロイに向って言い添えた。

この麗しい六月の日、ホレイショー*は注目の的

J・J・オモロイはけだるげな横目で銅像をちらりと見たまま黙りこんでいた。

――なるほどね、と教授が言った。

彼はサー・ジョン・グレイ*像のある中央歩道帯に立ち止って、皮肉っぽい微笑の皺目のなかからネルソンを見あげた。

陽気ないかれ婆さんたちは短い指で有頂天

アンはうっとり、フローはよたよた

――だが二人を責めるのは酷だ

――片柄*つき間男か、と彼*は冷たく言い捨てた。こりゃ笑*わせてくれるぜ。

――婆さんたちもさぞ笑わされたろうよ、とマイルズ・クローフォードが言った。それが掛値なしの真実さ。

8

ライストリュゴネス族

場所——ダブリンの都心の通り
時刻——午後一時

新聞社を出て国立図書館に行くまで一時間ほどのブルームの足どりと意識。オコネル橋では、YMCAの青年から手渡されたチラシをまるめてリフィ川に投げ捨て、鷗のためにケーキを買い与える。ウェストモアランド通りでは、ヒーリー文房具店および印刷所のサンドイッチマンを目撃し、モリーとの幸福な家庭生活を想起する。昔の恋人ミセス・ブリーンと立ち話をし、中傷の葉書を受け取った夫が訴訟を起そうとしていることや、ミセス・マイナ・ピュアフォイが難産で入院中であることを聞く。それからトリニティ・コレッジの前を通り、繁華街のグラフトン通りでショーウィンドウをのぞく。デューク通りのバートン食堂にはいろうとして、客の動物的な食べ方に嫌気がさし、デイヴィ・バーンの店で軽食をとりながらホースの丘でモリーに求愛した時のことを回想する。ドーソン通りでめしいの青年の手をとって横断を手伝い、図書館の前でまたしてもボイランを見かけ、あわてて隣の博物館に逃げ込む。

器官——食道　学芸——建築　象徴——巡査たち　技術——蠕動

神話的対応——ライストリュゴネス族は『オデュッセイア』第十歌の人食い族。飢えがその王アンティパテスに、歯がライストリュゴネス族に対応する。

パイナップル味の棒飴、レモン入りキャンディ、バタースコッチ。砂糖菓子のように甘ったるい女の子が*ド・ラ・サール会の平修士に大匙で何杯もクリーム菓子をすくって入れてやる。学校のおやつにするんだな。子供の胃に悪い。*国王陛下御用達薬用ドロップおよび糖菓製造業。*神よ。守りたまえ。われらの。玉座に腰をおろして、赤いマーブルが白くなるまでしゃぶる。

グレアム・レモン菓子店の暖かい甘い匂いのなかで目を光らせていた*ＹＭＣＡの陰気な青年がミスタ・ブルームの手にちらしを手渡した。

*率直な話合い。

ブルー……おれのことか？　違う。

ブラッド、小羊の血。

彼はゆっくりした足どりで川のほうに向いながら読んだ。あなたは救われたのですか？　すべては小羊の血で洗い清められます。神は血の犠牲を求める。出産、処女膜、殉教者、戦争、建築物の人柱、いけにえ、*腎臓の燔祭《はんさい》、*ドルイド教の祭壇。*エリヤはきたらん。シオンの教会の再建者、*ジョン・アレグザンダー・ダウィー博士はきたらん。

《きたらん！　きたらん!!　きたらん!!!
もろびとこぞりて迎えん》

*儲け仕事。去年は*トリーとアレグザンダーが。*一夫多妻の話なんて。だいいち彼の妻が承知しないだろう。あれはどこで見たんだろう、バーミンガムのなんとかいう会社の光る十字架の広告は？　われらの救世主。真夜中に目が覚めて見ると、壁に救世主がぶらさがっている。奇術師*ペパーの幽霊みたいな思いつき。*鉄の釘は打ちこまれた。

きっと燐《りん》を使って作るんだろう。たとえば鱈の切身なんか置いとくと。青みがかった銀いろが浮きあがって見えた。いつか夜中に台所に行って食料戸棚をあけたとき。なかにこもってたいろんな臭いが一斉に飛び出して来るのはやりきれない。彼女は何が食べたいと言ったんだっけ？　マラガ産の乾葡萄だ。スペインを思い出して。ルーディが生れる前のこと。燐光、あの青みがかった緑がかった。脳にはとてもいい。

バトラー記念館の角から彼はバチェラーズ・ウォークを眺めわたした。ディーダラスの娘がまだディロンの競売場の前にいる。何か古い家具でも売りに来てるのか。目が父親にそっくりだからひと目でわかる。ぶらぶら歩きまわって、父親が出て来るのを待ってるんだ。家庭というものは母親がいなくなると壊れてしまう。子供を十五人産ませた。ほとんど毎年生れたわけだ。それがカトリックの教義なんだよ、さもないと神父はあわれな女に告解をじゃなくて赦免を与えてくれない。殖えよ、地に満てよ。そんな馬鹿な考え方があるかしら？　家庭も家屋敷も食いつぶしてしまう。神父たち自身には養う家族はないんだ。国の脂を食らって生きてるわけさ。彼らの酒蔵と食料貯蔵室。ヨム・キップールのきびしい断食をやらせてみたいよ。十字印の菓子パン。祭壇で倒れたりしないように普通の食事を一回と軽食を一回。連中の誰かの家政婦に聞き出せば。聞いても話さないだろうな。やつに金を吐き出させようとするのと同じこと。裕福に暮してる。客もない。すべては自分ひとりのため。自分の小便までしっかり調べてる。パンもバターもめいめい持参のこと。司祭さま。しっ、人に言うんじゃないよ。なんてことだ、かわいそうにあの子の服はぼろぼろじゃないか。栄養も悪そうだし。じゃがいもとマーガリン、マーガリンとじゃがいも。あとになってこたえてくるぞ。*プディングは食べてみなけりゃ。あれでは体が駄目になる。

彼がオコネル橋にさしかかったとき、*煙のまるい塊が一つ欄干から立ち昇った。輸出用スタウトを積んだビール会社の艀《はしけ》。イギリス行き。海の空気に当てると苦くなるって聞いたな。いずれハンコックにパスをもらってビール会社を見に行ったらおもしろかろう。それだけで一つの世界って感じ。黒ビールの大樽がずらりと、すばらしいな。鼠も飛びこむ。コリー犬みたいにふくれあがるほど飲んで、ぷかぷか浮いて。黒ビールでぐでんぐでんに酔っぱらう。人間なみに吐くまで飲む。どうだろう、それをわれわれが飲まされるんだ！　鼠と大樽。まあね、何から何まで知ってたらとても。

視線を落すと、彼は、寂しい埠頭の岸壁のあいだで輪をえがきながらしっかりと羽ばたいている鷗たちを見た。外は荒れている。ここから飛びこんだらどうだろう？　*ルーベン・Jの息子はあの汚水を腹いっぱい飲んだろうな。一シリング八ペンス多すぎる、か。ふふふん。サイモン・ディーダラスはまったくおもしろいことを言う。話がうまいよ、たしかに。
鷗たちは輪をえがきながら高度を下げた。獲物をさがしてる。待てよ。
彼は鷗たちのなかに丸めた紙の球を投げた。*エリヤは秒速三十二フィートにてきたら。ぜんぜん。球はうねりの通り過ぎた跡に落ちて、見向きもされずに浮き沈みしながら下の橋脚のそばに漂っていた。それほどの馬鹿じゃない。それにおれが*エリンズ・キング号から古いケーキを投げたときは船尾五十ヤードのところで拾いあげた。生きるための知恵。鷗たちは輪をえがき羽ばたいた。

《*飢えさらばえた鷗鳥鳴き
けだるい水の上に羽ばたき》

詩人はこんなふうに、同じ音を使って書く。しかしシェイクスピアには脚韻がないからな。無韻詩。言葉の流れなんだ。思想、荘重。

《*ハムレットよ、わたしはおまえの父の亡霊だ、
いまだにこの世をさまよい歩く運命にある》

——林檎二つで一ペニー！　二つで一ペニー！

彼の視線は屋台にぎっしり並んでいる艶のいい林檎の上を通り過ぎた。オーストラリアものだろうな、いまの季節なら。ぴかぴかの皮。ぼろきれかハンカチーフで磨きあげるんだ。

待てよ。かわいそうな鷗たち。

彼はもういちど立ち止って、林檎売りの老婆から*バンベリーケーキ二個を一ペニーで買った。*崩れやすいケーキを割ってかけらをリフィ川に投げこんだ。見たか？　鷗たちは音もなく、最初に二羽、つづいて全部が舞い降りて来て、獲物を襲った。なくなった。一きれ残らず。

彼らの貪欲と抜け目なさを意識して、彼は両手についたケーキの粉を払い落した。思いがけない御馳走だろう。*天からの珍味。魚の肉ばかりで暮してるから魚くさくなるんだ、海の鳥はみんな、鷗も、ヒレアシシギも。*アナ・リフィの白鳥たちはときどきこの辺りまで泳いで来て羽をととのえてる。蓼《たで》食う虫も好きずきさ。白鳥の肉はどんな味だろう？　ロビンソン・クルーソーは海鳥を食べて生きねばならなかった。

彼らは弱々しく羽ばたきながら輪をえがいた。もう投げてやらないよ。一ペニーもやればたくさんだ。大いに感謝してもらいましたよ。かあとも鳴かない。それにやつらは口蹄疫を伝染させる。七面鳥にたとえば栗ばかり食わせとくと肉も栗みたいな味になる。豚たべて豚そっくり。そんなら、なぜ海の魚は塩からくないのか？　なぜだろう？

答えを川に求めた彼の目は、ボートが一隻、碇《いかり》をおろしたままで糖蜜のようなうねりに乗り、広告板をゆっくり揺らしているのを見た。

《キーノー*商店
十一シリング
ズボン》

いいアイデアだ、あれは。市役所に地代を払ってるのかしら？　本当に川水を所有できるのかな？　絶えず流れてるんだ、行く水は帰らず、これ*ぞわれらがたどる命の流れのなかで。命は一筋の流れだから。どんな場所でも広告に利用できる。あの淋病治療の藪医者のは共同便所ごとに貼り出してあった。近ごろは見かけないな。秘密厳守。*医師ヘンリー・フランクス。びた一文かからぬ点では、*ダンス教授マギニの自家広告と同じ。人を頼んで貼るか、なんなら前ボタンをはずしに行ったついでに自分でこっそり貼ればいい。夜なかにこそこそうろつき歩く。場所も絶好だし。*貼紙無用。百十錠送れ。誰か性病で痛い目にあっているやつさ。

*もし彼が……

まさか！

え？

いや……いや。

いや、いや。そんなことはないよ。まさか彼がそんな？

いや、いや。

ミスタ・ブルームは不安げな目をあげて歩き出した。もうあのことを考えるのはよそう。一時すぎだ。*港湾管理局の時報球が降りてるから。*ダンシンク天文台標準時間。*サー・ロバート・ボールのあの天文学入門はすばらしい本だった。パララックス。視差。おれにはよく意味のわからない言葉だが。あそこに神父がいるぞ。聞いてみようか。パルというのはギリシア語だろう、平行《パラレル》、視差《パララックス》。おれに転生のことを教わるまでは、*とがった管は彼に会ったなんて彼女は言っていた。ちんぷんかんぷん！

ミスタ・ブルームは港湾管理局の二つの窓に向って微笑した。ちんぷんかんぷん。たしかに彼女の言う通りだ。音のせいで当り前のことが大げさな言葉になるだけだ。彼女は必ずしもウィットがあるほうじゃないが。失礼なことも言うし。おれが心のなかで思ってるだけのことを口に出してしまうんだから。しかし、そうでもないか。ベン・ドラードの声は*バス樽声だって彼女はよく言ってた。あいつの足は樽みたいだし、樽に顔をつっこんで歌ってるみたいだし。どうだい、見事なウィットじゃないか？　みんなは彼に*ビッグ・ベンという綽名をつけたが。バス樽声のほうがずっとウィットがきいてる。アルバトロスみたいな大食漢だ。牛の腰肉を一頭分ぺろりと食べる。一級のバス印ビールをぐいぐい飲むところも大したものだし。ビヤ樽。どうだ？　どれもぴったりじゃないか。

白い上っぱりを着て一列に並んだサンドイッチマンたちが、下水溝に沿ってこちらにゆっくりと進んで来た。めいめい、赤い帯を斜めにかけた広告板をさげている。バーゲンセール。今朝の司祭とおなじことをしてる、*わたしたちは罪を犯した、わたしたちは苦しんだ。彼は白い五つのシルクハットにしるされた赤い文字を読んだ。*H・E・L・Y・S。*ウィズダム・ヒーリーの店。Yの足どりがすこし遅くなり、胸の広告板の下から厚いパンの一きれを出して口に押し込むと、もぐもぐやりながら歩いた。われらの主食。一日三シリングで、下水溝沿いに、町から町へと歩いて。やっと骨と皮だけを保つ、パンと粥《かゆ》で。連中はボイラ。違う。マグレイドの店の者だ。あれではどうせ客はつかないよ。おれはヒーリーにすすめたことがあるんだがな。ガラス張りの陳列用馬車にきれいな女の子を二人すわらせて手紙を書かせ、複写簿や封筒や吸取紙を並べておく。きっと客が寄って来る。きれいな女の子が何か書いていればすぐ目につく。何を書いてるかみんな知りたくてしょうがないだろう。そ知らぬふりをしていれば二十人は寄って来る。つついてみたくなるのが人情さ。女たちだって。好奇心。塩の柱にされても、つい。ヒーリーがあれを採用しなかったのは、要するに自分の思いつきじゃないからだ。それとも黒いセルロイドで、インキ瓶からインキがこぼれてる看板を作ったら、と提案したんだが。あの男の思いつく広告ときたら、死亡欄の下にプラムツリー瓶詰会社の冷肉処理工場のをもってきたりするのと大差ないからな、なめてはいかんね。何を？　うちの会社の封筒を。おーい、ジョーンズ、どこへ行くんだ？　邪魔しないでくれ、ロビンソン、ほんとに役に立つたった一つのインキ消し《キャンセル》を大急ぎで買いに行くんだ、デイム通り八五番地のヒーリーの店の製品をさ。あんな馬鹿げた仕事をやめてよかった。ほうぼうの修道院に集金に行かされたりして、ひどい目に会ったぜ。*トランクィラの修道院。あの尼さんはよかったな、ほんとにきれいな顔で。被りものがあの小さな頭によく似合って。シスター？ シスター何といったっけ？ あの目はどう考えてもたしかに失恋した女の目だ。ああいう女とかけあうのは楽じゃない。あの朝おれは彼女のお祈りの邪魔をしたわけだ。それでも外の世界に触れて楽しそうだった。わたしたちの大切な日ですの、と言ったな。*カルメル山の聖母の祭日。*名前も甘くていい、カルメラ焼き。知らない女じゃなかった、あの様子からして彼女はもう。結婚すれば別な女になったろうに。あそこの連中はたぶんほんとに金に困っているんだ。そのくせ何を揚げるにも最上等のバターで。ラードは使わない。脂身を食べて胸がやけたのよ。やたらにバターを塗りたくるのが好きなんだ。ヴェールをあげてバターをなめてるモリー。シスター？ パット・クラフィだ、質屋の娘。鉄条網って尼僧が発明したんだってな。

アポストロフィつきのＳをやりすごしてから、彼はウェストモアランド通りを横断した。*ローヴァー自転車店。今日は*例の競走がある。あれは何年前のことだったかな？ *フィル・ギリガンが死んだ年だ。*おれたちは西ロンバード通りに住んでいた。待てよ、トムの印刷所にいたころだ。*結婚した年にウィズダム・ヒーリーの店に就職したんだから。そして六年。つまり十年前、一八九四年に彼が死んだ、そう、それでいいわけだ、アーノット商店のところが大火事*になった年だ。ヴァル・ディロン*が市長だった。グレンクリー*の感化院の晩餐会、市参事会員*のロバート・オライリー*は始めの合図がある前にポートワインをスープのなかにあけてしまったっけ、ボブボブが体内の参事会員を養うためにぴちゃぴちゃすする。楽隊が何を演奏してるのか聞きとれないくらいだったな。われら*のすでに食せしこの賜物のために主よわれらを。ミリーはほんの子供だった。モリーはあの組紐飾りのついたエレファントグレーの服を着ていた。男仕立ての、共切れでくるんだボタンつきの。あの服が彼女の気に入らなかったのは、はじめてあれを着てシュガーローフ山*に聖歌隊のピクニックに行ったとき、おれが足をくじいたからだ。まるであの服が。グッドウィン爺さんのシルクハットが糊みたいなもので繕ってあった。蠅たちのピクニックでもあったわけだ。あのときほど彼女がぴったり服を着こなしたことはない。まるで手袋みたいに、肩もヒップもぴったり。ちょうど*迫《せ》り出しはじめたときだ。あの日おれたちは兎肉のパイを食べた。みんなが振り返って彼女を見ていた。

幸福。あのころのほうが幸福だった。あのこぢんまりした部屋に赤い壁紙、ドク*レルの店で一ダース一シリング九ペンスで。ミリーにお湯をつかわせた晩。おれはアメリカの石鹼を買った、接骨木《にわとこ》の花の香料入り。彼女のお湯のいい匂い。体じゅうに石鹼を塗ったあの子のおかしさったらなかった。恰好もいいし。今は写真屋の見習い。死んだおやじも銀板写真の暗室なんか作ってたそうだからな。趣味の遺伝。

彼は歩道のふちに沿って歩いていた。

命の流れ。あれは何という名前の男だったかな？　神父みたいな顔で、いつも通りすがりにおれの家を横目で眺めてた男。目がわるくて、女みたいで。セント・ケヴィンズ通りのシトロンの家に同居してた。ペンなんとか。*ペンデニス？　どうも近ごろおれの記憶力は。ペン……？　まあ何年も前のことだし。電車の音がやかましいせいも。でも毎日顔をあわせてる*植字工代表の名前が思い出せないやつもいるし。

*バーテル・ダーシーはテノール歌手で、ちょうどあのころ売り出しかけていた。稽古が終ると彼女を家まで送って来た。ひげをコスメチックで固めた気取ったやつ。彼女にあの《南から吹く風》という歌を教えた。

彼女を迎えに行ったのは風の強い晩だったな、例の富籤の件で*支部の集会があって、*市長公邸の食堂だか樫の間だかでグッドウィンの演奏会が終ったあとに。彼とおれとがあとから。彼女の楽譜の紙がおれの手から吹き飛ばされて高校の柵に。*でも運よくそのまま。あんなことがあると、彼女がいい気分になった夜なのに、ふいになってしまうよ。グッドウィン教授が彼女と手を組んでさきに立って。あぶなっかしい足どりで、気の毒なおいぼれさ。彼のお別れコンサート。ステージに立つのは本当にこれが最後です。と言っても数か月か、それとも永久にか。そうそう、彼女は風に向って笑ってたよ、風よけの襟を立てて。ハーコート道路の角で、ほら、突風が来たじゃないか。ブルルフーッ！　スカートも毛皮の襟巻もすっかり吹きあげられて、グッドウィン爺さんが窒息しそうになって。風のなかで彼女は顔を赤らめていた。そうそう、うちに帰ってから暖炉の火をかきおこして夜食にあの羊の鞍下肉を焼いて、好きなチャツネソースをかけてやった。それからラム酒に香料などを入れて暖めて。寝室でコルセットの枠をはずしてるのが暖炉のところから見えた。純白。

しゅっと衣擦れの音を立ててふわりと柔らかくコルセットがベッドの上に。いつも彼女の体温で暖められて。いつも彼女ははずして楽になりたがる。それからヘヤピンを抜きながら二時ちかくまであそこに坐りこんで。ミリーは子供用ベッドですっぽりくるまって。幸福。幸福。あの晩のことだったな……

——まあ、ミスタ・ブルーム、御機嫌いかが。

——やあ、いかがですか？　*ミセス・ブリーン。

——愚痴を言っても仕方がないわ。モリーは近ごろお元気？　もうずいぶんお目にかからないけど。

——ぴんぴんしてます、とミスタ・ブルームは陽気に言った。ミリーはマリンガーのほうで就職しましてね。

——おうちを出たのね！　頼もしいじゃないの。

——ええ、あそこの写真屋に勤めましてね。忙しく働いてるらしいですよ。おたくのお子さん方は？

——みんな食欲だけは一人前、とミセス・ブリーンは言った。

子供が何人あったかな？　また出来たらしい様子はないが。

——あなた、喪服を着てらっしゃるわね。お宅になにか……？

——いや、とミスタ・ブルームは言った。葬式に行って来たところなんです。

今日はどこへ行ってもこの話が出そうだぞ、どうやら。誰が死んだ、いつ死んだ、どんな病気で？　うんざりするくらい聞かれる。

——まあまあそれは、とミセス・ブリーンは言った。近い御親戚の方じゃないでしょう、まさか。

同情をひいておくのも悪くはない。

——ディグナム、とミスタ・ブルームは言った。ぼくの古い友達です。とつぜん死にましてね、かわいそうに。心臓病だと思います。今朝が葬式でした。

*
《明日はあなたのお葬式
ライ麦畑をやって来る
ディドルディドル・ダムダム
ディドルディドル……》

——古いお友達が亡くなると悲しいわ、とミセス・ブリーンの女性の目が悲しそうに言った。

この話はもうこれくらいでたくさんだ。さりげなく聞いてみよう、亭主。

——お宅の旦那様はいかがです?

ミセス・ブリーンは大きな二つの目を上にあげた。とにかく目だけはまだ昔どおりだ。

——まあ、よしましょうよ、その話は！　と彼女は言った。まったく手がつけられないわ、あの人。今そこの店に法律書を持ちこんで名誉毀損のことを調べてるの。あたし、気が気じゃないわ。ちょっと待ってね、お見せしたいものがあるの。熱い子牛肉スープの湯気と焼きたてジャム入りパフプディングの蒸気が、*ハリソンの店から漂って来た。濃厚な昼食の匂いがミスタ・ブルームの食道の入口をくすぐった。うまいペストリーを作るには、バターと、極上の小麦粉と、*デメララ粗糖がいる。さもないとみんなは熱い茶といっしょに食べてしまう。それともこれは彼女の匂いかな？　裸足《はだし》の浮浪児が一人、*格子枠の上に立って匂いを吸いこんでいる。あれで飢えの痛みをまぎらせる気だろう。楽しいのか苦しいのか？　*一ペニーの夕食。ナイフとフォークが鎖でテーブルにとりつけてある。

　彼女はハンドバッグをあけようとしている、擦り切れた革、帽子のピン。ああいうものには用心しないといけない。電車のなかで男の目を突き刺したり。かきまわしてる。あけた。金がはいってる。一つどうぞ。六ペンスでもなくすと大騒ぎだ。驚天動地。亭主がどなる。月曜日におれがやった十シリングはどうしたんだ？　おまえの弟の家族でも養ってるのか？　汚れたハンカチーフ、薬瓶。いま落ちたのは錠剤だな。この女はいったい何を？

——きっといま新月*なのね、と彼女は言った。新月のときはいつも主人がおかしくなるの。昨夜どんなことをしたとお思いになる？

彼女の手はかきまわすのをやめた。じっと彼をみつめている彼女の目は、不安そうに見開いて、しかし微笑していた。

——何をしたんです？　とミスタ・ブルームはたずねた。

さあ話しなさい。まっすぐ彼女の目を見ること。本気で聞いてますよ。ぼくを信頼なさい。

——夜なかにあたくしを起すのよ、と彼女は言った。夢を見るんですって、こわい夢を。

消化不。

——スペードのエースが階段を昇って行くんですって。

——スペードのエース！　とミスタ・ブルームは言った。

彼女はハンドバッグから折りたたんだ葉書を出した。

——読んでよ、と彼女は言った。今朝、彼のところに来たの。

——なんです？　とミスタ・ブルームは受け取りながらたずねた。U・P？

——U・p。*アップ、と彼女は言った。誰かが彼を怒らせようとしてるのよ、誰なのかわからないけど、ほんとに悪いやつ。

——まったくです、とミスタ・ブルームは言った。

彼女は葉書を取り戻して、溜息をついた。

——それであの人、これからミスタ・メントンの法律事務所へ行くの。訴えて一万ポンドの損害賠償を要求するんですって。

彼女は葉書を折り乱雑なハンドバッグのなかに入れて口金をかけた。

二年前に着ていたのと同じ青のサージの服。毛羽立った生地が色褪せて。これでも昔はきれいな服だったのに。耳の上にほつれ毛が。それにこのやぼな婦人帽、古い葡萄の飾りを三粒つけてなんとか見られるようにしてはいるけれど。みすぼらしいお上品ぶり。昔は服の好みがよかった。口もとの皺。モリーよりたった一つか二つ上なだけなのに。

あの女がいま通りすがりに彼女を見て行った目つきを見ろ。残酷だ。女[*]ってアンフェアセックスだよ。

そのまま彼女を眺めながら彼は非難がましさを顔に出さないようにしていた。つんと匂ってくる子牛肉、オックステール、チキンカレーのスープ。おれも腹がへってる。彼女の服のまちのところにペストリーのかけら、頬には砂糖みたいな粉がくっついてる。熟した果物をたっぷり詰めたルーバーブのタルト*。かつてのジョージー・ポーエル。ドルフィンズ*・バーンのルーク・ドイルの家でずっと前に、ジェスチャーをやって遊んで。U・p、アップ。

話をかえよう。

——近ごろはミセス・ボーフォイにお会いですか？　とミスタ・ブルームはたずねた。

——マイナ・ピュアフォイのこと？　と彼女は言った。

おれはフィリップ・ボーフォイのことを考えてたんだな。演劇鑑賞家クラブ。マッチャムがたびたび思い出す、あの殺し文句。鎖を引っ張ったかな？　そう。最後の幕*だ。

——ええ。

——通りがけにちょっと寄って聞いてみたわ。無事にすんだかと思って。あの方、ホリス通りの産婦人科病院にはいってらっしゃるの。ホーン*先生が入院させたのよ。三日前からずっと苦しんでいるんですって。

——ほう、とミスタ・ブルームは言った。それはいけない。

——そうなの、とミセス・ブリーンは言った。それに、うちには子供がいっぱいいるし。とても難産だって看護婦さんが言ってました。

――ほう、とミスタ・ブルームは言った。

彼の重い憐れみの視線が彼女の報告を吸いこんだ。同情で彼の舌が鳴った。チッ！　チッ！

――それはいけませんね。かわいそうに！　三日間も！　苦しいだろうなあ。

ミセス・ブリーンはうなずいた。

――あの方、火曜日から苦しくなって……

ミスタ・ブルームはかるく彼女の肘をおさえて、警告した。

――あぶない！　あの男を通してやらないと。

骨ばった姿が川のほうから歩道の縁石づたいに大股に近づいて来た。太い紐のついた片眼鏡越しに、空ろな視線でじっと陽光をみつめている。小さな帽子がまるでお椀帽のようにぴったりと頭をしめつけていた。たたんだダスターコートとステッキと雨傘を片腕にぶら下げていて、歩くたびにそれがぶらぶら揺れる。

――ごらんなさい、とミスタ・ブルームは言った。あの男はいつも街灯の外側を歩く。ほらね！

――誰でしょう、名前を聞いていいかしら？　とミセス・ブリーンはたずねた。

頭がおかしいの?

——彼の名前は*キャシェル・ボイル・オコナー・フィッツモリス・ティズダル・ファレル、とミスタ・ブルームは笑いながら言った。ごらんなさい!

——たくさんあるのね、と彼女は言った。デニスもいまにあんなふうになるんだわ。

彼女はとつぜん黙りこんだ。

——彼が出て来たわ、と彼女は言った。あたし、ついて行かなくちゃあ。さようなら。モリーによろしくお伝えになってね。

——申し伝えます、とミスタ・ブルームは言った。

彼女が通行人のあいだを縫って商店の並びに近づいて行くのを、彼は見まもっていた。デニス・ブリーンが寸たらずのフロックコートに青いズック靴というでたちで、胸に二冊の重い本をかかえこみ、足を引きずってハリソンの店から出て来た。湾から吹き飛ばされて来たみたい。昔のままだ。彼女が追いついて肩を並べても驚きもせず、汚れた灰いろの顎ひげを妻のほうに突き出し、たるんだ顎を振りながら何か熱心に語りかけている。

変人だ。いかれてる。

ミスタ・ブルームはまた気楽そうに歩き出した。前方の日ざしのなかに、ぴったりしたお椀帽と、ぶらぶら揺れるステッキ雨傘ダスターコートを見ながら。派手な恰好だね。見ろよ！　また歩道からはずれた。ああいうのもひとつの世渡りの方法。それにもう一人、あのぼろを着てうろつきまわる老いぼれのむさくるしいいかれ男。あの男といっしょに暮すのでは彼女も楽じゃなかろう。

U・p。アップ。どう見てもあれは*アルフ・バーガンかリチー・グールディングの仕業だ。*スコッチ・ハウスあたりでふざけて書いたにちがいない。メントン法律事務所へ。やつは牡蠣《かき》みたいな目つきであの葉書を見るわけだ。ちょっとした見ものだね。

彼は*《アイリッシュ・タイムズ》社の前を通り過ぎた。また応募の手紙が溜ってるかもしれない。全部に返事を書きたいな。悪いことをする人間には便利な制度。暗号。ちょうど昼食の時間だ。あそこにいる眼鏡をかけた社員はおれの顔を知らない。*いいさ、手紙はほうって焦らせておけ。四十四通に目を通すだけでも大仕事だ。*求む、有能な女性*タイピスト、文筆にいそしむ紳士の助手。あなたを、おいたさん、と呼んだのはもうひとつのあの世界《ワールド》がいやだからよ。ほんとうの意味を教えてほしいわ。*奥さんがどんな香水をつけてるか、ぜひ教えてね。この世界を誰がつくったのか教えて。女というやつはまったくいろんなことを聞きたがる。それにもう一人、あの*リジー・トウィッグとかいう女。あたくしの文学的習作は幸いにも高名な詩人AE（ミスタ・ジョージ・ラッセル）にお褒めいただきました。ぬるいお茶を飲みながら詩集を書くのに忙しくて髪の手入れもできない。

小さな広告を出すのならなんといってもあの新聞だ。田舎をおさえてるし。料理および家政一般、調理場完備、女中の補助あり。求む活発な男性をバーテンダーに。果物店または豚肉店に職を求む、当方女性身元確実*（R・C）。*ジェイムズ・カーライルがあの欄を作った。六パーセント半の配当金。*コーツの株で大儲けをした。じっくりと。抜け目のないスコットランドの握り屋め。おべっか記事ばかり書いて。慈悲深く人望あついわが総督夫人。とうとう*《アイリッシュ・フィールド》まで買収した。*レイディ・マウントキャシェルは産後の健康を回復され、昨日は*ラスオースにおける狐猟解禁日に*ウォード・ユニオンの猟犬を従え騎馬で参加された。食えない狐。肉目当ての連中もいる。恐怖という注入液で肉はけっこう柔らかくなるからな。鞍にまたがって。男みたいな乗り方をして。重量負担狩猟牝馬《ひんば》。女鞍も補助鞍もどういたしまして。まず勢ぞろいしてから獲物が死ぬまでを見届ける。馬好きの女のなかにはまるで繁殖用の牝馬みたいに強いのがいるな。貸馬の厩舎《きゅうしゃ》のあたりを大威張りで歩きまわって。生《き》のブランデーの一杯くらい、あっというまに飲みほしてしまう。今朝*グローヴナー・ホテルの前にいたあの女。ひらりと馬車に、シュッ、シュッと。石垣でも五本横木の障害でも乗り越えるさ。*あの獅子っ鼻の運転手め、わざとやったにちがいない。誰に似ていたのかな、あの女は？　ああ、そうだ！　ミセス・ミリアム・ダンドレイドだ、*シェルボーン・ホテルでおれに古いショールや黒の下着を売った女。離婚したスペイン系アメリカ人。*おれがそいつをいじりまわしても平然としていた。こっちをまるでコートかけとでも思ってるらしい。総督のパーティで彼女を見かけたっけ。公園管理人のスタッブズが《エクスプレス》紙のウェランとおれとを入れてくれたときに。上流社会の食べ残しを始末する役目。お茶と食事。マヨネーズをおれはカスタードだと思ってプラムにかけてしまった。あれから何週間か、彼女はさぞ耳がほてってたろうよ。彼女の牡牛になってみたい。生れながらの娼婦。育児なんて願いさげよ、せっかくだけど。

気の毒なミセス・ピュアフォイ！　亭主はメソディスト。*やつのいかれっぷりには筋道《メソッド》があるよ。昼食は*教育酪農場のサフラン入りパンとミルクとソーダ。*ＹＭＣＡの。食べながらストップウォッチで計って、一分間に三十二回かむ。それでも末ひろがりの頬ひげはなお伸びる。いい親類が多いらしいな。*シオダーの従兄弟が*ダブリン城にいる。どの一族にも一人は有名人の親戚がいる。毎年きちんと女房を孕ませて。いつだか＊三人の陽気な酔いどれ酒場の前を帽子もかぶらずに行進してたよ、長男が買物袋に赤ん坊を入れてかかえて。泣き喚く餓鬼《がき》ども。かわいそうな女房！　それに毎年毎年、夜中にしょっちゅう乳房をあてがわなければならないし。禁酒主義者ってのはとかく利己的なんだ。＊まぐさ桶を一人占めにする犬。わたしの紅茶には砂糖は一つでたくさん。ほんとに。

彼はフリート通りの交差点で立ち止った。ちょっとランチでも。＊ローの店に寄って六ペンスのを食べて行こうか？　国立図書館であの広告を調べないと。＊バートンの八ペンスのランチ。そのほうがいい。ちょうど通り道だ。

彼は、＊ウェストモアランドのボールトンの店の前を通り過ぎた。お茶。お茶。お茶。トム・カーナンにお茶を頼むのを忘れてたぞ。

ススス。チッ、チッ、チッ！　三日間も、どうだろう、＊酢を染みこませたハンカチーフを頭に巻いてベッドの上で唸りつづけて、腹はふくれあがって。ヒュー！　恐ろしいことだよ、まったく！　子供の頭が大きすぎる、鉗子《かんし》だ。彼女の腹のなかで体を二つに折って、しゃにむに外に飛び出そうと突き立てる、出口をさぐりながら。おれだったらきっと死んでしまう。モリーのが軽くてすんだのは好運だった。

なんとかあんなことは無しですむ方法を発明すべきだよ。重い陣痛を伴う生命。半麻酔分娩法、*ヴィクトリア女王はあれをやったそうだ。九人も産んだんだから。りっぱな雌鶏だね。*靴のおうちにお婆さん、どっさり子供があったから。*亭主は肺病だったらしいな。そろそろ誰かが考えてもいいころだよ、あんな、なんだっけ、*銀の光の憂愁の思い、なんてつまらんことをしゃべり立てるのはよして。馬鹿を嬉しがらせるだけの寝言じゃないか。作ろうと思えば簡単に大きな施設が作れるはずだ。まったく造作ないことだよ、あれだけ税金を取ってるんだから生れてくる子供ひとりにつき複利つきで五ポンドずつ二十一歳になるまでくれてやる、五パーセントとして百シリング、厄介な五ポンドを十進法で二十倍してみろ、みんな金をためる気になるよ、二十一年間で百と十なにがしか紙に書いてきっちり計算してみたいがちょっとした金額だ、想像以上の額です。

　死産した子供はもちろん例外。出生登録もしてないんだから。無駄な苦労。

大きな腹をした女が二人ならんでる図というのはおかしなもんだ。モリーと*ミセス・モイゼル。母の会。肺結核はそのあいだだけひっこんで、また出て来る。産んでしまうとなんと彼女たちが不意に平べったく見えることか！　安らかな目。重荷をおろした気分。産婆のミセス・ソーントンは愉快な人だった。みんなわたしの赤ちゃんよ、と言っていた。パン粥のスプーンを、赤ん坊に食べさせる前にまず自分の口に入れる。おお、よちよち、おいちい。*トム・ウォールの息子に手をつぶされた。彼の人生の最初の挨拶。特賞のかぼちゃみたいな頭。怒りっぽいドクタ・マレン。夜昼なしにたたき起されるんだからな。お願いです、先生。家内が陣痛を起してます。そのくせ謝礼のほうは何か月でも待たせる。自分の女房の往診料を。みんな恩知らずばかりだ。医者というのは人情家だよ、例外もあるけど。

*アイルランド議事堂の大きな高い入口のドアの前を鳩の群が飛んでいた。彼らの食後のひと遊び。誰にひっかけてやろうか? ぼくはあの喪服の男にしよう。さあ行くぞ。そら命中だ。空からだとスリルがあるだろうな。*アプジョンと、おれと、オーエン・ゴールドバーグとで*グース・グリーン近くの樹にのぼって猿ごっこをしたとき。*鯖公、と彼らはおれのことを呼んだ。

巡査の一隊が*コレッジ通りから一列縦隊で行進して来た。歩調とれ。食事でほてった顔、汗のしたたるヘルメット、警棒をぱたぱた鳴らして。食べたばかりで、ベルトの下には脂っこいスープがたっぷりつまってる。*巡査はたいてい気楽な稼業。彼らはいくつかのグループに分れ、敬礼してそれぞれの持場に散って行った。放牧の時間。プディングどきの襲撃にはいちばんいい時刻だよ。食事中のパンチ。別の一隊が、乱れた列をなしてトリニティ・コレッジの柵をまわり、警察署のほうに向った。かいば桶が待ってる。騎兵隊の襲撃に備えよ。スープの襲撃に備えよ。

彼は*トミー・ムーアの像の茶目っけたっぷりな指の下を横切った。公衆便所を見おろす位置にこの像を立てたのは上出来だ。*流れの集うところ。女性用の便所を作るべきだよ。菓子屋にかけこんだりして。ちょっと帽子を直したいの。《この広い世界にたった一つの谷もなく》。*ジューリア・モーカンの見事な歌。最後の最後まで声が乱れなかった。*マイケル・バルフの弟子だったな、たしか。

彼は最後尾の警官の肩幅の広い制服を見まもっていた。手に負えない連中を相手の商売。ジャック・パワーなら打明け話を聞かせてくれるかも。親父が刑事だから。連行するとき手古ずらせたやつは留置所でたっぷり思い知らせてやる。まあ無理もないさ、仕事が仕事だし、特に若い警官などは。*ジョー・チェインバレンがトリニティ・コレッジで学位を贈られた日のあの騎馬警官なんか夢中で追って来たからな。すごかったよ、まったく！　アビー通りで後ろから馬蹄の響きが追って来て。とっさに機転をきかせて*マニングの店に飛び込んだからよかったようなものの、さもなければひどい目に会っていたろう。まったく凄まじい勢いだったよ、あの男。きっと敷石で頭の骨を割っただろう。おれもあんな医学生たちにまきこまれたのがいけなかった。それにあのトリニティ・コレッジの*角帽をかぶった一年生ども。とにかく騒ぎを起したいんだから。しかし蜂に刺されたとき*聖母病院で治療をしてくれたディクソンという青年とは、あれで知り合いになれた。彼はいま*ホリス通りに勤めていて、あのミセス・ピュアフォイのいる病院に。世の中は入り組んでるね。警官の呼笛がいまだに耳に残ってる。みんな一目散に逃げた。だからおれが狙われたんだ。おれを警察に。騒ぎがはじまったのはちょうどこのあたりだったな。


――ボーア人がんばれ！

――*デ・ヴェットばんざい！

――*ジョー・チェインバレンを青い林檎の木に吊してやれ！

馬鹿者ども。声をからして喚きちらす青二才の野次馬。*ヴィニガー・ヒルのつもりか。*バター取引所の楽隊もいた。何年かたてば彼らの半数は治安判事や官僚になる。戦争がはじまると、さきを争って軍隊にはいる。*首吊り台でつるされようと、なんて力んでた御当人たちが。

　誰にだって、うっかりしたことは言えない。コーニー・ケラハーの目つきなんか、ちょっと*ハーヴィ・ダフを思わせる。あのピーターじゃないデニスじゃない*ジェイムズ・ケアリーとかいう、無敵革命党の陰謀を密告した男にそっくり。しかもあの男は市会議員だった。内情をさぐるために若造どもを煽動して。裏ではダブリン城から諜報活動の手当てをせしめていた。そんなのとはさっさと手を切るのがいい。だから私服の連中はいつも女中を口説こうとする。制服を着なれた人間はひと目でわかるからな。裏口のドアのそばで逢引する。ちょっと手荒にいちゃついて。それからいよいよ本番。ところであの紳士は何者だい何をしてるあの家のお客かい？ 息子さんは何か言ってなかったかね？ 鍵穴からのぞきのトムをきめこむ。おとりの鴨。血気さかんな若い学生が、アイロンをかけてる彼女の太い腕のまわりをうろつきながら。

——これきみのかい、メアリ？

——あたしがこんなもの着るもんですか……よしなさいよ、奥さんに言いつけるわよ。夜中まで出歩いたりしてさ。

——*いまにすばらしい時代が来るんだぜ、メアリ。まあ見ててごらん。

——ああ、もう結構よ、そのすばらしい時代のお話は。

酒場の給仕女なんかもそうだ。煙草屋の娘も。

ジェイムズ・スティーヴンズの着想がいちばんよかった。敵を知ってたんだ。十*

人ずつのグループに分けるんだから、自分の組のことしか密告できない。*シン・フェイン。足を洗おうとすればナイフでやられる。*見えざる手。党にとどまれば、いずれは銃殺。看守の娘が彼をリッチモンド監獄から逃がしてやった、船で*ラスク港から。官憲の目と鼻のさきの*バッキンガム・パレス・ホテルに投宿。*ガリバルディなみだ。

とにかく人間的魅力が必要なんだ。パーネルみたいに。アーサー・グリフィスなんか正直者だけど大衆に訴える力がない。われらが美しき祖国ってやつをぶちまくらなくちゃあ。*馬鹿げた大風呂敷でも。ダブリン・ベーカリー会社の喫茶室。討論クラブ。共和制こそは最良の政体であります。国語の問題には経済問題以上の比重を置くべきです。娘たちに言いふくめて自宅に人々を誘いこむ。肉や酒をたらふく御馳走する。*聖ミカエル祭の鵞鳥。いかがです、腹の皮の下にはタイム薬味の肉がたっぷりありますよ。冷めないうちに*鵞鳥の脂をもう一クォートどうぞ。腹をすかした熱狂的な愛国者たち。*一ペニーのロールパンで軍楽行進。主人のほうは食べるひまもない。他人の金で食べてると思えば料理の味はまた格別。遠慮するどころか。その杏《あんず》をこちらにまわしてくれませんか、桃のことだけど。そんなに遠い未来のことではない。*北西から昇る自治の太陽。

彼の微笑は歩いているうちに消えて行った。重苦しい雲がすこしずつ太陽を覆い、トリニティ・コレッジ*の無愛想な正面が日蔭になった。電車と電車がすれちがった、行く電車、帰る電車、ちんちん鳴らしながら。無駄な言葉。ものごとはちっとも変化しない、今日も明日も。警官の列が出て行く、帰って来る。行く電車、帰る電車。うろつきまわる狂人が二人。馬車で運ばれて行ったディグナム。ベッドの上でふくれた腹をかかえて唸りながら子供がひきずり出されるのを待っているマイナ・ピュアフォイ。一秒ごとにどこかで一人生れる。一秒ごとに別の一人が死んで行く。おれが鳥たちに餌をやってから五分たった。三百人がこの世におさらばした。別の三百人が生れ、血を洗い落し、みんな小羊の血で洗いきよめられ、けたたましく産声をあげる、メエエエエエ。

一つの都市全体の人口が死んで、また都市一つぶんの人口が生れて、それがまた死ぬ。また生れてきて、また死んで。家々、家の列、町並、何マイルも続く鋪道、積みあげられた煉瓦、石材。持主が変る。この持主、次の持主。家主は死なずというからな。一人の期限が切れれば、次のがあとがまに坐る。彼らは金で建物を買って、それでもまだ金はそっくり握ってる。どこかにごまかしがあるんだ。積み重なって都市ができ、時代ごとにすりへって消える。砂のピラミッド。パン*と玉ねぎで働いて建てた。奴隷たち。万里の長城。バビロン。巨大な石だけが残る。円塔。あとは瓦礫、はびこる郊外住宅地、安普請、カーワン*の建てたにわか作りの家々、燃え殻で作ったみたいなもの。一夜の宿さ。

どれも無価値。

一日のうちでも最低の時刻。活力。だるい、憂鬱。大きらいな時間。なんだか誰かに食べられて吐き出されたような気分だ。

学長宿舎。ドクタ・サモン師*。缶詰のサモン。きっちりとこの家に詰めこまれて。まるで霊安室*みたい。たとえ金をもらってもこんな家には住みたくないよ。今日は肝臓とベーコンにありつけるといいがね。自然は真空を嫌う。

太陽は徐々に雲を離れ、通りの向う側のウォルター・セクストン*宝石店のウィンドウに並んでいる銀器をきらりと輝かせた。ジョン・ハワード・パーネル*がその前を目もくれずに歩いて行った。

あの男がいる、彼の兄貴。生き写し。忘れられない顔。偶然の一致だね、これは。もちろん誰かのことを考えていてその人間に出会わないことだって何百回もあるけど。夢遊病者みたいな歩き方。誰の知り合いでもありません。今日は市議会があるんだろう、きっと。就任してから一度も式典長の制服を着たことがないそうだ。前任者のチャールズ・ボールジャーはよく三角帽をかぶり、髪粉を振りかけ、ひげを剃って大威張りでのし歩いていたのに。見ろよ、あの沈痛な歩き方。腐った卵を食わされた男。*半熟目のゴースト。私は苦しんでいます。偉大な人物の兄貴です。弟の兄貴なのです。あれで市の馬に乗ったらさぞ見事だろうに。たぶんこれから*D・B・Cに寄ってコーヒーを飲み、チェスでもやるんだろう。彼の弟は部下たちみんなをチェスのポーンみたいに使った。片っぱしから見殺しにした。こわくて文句ひとつ言えない。あの目つきでみんな縮みあがってしまう。あれが訴える力ってものだ、あの名前が。一族そろってちょっとおかしい。妹の*いかれファニーも、*姉のミセス・ディキンソンも真紅の馬具をつけた馬を乗りまわした。ぐっと胸を張って、*マカードル外科医そっくり。しかし*デイヴィッド・シーヒーがサウス・ミーズの選挙で彼を負かしたからな。*チルターン三郡執事職に就任して閑職にしりぞく。*愛国者の宴会。公園でオレンジの皮を食べる。サイモン・ディーダラスが言ってたな、あの兄を議会に送り込んでも、パーネルは墓場から出て来て腕をつかんで議会の外へ引っぱり出すだろうって。

——*頭の二つある蛸《たこ》がいてね、一方の頭には*世界の終りが来るのを忘れ、もう一方の頭はスコットランド訛りでしゃべる。その脚は……

彼らは鋪道の縁石ぞいにミスタ・ブルームを追い抜いて行った。*ひげに自転車。若い女。

またおれが思っていた男だ。こうなるとたしかに偶然の一致。二回目。やがて来る事件の前兆ってものがあるんだ。高名な詩人ミスタ・ジョージ・ラッセルにお認めいただき。いっしょにいた女がリジー・トウィッグかな。*AEというのは何の意味だろう？　たぶん何かの頭文字。アルバート・エドワード、アーサー・エドマンド、アルフォンサス・エブか、エドか、エルか、エスクワイアか。あいつ、何が言いたかったのかな？　世界の終りがスコットランド訛りで。脚、蛸。オカルティズムの何かだろう、象徴。教えを垂れている。彼女はいちいちかしこまって聞いてる。ひとこともしゃべらずに。文筆にいそしむ紳士の助手。

彼の目はホームスパンの服を着てひげを生やした長身の男がかたわらの女性に話しかけながら自転車で通り過ぎるのを追った。菜食主義レストランから出て来たんだ。野菜類と果物だけ。ビフテキを食べない。食べると、未来永劫、その牝牛の目に追いかけられる。あのほうが健康にいいとか言うけど。しかしおならと小便ばかり。おれも食べてみた。一日じゅう通いづめだ。*塩漬の燻製鰊《にしん》と同じくらいひどい。一晩じゅう夢を見る。おれが食べたあれをなぜ木の実ステーキと呼ぶんだろう？　木の実食主義者。果実食主義者。ランプステーキを食べるような気分を出すつもりかな。馬鹿ばかしい。しかも塩からくて。*炭酸ソーダを使うんだ。おかげで一晩じゅう蛇口のそばに坐りどおしだった。
　彼女の靴下のくるぶしのまわりがたるんでる。おれはあれが大きらいだ、不粋ですよ。ああいうのはみんな文学的天上的な連中なんだ。夢みたいな、雲みたいな、象徴みたいな。審美的な人間なんだ。あんなものばかり食べてたら頭のなかに詩的だかなんだかその種の脳波ができたって不思議はないだろう。たとえばあの警官たち、毎日食べる*アイリッシュシチューの汗でべとべとにシャツを濡らしてる連中なんか、どこを押したって一行の詩も絞り出せないよ。そもそも詩とは何であるかさえ知らないんだ。一種の情緒にひたらなくちゃあ。

　《夢の雲間《くもま》の鷗鳥鳴き
　　けだるい水の上にゆらめき》

　彼はナッソー通りの角を横切り、*イェイツ父子商会のウィンドウの前に立って双眼鏡の値ぶみをした。それともちょっと*ハリス老人の店に寄って若いシンクレアとおしゃべりをしようか？　礼儀正しい男。たぶん昼食中だろう。おれのあの古い双眼鏡を直しに出しておかないと。*ゲルツ製のレンズ、六ギニー。いたるところにドイツ人が進出してる。分割払いにして市場を占領するんだ。値下げ競争。鉄道の遺失物係に当ってみれば双眼鏡の一つくらい手にはいるかも。汽車やクローク・ルームに忘れた物のあれやこれやにはびっくり仰天するからな。連中は何を考えて忘れるんだろう？　女でも。嘘みたいだ。去年エニスに行ったときもあの農園主の娘のハンドバッグを拾って*リメリックの乗換駅で渡してやった。落し主のわからない金もある。あの銀行の屋根のところにある小さな時計は望遠鏡を試すのには絶好だな。

彼の瞼が虹彩の下の端までさがった。見えない。あると思えば見えたも同然。見えない。

彼は回れ右をして、軒の日覆いと日覆いのあいだに立ち、右手を太陽に向っていっぱいにのばした。何度もこれをやってみようと思ってたんだ。そう、すっかり隠れた。小指のさきが太陽の円盤を消した。光線の交差するところが焦点なんだ。黒眼鏡があったらな。おもしろい。西ロンバード通りに住んでいたころは*しょっちゅうあいう黒点の話をした。ものすごい爆発なんだよ、あれは。*今年は皆既日蝕が*

ある。秋のいつごろだか。

　そういえばあの時報球はたしかグリニッジ標準時に合せておろすんだったな。ダンシンクから引いた電線で動くのは時計のほうだ。いつか第一土曜日にぜひ行ってみよう。なんとかして*ジョリー教授宛の紹介状を手に入れるか、それとも彼の家系のことを調べておく。やっとけば効き目があるぞ。悪い気はしないもんだからな。思いがけないお世辞。王様の妾の子孫だってことを自慢にしてる貴族とか。わたしの母方の先祖がね。お世辞はたっぷり使え。おじぎ一つで垣根は消える。部屋にはいるなり見当はずれを口走ったりしちゃいけない。視差って何ですかなんて。こちらの方にお帰りいただきなさい。

　ああ。

　彼の右手はまた脇腹におりた。

　結局わからずじまいさ。時間の浪費。ガスの球体がいくつもぐるぐる回りながら、互いにすれちがって、消える。いつまでも同じ騒ぎの繰り返し。ガス、それが固体になり、それから世界、それから冷えて、それから死んだ殻が流れただよい、まるであのパイナップル味の棒飴みたいに凍りついた岩が。月。きっといま新月なのね、と彼女が言ってた。たしかにそうらしい。

彼は*ラ・メゾン・クレール礼装店の前を通り過ぎた。

待てよ。*満月は二週間前の日曜日のあの夜だからちょうどいまが新月だ。*トルカ川のほとりを歩きながら。*フェアヴューの月としては悪くなかった。彼女は口ずさんでた。*五月の若い月がほほえむ、恋人よ。あの男が彼女の向う側により添って。肘、腕。あの男が。*蛍のラァァンプが光っているよ、恋人よ。触れあう。指。求めて。答えて。いいわ。

よせ、よせ。できたことはできたこと。どうしようもない。

ミスタ・ブルームは息をはずませ、足どりをゆるめて、*アダム小路を通り過ぎた。

やっとのことでなんとか気持を静めて彼は目にとめた。ここは町のなかで真昼間なのにあれはボブ・ドーランのいかり肩だ。あの男、年に一度の酒狂いなのさ、とマッコイが言ってた。あの連中が酒を飲むのはどうせ何かが言いたいか、したいか、それとも*《女を捜せ》か。ぽん引きや街娼のいるクーム地区にしけこんで、あとは一年じゅう裁判官みたいにまじめくさって暮す。

そうだ。案の定。*エンパイア酒場にもぐりこむらしいぞ。消えた。プレーン・ソーダでも飲んでれば体にいいのに。あそこで*ホイットブレッドがクイーン座を開く前に*パット・キンセラはハープ劇場を経営してた。快男児だった。*ダイオン・ブーシコー流に、秋の満月みたいな顔にちっちゃなボンネットをかぶって。*三人のかわいい女学生。時のたつのは早いねえ。彼がスカートの下から赤いパンタロンをちらつかせて。酔っぱらいたちが、飲んだり、笑ったり、唾を飛ばしたり、酒で喉をつまらせたり。もっとやれよ、パット。下品な赤、酔っぱらいどもの娯楽、ばか笑いと煙草の煙。その白い帽子をとれ。*彼の半熟の目。いまどうしてるだろう？ どこかで乞食かな。*かつてわれらの財布をはたかせたあのハープ。

あのころ、おれはもっと幸福だった。それともあれはおれだったのか？ 今のおれがおれなのか？ 二十八だった。彼女が二十三。西ロンバード通りを離れたころからなんだかしっくり行かなくなった。ルーディが死んでからはどうしても前のようには行かない。時は呼び戻せない。手に水を溜めるのと同じだ。じゃあ、あの当時に戻りたいのか？ あのころに始まりかけていたんだ。戻りたいのか？ あなたは家庭でしあわせじゃないのかしら？ かわいそうなおいたさん。おれの服のボタンをつけたがってる。返事をやらなくちゃ。図書館で書こう。

商店の日覆いが並ぶ花やかな*グラフトン通りが、彼の感覚をそそった。モスリンのプリント地、絹、奥様たちと未亡人たち、ジングルと鳴る馬具、*灼けた鋪道に低く鳴る蹄の音。あの白いストッキングの女、太い足をしてるな。雨でも降って汚れりゃいいのに。田舎者まるだし。*大根足がぞろぞろやって来たわ、か。女はどうしても不恰好な足になる。モリーの足もまっすぐじゃない。

彼は*ブラウン・トマス絹織物店のウィンドウの前をぶらぶらと歩いて行った。リボンの滝。薄いチャイナシルク。傾いた壺の口から血のような色のポプリンが流れ出ている、つややかな血。*ユグノー教徒があれをアイルランドに持ち込んだ。*《神のいくさぞ！》タラ、タラ。あの合唱はすばらしい。タラ。*雨水で洗濯して下さい。マイヤーベーア。タラ。ボム、ボム、ボム。

針刺し。おれはもうずいぶん前から買えとうるさく言ってるんだ。どこへでも突き刺すんだから。窓のカーテンに何本も針が。

彼は左手をすこしまくりあげた。傷あと、ほとんど消えた。べつに今日買わなくても。あの化粧水を取りに行かないと。彼女の誕生日にでも買ってやるか。*ろくしちはち九月の八日。まだ三か月ちかくある。それに彼女は喜ばないかも。女は針を拾うのをいやがるからな。愛に傷がつくとか。

つややかな絹、細い真鍮の棒にかかっているペチコート、平たい絹のストッキングの輝き。

戻っても仕方がない。なるようにしかならなかったんだ。なんでも教えて。甲高い声。太陽が暖めた絹。ジングルと鳴る馬具。すべては女のため、家庭と家、薄絹の布、銀器、*ヤッファから来る香りの高い味わいの濃い果物。*アゲンダット・ネタイム。世界の富。

彼の脳髄に暖かいふくよかな体がのしかかった。脳髄は屈服した。あらゆる抱擁の香りが彼を攻め立てた。鈍い飢えにうずく肉体をかかえて、彼はひっそりと熱烈に求めていた。

デューク通り。さあ着いた。食べなくては。バートン食堂。気分もよくなるだろう。

*コンブリッジ画材店の角を曲っても、彼はまだ追い立てられていた。ジングルと鳴る馬蹄の音。かぐわしい体、体。暖かく、ふくよかな。みんながキスをして、受け入れて。草深い夏の野原で、もつれて押しつぶされた草の上で、雨のしたたり落ちる安アパートのホールで、ソファに横たわって、軋むベッドで。

——ジャック、あたしの恋人！

——ダーリン！

——キスして、レジー！

——あたしのものよ！

——愛してるわ！

心臓の鼓動を早めたままで、彼はバートン食堂のドアを押した。強い匂いでふるえる息が詰まった。つんと鼻を突く肉汁、青菜の煮汁。がつがつ食らう動物たちを見ろ。

人、人、人。

バーの高い止り木に腰かけて、帽子を後ろにずらし、テーブルからは無料のパンのおかわりをくれと呼び立て、がぶがぶ飲み、水っぽい料理を口に詰めこみ、目を血走らせ、濡れたひげをぬぐい。青白い脂ぎった顔の青年が、自分の大コップとナイフとフォークとスプーンをナプキンで拭いた。新しい細菌の群。ソースで汚れた子供用ナプキンをまきつけた男が、喉を鳴らして食道にスープを流し込んだ。食べたものを皿に吐き出す男、嚙みかけの軟骨、歯ぐき*、くちゃくちゃくちゃと嚙もうにも歯がない。焼肉の塊をむしゃむしゃやる。そいつを片づけようと丸呑みにする。飲み助の悲しそうな目。嚙みきれないほど大きな塊を食いちぎって。おれもやはりこうなんだろうか？　人の見る目でおのれを見よ。腹*がすけば腹が立つ。歯と顎を動かして。よせよ！　あ！　骨を！　教科書*の詩で読んだけど、アイルランド最後の異教の王コーマックが喉を詰まらせて死んだのはボイン川の南スレッティの町。何を食べてたんだろう？　とにかく美味なる食物さ。聖パトリックが彼をキリスト教に改宗させた。でも、すっかりは呑み込めなかったわけだ。

──ローストビーフにキャベツ。

──シチュー一丁。

人間どもの匂い。唾を吐いた*おがくず、甘ったるい生ぬるい煙草の煙、嚙み煙草の匂い、こぼれたビール、男たちのビールくさい小便、酵母の尿。

*胃がむかついた。

こんなところで一口だって食えるものか。あの男はナイフとフォークを砥いでるけど、目の前のものをみんな平らげる気なんだ。あの老人は歯をほじくってる。軽い痙攣、腹いっぱいになって、口に戻して嚙み直している。食前食後。食後のお祈り。*このざまとあのざまを見ろ。パンの切れ端をシチューの汁にひたしてすくいあげて。きれいに皿をなめるんだね、おい！　ここは出よう。

止り木に腰かけたりテーブルについたりして食べている連中を見まわしながら彼は小鼻を引き締めた。

──スタウトを二本くれ。

——塩漬肉にキャベツ一丁。

あの男、ナイフに山盛りにしたキャベツを頬ばって、まるで命がけだ。手練の早業。見てててはらはらするぜ。三つの手で食べるほうがましだろうに。ばらばらに引きちぎったらどうだい。この男にとっちゃあ第二の天性なのさ。銀のナイフをくわえて生れて来た男。うまい洒落だろう、どうだい。いや*、うまくない。銀は金持という意味なんだから。ナイフを持って生れて来た男。それでは元の諺がわからないし。

前掛けをだらしなく巻きつけた給仕がべとつく皿をがちゃがちゃ集めていた。執達吏長のロックがカウンターのそばに立って、ジョッキにもりあがった泡を吹き落した。豪勢な泡、それが彼の靴の近くに落ちて黄いろく散った。食事中の男がナイフとフォークを垂直に立て、両肘をテーブルにのせて、染みのついた新聞紙越しに料理用リフトのほうをみつめながら、次の料理を待ち受けている。もう一人の男が食べものを口に詰めこんだまま何か話しかけている。聞き上手。食卓での談話。あ*ぬ男と月ゆう日にマンスター銀くうで会いむしてね。はあ？ そうですか、なるほど。

ミスタ・ブルームはためらいがちに二本の指を唇に当てた。彼の目が語っていた。

――*ここじゃないよ。いないらしい。

出よう。きたない食い方をするやつらは大きらいだ。

彼は出口のほうに引き返した。*デイヴィ・バーンの店で軽く食べることにしよう。一時しのぎ。それでやっていける。朝食はたっぷり食べたし。

――こっちはローストビーフにマッシュポテトだ。

――スタウト一パイント。

誰もが自分の分け前を取る。なりふりかまわず。ごくり。ぐい。ごくり。がつがつ口に詰めこんで。

彼はややきれいな空気のなかに出ると、グラフトン通りのほうへ戻った。食うか食われるか。殺せ！　殺せ！

おそらくずっとさきのことだろうが、共同大炊事場なんてものが実現したらどうなる。みんなが小ボウルや飯盒《はんごう》を持ってかけつけ、入れてもらう。中身を道路でむさぼり食う。ジョン・ハワード・*パーネルもたとえば*トリニティ・コレッジの学長も誰も彼も教授連中やトリニティの学長はもちろんのこと女たち子供たち馭者たち神父たち牧師たち元師たち大司教たちも。*エイルズベリ道路から、クライド道路からも、工員住宅からも、北ダブリン救貧院からも、市長は金ぴかの馬車で、婆さん女王は車椅子で。私の皿はあきましたよ。市の共用コップをお使いになったらこちらにまわしてください。*サー・フィリップ・クランプトンの噴水みたいなもんだ。自分のハンカチーフで細菌を拭きとる。次の男がハンカチーフで新しい細菌の群をくっつける。オフリン神父ならうまく茶化してみせるだろう。それでも喧嘩が起る。みんなが自分のために。子供たちは鍋底にこびりついたのまで奪いあう。フィーニックス公園みたいに大きなスープ鍋が必要だろうな。銛《もり》を打ちこんで脇腹肉や尻肉を引きあげて食べる。まわりの人間がみんな憎くなる。*シティ・アームズ・ホテルの《*定食》とか彼女が呼んでいたやつ。スープと肉料理とデザート。あれじゃあ誰が思いついたのを食べているのかわかりゃしない。それにしても、たくさんの皿やフォークはいったい誰が洗うんだ？　そのころになればみんなが錠剤だけで生きるんだろう。歯がますます駄目になる。

　してみると確かに菜食主義は理にかなってるよ大地が生んだ風味ゆたかな食物にんにくはもちろんぷんぷん臭う手回しオルガン奏きのイタリア人のあとでは生の玉ねぎやきのこやトリュフ。動物の苦痛も問題だし。鳥の羽根をむしる、内臓をぬく。脳天をまっぷたつにする斧、そいつを待ち受けている家畜市場のあわれな動物たち。モー。ふるえるあわれな子牛。メー。生れて間もない赤子牛。*キャベツと肉の炒め物。ぶくぶくする肺臓が肉屋のバケツに。その胸肉を鉤からおろせ。ぺたっ。生首と血だらけの骨。皮を剝がれたガラス玉みたいな目の羊が腰から鉤にぶらさげられ、血だらけの紙を巻いた鼻面がおがくずの上に鼻水ジャムを垂らす。*親方も恐い兄貴分も出かけちまった。むやみに切り刻むなよ、小僧。

暖かい新鮮な血は肺病の特効薬らしいな。血はいつも必要なんだ。潜行性。なめてごらん、ほかほかと湯気が立っている、ねっとりしたやつを。*飢えた亡霊たち。

ああ、腹がへった。

彼はデイヴィ・バーンの店にはいった。まともなパブだ。おやじは無口。ときには一杯おごってくれる。まあ四度に一度、閏《うるう》年みたいなもんだが。いつだかおれに小切手を両替してくれたし。

さあ、何を食べよう？ 彼は懐中時計を出した。どうしようかな。*シャンディガフでも飲もうか。

――やあ、ブルーム！ と*ノージー・フリンが片隅から声をかけた。

――やあ、フリン。

――どうだね？

――ぴんぴんしてるよ……どうしよう。赤ワインを一杯と、それから……ええと。

サーディンが棚に並んでいる。見ただけで鼻につくよ。*サンドイッチ？ ハム一族が芥子《からし》を塗られてここに増え、だ。肉の瓶詰。もしも家庭にプラムツリー社の瓶詰肉がなかったら？ もの足りない。なんて馬鹿げた広告文だ！ しかもこれを、死亡欄の真下に印刷するんだからな。みんな*プラムツリーに乗っかって。ディグナムの瓶詰肉。人食い人種ならレモンとライスでも添えて食べるのさ。白人の宣教師は塩気が強すぎていかん。豚の塩漬けみたい。たぶん酋長がいちばん大切なところを食べる。さんざん使い抜いた箇所だから、さぞ固いことだろう。どれくらい精力がつくものかと彼の妻たちが全員ならんで見ている。《いとやんごとなきくろ坊の王様じじいがいたそうな。ミスタ・マクトリガー師の一物か二物を食べるとかなんとかしたそうな》。これを食べれば幸福の家。どんな混ぜ肉を使っているかわかったもんじゃない。羊膜、かびの生えた肺臓、気管、細かく刻んで適当に作る。肉なんてどこにあるのやら。*コーシャー。*肉とミルクはいっしょに口にしない。今で言う食品衛生だよ。*ヨム・キップールだってあれは内臓の春の大掃除だから。戦争も平和も誰かの消化器の具合で左右される。宗教もいろいろ。クリスマスの七面鳥と鷲鳥。*無垢《むく》な者たちの虐殺。*飲み食いして楽しめ。そのあとは浮浪者収容室が満員。頭に包帯なんか巻いて。チーズはチーズ以外のすべての消化を助ける。*粉ダニのたかるチーズ。

――チーズのサンドイッチはあるかね？

――ございます。

もしあればオリーヴの実もすこし食べたいな。イタリアのがいい。赤ワインをグラスにたっぷり。それで悩みは消える。潤滑油なんだ。うまいサラダ、*胡瓜のように冷たいのを、トム・カーナンは調味の仕方がうまい。風味が出るんだ。純粋のオリーヴ油。ミリーはあのカツレツにパセリを添えて出してくれた。スペイン産の玉ねぎを一つ。*神が食物を創り悪魔が料理人を作った。辛味をきかせた蟹のあぶり焼き。

――奥さんは元気？

――元気だよ、ありがとう……じゃあチーズのサンドイッチを頼むよ。*ゴルゴンゾーラはある？

――ございます。

ノージー・フリンはラムの水割りをすすっていた。

——最近も歌ってるのかい？

あいつの口を見ろ。自分の耳もとで口笛が吹けそうじゃないか。耳もそれくらいでかい。音楽なんて。そこいらの馭者ぐらいしかわかっていないくせに。しかしまあ話してやるか。損にはならない。無料広告だ。

——今月末に大*がかりな演奏旅行をやることになってね。もうきみの耳にもはいってるかな。

——いや、ほほう、それはすてきだね。誰のお膳立てだい？

給仕が皿を持って来た。

——いくらだい？

——七ペンスです……ありがとうございました。

ミスタ・ブルームはサンドイッチを細く切った。《ミスタ・マクトリガー》。あの夢みたいなクリームみたいなやつより扱いやすい。《妻たちは五百人。みんなを楽しませてやった》。

——芥子はいかがですか？

——ありがとう。

彼はサンドイッチを一切れずつ持ちあげ、なかに黄いろいしずくをちりばめた。

《楽しませて》。できたぞ。《そいつは大きく、もっと大きく、どんどん大きくなったとさ》。

——お膳立て？ と彼は言った。ああ、それがね、会社みたいなものなんだ。みんなで出資してみんなで分ける。

——ああ、そういえば思い出した、と言いながらノージー・フリンは片手をポケットに入れて股のあたりを掻いた。その話をおれは誰から聞いたんだろう？ ブレイゼズ・ボイランが何か関係してるのかい？

つんと来る芥子の熱気がミスタ・ブルームの心臓に嚙みついた。目をあげると、時計が不機嫌な表情でこちらを睨んでいる。二時。酒場*の時計は五分すすめてある。時は流れる。針が動く。二時。まだいい。

それから彼の横隔膜は上に昇ろうとして、体内に沈み、もっと長く、切実に昇ろうとした。

酒だ。

彼はその気付けの液体の香りをかぎ、すすり、早く飲みこめとしっかり喉に命じてから、慎重にグラスを下に置いた。

——うん、と彼は言った。じつはボイランがまとめ役なんだよ。

恐れることはない。鈍い男だ。

ノージー・フリンは鼻を鳴らし、からだを掻いた。蚤が御馳走にありついてる。

――あいつはかなり儲けたらしいよ、*ジャック・ムーニーから聞いた話だがね、マイラー・キョーがまたポートベロー兵営の例の兵隊に勝ったっていうあの*ボクシング試合さ。凄いよ、ボイランはこの若いのをカーロー州で見つけたというんだから……

あのしずくが彼のグラスのなかに落ちなければいいが、いや、すすりあげた。

――試合のね、ひと月も前からだぜ。もういいと言うまでは家鴨《あひる》の卵を飲んでろ、と申し渡したそうだからなあ。酒を飲ませないわけだよ、ね？ まったく、すごいだろう、ブレイゼズって抜け目のない野郎だぜ。

デイヴィ・バーンが肩あげをしたシャツ姿で奥のバーから出て来ると、自分のナプキンで唇を二度ぬぐった。顔あからめた鰊《にしん》。*そのほほえみはすべてのものに行きわたり、何とやらに満ちみちて。お世辞たっぷりという感じ。

――ぴりっと胡椒のきいた旦那のお出ましだね、とノージー・フリンは言った。ひとつゴールドカップ・レースの勝馬を教えてくれないかな？

――わたしは駄目なんです、ミスタ・フリン、とデイヴィ・バーンは答えた。馬には賭けないことにしてるもんで。

——そりゃ利口だ、とノージー・フリンは言った。

ミスタ・ブルームはサンドイッチを一切れずつ、新鮮なきれいなパンや、舌を刺す芥子や、足の匂いのするグリーンチーズ*を胸をむかつかせながらうまそうに味わった。なめるように飲むワインが彼の味覚をなぐさめてくれた。染料なんかで着色した酒じゃない。こういう季節にすこし温めて飲むといっそうこくがある。

静かないい酒場だ。あのカウンターの材木もいいな。削りもいいし。あのへんの曲り具合が気に入った。

——ああいうのに手を出したくないんですよ、とデイヴィ・バーンが言った。馬のせいで破産した人がたくさんいますからねえ。

ワイン業者のまる儲け。本酒場にて麦酒*、葡萄酒および蒸溜酒類を販売し消費することを許可する。*表が出たらおれの勝ち、裏が出たらおまえの負け。

——まあそう思うだろうな、とノージー・フリンは言った。しかし裏がわかってくると話は違うぜ。いまどき八百長のない競馬はないんだから。レネハンあたりはいい情報をつかんでる。今日はあいつ、セプターに賭ける*そうだ。本命はジンファンデルという、ハワード・デ・ウォルデン卿の馬でね、エプソムで優勝してるんだが。騎手はモーニー・キャノンだよ。おれなんか先々週*にセント・アマント*の逆目に賭けてれば七倍の配当を手に入れたのになあ。

——そうですか、とデイヴィ・バーンは言った……

彼は窓のところへ行って、小口現金出納簿を取りあげ、なかのページを調べはじめた。

——そうなんだよ、まったく、とノージー・フリンが鼻水をすすりながら言った。あれはたしかに滅多にない馬でね、父親はセント・フラスクィンだし。ロスチャイルドの牝馬*だけど、雷雨のなかで優勝したんだからね、耳に綿を詰めて。青い上衣に黄いろい帽子。いまいましいのはビッグ・ベン・ドラードとあいつのすすめたジョン・オゴーントさ。おかげでおれは儲けそこなったんだから。まったく。

彼は諦めたように酒を飲み、タンブラーのみぞを指で撫でおろした。

——まったく、と彼は言い、溜息をついた。

ミスタ・ブルームは立ってむしゃむしゃ食べながら、彼が溜息をつくのを見ていた。ノージーの脳なし。レネハンの馬のことを教えてやろうか？　もう知ってるはずだ。忘れたのならなお結構。行ってまた負けるがいいさ。馬鹿の無駄金。またしずくが垂れそうだぞ。あの鼻でキスされた女は冷たいだろう。かえって嬉しがるかな。ひげがちかちかすると嬉しがるから。犬の冷たい鼻。シティ・アームズ・ホテルのミセス・リオーダンが腹のごろごろ鳴る*スカイテリアを連れていたっけ。モリーがあの犬を膝にのせて撫でまわしてた。まあ、大きな*わんちゃんのわんわんわんちゃん！

　ワインが口のなかのパンと芥子とすこしむかむかするチーズのまるい塊をひたして柔らかくした。いい酒だよこれは。喉がかわいてないからいっそう風味がいいんだ。もちろん湯あがりのせいもあるが。ほんの一口か二口食べておけばいい。六時になればちゃんと。六時、六時。それまでに時は過ぎ去って。彼女は。

　ワインのおだやかな炎が彼の血管を燃えあがらせた。おれにはどうしてもこれが必要だった。ひどく気分が悪かったから。もう飢えていない目で彼は棚の上の缶詰を眺めた。サーディン、派手なロブスターの鋏など。まったく人間は変な食べものをさがし出すよ。巻貝の中身をピンで引き出したり、木から採ったり、フランス人みたいに地面の蝸牛《かたつむり》を取って食べたり、針に餌をつけて海から釣ったり。魚は馬鹿だから何千年たっても知恵がつかない。何でも口に入れてはあぶないということを知らないと。毒いちご、野薔薇の実。まるいものは安全に見える。派手な色は警戒心を起させる。一人が他の一人に教えて、だんだんひろまったんだろう。まず犬に食べさせてみる。匂いや見た感じで見当をつける。味覚をそそる果物。アイスクリームの円錐。クリーム。本能。たとえばオレンジの植林にしても。人工灌漑を要する。*ブライプトロイ通り。だけど、牡蠣なんてものはどうだ？　痰の塊みたいに醜悪で。きたならしい殻。それをあけるのがまた一苦労。誰が見つけたんだろう？　台所のごみや下水の汚物を養分にしてる。シャンパンにレッドバンクの牡蠣。性的能力にききめがある。催淫剤。*やつは今朝レッドバンクにいた。食卓では牡蠣みたいに黙りこくった偏屈屋。ベッドでは若い獣だろう。いや。*六月はＲのない月だから牡蠣を食べない。しかし*腐りかけた肉の好きなやつもいるし。兎の煮込み。とらぬ兎の料理の自慢。中国人は五十年もたった卵を食べる、青くなってそれから緑。三十コースもの晩餐。一皿ずつは無害でも腹のなかでまじれば。毒殺ものの探偵小説が書けそうだ。*あれはレオポルド大公だったっけ、いや、うん、それともハプスブルク家の一人のオットーか？　それとも誰だっけ、自分の頭のふけを食べてたというあの男は？　町じゅうでいちばん安いランチ。もちろん貴族のやることで、それをみんなが流行に遅れまいと真似をする。ミリーだって*石油と小麦粉を。おれも生のペストリーが好きだし。採れた牡蠣の半分は値さがりを防ぐために海に捨てるそうだ。安いと誰も買わない。キャビア。大様に振舞う。緑のグラスに白ワイン。

豪華な大宴会。なんとか令夫人。白粉をぬった胸に真珠。《*選ばれた人々》。《*上流社会》。上流ぶりたくて特別料理を注文する。隠者は豆ばかり食べて性欲の刺激をおさえる。われを知らんとすれば、きたりてわれとともに食べよ。*王室御用の蝶鮫《ちょうざめ》。州執行官は肉屋のコフィに対し総督の名において森林地鹿肉販売の権利を認可。牝牛の肉の半分をお礼としてお届けする。いつだか控訴院記録長官の調理場に並んでいる料理を見た。ユダヤの律法博士みたいな白い帽子の《シェフ》。*ブランデーをかけて火をつけた鴨。《*パルム公爵夫人ふう》巻きキャベツ。あれで献立表に書いていなかったら自分が何を食べたんだかわからないよ、薬味が多けりゃ肉汁まずい。おれにも経験がある。エドワーズ粉末スープの素をたっぷり入れてみたとき。*ばかみたいに肥らせた鵞鳥。生きたままゆでたロブスター。どうぞ雷鳥をめしあがれ。高級ホテルの給仕をやるのも悪くないだろうな。チップ、イヴニング・ドレス、半分はだかの御婦人方。ばば鰈《がれい》の切身をもうすこしめしあがりませんか、ミス・デュービダット？　ええ、ぜひどうぞ。そして彼女がほんとに食べる。ああいうのは*ユグノー系の名前だろう。キリニーにもたしかミス・デュービダットというひとが住んでた。《デュ、ド・ラ》、フランス語。だけど魚は要するに、たぶんムーア通りのミッキー・ハンロンあたりがえらに指を突っこんではらわたを抜いたのと同じ魚、どんどん金を儲けるんだ、それが小切手に自分の名前も書けなくて、唇をゆがめてまるで風景画でも描くつもり。*ムウウイキル、*エイ、エイチァ、ハ。籠一杯のどた靴みたいに物知らずで、それが五万ポンドも溜めこんでる。

窓ガラスにへばりついた二匹の蝿がぶんぶん唸っている、へばりついたまま。

燃えるワインは飲みこんでからも口のなかに残った。ブルゴーニュの葡萄を圧搾器に入れてつぶす。これは太陽の熱なんだ。かすかな感触が過去の記憶を呼びさますような気がする。その感覚に触れて濡れて彼の官能が思い出した。ホースの丘の野生の羊歯のかげで。おれたちの下に湾が眠っていて。空。音ひとつしない。空。*湾はライアン岬のそばでは紫。ドラムレックでは緑。サットンのあたりでは黄みどり。海底の野原、海草の淡い褐色の線、埋もれた都市。おれの上衣を枕にして彼女は髪を、はさみ虫がヒースの茂みにおれの手は彼女の項《うなじ》をかかえて、もみくちゃにされそうだわ。まあ、すてき！　軟膏でひやりと柔らかい彼女の手がおれに触れて、愛撫して。彼女はおれをみつめて目をそらさない。夢中でおれは彼女の上にかぶさり、ふくよかな唇がいっぱいに開いていて、彼女の唇にキスした。ヤム。そっと彼女はおれの口のなかに暖かく嚙みつぶしたシードケーキを入れた。彼女の口で嚙まれ唾で甘酸っぱく柔らかいむっとする塊。歓喜、おれは食べた、歓喜。若いいのち、ふくらんでケーキをわたす彼女の唇。柔らかい、暖かい、ねばつくガムのゼリーの唇、花のような彼女の目、あなたにあげる、誘いかける目。小石が落ちた。彼女は横たわったまま身動きもしない。山羊だった。人はいない。ホース*の丘の上の石南花《しゃくなげ》の茂みのなか牝山羊がたしかな足どりで歩く、すぐりの実を落して。羊歯に囲まれて彼女は暖かく抱かれてほほえんでいた。荒々しくおれは彼女にかぶさり、キスした。目、彼女の唇、伸びきった喉もとが脈打って、女の乳房が彼女の薄い平織のブラウスをふくらませ、大きな乳首が硬くなって。熱い舌をおれは彼女に押しつけ。彼女はおれにキスした。おれはキスされた。身をまかせきって彼女はおれの髪を掻きあげ。キスされて、彼女はおれにキスした。

　おれ。そして今のおれ。

　へばりついて、蠅たちが唸っている。

　彼は下に向けた視線で樫の板のもの言わぬ木目をたどった。美。曲線を描いてる。曲線は美だ。みごとな女神たち、ウェヌス*、ユーノー*。世界がほめたたえる曲線。図書館博物館*に行けば円形ホールに立っている裸の女神たちが見られる。消化を促進する。男がどこを眺めても何も言わない。みんな見える。何も語らない。というのはつまりフリンみたいなやつには語りかけないんだ。もし女神*がピグマリオンとガラテイアのときみたいに口をきいたら、最初にどんなことを言うだろう？　死すべき者よ！　分際をわきまえなさい。神々と食卓を囲んで神酒をがぶがぶ飲む、黄金の皿、すべて神々の食事。われわれの六ペンスのランチみたいにボイルド・マトン、にんじんに蕪《かぶら》、*オールソップ印のビール一瓶なんてものじゃない。神酒、まあいわば電光を飲むようなものかな。神々の食物。美しい女の体、ユーノーの彫像のような。不死の美しさ。ところがわれわれは一方の穴から詰め込んで後ろから出す。*食物、乳糜《にゅうび》、血液、糞、大地、食物。機関車の火をたくみたいに食べものを入れてやらなきゃならない。女神たちにはない。見たことがない。今日はひとつ見てやろう。館員は気がつかないだろう。何か落してかがみこんで下から。いったい女神にも。

水のしたたるような静かな督促が彼の膀胱《ぼうこう》から伝わって来て行ってして来ようかよそうかいやして来よう。男ならいつでも彼はグラスの残りを飲みほしてから歩きはじめ、女神は人間の男たちにも身をまかせたんだし、男を意識し、みんな恋人の男と寝たのさ、若者が彼女を楽しんだのさと思いながら裏庭へと出て行った。

彼の靴音が消えたときデイヴィ・バーンが出納簿を見ながら言った。

——何をしてる人ですか、あの方は？　保険会社の人でしたかね？

――保険はずっと前にやめたよ、とノージー・フリンが言った。《フリーマン》の広告取りをやってる。

――顔はよく知ってますがね、とデイヴィ・バーンが言った。何か不幸なことでもあったんですか？

――不幸なこと？　とノージー・フリンが言った。べつに聞かないね。なぜ？

――喪服を着てらしたようで。

――そうかね？　とノージー・フリンは言った。そうだ、着ていたな。だからお宅のみんなは元気かいとおれは聞いたんだ。そうだよ、たしかにね。喪服を着ていた。

――わたしはそういう話には触れないことにしてます、とデイヴィ・バーンが同情をこめて言った。お客さんの家庭の不幸なんかにはね。忘れたいことを掘り返すだけですから。

――ともかく奥さんじゃない、とノージー・フリンは言った。おととい*やつと出会ったんだ、ヘンリー通りでジョン・ワイズ・ノーランの細君がやってるアイルランド農場牛乳店からクリームの壺をかかえて出て来てね、ベターハーフに持って帰るってわけだ。奥さんの栄養は申し分なしさ、まったく。おいしそうな体をしてるぜ。

――で、《フリーマン》の仕事をなさってるんですね？　とデイヴィ・バーンは言った。

ノージー・フリンは口をすぼめた。

――広告取りの収入でクリームを買ってるわけじゃない。それは間違いのないところだ。

――どういうことですか、それは、とデイヴィ・バーンは出納簿から目を離しながら言った。

ノージー・フリンは空中ですばやく手品師の巧みな指さばきを真似てみせて、ウィンクした。

――フリーメイソンの会員なんだ、と彼は言った。

――ほんとですか？　とデイヴィ・バーンは言った。

――まちがいなし、とノージー・フリンは言った。古えから伝わる自由で世に認められた教団。*彼は優秀な会員なんだよ。*光と生命と愛だからな、なんと言っても。そっちが彼を助けてるんだ。その話をおれにしてくれたのは、そうだな、名前は伏せておきましょう。

――確かなんですか？

――ああ、あれはいい教団でね、とノージー・フリンは言った。困ってるときも見捨てないからね。おれの知り合いではいりたいという男がいたんだが、おいそれとは入れてくれない。まったく、女を閉めだすというのは賢明な方針ですよ。

デイヴィ・バーンは一瞬のうちに微笑しあくびしうなずいた。

――*イィィィィチャァァァァァチ！

――*ある女が、とノージー・フリンが言った。どんな儀式をやるのか見てやろうと思って大時計のなかに隠れたそうだ。ところがどうして、彼らはすぐ嗅ぎつけて彼女をひきずり出し、その場で宣誓させて*棟梁にした。*ドナレイルのセント・レジャー家の一人だそうだ。

あくびが終って腰をおろしたデイヴィ・バーンは、涙に濡れた目で言った。

――それもほんとですか？　あのお客さんはおだやかないい人ですよね。よく店にいらっしゃるんですが、いままで一度も、何というか、羽目をはずしたことがない。

――神様だってあいつを酔っぱらわせることはできないさ、とノージー・フリンは断言した。座が乱れてくるとすぐ逃げ出すし。さっき時計をのぞいてたのを見ただろう？　そうか、きみのいないときだ。あいつに酒をすすめてごらん、まずおもむろに時計を出して眺めながら何を飲むべきかと考える。かならずそうなんだ。

——ときどきそんな方もいますからねえ、とデイヴィ・バーンは言った。間違いのない人ですよ、とにかく。

——悪い男じゃないよ、とノージー・フリンは鼻をすすりながら言った。困ってる男に手をさしのべたりするという噂だし。悪魔にも取柄さ。うん、ブルームにはいろいろ長所がある。ただね、あの男が絶対にやらないことが一つあるんだ。

彼の手がグラスの横で署名する真似をした。

——わかりますよ、とデイヴィ・バーンが言った。

——署名は絶対にお断り、とノージー・フリンが言った。

パディ・レナードとバンタム・ライアンズがはいって来た。その後ろについて来た*トム・ロッチフォードは、憂鬱そうに片手を赤ワインいろのチョッキの上に置いていた。

——こんにちは、ミスタ・バーン。

——こんにちは、みなさん。

彼らはカウンターのそばに来た。

――*立つのは誰だい？　とパディ・レナードがたずねた。

――腰かけてるよ、おれは、とノージー・フリンが答えた。

――さて、何を飲もう？　とパディ・レナードがたずねた。

――おれは*ストーン・ジンジャーだ、とバンタム・ライアンズが言った。

――何ダースだい？　とパディ・レナードが叫んだ。いつ改宗したんだ？　きみは何にする？　トム。

――*排水管の具合はどうだね？　とノージー・フリンが酒をすすりながら言った。

答えのかわりにトム・ロッチフォードは手で胸骨をおさえてしゃっくりをした。

――すまないが水を一杯くれませんか？　ミスタ・バーン、と彼は言った。

――はい、ただいま。

パディ・レナードは二人の飲み仲間をじろりと見た。

――なんてやつらだろう、と彼は言った。こういうのにおれは酒をおごるんだから情けないよ！　水と*ジンジャーポップか！　二人とも、足の傷を消毒したウィスキーだってなめたい飲み助のくせに。しかも一人はゴールドカップ・レースの勝馬を嗅ぎつけてるらしいぜ。はずれっこなしの馬を。

――ジンファンデルかい？　とノージー・フリンがたずねた。

トム・ロッチフォードは出されたコップの水のなかに包紙の粉末を入れた。

――いまいましい消化不良め、と彼は飲む前に言った。

――重曹はよく効きますよ、とデイヴィ・バーンが言った。

トム・ロッチフォードはうなずいて飲んだ。

――ジンファンデルかい？

――教えないよ、とバンタム・ライアンズはウィンクをした。おれは自分の馬に五シリング投ずるつもりなんでね。

――けちけちしないで教えたらいいじゃないか、とパディ・レナードが言った。誰の情報なんだ？

ミスタ・ブルームが店を出て行きながら指を三本あげて挨拶をした。

――さよなら、とノージー・フリンが言った。

みんなが振り向いた。

――あの男がおれの情報源なんだ、とバンタム・ライアンズがささやいた。

――プルー！　とパディ・レナードが軽蔑をこめて言った。ミスタ・バーン、このあとで*ジェイミソン・ウィスキーの小を二つください、それと……

――ストーン・ジンジャーですね、とデイヴィ・バーンが気をきかして言い足した。

――そう、とパディ・レナードが言った。坊やには哺乳瓶だ。

ミスタ・ブルームはドーソン通りに向って歩きながら、舌で歯をきれいに掃除していた。なにか野菜でなきゃ駄目だろうな。たとえばほうれん草。*それなら例のレントゲン光線でつきとめることができるはずだ。

デューク小路で大食らいのテリアが一匹、鋪道の石の上にきたならしい骨まじりの食い戻しを吐き出して、あらためて熱心にそれをしゃぶっていた。飽満。中身をすっかり消化してありがたくお返しします。一回目はうまい、二回目は匂いがいい。ミスタ・ブルームは用心ぶかく脇に寄って通り過ぎた。反芻動物たち。その二皿目の料理。彼らは上顎を動かす。いったいトム・ロッチフォードはあの発明をどこかに売り込むんだろうか。あれをフリンのでかい口に説明したって時間の無駄。痩せた人間には大口が多い。発明家の集まるホールか施設かを作って、自由に発明できるようにすべきだな。もっとも奇人変人どもがたかって来るにきまってるけれども。

彼はハミングして、一節ごとに最後の音を重々しく長くひびかせた。

《*ドン・ジョヴァンニよ、そなたは晩餐を共にしようと《ア・チェナール・テーコ》
わたしを招いた《ミンヴィタスティ》》

気分がよくなった。赤ワイン。元気がつく。はじめて酒を作ったのは誰だろう？どこかの憂鬱な男。酒の上の勇気。図書館で《*キルケニー・ピープル》を調べなくちゃ。

むきだしの清潔な室内便器が人待ち顔に、*配管業ウィリアム・ミラーの飾り窓に並んでいて、彼はまた例のことを考えはじめた。できるはずだ、そして下へ行くまでずっと追っかければ、呑みこんだピンが何年もたって肋骨あたりから出て来ることもあるんだから、つまり体じゅう周遊旅行をして胆管を変え脾臓を肝臓を噴出させ胃液をパイプのように曲りくねる腸を。しかし実験台になる男はかわいそうに絶えず自分の内臓を公開してるわけだ。科学。

——《晩餐を共にしようと《ア・チェナール・テーコ》》。

*この《テーコ》というのはどういう意味だろう？　今夜、だろうな。

《ドン・ジョヴァンニ*よ、今夜そなたは晩餐に
わたしを招いた。
ザ・ラム・ザ・ラムダム》

どうもうまく合わない。

キーズ。ナネッティさえ納得させれば、二か月分。それで二ポンド十シリング、二ポンド八シリングぐらいになる。ハインズに三シリング貸しがあるから、二ポンド十一シリング。プレスコット*染物工場の馬車があそこにいるな。もしもビリー・プレスコットの広告がとれれば、二ポンド十五シリング。合せて五ギニーばかりになる。運が向いてきたぞ。

モリーにあの絹のペチコートを一つ買ってやれる、彼女の新しい靴下留めと同じ色の。

今日。今日。考えないこと。

それから南のほうに旅行しよう。イギリスの海水浴場なんかどうだろう？ブライトン*、マーゲイト*。月下の桟橋。彼女の声が漂い流れて。かわいい海辺の娘たち。ジョン・ロング*酒場の壁にもたれかかって眠そうな浮浪者が一人、がさがさの

指の関節を噛みながら考えこんでいる。雑役夫、職を求む。低賃金も可。なんでも食べます。

ミスタ・ブルームは*グレイ菓子店の売れないパイが並んでいる飾り窓のところで曲り*トマス・コネラン師が経営する本屋の前を通った。《*私はなぜローマ教会を離れたか？》*鳥たちの巣協会の女たちが操ってる。じゃがいも飢饉の当時に彼女らは貧民の子供たちにスープを配ってプロテスタントに改宗させようとしたそうだ。*あの向うにある建物は昔おやじも通ってたが貧しいユダヤ人たちを改宗させるための施設で。同じ餌。《われわれはなぜローマ教会を離れたか？》

めしいの青年がひとり立って細い杖で歩道の縁石をたたいていた。電車は走っていない。道を渡りたいんだ。

——向うへ渡りたいの？　とミスタ・ブルームはたずねた。

めしいの青年は答えない。壁のような顔に弱々しい皺を寄せた。自信なさそうに首を動かしている。

——きみは今ドーソン通りにいるんだよ、とミスタ・ブルームは言った。向う側はモールズワース通り。渡りたいの？　今なら邪魔物はないよ。

杖がふるえながら左のほうに動いた。ミスタ・ブルームの目がその方向を追ってゆくと*ドラゴー理髪店の前にまたあの染物工場の馬車がとまっている。ちょうどあの場所でおれが*あの男のことを考えているとチックで固めたやつの髪が。馬は首を垂れている。馭者はジョン・ロングの店にはいってるんだ。ちょっと喉をうるおしに。

——あそこに馬車がいるけど、とミスタ・ブルームは言った。動いてないよ。いっしょに渡ってあげよう。モールズワース通りのほうに行きたいんだね?

——ええ、と青年は答えた。南フレデリック通りへ。

——行こう、とミスタ・ブルームは言った。

彼は痩せた肘にそっと触った。そして視覚の役目をはたすその弱々しい手をとって導きながら前進した。

何か話しかけよう。見えすいたいたわりはよしたほうがいい。こちらの言うことを本気にしないだろう。ごく当り前のことを話しかけよう。

——雨が降らないね。

返事がない。

上衣にしみがある。食べものをこぼすんだろう、たぶん。味覚も人と違うはずだ。はじめはスプーンで食べさせてやらないと。子供みたいな手をしてるな。ミリーの手もこんなだった。感じやすい。たぶんおれの手の感じから、おれの体の大きさの見当を。名前はあるんだろうな。荷馬車だ。杖を馬の足にぶつけないよう気をつけないと。酷使された馬はとかく居眠りする。よろしい。通り過ぎた。牛の後ろ、馬の前は安全です。

――ありがとう、旦那。

おれが男だということを知ってる。声。

――ここでいいかい？　最初の角を左だよ。

めしいの青年は縁石をたたきながら歩きはじめ、杖を後ろに引いては、もう一度さぐろうとしている。

ミスタ・ブルームはめしいの足の後ろから歩いて行った。杉綾ツイードの裁断の悪い服。かわいそうな若者！　荷馬車がいるなんていったいどうしてわかったんだろう？　感じたんだな。額で物を見るのかもしれない。一種の量感*。重量も大きさも闇よりずっと黒いものなんだ。何かをどけたらそれも彼は感じるだろうか？　空隙を感じる。ダブリンの町についてはさぞ奇妙な観念を持ってるんだろうな、ああして石を叩きながら歩きまわってるんだから。あの杖がなかったら彼は二点間を直線に歩けるだろうか？　神父志望の学生みたいに血の気のない敬虔な顔。

*ペンローズだ！　そうだったよあの男の名前は。

彼らだって教われればずいぶんいろんなことができるようになるんだ。指で本を読む。ピアノの調律。それとも彼らに知能があるからといって驚くこっちがおかしいのか。誰にでも言えそうなことでも身障者やせぐつが言うと頭がいいなと思ったりさ。もちろんほかの感覚は常人以上に。刺繍。籠を編む。みんなで助けてやるべきだよ。裁縫用のバスケットをモリーの誕生日に買ってやろうか。裁縫が大きらい。文句を言うかな。彼らは闇の人々とも呼ばれてる。

嗅覚もずっと鋭敏だろうな。四方八方の匂いがみんな束になって。*通りごとに別々の匂いがある。人間だって一人ひとり。それに、春、夏、いろんな匂い。味もそうかな？　目をつぶると酒の味がわからなくなるそうだし、鼻風邪をひいたときだって。煙草も暗闇のなかで喫うとちっともうまくないそうだ。

それにたとえば女でも。見えなければそれだけ恥知らずになれる。*スチュアート会館の前を歩いてるあの娘、頭をつんとあげて。見てちょうだい。あたしには何もかもあるのよ。あれが見えないのは変なものだろうな。彼の心の目に映る一種の形。声とか、体温とか。彼の指で女の体にさわればほとんど目とおなじくらい線や曲線がよく見えるはずだ。たとえば彼の手が彼女の髪を撫でる。それがまあ黒髪だとしようか。よろしい。それが黒という色です。それから彼女の白い肌に移る。感触が違うだろう、たぶん。白の感触。

*郵便局がある。返事を書かないと。面倒でも今日出しておけ。彼女に二シリング、二シリング半の為替を送る。ぼくのささやかなプレゼントを受けて下さい。ここにちょうど文房具屋もある。まあよく考えてからにしよう。

彼は一本の指でそっと、ごくゆっくり、後ろに撫でつけてある耳の上の髪にさわってみた。もう一回。細い細い藁のような繊維たち。次に彼の指はそっと右頬の皮膚にさわった。ここにもやはり生毛がある。あまりなめらかじゃない。一番なめらかなのは腹のあたりだ。人はいない。あの青年がいまフレデリック通りにはいって行く。たぶん*レヴェンストンのダンス教室のピアノ調律だな。ズボン吊りを直してるようなふりをすればいい。

*ドーランの酒場の前を通りながら彼はチョッキとズボンのあいだに手をすべりこませ、そっとシャツをかきわけ、たるんだ腹の皺にさわってみた。しかしおれは白っぽい黄いろだってことを知ってるんだからな。見当のつかないところで試してみないと。

彼は手をひっこめ服をかきあわせた。

かわいそうな男。まだ若いじゃないか。恐ろしい。まったく恐ろしい。どんな夢を見るんだろう、目が見えないと? 彼にとっては人生が夢だ。あんなふうに生れつくなんていったいどこに神の摂理がある? *ニューヨークでは大勢の女子供がたまの遠足パーティで焼け死んだり溺死したり。大虐殺《ホロコースト》だ。宿業《カルマ》というのは前世の罪の報いつまり再生のことでとがった管は彼に会った。まったくなあ、何てこった。気の毒だよ、もちろん。しかし彼ら盲人とは何となく気ごころが通じにくい。

*サー・フレデリック・フォーキナーが*フリーメイソン会館にはいって行く。*トロイ大司教のように重々しげに。*アールズフォート・テラスで上等の昼飯を食ってきたところ。司法官仲間の年寄りが集まって大瓶のワインをあおって。裁判所とか巡回裁判とか*ブルーコート・スクールの年報とかの四方山ばなし。私はあの男に懲役十年の判決を下したよ。おれが飲んだあのワインなんか彼なら鼻であしらうだろうな。連中のは年代物のワイン。埃をかぶった瓶に年号のはいったやつ。市裁判所では彼なりの正義感を発揮してる。善意の老人さ。警察の留置記録には事件がぎっしり詰まっているけど、あれは点稼ぎに犯罪をでっちあげるから。すぐ彼に却下される。金貸しどもには容赦しない。ルーベン・Jを手ひどく叱りつけた。まったくあいつは汚いユダヤ人の典型だからな。裁判官の権力はすごい。鬘《かつら》をつけた気むず

かしい酔っぱらい爺たち。手負いの熊みたいに怒りっぽい。*神がそなたの魂に慈悲を賜わるように。

ほう、貼紙だ。*マイラス慈善市。総督閣下。十六日、というと今日だ。*マーサー病院基金の援助のため。*《メサイア》の初演もこの病院のためだった。そう。ヘンデル。あそこで何をやっているのかな？　ボールズブリッジ。ついでに*キーズの店に寄って。何も蛭《ひる》みたいに彼にへばりついたって仕方がない。度々顔を出せば嫌われるし。きっと受付に誰か知り合いがいるだろう。

ミスタ・ブルームはキルデア通りに来た。まずやっておくべきことは。図書館。*日ざしを浴びた麦藁帽子。黄褐色の靴。折返しつきのズボン。そうだ。そうだ。彼の心臓が柔らかく動悸を打った。右に曲ろう。博物館。女神たち。彼は右に曲った。

そうかな？　まず確実だ。会いたくない。酒が顔に出てる。なぜおれはあんな？頭がふらつく。そう、そうだよ。あの歩き方。見るな。まっすぐ行こう。

博物館の門を目ざしてあたふたと大股に歩きながら彼は目をあげた。見事な建物。*サー・トマス・ディーンの設計だ。あとをつけてやしないだろうな？

たぶんおれの姿は見えなかったろう。太陽が目にはいって。

彼のあえぎが短い溜息になって洩れ出た。早く。冷たい彫像たち、あそこなら静かだ。あと一分で安全。

そうさ、見ていないさ。二時すぎ。ちょうど門のところで。

心臓が！

彼の目がまばたきながらクリームいろの石の曲線を見つめた。

サー・トマス・ディーン*はギリシア建築が得意だった。

何かさがすものがおれは。

彼のせわしない手がすばやくポケットにはいり、取り出してひろげてアゲンダット・ネタイムの広告を読んだ。どこにおれは？

忙しくさがしながら。

彼はアゲンダットを急いでもとのポケットに突っこんだ。

午後、と彼女は言ってた。

おれはあれをさがしてる。そう、あれだ。ポケットをぜんぶ調べろ。ハンカ。《フリーマン》。どこにおれは？ ああそうだ。ズボンだ。じゃがいも。財布。どこにおれは？

急げ。静かに歩け。あとすこし。心臓が。

彼の手がさがしながらどこにいったい入れ尻のポケットから石鹸を化粧水を取りに行かないと生ぬるい新聞紙が貼りついて。ああ、石鹸はここだよ。うん。門。

助かった！

訳注

1 テレマコス――

一五 **ボウル** 後段にあるようにニッケル製。マリガンはこれをワインを入れる銀の聖杯になぞらえ、黒ミサまがいにミサ聖祭を茶化す。スティーヴンはこの容器から舟形香炉を連想する。円（ボウル）に十字（鏡と剃刀）の組合せは、太陽を背負う形のケルト十字架を連想させるか。

一五 **《ワレ神ノ祭壇ニ行カン》** *Introibo ad altare Dei* ラテン語。ミサ聖祭の初めに唱える祈り。「詩篇」四三・四「さらばわれ神の祭壇にゆき」より。「又わがよろこびよろこぶ神にゆかん」とつづく。

一五 **キンチ** Kinch 後出の通りマリガンがスティーヴンにつけた綽名。意味は判然としないが、（1）小僧を意味する「キンチン」kinchin の略（ティンダル『ジェイムズ・ジョイス案内』）、（2）「痛み、うずき」を意味するアイルランド俗語（ベンストック夫妻『その人いったいどこの誰なの』〈以下ベンストック夫妻〉）、（3）ナイフを鞘に納めるときの擬音（エルマン『ジェイムズ・ジョイス』改訂版〈以下エルマン〉）などの解釈がある。

一五 **べらぼうな** fearful （1）「神を畏れる」イエズス会の教育を受けたスティーヴンが信仰を捨てたのを皮肉って（『若い芸術家の肖像』〈以下『肖像』〉参照）。（2）「臆病な」前夜の銃騒動をめぐる悶着に触れて（後出の会話参照）。スティーヴンは第三挿話ほかで自分の臆病を認める。（3）「ひどい、とんでもない」。これらの意味をまとめて「べらぼうな」。

一六 **剃髪していない髪** カトリックの聖職者は頭頂を剃髪するが、ミサの真似ごとをする俗人マリガンは剃髪していない（剃髪は一部の修道院を除いて一九七二年に廃止、『新カトリック大事典』より）。

一六 **クリスティーン** Christine 女性の名前。またキリストの女性形のつもり。黒ミサでは女性の体を祭壇代りにする。

HWG版では小文字の christine だが、これに限らずジョイスは固有名詞を小文字のみで表記することがある。例えば本挿話後段の「フォーティフットの淵」the fortyfoot hole「使徒信経」symbol of the apostles「五尋の淵」five fathoms 第三挿話の「フェザーベッド山」featherbed mountain など。ジョイスの好み、ないし読者をまどわせる小さな詐術の一種とみるべきものだろう。

一六 **血と槍傷** blood and ouns 誓言「神の血と槍傷にかけて」God's blood and wounds より（G／K）。この ouns は誓言に用いた〔God's〕wounds の省略形 zounds, ounds をさらにジョイス流に崩したものか。

一六 **白血球ども** シャボン泡を白血球に見立て、ワインがキリストの血となる聖変化の過程をなぞるつもり。

一六 **合図の口笛** マリガンの口笛に二度答えるのは出港する郵便船の汽笛。合せてミサ聖祭の聖変化完了の際に鳴らされる三打の鐘のつもりか（コリン・オーエンズ「ギフォードの注解を注解する」*JJLS* 一九九三年秋号）。

一六 **クリュソストモス** Chrysostomos ギリシア語。「金の口を持つ」の意。本来は、雄弁で知られるコンスタンチノープル（コンスタンティノポリス）の総主教聖ヨハネ（三四七頃—四〇七）を称えて言う。マリガンの饒舌、金歯、それにたぶんフルネームのマラカイ・ローランド・セント・ジョン・マリガン（第十四挿話参照）にもかけて。聖ヨハネの英語読みセント・ジョンは、モデルにされたゴーガティの名前の一部分でもある。

一七 **ディーダラス** Dedalus ギリシア説話の工匠ダイダロス Daidalos のラテン語綴りダエダルス Daedalus をさらに英語化して。古代の説話の名前で、アイルランドやイギリスに現実にある姓ではないが、ここでは、本来あり得べからざる名前が既定の事実と見なされ、マリガンら周囲の人物はその「事実」の珍奇さをあげつらう。

一七 **強弱弱格が二つ** マラカイとマリガンの二語のアクセントを詩の韻律に置き換えて。強勢符号をつけると Màlaͯchiͯ | Mùlliͯgaͯn となる。

一七 **伯母** the aunt 叔母かもしれない。

一八 **ヘインズ** Haines アイルランドの民話を収集に来たイギリス人。ゴーガティがオクスフォードで知り合ったS・C・トレンチがモデル（エルマン）。

一八 **本物のオクスフォード流儀** the real Oxford manner 曖昧だが、バージェスが『ジョイスプリック』で言う通り、スティーヴンがいわゆるオクスフォード英語を話したとは思えない。あの独特な気どりを真似てもぼろを出して軽蔑されるだけである。「本物の紳士の心得を身につけている」ぐらいの意味か。

二〇 **アルジー** アルジャーノン・チャールズ・スウィンバーン（一八三七―一九〇九）。唯美派の詩人。父は海軍提督。海とギリシア古典を愛し、キリスト教信仰を否定した。微妙な韻律の技巧と、倒錯的な性の陶酔が当時の若者たちを惹きつけた。「大いなるやさしい母」は「時の勝利」（一八六六）第三十三スタンザより。

二〇 **《葡萄酒イロノ海ニ》** *Epi oinopa ponton* ギリシア語。ホメロス『イリアス』、『オデュッセイア』各所で。

二〇 **《海ダ！　海ダ！》** *Thalatta! Thalatta!* ギリシア語。クセノフォン『アナバシス』第四巻第七章で、海を見た兵士たちが叫ぶ。

二〇 **キングズタウン** 現在のダン・リアリー。アイルランドとイギリス本土を結ぶ連絡港の一つ。サンディコーヴの北西約一・六キロメートル、ダブリンの南東約十キロメートル（汽車で約十五分）の地点にある。

二〇 **われらが強き母** ダブリンの詩人、画家、神智学研究家、ジャーナリストのジョージ・ラッセル、筆名AE（一八六七―一九三五）の言葉。本源的な唯一者の「流出」（エマナチオ）を指すらしい（G／サマーフィールドのラッセル伝『あの無数の心の持主』他）。ラッセルは第九挿話に登場。

二〇 **誰かが殺したのさ** スティーヴンは暗に父親を指しているという解釈がある（K）。

二一 **ヒュペルボレイオスの人間** hyperborean ギリシア神話で極北の理想郷に住む人種。ニーチェが

『権力への意志』(一九〇一刊行)でキリスト教倫理を超越した「超人」の意に用いたのを踏まえて(G)。本挿話の後段でもマリガンが「おれは《超人》だ」云々と言う。

三 **旅役者** mummer 旅回り一座の芸人。各地の定期市、結婚式、お通夜などで滑稽芝居を演じたが、しばしば雇い主を辛辣にからかって騒動を起した(P・W・ジョイス『アイルランド英語ありのまま』)。

三 **蠟と紫檀の匂い** 蠟は蠟燭。紫檀は棺の材料。

三 **濡れた灰** 灰は死と痛悔の印。また人間のもろさの象徴。

亖 **使いっ走り犬** dogsbody 本来は使い走りの小僧、雑役夫の意。しかし野良犬および神 God の逆綴りの両方にかけて、悪魔の使いの意を含むか。

亖 **グレーのじゃ……** スティーヴンは母の喪に服している。黒服のほかは着ない。これはハムレットが父の喪に服して黒服を着ていることを想起させる(G)。第十七挿話によるとスティーヴンの母は前年六月二十六日に埋葬された。両親の喪に服するのは普通一年間。

亖 **シップ** ホテル、酒場。下アビー通り五。

亖 **ジー・ピー・アイ** g.p.i.「痴呆性全身麻痺」general paralysis of the insane の略。梅毒の症状。ただし医学生たちの隠語では「ジー・ピー・アイ」は奇人、変人、奇行、愚行(G他)。ニーチェが痴呆性全身麻痺であったことは有名。

亖 **コノリー・ノーマン** 一九〇八年没。当時のリッチモンド精神病院院長(G他)。

亖 **彼を試みに会わせたまうな** 「マタイ伝」六・一三を踏まえて。

亖 **アーシュラ** 中世初期の処女殉教者聖ウルスラより。

二四 **鏡にてめえの顔を……** オスカー・ワイルド(一八五四―一九〇〇)の小説『ドリアン・グレイの肖像』(一八九一)の序文「一九世紀のリアリズム嫌悪は鏡におのが顔を見るキャリバンの怒りである。/一九世紀のロマンティシズム嫌悪は鏡におのが顔を見ないキャリバンの怒りである」より。キャリバンはシェイクスピアの劇『あらし』でプロスペローにこき使われる醜い怪物。

二四 **召使のひび割れ鏡** 同じくワイルドの対話体批評「嘘の衰退」（一八八九）の一節、「**シリル** 芸術が鏡だという説に君が反対するのはよくわかる。これじゃあ天才がひび割れ鏡の位置に引きおろされてしまうと言うんだろう。でもまさか人生が芸術を模倣する、人生が実は鏡で、芸術こそ現実だなんて言うつもりじゃなかろうな？／**ヴィヴィアン** 言うつもりだよ」に言及して（G）。スティーヴンは、イギリスが主人でアイルランドは召使だと考えている。なお「アイルランド芸術」とはとりわけイェイツ、グレゴリー夫人、シングらの民族的な演劇運動を指す。

二四 **ランセット** 外科用のメスの一種。刃針。次の「鋼鉄のペン」に結びつく。

二四 **ズールー族** 南アフリカ東部に住む部族。

二四 **ヤラッパ** メキシコ高地原産ヒルガオ科の多年生蔓草。カブ状の塊根を乾燥して下剤に用いる。

二四 **この島** アイルランド。

二五 **クランリー** 大学時代のスティーヴンの親友。よくいっしょに歩いて人生や芸術を論じ合い、スティーヴンが興奮すると、クランリーのがっしりした腕が彼の腕をおさえてなだめた（『肖像』参照）。

二五 **シーマー** 後段の水浴の場面で話題にのぼる将校志願の医学生か。

二五 **母にはやさしく……** 一九世紀末アメリカのポピュラー・ソングの一節。戦場で重傷を負った兵士が戦友に言う（G）。

二五 **モードリン学寮** オクスフォードの由緒ある学寮で、ヘインズはここの出身（K）。

二五 **ズボンをぬがせないでくれ** 学生が行なう私刑の一種。いやなやつのズボンをぬがせて嘲笑する。ケンソープ、アディスたちはオクスフォード大学の学生らしい。

二五 **マシュー・アーノルド** ヴィクトリア朝の重要な批評家、詩人（一八二二―一八八八）。『教養と無秩序』（一八六九）でヘブライ思想の偏狭を批判、ギリシア精神を称揚した。

二六 **われら自身に** To ourselves 当時の独立運動組織のゲール語名「シン・フェイン」（われら自身）

とほぼ同義。組織の発足は一九〇五年だが言葉自体はすでに用いられていたらしい。

二六 新しい異教精神　アーノルドが称え、スウィンバーンが傾倒したギリシア精神を指す。ただし、Gはスコットランドの文学者ウィリアム・シャープ（筆名フィオーナ・マクラウド）が『新異教精神』（一八九二）で男女間の性的感情の再認識を提唱したのを言うと考える。

二六《オムファロス》 *omphalos* ギリシア語。本義は（1）へそ、（2）楯の中央の突起、（3）デルフォイの神殿の円錐形の聖石、（4）世界の中心。マリガンは自分たちの住む砲塔の形状をデルフォイの聖石になぞらえ、新しい芸術運動の基点に見立てる。語呂合せで、人間ないしアダム homme の男根 phallos の意を含むか。第三挿話ではスティーヴンが「裸のイヴ」、「へそ」、「腹」、「丸楯」と連想をつなぐ。

二六 ブレイ・ヘッド　塔の屋上からは、ドーキーの丘に遮られて岬を見ることはできない。スティーヴンは心のなかで岬の形を思い浮べていると取るか、想像力によって改変された地勢の描写と取るか（ハートおよびクニュート『「ユリシーズ」地誌案内』〈以下『地誌案内』〉）。後段には「海と岬がかすんでいった」とあるから、やはり目の前にある風景のつもりらしい。二番目の解釈を取りたい。

二七 それから　HWG版による補正。B版では「それからぼくは」となる。

二七 マーテル Mater ラテン語。マーテル・ミセリコルディアエ（慈悲の聖母病院）を略して。

二七 リッチモンド　リッチモンド精神病院。

二八 ピーター・ティーズル様　ダブリン出身の劇作家シェリダンの喜劇『悪口学校』（一七七七）に登場するお人よしの貴族。ジョイスの母親も病床で幻覚症状におちいり、診察に来た医者をそう呼んだ（スタニスロース・ジョイス『わが兄の守り手』一九五八）。

二八 ラルエット　葬儀店の名前。モールバラ通り六八。

二九 海と岬がかすんでいった　『肖像』の内容から推測して、スティーヴンが幼いころ、まだ裕福だった一家は（ジョイスの一家と同様に）ブレイに住んでいたらしい。この土地は若くてやさしい母の面影と結びついている。

二九 **ロヨラ**　イグナティウス・デ・ロヨラ。一五四〇年イエズス会を創設。初代総会長。

二九 **《もはや顔をそむけて思いまどうな……》**　アイルランドの詩人ウィリアム・バトラー・イェイツ（一八六五―一九三九）の詩「ファーガスと行くのは誰か？」第二スタンザより。ファーガスはアルスター伝説の王。策略にかけられて王位を捨てる。次のスティーヴンの思いのなかに出て来る「森の影」、「暗い海の白い胸」も同じスタンザからの引用。

三〇 **苦い水をたたえたボウル**　前段の白い陶器のボウルに溜った「緑いろのどろりとした胆汁」を連想して。Gは「民数紀略」五・一一～三一より「苦き水」への言及と解する。

三〇 **ダンスカード**　舞踏会で女性に踊りを申しこむことになっている男たちの名前が書いてある（*OED*）。

三一 **《怪傑ターコー》**　いわゆるクリスマス・パントマイムの一つ。クリスマスの季節に上演される出し物で一種の歌入りお伽芝居。

三一 **ロイス**　エドワード・ウィリアム・ロイス。お伽芝居の喜劇役者。一八七〇年代から九〇年代に人気を得た（G／シェリル・ヘア『ジョイスの文化の解剖』）。

三一 **コップの水**　敬虔な信者はミサにあずかる前には食事をとらない（G）。

三一 **台**　hob 暖炉の内側にあって湯沸しなどをのせる。

三二 **《百合ニ飾ラレ……》**　*Liliata rutilantium te confessorum turma circumdet: iubilantium te virginum chorus excipiat*　ラテン語。臨終の祈りの文言（G）。現行の『公教会祈禱文』の「臨終の祈り」のなかには見当らない。「証聖者」は殉教者以外の聖人。

三三 **イエスさんのためにも**　for Jesus' sake　普通は、頼むから、後生だから、などの意味。

三三 **いや、つまり、一ギニーだ**　旧通貨単位で一ポンドが二十シリング、一ギニーが二十一シリング。

後者は特に知的職業人や芸術家の報酬、芸術作品の売買などに用いる。ソヴリンは旧一ポンド金貨。

二四 **《陽気に浮かれて……》** 一九〇二年、前年に即位したエドワード七世の戴冠式が行なわれるのを祝って歌われた。「戴冠式の日」coronation day は俗語で「給料日」を意味する（G）。

二四 **クロンゴーズの学校で……** クロンゴーズ・ウッド・コレッジ。イエズス会の経営する寄宿学校。幼少年時代のスティーヴンは純真で敬虔なカトリック信者で、ミサの侍者を務めたこともある。『肖像』を参照。

二六 **フライ** 前段の「朝のベーコン」morning rashers「炒めた脂身」fried grease を指して。後段にある通り、卵といっしょに揚げている。

二六 **主、願わくはわれらを祝し、この賜物を祝したまえ** 『公教会祈禱文』の「食前の祈り」より。

二六 **ブラック** ミルクなしの紅茶。

二七 **《父ト子ト聖霊ト ノ……》** *In nomine Patris et Filii et Spiritus Sancti* ラテン語。祝福の言葉。ここは「食前の祈り」の結び。

二八 **おんなじポット** ティーポットとチェインバーポット（寝室用便器）にかけて。

二八 **ダンドラムの住民……** ダンドラムはダブリンの南約六・四キロメートルにある村。詩人イェイツの妹エリザベスがこの地に小印刷所ダン・エマー・プレス（後のクアラ・プレス）を設立、最初に兄イェイツの詩集『七つの森にて』を出版した。その奥付に「一九〇三年／大風の／年七月十／六日に完了」云々とある（G／『七つの森にて』初版復刻版）。もう一人の妹スーザンは刺繡やタペストリーを制作した。「魔女たち」とはこのイェイツ姉妹を指すが、大風を起すシェイクスピア『マクベス』の魔女たちにもかけて。「魚神」は不明だが、Gは神話時代のアイルランド侵入者フォモーリア人（the Fomorians「海の底から来た者」の意）を指すと見る。

二八 **平修士** 主として雑役に従事する。助修士とも言う。

二八 **マビノーギョン** 『マビノーギョン』（一八三八―四九）はウェールズ地方のケルト族の伝説集。一四世紀の写本を中心に編纂された。表題は「若い英雄の物語集」の意。『ウパニシャッド』は古代インド聖典の一つ。輪廻、解脱、宇宙との究極的な合一などを説く。
　マリガンとスティーヴンは、フレイザー『黄金の枝』の網羅的、百科全書的な探求をからかっているという解釈がある。『黄金の枝』は在来『金枝篇』という訳題だった（ヴィッカリー『「黄金の枝」の文学的衝撃』）。

三九 **グローガン婆さん、メアリ・アン**　いずれもアイルランドの小唄ないし猥歌の登場人物。マリガンが歌うのはその一つ（G）。

四〇 **包皮蒐集家**　ふざけて神（厳密には旧約の）をそう呼んだ。神がアブラハムとの間に契約を結ぶ印として割礼を求めたゆえ。「創世記」一七・一〇〜一一。

四一 **牝牛のなかの絹物、貧しい老婆**　どちらもイギリスの圧政に苦しむアイルランドの象徴ないし化身でバラッドに歌われる。前者は「白い背をした茶いろの牝牛、牝牛のなかの絹物よ」（「牝牛のなかの選り抜きよ」とする版もある）の、土地も住いもなく森をさまよう美しい牝牛、後者は「貧しい老婆」（後出の注参照）にある通り（トマス・キンセラ他編『アイルランド詞華集』／キンセラ編『オクスフォード版アイルランド詩集』／G）。この老婆は自分のために命を捨てる若者に会えば絶世の美女に変身するが、イェイツはこの口承に基づいて一幕物の劇『キャスリーン・ニ・フーリハン』（一九〇二初演）を書いた。

四二 **まあ、道理でねえ、と老婆が言った**　HWG版による補正。B版にはない。

四三 **神の姿をかたどらずに男の肉で造られたもの……**　「創世記」二・二三「アダム言いけるはこれこそわが骨の骨わが肉の肉なれ、これは男より取りたる者なればこれを女と名づくべしと」による。男が神に似せてつくられたとすれば、女には神に似ない部分（生殖器）があることになる。

四四 **アイルランド語**　ここではアイルランド語もゲール語も同義。ケルト族固有の言語を指して。アイルランド西部地方には、日常にゲール語を用いる人々がいた。

四三　**一パイントが二ペンスの……**　旧貨幣単位では十二ペンスで一シリング。したがって十四ペンスは一シリング二ペンス。クォートは液量の単位。一クォートは二パイントに当る。

四四　**一枚のフロリン銀貨**　二シリング。

四四　**恋人よ……**　マリガンが次に引用する歌と合せて、スウィンバーンの抒情詩「奉献」第一スタンザの最初の四行。詩集『夜明け前の歌』（一八七一）所収。HWG版はイタリック体の表記を用いて、これも詩の引用であることを明らかにしている。

四五　**本日、アイルランドは……**　トラファルガー沖海戦におけるネルソン提督の指令をもじって。彼を称える歌の一節にも使われた。

四五　**湾流**　メキシコ湾流。

四五　**内心の呵責**　Agenbite of inwit 中世の修道士マイケルの英訳書（一三四〇）の題名より。その原著はフランスの修道士ロランの『悪徳と美徳の全書、または王の全書』（一二七九）。キリスト教道徳の百科全書に類するもの。題名は中世の英語。現代英語では用いない。inwit は「良心」の意だが、ここでは直訳している。

四五　**まだ、ここにしみがある**　『マクベス』五幕一場。発狂したマクベス夫人が幻覚の血のしみを洗い落そうとして。

四七　**マリガン、衣を剝がれたもう**　『公教会祈禱文』の「キリストの十字架の道行」（イエス受難の十四場面をあらわした絵画あるいは彫像、またそれぞれの場面の祈りの文言）第十留《りゅう》「イエズス衣をはがれたもう」をもじって。「ヨハネ伝」一九・二三「兵卒どもイエスを十字架につけし後、その衣をとりて四つに分け、……」その他による。

四八　**内心の呵責**　HWG版にはこの一句はない。

四八　**ぼくは矛盾しているのか?……矛盾しているのだ**　アメリカの詩人ウォルト・ホイットマンの詩集『草の葉』（一八五五）「自分自身の歌」五一より。黒い服でなければ着ないと言ったのを思い出して。

四八　**メルクリウスみたいに陽気なマラカイ**　メルクリウス（ギリシア名ヘルメス）は主神ユピテル（ゼウス）の使者。術策にたけ、機知にとむ。マラカイはヘブライ語の男子名マラキに由来する。原義はやはり使者。「マラキ書」の預言者の名前でもある。マリガンがギリシアの異教精神にあこがれ、自分の（ヘブライ語の）名前には「ギリシアふうな響きがある」と言ったのを皮肉って。これも矛盾の一つか。

四八 **ラテン区帽** スティーヴンが留学していたパリのカルチエ・ラタンにかけて。学生や芸術家が多く住む。

四八 **かくて彼、外に出でて……** 「マタイ伝」二六・七五「ペテロ……外に出でていたく泣けり」のもじりだが、このバタリーは特定しがたい。第十五挿話のブルームの幻想に登場する農夫バタリーとも結びつきにくい。「バタリーに会えり」met Butterly は「いたく泣けり」wept bitterly と語呂を合せたにすぎないという説もある（ベンストック夫妻／他）。

四八 **トネリコのステッキ** トネリコはモクセイ科の高木。ケルト族のドルイド僧が預言や魔除けにこの木を用いた。スティーヴンは自分のステッキを占師（預言者）の杖と呼び（第三挿話、第十五挿話）、また母親の亡霊をこれで追い払う（第十五挿話）。

四九 **マーテロ塔** 石造りの円形砲塔。コルシカ島モルテッラ岬の小要塞をまねたのでこの名がある。高さ四十フィート（十二メートル）、壁の厚さ八フィート（二メートル四十センチ）。ナポレオン軍の上陸を防ぐために、当時の英国首相ウィリアム・ピット（小ピット。一七五九―一八〇六）が海岸沿いの要所に造らせた。ビリーはウィリアムの愛称。

四九 **フランス軍が海に** 一八世紀末アイルランドのバラッド「貧しい老婆」の出だし「ああ、フランス軍が海にいる、貧しい老婆がそう言った」より。フランス軍が独立運動を助けに来たのを喜び称えて。「貧しい老婆」は前出の通りアイルランドの化身。すなわちイギリス人ヘインズに対するマリガンのこの説明は針を含む。

五一 **ストラ** 襟垂帯。司教、司祭が祭服を着て首に十字にかける細長い布。

五一 **父を探すジャフェット**　フレデリック・マリアットの小説（一八三六）の題名より（G）。「創世記」ノアの三男ヤペテにもかけて。

五一 **《岩盤に覆いかぶさり海に突き出す》**『ハムレット』一幕四場より。

五二 **マグリンズ島**　ダブリン湾の南東部ドーキー岬沖にある小島。

五二 **《おれは珍妙きわまる若者さ……》**ゴーガティの戯作詩「陽気な（だがいくぶん皮肉な）イエスの歌」第一、第二スタンザ、および最後の第九スタンザの言葉をすこし変えて（G／エルマン）。

五二 **おやじは鳥だ**　マリアは聖霊によって孕んだとされる。そして聖霊の象徴は鳩。

五三 **ビール**　plain アイルランド方言（バージェス『ジョイスプリック』）。ただし「普通の水」plain water にもかけて。

五三 **橄欖山**　オリーヴ山。エルサレムの東方にある山。キリスト昇天の地。

五四 **フォーティフットの淵**　固有名詞。男性専用の岩場の海水浴場。塔から百メートルたらずの場所にある。

五四 **位格神**　a personal God　Personalis deus の意と解する。一つの「実体」と、父・子・聖霊という三つの「位格」（または「ペルソナ」）において存在する三位一体の神。「位格」は父・子・聖霊それぞれの固有性を指す用語。

五四 **その言葉**　ヘインズの「信者」を指して。

五五 **使い魔**　魔法使や魔女などに同行してその手助けをすると想像される魔物。ここではステッキのこと。

五五 **鍵はこっちのものだよ。家賃を払ったんだからな**　スティーヴンの内的独白のなかのこの台詞は、マリガンならこう言うだろうとスティーヴンが思ったもの（ヒュー・ケナー『ユリシーズ』）。また、すべてスティーヴン自身の言葉であるとする考え方も当然ある。一方の解釈に、借金で身動きがとれず（第二挿話参照）、ズボンや靴まで恵んでもらうスティーヴンに十二ポンドの家賃が払えるはずがないという根拠があり、他方の解釈には、塔を自分で借りたからこそ「鍵もやっちまえ。何もかも」とか、「王位を奪うやつ」などの台詞が生きるという理由がある。いずれにしろ、塔の使用権をめぐるスティーヴンの心理は屈折している。伝記的事実に即して言えば、家賃を払ったのはゴーガティだが（エルマン）、小説の解釈とは切り離しておきたい。

五五 **いまは塩からいパンを食う身か**　ダンテ『神曲』「天国篇」第十七歌五八より。他人の世話になって生きる身を嘆いて。

五六 **二人の主人に仕える召使**　一八世紀イタリアの劇作家ゴルドーニの戯曲の題名を借りて（G）。ここは次にある通り大英帝国とローマ・カトリック教会の二つを指す。

五六 **狂気の女王**　ローマ・カトリック教会を指して。

五六 **三人目**　マリガンを指して。

五七 **《一、聖、公、使徒継承ノ教会》** *et unam sanctam catholicam et apostolicam ecclesiam*「ニケア・コンスタンチノープル信経」より。アリウスらの異端に対して、最終的に三位一体を宣言した信仰信条（三八一）。ミサ曲の「クレドー」の本文としても用いる（『キリスト教用語辞典』他）。

五七 **教皇マルケルスのミサ**　パレストリーナ作のミサ曲（一五六七）。多声教会音楽の傑作で楽器を用いない。ただし「使徒信経」symbol of the apostles は「ニケア・コンスタンチノープル信経」とは別。パレストリーナのミサ曲の「クレドー」は後者を用いている。スティーヴンの言う「使徒信経」は広義の解釈によるのか。なお、マルケルスはイタリア語でマルチェルス（『キリスト教用語辞典』他）。

五七 **戦いの教会の守護天使**　ミカエル。『公教会祈禱文』の「ミサの祈り」に「大天使聖ミカエル、戦いにおいてわれらを守り、悪魔の凶悪なるはかりごとに勝たしめたまえ」とある。

五七 **フォティウス**　コンスタンチノープル総主教（八一五頃―八九五頃）。東方正教会の聖人。聖霊発出について教皇ニコラウス一世と論争、「聖霊は父と子よりいで」とする複数発出論に対して「聖霊は父よりいで」とする単数発出論を唱え、東方教会の立場を明らかにした。

五七 **アリウス**　アレクサンドリアの司祭（二五〇頃―三三六）。三位一体論をしりぞけ、キリストは神の最高の創造物であると主張してその神性を否定、ニケア公会議（三二五）にて異端とされた。

五七 **ヴァレンティヌス**　アレクサンドリア生れ（一六〇頃没）。グノーシス説によって霊的キリストと歴史的イエスを切り離した。

五七 **サベリウス**　リビアの出身と見られる（二六〇頃没）。父と子と聖霊は単一の神の三つの様態であると主張。

五七 **風を織る者たち**　空しい言葉を操る者たち。甲斐のない仕事を続ける者たち。Gは「イザヤ書」一九・九「白布を織るものは恥じあわて」他をあげるが直接の関わりがあるようには思えない。第二挿話の「織るがいい、風の織り手よ」を併せてみると、むしろ古来の諺「言葉は風にすぎぬ」Words are but wind がスティーヴンの念頭にあるようだ。『オクスフォード版イギリス諺辞典』は一三世紀初頭の『尼僧の戒律』やシェイクスピア『間違いの喜劇』他の用例をあげている。

五七 **《ちぇっ！　馬鹿ばかしいや！》**　*Zut! Nom de Dieu!* フランス語の慣用句。スティーヴンはローマ・カトリック信者の立場に立って雄弁を繰りひろげてから、「神の御名」においてあっさり否定する。

五八 **ブロック港**　サンディコーヴの南東側隣にある。

五八 **五尋の淵**　固有名詞。ダブリン湾口にひろがる。

五九 **いい娘**　ミリー・ブルーム。第四挿話から登場する主要人物ブルームの一人娘。ウェストミーズ州の町マリンガーで写真屋の助手をしている（第四挿話参照）。「フォート・ガール」photo girl はバノンのつけた愛称か。

五九 **スナップショット一発ってわけか？**　狩猟用語で手あたりしだいの連射という意味もある。

五九 **そのまわりを花冠状に取り巻く灰いろの髪**　頭頂を剃っている。カトリック聖職者のしるし。

五九 **額と唇と胸骨の上に……十字を切った**　額は父、唇は子、胸は聖霊を表し、本来はミサにおける福音書朗読の際に行なう十字の切り方（G）。

五九 **へえ、神様のところへでも行きやがれ！**　悪魔のところへいけ、勝手にしろ、をもじって。

六〇 **《超人》** *Übermensch* ドイツ語。ニーチェ『ツァラトゥストラかく語りき』(一八八三—八五)による。十二番目の肋骨がないから最初の人間アダムであり、それゆえ超人だとふざける(G)。神は睡眠中のアダムの肋骨を一本取り出してイヴを造ったという「創世記」の話が背後にある。

六一 **シュミーズ** フランスでは主として男のシャツを言う。フランス帰りのスティーヴンに当てつけたか。

六一 **貧しき者より盗む者はエホバに貸すなり** 「箴言」一九・一七「貧しき者をあわれむ者は……」をもじって。

六一 **牡牛の角、馬の蹄、サクソン人の微笑** アイルランドの諺。用心すべきもの。スティーヴンがヘインズの微笑を見て連想する。ほかに「牡牛の角、犬の歯、馬の蹄」というのもある(P・W・ジョイス『アイルランド英語ありのまま』)。

六二 **灰いろの輪光** 「花冠状の」髪の毛を指して。

六三 **王位を奪うやつ** スティーヴンの内的独白。彼は自分を『オデュッセイア』のテレマコスおよびハムレットに見立て、ヘインズやマリガンを『オデュッセイア』の求婚者たち、ハムレットの叔父に見立てている。

　その他、第一挿話と『ハムレット』一幕一場の関連をあげるなら、寒気のきびしい真夜中と穏やかな初夏の朝、エルシノア城の胸壁とマーテロ塔の胸壁、父の亡霊と亡き母の思い出、黒い喪服、狂気(ハムレットは狂気を装い、スティーヴンはマリガンによれば「痴呆性全身麻痺だとよ!」)、忠実な友ホレイショーとバック・マリガン、などがある。

2

ネストル——

六五 **どの都市が彼を呼んだ?** 「都市」はイタリア南端のギリシア人植民都市タレントゥム。「彼」はギリシアのエペイロスの王ピュロス(前三一九—二七二)。前二八一年、タレントゥムの招きにより海を渡ってローマ軍と戦い、前二七九年にアスクルムで敵軍を敗走させたが、味方も大きな損害をこうむった。勝利の喜びを述べた者に「また戦ってローマ軍に勝てばわれわれも全滅するであろう」と答えたという。のちギリシアに帰りアルゴスの内紛に加担したが、城門わきの狭い通りで乱戦に巻き込まれ、屋上から一人の老婆が投げた瓦のために落馬したところを討ち取られた、とプルタルコスは伝える（河野与一訳『プルターク英雄伝』）。

六五 **空ろな窓** the blank window 普通は装飾窓（形だけの窓で採光や眺望の用をなさない）を言うが、ここは少年の問いに答えてくれない無表情な窓を意味し得る。物の描写に人間の動作や表情を当てるのはジョイスの特徴的な手法。次の「血まみれ傷だらけの本」も同様。

六五 **記憶の娘たち** 本来はギリシア神話の記憶の女神ムネモシュネの娘ら、すなわち九人のムーサ（英語読みでミューズ）たちを言う。個々のムーサは、抒情詩、音楽、舞踏、歴史、天文学、その他を分担して司り、詩人に霊感を授ける。しかし前ロマン派の詩人・版画家ウィリアム・ブレイク（一七五七―一八二七）は断章「最後の審判のヴィジョン」で独自の区別を設け、記憶の娘らは寓話（または寓意）を作り、霊感の娘らはヴィジョン（または想像力）を守るが、前者は後者に劣ると述べた。

六五 **放逸の翼** ブレイクの箴言集『天国と地獄の結婚』（一七九〇―九三）から、「放逸の道は知恵の宮殿にいたる」と「自分の翼で飛ぶ鳥はいくらでも高く飛べる」を組み合せて。詩人のヴィジョンが作り出す神話は歴史を超越しこれを否定する、の意ととる。ギリシア説話のダイダロスがクレタ島の迷路脱出用に作った翼とも重なるか。

六六 **血まみれ傷だらけの本** the gorescarred book 戦いの殺戮等を記述した歴史の教科書であり、同時に使い古されて汚れ傷ついた本でもある。Gは gore の古義「汚れ」を取る。

六六 **乾イチジク入りロール** figrolls ダブリンのW&R・ジェイコブズ製の菓子でイチジクをビスケットで巻いたものという（K）。ロールは筒形のケーキまたはパイ。

六七 **ヴィーコ道路** ドーキーの町の高級住宅街だが、循環歴史説を唱えたイタリアの哲学者ジャンバッティスタ・ヴィーコ（一六六八―一七四四）の名前を連想させる。

六七 **ピア** 突堤、遊歩桟橋。夏の遊び場、社交場。桟橋上にキオスクがあり、楽隊の演奏などが行なわれる。ここは苦しまぎれの語呂合せか（ピュロスは英語読みでピラス）。

六七 **キングズタウン・ピアとか** 連絡港キングズタウン（第一挿話参照）はサンディコーヴの北西にある。一八二一年、イギリス王ジョージ四世の訪問を記念してキングズタウンと名づけられたが、王は民衆の期待に反してアイルランド自治には冷淡であった。

六七 **当て外れの橋** disappointed bridge（1）前述の歴史の経緯を指して。ほかに失意の亡命者がヨーロッパへ出て行く場所だから（K）、スティーヴンがパリ留学の不首尾（第三挿話参照）を思い出したから（V）などの解釈もある。（2）disappointed の古義「職を解かれた」「装備を剝がれた」と、二つの地点を結びつけることのない桟橋の形状をからめて「出来そこないの橋」でもある。（3）『ハムレット』の亡霊の台詞 unhousel'd, disappointed, unanel'd（「聖体も授けられず、心構えも与えられず、終油も施されず」一幕五場）と母の死を結びつけて。スティーヴンの母は臨終の秘蹟を授けられたはずだが、彼は最後の祈りを拒んだゆえに良心の呵責を感じている。

六八 **チャップブック** 一七世紀から一九世紀にかけて、行商人によって流布した小冊子。内容は大衆向けの物語、バラッド、滑稽譚、謎かけ、実用書など。スティーヴンはヘインズの手帖をこれに見立てて軽蔑した。

六八 **大目に見てもらい軽んじられる宮廷道化師** 一八世紀のゴールドスミス、シェリダンから一九世紀末のワイルドにいたるアイルランド生れの喜劇作者たちを指して。ジョイスは批評「オスカー・ワイルド」で、彼らは文壇で名を成すためにイギリス人の宮廷道化師となって御機嫌をとらねばならなかったと述べて、その境遇を思いやった（『批評著作集』)。「みんな」はこれらの喜劇作者たち。

六八 **自分たちの国は質屋**　アイルランドの一切が他人(イギリス)の所有物だから(K)。

六八 **風の織り手**　観念をもてあそぶ者の意か。そのほか古代アイルランドの予言の術と結びつける説(G)や、ギリシア神話で人間の運命を織る三人の女神を指すとする説(K)がある。第一挿話では異端者たちを「風を織る者たち」と呼ぶ。

六九 **《泣くな……》**　一七世紀の詩人ジョン・ミルトン作の牧歌体哀歌《エレジー》「リシダス」(一六三七)の一節。ケンブリッジ大学の同窓エドワード・キングがアイルランド渡航の折に難船し溺死したのを悼む。第一挿話の溺死のモチーフを受けてもいる。

六九 **だからこれは……一つの運動でなければならない**　アリストテレスは『霊魂論』第二巻第五章で、可能態において知識者であるものが、文章を研究し理解するという知識活動によって現実態における知識者となる、という趣旨を述べた。Gは『自然学』第三巻第一章の、可能態として存在するものを実現するのは一つの運動である、という一節をあげている。

六九 **聖ジュヌヴィエーヴ図書館**　パリのパンテオン広場のそばにある。

七〇 **シャム**　現在のタイ。

七〇 **養分を受け入れ、養分を与える頭脳たち**　Fed and feeding brains　読者と著者(書物)の関係を指すか。養分を取り入れた者と取り入れている者という解釈も考えられるが、両者の区別は曖昧になる。

七〇 **思考とは思考について思考することである**　Thought is the thought of thought　アリストテレス『霊魂論』第三巻「理性自身も、思惟される対象と同様に思惟されるものである」を指して(村治能就訳、山本光雄訳・注解を参照した。以下も同様)。前段の「織るがいい、風の織り手よ」を受けてもいる。また「思考とは思考の思考である」と解するなら次の「魂とは形相の形相である」のもじりになる。この文も「主格的属格」と「対格的属格」の例になり得る(本挿話に後出)。

七〇 **魂とは、いわば、存在するもののすべてである**

『霊魂論』第三巻から。

七〇 **魂とは形相の形相である** the soul is the form of forms 『霊魂論』第三巻の「理性も形相の形相である」を踏まえて。形相は一つの事物を他の事物と区別する本質的な特徴。霊魂（プシュケ）は人間を含めてあらゆる動植物に備わる形相だが、理性（ヌース）は人間にのみ備わる形相。従って、人間の霊魂のなかにある理性は「形相の形相」である。平たく言えば、人間を他と区別する最も本質的な特徴の意。知性、精神と訳されることもあるが、スティーヴンはこれを「魂」the soul と訳した。

七〇 **《波の上を歩まれた主の……》** 「リシダス」の一節。「マタイ伝」一四・二五「イエス海の上を歩みて、彼ら（弟子たち）に到り給いしに」を指して。

七一 **あの嘲笑する男** マリガン。

七一 **カエサルのものはカエサルに……** 「マタイ伝」二二・二一「カイザルの物はカイザルに、神の物は神に納めよ」より。イエスが自分を罠にかけようとして皇帝に納める銀貨を見せた人々に言った。

七一 **黒い目** イエスの答えを待ち構えるユダヤ人たちの目か。本挿話後段参照。

七一 **《この謎なあに……》** 「種は黒くて地面は白い。この謎解いたら笛あげよ」とつづく。答えは「字を書くこと」（G）。オーピー夫妻編『オクスフォード伝承童謡集』（一九五五）には「土地は白くて種は黒い。この謎解いたら立派な学者」とある。

七三 **《雄鶏が鳴いた……》** P・W・ジョイス『アイルランド英語ありのまま』（一九一〇）が極めて難解な謎なぞの例にあげた。「この謎当てて。ゆうべ私が見たのはなあに？　風が吹いた。The wind blew. 雄鶏が鳴いた。……」と始まり、「私のあわれな魂が my poor *sowl*（原文は soul ではなく *sowl*）……」で終る。スティーヴンはこれを「雄鶏が鳴いた。空は青かった The sky was blue ……」「このあわれな魂が this poor soul ……」に変えた。答えも本来は「狐が自分の母親を……」である。スティーヴンが「母親」を「婆さん」に変えたのは罪の意識のゆえか。P・W・ジョイスの説明自体は簡略だが、(1)お祈りをあげずに食事を始める者に「おまえは狐みたいに食べはじめる」という言習わしと、(2)狐の口にくわえられた鶏が、神様に感謝のお祈りをあげないのかと催促して、狐が口を開けたところを木の上に飛びあがり逃げたという話をあげている。また soul(魂)と sowl(食べ物、パンに添えて食べる肉、チーズの類)の語呂合せも考えられよう。

七五 **じゃあ、あれは実在していたのか?……** この世で確かなものは母の愛だけだ、というクランリーの言葉を思い出して(『肖像』参照)。

七五 **火のような気性のコルンバヌス** アイルランド出身の聖人(五四三頃—六一五)。母が戸口に横たわり引き止めるのを振り切って聖職にはいったという。四十五歳でフランスに渡りヴォージュ地方に修道院を開設、厳しい戒律によって知られた。

七五 **モリス・ダンス** イギリス古来の仮装踊りの一種。原義はムーア人(アフリカやスペインを征服したアラブ人)の踊りの意。ここは彼らがヨーロッパに代数を伝えたのにかけて。

七五 **手を与えて……そう** ダンス教師が生徒に言う台詞。数式を解くスティーヴンの内的独白に重ねて。

七五 **アヴェロエスも、モーゼズ・マイモニデスも……** 二人とも一二世紀前半スペインのコルドバに生れた哲学者・医者。ともに新プラトン派の影響を受けた。アヴェロエスはアラブ人、アリストテレスの諸著の注釈者。数学にも通じる。マイモニデスはユダヤ人、アリストテレスの哲学を援用してユダヤ教神学を体系化した。天文学にも通じる。

七六 **世界霊魂** 新プラトン派などが言う根本的な統一原理。世界を支配し統御する。

七六 **光のなかで輝いているが……** 「ヨハネ伝」一・五「光は暗黒《くらき》に照る、而して暗黒は之を悟らざりき」を逆にして。

七六 **《母ノ愛》** *Amor matris* ラテン語。文脈により「母ガ愛スル」の意(主格的属格)にも、「母ヲ愛スル」の意(対格的属格)にもなり得る。

七七 **初めにありしごとく、いまも** 『公教会祈禱文』の「栄唱」に「願わくは、聖父と聖子と聖霊とに栄えあらんことを。始めにありしごとく、今もいつも世々にいたるまで」とある。この後半が三つに断ち切られて本文中に混在する。

七六 **スチュアート貨幣**　いわゆる「びた銭」。brass money 素材は鐘、砲金、白目（錫、鉛、真鍮または銅の合金）など。一六八八年の名誉革命で王位を追われたスチュアート家のイギリス王ジェイムズ二世が、一六八九年、王位回復の戦費を調達するためアイルランドで鋳造したクラウン貨幣（旧単位で五シリング）。一六九〇年にボイン川の戦いで決定的な勝利を得たイギリスの新王ウィリアム三世は、これを一ペニー（一シリングの十二分の一）に切り下げて流通させると宣言した。プロテスタント側から見れば一種の戦利品である（ドハティ＆ヒッキー『一五〇〇年以後のアイルランド史年表』〈以下『アイルランド史年表』〉）。

七六 **使徒像スプーン**　取っ手が使徒像の形をしている銀のスプーン。洗礼を受ける幼児への贈物に使われた（*OED*）。

七九 **黄金を入れておく宝箱**　ディージーの貯金箱を指して。スティーヴンの内的独白。

七九 **聖ヤコブの帆立貝**　スペインのサンチアゴ・デ・コンポステラにある聖ヤコブの聖堂に巡礼した者は、帆立貝を帽子の記章に用いるのを習いとした。

七九 **ここにソヴリン金貨を入れる……**　ソヴリン金貨は一ポンド（二十シリング）。クラウン銀貨は五シリング。半クラウン銀貨は二シリング六ペンス。

八〇 **もし青春が知るならば**　格言「老年が切望するものを青春が知っていれば獲得しかつ蓄えるであろう」に言及して（G）。「もし青春が知り老年に力あれば可能ならざるなし」も考えられる。

八一 **イヤーゴーです**　ディージーの間違いを訂正して。一登場人物の、それも悪役の台詞にすぎないの意。引用は『オセロー』一幕三場より。またイヤゴ（イヤーゴー）はヤコブのスペイン名ゆえ、スティーヴンの頭のなかでは「聖ヤコブ（サンチアゴ）の帆立貝」とも結びついている。

八一 **海のように冷たいあいつの目**　ヘインズを指して。「憎しみなしに」は、ヘインズ Haines という名前がフランス語の普通名詞「憎しみ」haine を含むのにかけて。

八一 フランスのケルト人が…… ディージーの勝手な思い込みか。ヘロドトスの著作にあるペルシア王クセルクセスの言葉を発端と見る説がある（G）。『歴史』第七巻第八節で、王はヨーロッパを征服すれば「天日の輝くところわが国に境を接するものは一国もなくなるであろう」（松平千秋訳）と述べた。

八二 マリガンに九ポンド…… 以下、実在、架空、有名、無名の人物たちを織りまぜて。なかではジョージ・ラッセル（第一挿話、第九挿話参照）が有名。

八三 われわれは気前のいい民族だが…… 「気前のよさより公正が先」という諺がある。シェリダン『悪口学校』四幕一場の最後でも、主役の一人がこの諺を使う。

八四 イギリス皇太子アルバート・エドワード ヴィクトリア女王とアルバート公の息子（一八四一―一九一〇）、一九〇一年に即位。一九〇四年当時はすでにエドワード七世。ディージーがいまだにキルト姿の皇太子時代の写真を飾っているのは、彼の祖先がスコットランド出身の入植者のゆえか。

八五 きみは老いぼれの…… 以下でディージーはプロテスタント側（およびイギリス系アイルランド人）の行動を弁明し、スティーヴンはカトリック（およびケルト系アイルランド人）の立場からディージーが無視した事件にこだわる。「何か忘れてやしませんか」に対する辛辣な反応でもある。一連の史実を年代順に整理し直すと次の通り。

⑴**アーマー州のダイヤモンド集会所** 一七九五年九月二十一日、北アイルランドのアーマー州の小村ダイヤモンドで、プロテスタント派の「夜明け組」Peep O'Day Boys がカトリック派の「防衛団」Defenders と戦い、二十人以上を殺戮して「オレンジ会」Orange Order を結成した。カトリック派がプロテスタント派の本拠を襲撃して返り討ちにあったもの（ピーターおよびフィオーナ・サマセット・フライ『アイルランド史』他）。

⑵**栄光に輝き……** オレンジ会員の乾杯の言葉より。プロテスタント派のオレンジ公ウィリアム三

世（在位一六八九—一七〇二）に捧げる誓い。「偉大善良なウィリアム王の、栄光に輝き、敬虔にして、不滅の思い出に。またオリヴァー・クロムウェルをも忘れるな。法王の支配、奴隷の身分、専横の権力、びた銭、木靴よりわれらを救うのに力を尽したゆえ」とつづく（G／ルース・ダドリー・エドワーズ『アイルランド史地図』他）。

(3)**植民者**　特に一七、一八世紀に北アイルランドのアルスター地方に入植したスコットランド人。「契約」は入植に際してイギリス政府との間に交した取決めのことだが、スコットランド長老教会派の信仰誓約をも含むか。「黒い北」は陰鬱な、または黒服の北アイルランド。特にアルスター地方を指して。「黒い北と日の照る南」という言習わしがある。「ゆるがぬ青」true blue は長老教会派の色。一七世紀革命当時の王党派軍隊の赤に対して（G／T／D／*OED*）。

(4)**クロッピーども**　Croppies「クロッピー・ボーイズ」Croppy Boys を略して。「丸刈り組」の訳語を当てることもある。本来は、一七九八年に反乱を起したアイルランド南東部ウェックスフォード州のカトリック農民を言う。フランス革命に参加した市民たちをまねて髪を刈りつめ（crop）たことから。「くたばれ、クロッピーども」はオレンジ会員が歌ったバラッドのリフレイン（G）。

(5)**連合**　the union　一八〇〇年の「連合法」成立により、アイルランド固有の議会がイギリス議会と合併して消滅した。当初、オレンジ会員の一部が連合に反対したのは史実の通りだが、理由はこれによってかえってカトリック農民の解放が進むのを恐れたから。アイルランドの自治をめざすオコネルらとは立場が違う。

(6)**オコネル**　ダニエル・オコネル（一七七五—一八四七）。弁護士、政治家。議会を通して連合法撤廃とカトリック農民解放の運動に専念し、巧みな弁舌によって大衆の人気を得た。ダブリン市中央のオコネル通り（旧サックヴィル通り）とオコネル橋は彼を記念して命名された。橋の北側、通りの南端中央にその銅像がある。

(7)**フィニア会**　Fenians　厳密には、一八五八年三月ニューヨークに発足したアイルランド移民の組織。一般には、同年同月ダブリンに設立された本部組織「アイルランド共和国兄弟団」Irish Republican Brotherhood を含めて言う。ともに実力行使によるアイルランド独立をめざした。アイルランド伝説のフィアナ（英雄フィン・マクール麾下の戦士団）にちなんで命名。スティーヴンはもちろんフィニア会員ではないが、ディージーはケルト系アイルランド人をその一味または支持者と見ている。

八三 **ジョン・ブラックウッド** 実在の人物（一七二二—九九）だが、ディージーの話は二つの点で不正確。まず、ブラックウッドは「連合法」の成立に強硬に反対した。次に、ダブリンへ出ようとして長靴をはいているとき発作のため急死、反対票を投ずるにいたらなかった。ジョイス自身はこの事実を知っている（エルマン）。

八三 **王たちの子** 古代アイルランド諸王の子孫の意。

八三 **《正シキ道ニヨリテ》** *Per vias rectas* ラテン語。ブラックウッド家の銘（G）。

八三 **トップブーツ** 上を折り返した形の革長靴。

八三 **ダウン州** アルスター地方南東部。アーズにはスコットランドの入植者が多く、連合派の勢力が強かった（オーエンズ「ギフォードの注解を注解する」他）。

八四 **《ぶらり、ぶらぶら……》** 作者不明のアイルランドのバラッドより。農民の息子がダブリンへ出てイギリスに渡り、名を成す話らしい（G）。

八五 **ヘイスティングズ卿の持馬……** リパルスはイギリスのニューマーケット競馬場で一千ギニーを（一八六六）、ショットオーヴァーはダービーで二千ギニーを（一八八二）、セイロンはパリ郊外ロンシャンの競馬で「パリ賞」を（一八六六）、それぞれ得た（V／G）。

八五 **クランリー** スティーヴンの大学時代の友人（第一挿話参照）。

八五 **フェアレベル** 一九〇二年六月四日、ダブリン南南東のレパーズタウン競馬場でカラハ賞杯を得た（V／G）。

八六 **腹痛気味** crawsick P・W・ジョイスによれば

二日酔いを意味する語。しかしこの文脈には合わないようだ。craw は滑稽めかして「腹」を言う。

八六 **口蹄疫**　ウシ、スイギュウ、ブタ、ヒツジ、ヤギ、ラクダ、トナカイなど、哺乳類偶蹄目に属する動物だけがかかるウイルス性伝染病。口や蹄部の皮膚、粘膜に水泡を形成し、急速にひろがる（『日本大百科全書』など）。ディージーの手紙は史実と異なる。一九〇四年にはアイルランドでは口蹄疫は発生していない（G）。ただし当時のダブリンではまだ牧畜が盛んだったから、ディージーが新聞に投書するのは奇妙ではない（K）。

八六 **《自由経済主義》**　*laissez faire*　フランス語。レッセフェール。

八七 **女預言者カッサンドラ**　トロイアの王女。正しい預言を聞いてもらえない。

八七 **ふしだらな女**　ギリシアの将軍メネラオスの妻ヘレネ。トロイアの王子パリスに連れ去られ、トロイア戦争の原因をつくった。

八七 **ニーダーエスターライヒ州**　原文は lower Austria だがドイツ語に移せば Niederösterreich となる。オーストリア北東部の州名、ミュルツシュテークに皇帝の狩猟場と馬屋があった。

八七 **ヘンリー・ブラックウッド・プライス**　実在の人物でジョイスの知人。

八七 **牡牛の角を引っ捕え**　take the bull by the horns「自ら困難に立ち向う」の意味に使う慣用句。ここは牛の疫病予防の話だから「文字通り」となる。

八八 **明るい日の光のなかにはいると……**　後出のユダヤ人と対比するために、光と目の青さを強調して。前段の「ゆるがぬ青」にも結びつくか。

八八 **《通りから通りへ伝わる娼婦の叫びが……》**　ブレイク「無垢の占い」より。

九〇 **誰だってそうでしょう？**　ディージーの「やつらは光に背いて罪を犯したのです」云々を受けて。

九〇 **これが老年の知恵かしら？**　前段のディージーの「青春が知るならば」へのお返し。

九〇 **通りの叫びが……**　前段のブレイクの詩を踏まえているが、「箴言」一・二〇「知恵外に呼ばわり、巷にその声をあげ……」をも参照。ほかに八世紀イギリスの神学者・教育者アルクウィンの「民の声は神の声」vox populi, vox dei も考えられる。

九一 **一人の女**　イヴ。

九一 **マクマローの妻と……**　事実はその逆。一二世紀レンスターの領主ダーモット・マクマローが、オロークの妻ダーヴォーギラを奪い、オロークに攻められてイギリスに逃げ（一一六六）、ペンブルック伯リチャード・フィッツギルバート（第三挿話参照。綽名をストロングボウ「強弓」）やヘンリー二世らの軍隊を導き入れて、イギリスによるアイルランド支配のきっかけを作った。ケルト系アイルランド人なら心に刻みつけているこの史実を、ディージーはうろ覚えにしか知らない（ジョイスの間違いではない。草稿にはジョイスが意識的に変改した痕跡が残っているという。アダムズ『表層と象徴』〈以下アダムズ〉）。

九一 **パーネル**　チャールズ・スチュアート・パーネル（一八四六―九一）。アイルランド議会党（これが正式名称で、別名は国民党）の党首（一八八〇―九〇）として自治権獲得のために奮闘、大衆の絶大な信頼を得たが、人妻キャサリン（キティ）・オシーとの恋愛事件が表沙汰になり、離婚訴訟に巻き込まれて失脚した。イギリス側の策動や、お膝元のカトリック教会の断罪のゆえでもあった。

九一 **その一つの罪だけは……**　スティーヴンの「あれが神です」を受けて、神の存在の否定を指すか。

九一 **《アルスターは戦うぞ……》**　ランドルフ・チャーチル（一八四九―九五）が書簡のなかで述べた言葉。北アイルランドの反カトリック、反自治派のモットーとして広く用いられた（G）。

九二 **《テレグラフ》**　後出のスティーヴンの言葉にある『イヴニング・テレグラフ』を指す。ダブリン発行の夕刊紙で、『フリーマンズ・ジャーナル』（一七六三創刊）の姉妹紙。第七挿話でスティーヴンがその編集部を訪れる。

九二 **《アイリッシュ・ホームステッド》**　ジョージ・ラッセル（筆名AE）たちの主宰する農業協同組合の機関紙（一八九五創刊）。第九挿話でスティーヴンはラッセルに手紙の掲載を依頼する。ジョイス自身は初期の短編「姉妹」など三編を寄稿した

（のち短編集『ダブリンの市民』に収録）。

九二 **下院議員のミスタ・フィールド**　ウィリアム・フィールド。実在の人物で、当時の家畜業者組合の組合長。

九三 **腹這いになり頭をもたげている**　couchant 紋章学の用語。獅子は大英帝国の標章でもある。

九三 **去勢牛を助ける歌びと**　bullockbefriending bard ホメロスの枕詞めいた語法、たとえば「指ばらいろの曙の女神」Dawn with her rose-tinted hands（これはE・V・リュー訳でジョイスが手にしたはずはないけれど）などを模したか。ギリシア文化を礼賛するマリガンに当てつけて。

九四 **やつらを絶対に……**　これも事実と異なる。少数ではあるがアイルランドにもユダヤ人は居住していた。人数については諸説があるが、一九〇〇年ごろに四千人弱から六千人程度（G／アイラ・B・ネイデル『ジョイスとユダヤ民族』他）。ジョイスがこの小説のなかで主人公ブルーム他のユダヤ人たちを登場させるのは、ディージー説の間接的なしかし強力な否定。

九五 **賢者、金ぴかまだら、金貨の数々**　ディージー老人の知恵や節約の戒めへの皮肉だが、踊り跳ねる陽光は彼に対する親愛と祝福のしるしでもある。

3

九九 プロテウス——

九九 **青っぱな緑**　スティーヴンのハンカチーフの色から、海の色（第一挿話参照）。

九九 **でも彼は……**　「彼」とはアリストテレス。『霊魂論』第二巻や『自然学小論集』の「感覚と感覚されるものについて」などで、「透明なものの限界」を論じた。趣旨を要約すると、「透明」は本来あらゆる物体に内在する性質だが、物体に端があるように「透明」にも端がある。色は物体の限界（表面）にあるか、または物体の限界そのものである。「したがって限られている固体のうちに在る透明なものの限界が色であろう」（『感覚と感覚されるものについて』副島民雄訳）。スティーヴンの理屈は、物体の端が色なら、人間の目は色を通して初めて物体を認識するはずなのに、「物体における」という前提がまずあるのは触覚を通してその存在を確かめておいたからだろう、ぐらいのところか。アリストテレスは、光は透明なものの現実態であり闇のなかには透明なものが可能態として存在している、とも述べている。

九九 **禿頭でおまけに百万長者**　中世の俗説と言う(T)。彼の「遺言」を見てもともかく貧困ではなかった。髪は短く刈りこんでいたと言うが禿頭であったかどうかはわからない(ディオゲネス・ラエルティオス『ギリシア哲学者列伝』所収「アリストテレス」加来彰俊訳)。

九九 **《この物知る人々の師》** *maestro di color che sanno* イタリア語。ダンテ『神曲』「地獄篇」第四歌一三一より、アリストテレスを指して。ここはイタリア語の coloro（人々）と、colore（色）、英語の colour（色）の語呂合せで「色彩の師」の意を含むか。

一〇〇 **《順次に連続するもの》** the *nacheinander* **《同時に並列するもの》** the *nebeneinander*　ともにドイツ語の副詞を名詞に用いて。一八世紀ドイツの文学者レッシングは批評『ラオコーン』(一七六六）で、空間的・並列的な芸術としての絵画と時間的・継起的な芸術としての詩について論じた。

一〇〇 **岩盤に覆いかぶさり……**　『ハムレット』一幕四場（第一挿話参照）。

一〇〇 **やつの深靴……やつの脛**　スティーヴンはマリガンにもらった靴とズボンをはいている(G)。ただしズボンは自分で古着屋から求めたもののようにも思われる（第一挿話参照）。最初に『リトル・レヴュー』に掲載したときには「やつの脛」(his legs)ではなく「ぼくの二本の脛」(my two legs)であった(仏訳プレイアド版注釈)。深靴 boots はくるぶしの上までくる靴。おもに革製。

一〇〇 **《造物主ロス》** *Los Demiurgos* ブレイク（第二挿話参照）の神話体系「予言の書」に登場する創造力の象徴。鍛冶屋の姿をとる。名前のロス Los は太陽 Sol のアナグラム。「木槌」とあるのは、トネリコのステッキを鍛冶屋ロスの槌に見立てたからか。Demiurgos は本来グノーシス派の創造神。ギリシア語。

一〇〇 **荒海の宝**　Wild sea money 貝を指して。ディージーの書斎の宝貝への連想がある（第二挿話参照）。逆に shells は金銭を意味する古い俗語（パートリッジ）。

100 **ディージー師匠なら……** Dominie Deasy kens them a' 原文はスコットランド方言。Dominie は学校教師の意で、ラテン語 dominus（主）の呼格 domine が語源（ロビンソン『簡約スコットランド語辞典』）。ディージーがスコットランド系入植者の子孫であるのを意識して。Kは Dominus Deus（主なる神）との語呂合せと見る。

100 **《サンディマウントへ……》** 出典不明。

100 **リズムが始まるぞ** スティーヴンは詩のリズムを感じ取り、詩作を試みる（K）。その詩は本挿話後段で形をとりはじめる。

100 **不完全詩行で弱強四歩格** A catalectic tetrameter of iambs B版による。原詩の一行目に強勢を付して示すと Wòn't | yoù còme | tò Sànd | ỳmount となり、最初の詩脚《フット》（ユニットを示す用語）に弱強の弱に当るべきシラブルがない。単調におちいるのを避けるための操作である。HWG 版に Acatalectic（完全詩行）とあるのは草稿によったものだが、仏訳プレイアド版の注釈者はジョイスが韻律法に不案内だったせいの誤りかと記している。

101 **《もういい！》** *Basta!* イタリア語。

101 **いつも、世々にいたるまで** 『公教会祈禱文』の「栄唱」より（第二挿話参照）。

101 **リーヒー台地** サンディマウント道路から海岸に通じる小さな通り。

101 **《女ども》** *Frauenzimmer* ドイツ語。普通は軽蔑的に用いる。二人の女の職業や名前はスティーヴンの想像。

101 **われらが大いなる母** 海。アルジャーノン（愛称アルジー）・チャールズ・スウィンバーンの詩から（第一挿話参照）。

101 **特別区** おもに聖パトリック大聖堂周辺。もと市の行政権外にあったゆえこの名がある。当時の貧民街（G／キーリー『ダブリン』他）。

101 **無からの創造** 「はじめに神天地を造りたまえり」（「創世記」一・一）を念頭に置いて（G）。

一〇一 **《オムファロス》** ここでは「へそ」の意。「丸楯」はイヴの腹の視覚的な連想だが、「オムファロス」のもう一つの意味「楯の中央の突起」も頭にある（第一挿話参照）。

一〇二 **アレフ、アルファ……** スティーヴンはへその緒を原初に繋がる電話線に見立てて、地上の楽園に電話をかける真似をする。アレフはヘブライ語のA、アルファはギリシア語のA。〇〇一とともに電話番号のつもり。ものの始まりを示す記号でもある。Gは〇〇一を無からの創造の意にとる。

一〇二 **アダム・カドモン** ユダヤ神秘思想カバラの原初的人間。ヘヴァ Heva はイヴの中世ラテン語綴り。その原義は生命。

一〇二 **積み重ねたる白い麦** 「雅歌」七・二「なんじの腹は積みかさねたる麦のまわりを百合もてかこめるがごとし」より。

一〇二 **つややかに輝き……永遠にいたる** 一七世紀イギリスの宗教詩人トマス・トラハーンの散文集『黙想の世紀』から。

一〇二 **生れたのではない……** 自分をキリストと対照して。「ニケア・コンスタンチノープル信経」に「主は、……まことの神よりのまことの神、造られずして生れ、父と一体なり」とあり、「三位一体の大祝日の祈り」にも「主は造られずして永遠の始めよりましまし、御本性にては一体、ペルソナにては三位にましますとある。

一〇二 **《永遠法》** *lex eterna* ラテン語。神が定めた計画。全被造物はこれに従って神の目的を達成するよう義務づけられている（ハードン編『カトリック小事典』）。

一〇二 **アリウス** ニケア公会議（三二五）で異端とされ（第一挿話参照）、のちコンスタンティヌス帝に許されたが、ローマ帝国の新都コンスタンチノープルの大聖堂におけるミサ聖祭に出席の当日急死した。エドワード・ギボンは『ローマ帝国衰亡史』第二十一章で、「彼の腹部は便所の中で突然破裂した、当時の記者らは毒薬のためとも云いまた奇蹟によりとも云っている」（村山勇三訳）と注記している。

一〇二 **同一全質変聖……実体説** contransmagnificandjewbangtantiality 同一実体性 consubstantiality 全質変化 transsubstantiation 聖母マリア賛歌 magnificat ユダヤ人 jew やっつけろ bang などの合成語。他の解釈もある。

一〇二 **ギリシアふう水洗便所** ヘレニズム文化ないし東方諸教会に当てつけたか。「オモフォリオン」を着用させているのを見ても、スティーヴンは異端者アリウスを東方教会と結びつけている（第七挿話では登場人物の一人が水洗便所はローマ人が発明したと言う）。

一〇二 **男やもめ** 初期キリスト教会では、敬虔な男女のやもめが一つの身分階層を形成し、助祭の役割を果した（*OED* 他）。アリウスは破門追放されてからも人々を説き、前述の通りコンスタンティヌス帝に許されたから、聖職の外にある説教者としてこの種のやもめに似た立場にいた。

一〇二 **司教高座** throne 俗語で便座（*OED*）。

一〇二 **《オモフォリオン》** *omophorion* 東方教会で用いる司教用肩衣の一種。刺繡を施した白絹の帯を首に廻し左肩から膝に垂らす（『ウェブスター英語大辞典』他）。

一〇三 **身を切るような鋭い風** 『ハムレット』一幕四場のホレイショーの台詞にほぼ同じ句がある。

一〇三 **海馬** seahorses 比喩としては白い波頭を立てて押し寄せる波の意に用いる。字義通りにはセイウチ類、タツノオトシゴなど。

一〇三 **光る風の手綱にあやつられて** brightwindbridled これもホメロス的な枕詞（K）。

一〇三 **マナナーン** Mananaan アイルランド伝説の海神・妖精の島の王。駿馬に戦車を引かせ、手勢を率いて海上を駆ける。または白馬にまたがって海中から現れる（グレゴリー夫人『神々と戦士たち』他）。

一〇三 **芸術家** artist アイルランド英語で「詐欺師、ぺてん師」の意味がある（ウォール『ジョイス作品におけるアイルランド英語方言辞典』／仏訳プレイアド版注釈）。

一〇三 **ストラスバーグ台地** 当時の漁村アイリッシュタウンにあった（G／他）。

一〇三 **サリー叔母さん** サリーはセアラの愛称。

一〇三 **あれも、もうちいっと高いところを……**　もう少し上品な人たちとつきあえないものか（ポール・ヴァン・カスペル「『注解』の注解」*JJLS* 一九九一年秋号）。ディーダラス（ギリシア神話のダイダロス）の飛翔とストラスバーグ台地の高さをかけて。

一〇三 **そんで、そんで、そんで……**　スティーヴンの父親サイモン（愛称サイ）が、義弟リチャード（リチー）・グールディングの口癖をまねて嘲笑する。セアラ（サリー）はその妻。

一〇三 **真っ当しごくなゴンドラ船頭さ**　ギルバートとサリヴァン合作のコミックオペラ『ゴンドラ船頭』（一八八九）の台詞から（G）。

一〇三 **イエス涙を流したもうてな**　Jesus wept「ヨハネ伝」一一・三五より。怒り、悲しみを表す感動詞として用いる。次の「キリストにかけて言うけどさ！」by Christ! も同様。

一〇四 **見やすい場所**　『マクベス』一幕六場より。

一〇四 **大きなベッドの上から……**　リチー・グールディングはブライト病（現在の腎炎）のために背中を痛めている（第六挿話、第十一挿話他参照）。

一〇四 **腰をおろして……**　HWG版による補正。リチーのユーモアのつもりらしい。

一〇四 **ゴフ査定官とシャップランド・タンディ査定官**　ともに実在の人物（ベンストック夫妻）。

一〇四 **泥炭オーク**　泥炭地層に埋もれて炭化したオーク材。細工物に用いる。

一〇四 **《安らかに眠れ》**　*Requiescat* ワイルドの抒情詩。妹アイソラの墓によせる歌。題名のラテン語は死者追悼の言葉として用いる。

一〇五 **リチア水**　痛風の薬。リチーは痛風持ちでもあるらしい。

一〇五 **坐るものの持ち合せが……**　ウォルターの言い方では、スティーヴンには坐る部分つまり尻がないともとれる。

一〇五 **チッペンデイル**　一八世紀の高級家具師の名で、彼が考案した曲線の多い優雅な家具をも指す。リチー叔父の苦しまぎれの冗談か。

一〇五 **《気をつけろ！》**　*All'erta!* イタリア語。次の「導入のアリア」*aria di sortita* の台詞（G）。前段の「そうとも、気をつけなくちゃあ」を受けて、ポケットの金のことも頭に置いている。

一〇六 **フェランド** ヴェルディのオペラ『トロヴァトーレ』（一八五三初演）の脇役の傭兵隊長（バス）。

一〇六 **こっちの風のほうが……** スティーヴンはリチー叔父の家に行くのをやめる。

一〇六 **クロンゴーズ** スティーヴンが六歳のときに入学したイエズス会経営の寄宿学校クロンゴーズ・ウッド・コレッジ（第一挿話／『肖像』参照）。

一〇六 **マーシュの図書館** 正式の名前は聖墓地図書館。聖パトリック大聖堂のそばにあり、神学書、医学書、歴史書などがおもな蔵書。一七〇七年開設。マーシュは創設者のダブリン大主教の名前（G／キーリー『ダブリン』）。普通名詞の「沼地」にもかけて。「柱間」bay は柱と柱のあいだの奥まった場所だが「入江」の意味もある。

一〇六 **大修道院長ヨアキム** Joachim Abbas 称号 Abbas はラテン語。イタリア南部のフィオーレに修道院を開設した神秘思想家（一一四五頃—一二〇二）。三位一体説に従って信仰の歴史を三段階に分けた。

一〇六 **一人の人間嫌い** 諷刺作家・聖パトリック大聖堂の首席司祭ジョナサン・スウィフト（一六六七—一七四五）。晩年、人間嫌いが高じて発狂した。墓碑銘の一節に「激シキ怒リモソノ心ヲ引キ裂クコトアタワヌトコロヘ」とある。あとの「憤怒に狂う首席司祭」もスウィフト。

一〇六 **フーイヌム** スウィフトの『ガリヴァー旅行記』に登場する動物。馬の姿をしているが怜悧で分別に富み、人間の姿をした野卑で猥雑な動物ヤフーを飼っている。

一〇六 **テンプル** スティーヴンの大学時代の友人。『肖像』に登場。第二挿話の債権者の一人。

一〇六 **フォクシー・キャンベル、提灯あご** どちらもベルヴェディア・コレッジの教師リチャード・キャンベルの綽名（『肖像』参照）。「フォクシー」Foxy は「狐づらの」「ずる賢い」、「提灯あご（またはカンテラあご）」Lantern jaws は頬がこけて顎の長い顔。

一〇六 **《降リテ来イ……》** *Descende, calve, ut ne ampli-*

us decalveris ラテン語。ヨアキム『預言の書』（一五八九）の一節をもじって。その一節自体は、「列王紀略下」二・二三「かれ（エリシヤ）そこよりベテルに上りしが、上りて途《みち》にありけるとき、小童ども邑《まち》よりいでて彼を嘲り、彼にむかいて、禿頭よのぼれ、禿頭よのぼれ、といいければ」に拠っている（G）。世に容れられぬ預言者への嘲笑と解すべきものか。アダムズによれば、一九〇二年十月二十二、二十三日の両日に、ジョイスがマーシュの図書館から本書を借り出した記録が残っている（『表層と象徴』）。

一〇六 **花冠状に取り巻く……** カトリック司祭の剃髪した頭頂（第一挿話参照）。ここではヨアキムを指す。「呪われた」comminated は教会に呪われて破門されたの意。ヨアキムは破門されはしなかったが、没後その預言者的歴史観が第四ラテラノ公会議（一二一五年）で異端とされたことがある（『岩波哲学思想事典』／『エンサイクロペディア・ブリタニカ』）。「彼」はスウィフト。この二人とスティーヴン（またはジョイス）は、大衆から孤立して生きた点では共通している。

一〇七 **バシリスク** ひとにらみで動物を殺すという想像上の爬虫類。ノートルダム寺院などのゴシック建築には怪物の顔をかたどった樋先（ガーゴイル）がある。「這い降りる」はその連想か。

一〇七 **小麦のもっとも良きもの** 「申命記」三二・一四、モーセの歌より。神の恵みにより肥え太った民が神を捨て救いの岩をあなどる。

一〇七 **そいつ** 「聖体（ホスチア）」を指して。

一〇七 **チリンチリン！** ミサでパンと葡萄酒を聖別する際に祭壇の侍者が鳴らす鈴の音（K）（第九挿話参照）。

一〇七 **聖体匣** 聖体を入れる容器。

一〇七 **オッカム師** 中世イギリスのスコラ哲学者、フランシスコ会修道士（一二八五頃—一三五〇頃）。「無敵博士」は綽名。教皇ヨハネス二二世を攻撃して破門される。その命題の一つ「必要なしに多くのものを定立してはならない」は、「オッカムの剃刀」と呼ばれる。各教会で同時に聖体の秘蹟が行なわれることからこの命題を立てたというはスティーヴンの勝手な想像。

一〇七 **それ** 聖体が同時にさまざまな場所に存在するという問題。

一〇七 **ある霧の朝……** 伝承童謡「ある霧の湿った朝のこと……」のもじり。

一〇七 **ホスチア** 聖別に用いる円形の薄いパン。

一〇七 **スティーヴンくん……** 一七世紀王政回復期の詩人、批評家、劇作家ジョン・ドライデン(一六三一―一七〇〇)の言葉、「スウィフトくん、きみはいかにしても詩人にはなれまいよ」をもじって。ドライデンはスウィフトの従兄。サミュエル・ジョンソン『イギリス詩人伝』(一七七九―八一)のうち「スウィフト」の巻にある。

一〇七 **聖人たちの島** アイルランド。中世にカトリックの聖人たちが輩出したから。ジョイスの評論に「アイルランド、聖人と賢人の島」がある。

一〇八 **サーペンタイン通り** サンディマウント海岸から二百六十メートル余りのところにある。

一〇八 **《そうとも、確かだってば!》** *O si, certo!* イタリア語。

一〇八 **ホース岬の電車** 岬のふもとから頂上へ登る。当時の二階建電車は上の階に屋根がなく吹きさらしが普通だった。

一〇八 **《裸の女たち!》** HWG版では二度繰り返される。

一〇八 **アルファベットを題名にした本** アリストテレスの『形而上学』全十四巻の各巻が、ギリシア語アルファベットで表示されているのを連想してか。

一〇八 **緑いろの楕円の葉っぱ** green oval leaves イタリアのクーマエの巫女が木の葉に予言を書きため、風が掻きまぜるのにまかせた、という古事を踏まえたか(ウェルギリウス『アエネイス』第三巻)。「緑いろの楕円形のノート」と読むこともできる。

一〇八 **エピファニー** 公現、顕現。本来は、東方の三博士ら異邦人にキリストの栄光が公現されたことを言う。ここは、ジョイス自身が当時書きためていた直感的な観察スケッチ「エピファニー集」にみずから当てつけて。

一〇八 **アレクサンドリアのを……** プトレマイオス王朝時代(前三〇五以降)に建設されたムーセイオン(大学・図書館・博物館)を指すか。スティーヴンの妄想のなかでは時代の区別が消滅する。

一〇八 **マハマンヴァンタラ**　ヒンズー語で「大いなる年」の意（T／G）。ここでは神智学の用語か。

一〇九 **ピコ・デラ・ミランドラ**　イタリアの人文主義者・カバラ神秘思想の研究者（一四六三—九四）。唯美主義の批評家ウォルター・ペイター『ルネッサンス』（一八七三）の「ピコの忘れられた本の一冊の一ページを読むことは、あの古代の墓の一つをのぞきこむかのような……」などを意識して。

一〇九 **さよう、まさしく鯨のようにも**　『ハムレット』三幕二場。ポローニアスの台詞。ハムレットが雲を見て口走る取りとめない言葉に追従して。

一〇九 **無数の小石の上に打ち寄せる**　『リア王』四幕六場。エドガーが盲目の父グロスター公に海岸の情景を語り聞かせる言葉から。字句は原典とやや異なる。

一〇九 **藻屑と消えた……**　一五八八年、スペイン無敵艦隊はイギリス海峡において敗れたのち北上して台風に襲われ、多くの艦船がアイルランドおよびスコットランドの沖で難破した。

一〇九 **汚水の吐息を吹き上げながら**　HWG版ではこのあとに「穴のなかの海草が人間の骨灰の山に埋もれて、海の燐光を放ちながらくすぶっているんだ」とある。

一〇九 **渇きの島**　酒飲みの多いアイルランド。スティーヴン自身も渇いている（本挿話後段参照）。

一〇九 **リングズエンド**　リフィ川河口南側の地区。当時の漁村。

一〇九 **ピジョンハウス**　リフィ川河口南岸壁の突堤の途中にある旧要塞兼船着場。一八九〇年代後半から発電所（T・トーキアナ『ジョイスの「ダブリンの市民」の背景』など）。スティーヴンは突堤沿いに「北東に」、つまり海に向って歩く。ピジョンは管理人の名前をとったものだが、聖霊の象徴である鳩（ピジョン）、その息子キリスト、「灰いろ雁」の息子パトリスへと連想がつながる。

一一〇 **《誰のせいで……》** *Qui vous a mis dans cette fichue position?* **《鳩のせいなのよ……》** *C'est le pigeon, Joseph* フランス語。このヨセフとマリアの会話は、次のレオ・タクシル『イエスの生涯』

（一八八四）の一節。聖母マリアが聖霊（鳩）によってキリストを受胎したという記述（「マタイ伝」一・一八他）を踏まえて。タクシルの本は、従来の聖書解釈を茶化して合理的な説明をつけようとしたものらしい（T／G）。

二〇 **マクマオンの酒場** パリの酒場のつもり。次項「灰いろ雁」の一人である亡命貴族の名前をとって。

二〇 **灰いろ雁** wild goose 本来は一六九〇年ウィリアム三世との戦いに敗れて大陸に亡命、ヨーロッパ諸国の軍隊に参加したアイルランドのカトリック貴族。ここではイギリス政府の追及を逃れて亡命したアイルランド独立運動の活動家。ケヴィン・イーガンもその一人。通常は複数形の wild geese を用いる。

二〇 **親父は鳥だ** マリガンの「おどけイエスのバラッド」から（第一挿話参照）。

二〇 **ぴちゃぴちゃ、《うちゃこ》** Lap, *lapin* 英語の lap（ぴちゃぴちゃなめろ）とフランス語の lapin（うさぎ）の語呂合せ。

二〇 **ミシュレ** ジュール・ミシュレ（一七九八―一八七四）。フランスの歴史家。『フランス革命史』（一八四七―五三）のほか、『恋愛』（一八五八）、『女性』（一八六〇）などの著書がある。

二〇 **《あれは腹の皮が……》** *C'est tordant, vous savez. Moi, je suis socialiste. Je ne crois pas en l'existence de Dieu. Faut pas le dire à mon père* **《あっちは……》** *Il croit?* **《親父かい……》** *Mon père, oui* フランス語。

二〇 **《シュルス》** *Schluss* ドイツ語で「終り」の意だが、ミルクをすすり終えるときの擬音にもかけて。

二〇 **ぼくのラテン区帽……** 第一挿話参照。

二一 **ペーセーエヌ。P・C・Nだよ** 物理 *physiques* 化学 *chimiques* 博物学 *naturelles* それぞれの頭文字をとって。フランス語。

二一 **一グロート** 一六六二年まで用いられた旧貨幣単位。四ペンスに相当。小銭の意だが、一六世紀エリザベス朝の劇作家・パンフレット作者ロバート・グリーンの告白録『一グロートの知恵』（一五九二）を意識してもいる（第九挿話参照）。

二一 **エジプトの肉の鍋**　「出エジプト記」一六・三より。ぜいたくな暮しの意に用いるが、ここはもちろん皮肉。

二一 **《ブール・ミシュ》** *boul' Mich'* パリのカルチエ・ラタンのブールヴァール・サン＝ミシェル（サン＝ミシェル大通り）の通俗な言い方。パリの生活になじんでいるのを誇示して。

二一 **《彼はぼくだ》** *Lui, c'est moi* フランス語。ルイ一四世の「朕は国家である」*L'Etat, c'est moi* のもじり。むしろ、これを意識したフローベールの「ボヴァリー夫人はわたしだ」*Madame Bovary, c'est moi* のパロディ、つまりパロディのパロディと見る解釈もある（K）。

二一 **《まだ二分あるぜ》** *Encore deux minutes* **《閉まったよ》** *Fermé* フランス語。

二三 **コルンバヌス**　第二挿話参照。

二三 **三脚椅子** creepystools スコットランド方言で低い椅子、足台、または懺悔用の椅子（『簡約スコットランド語辞典』）。スコトゥスの生れに合せて。

二三 **フィアクル**　聖人。七世紀にアイルランドに生れ、フランスに渡り、パリに近いモーで一生を送った。

二三 **スコトゥス**　ドゥンス・スコトゥス（一二六五頃—一三〇八）、スコットランド生れのスコラ哲学者・神学者・フランシスコ会司祭。パリで教師生活をしたことがある。

二三 **白目ポット** pintpots 白目（錫、鉛、真鍮または銅の合金）で作った一パイントのジョッキ（*OED*）。

二三 **《ヤンヤ、ヤンヤ！》** *Euge! Euge!* ラテン語。これを仮名表記にすれば「エウゲ！ エウゲ！」。間投詞で「うまい！」「おみごと！」の意。

二三 **ニューヘイヴン**　ロンドンの南、イギリス海峡に臨む港。フランスのディエップとの間を連絡船が通航している。

二三 **《ル・チュチュ》** *Le Tutu* 当時のパリの通俗週刊誌。題名はバレリーナの短いスカート、幼児語でおしりを意味する。《白いパンタロンと赤いキュロット》 *Pantalon Blanc et Culotte Rouge* もパリの通俗雑誌のつもり。パンタロンは膝下までの長ズボン。キュロットは半ズボン。当時はどちらも女性用下穿きを意味し得た（T／G）。

一二二 **ナハキトクカエレチチ** Nother dying come home father フランスの電報局の綴り違い。それゆえに「珍品」でもある。HWG版による補正。

一二二 **伯母はな……** マリガンの言葉を思い出して（第一挿話参照）。

一二二 **《じゃあ、マリガンの伯母に……》** アイルランドの戯文作家・芸人パーシー・フレンチ（一八五四―一九二〇）の滑稽詩をもじって（T／G）。前の言葉に当てつけて。「伯母から二十ポンドせしめたら……」（第一挿話参照）への嫌みでもある。

一二二 **南岸壁** リフィ川河口南岸壁の突堤。

一二二 **四分円形パン** クロワッサンか。

一二二 **ニガヨモギ** アブサントの原料。ここではたぶんアブサントそのもの。

一二二 **酢酸の皿** 石や大理石の表面の掃除や真鍮磨きに使う。

一二二 **ロドの店** サン＝ミシェル大通りの菓子店。

一二二 **《果実入りパイ》** *chaussons* フランス語。リンゴなどの砂糖煮を用いる。

一二三 **《ブルターニュ菓子》** *flan breton* パイの一種またはカスタード風プリン。

一二三 **《膿》** *pus* 生クリームまたは果物の砂糖煮のことか。

一二三 **《征服者たち》** *conquistadores* スペイン語。本来は一六世紀アメリカ大陸の征服者たち。口語で色男、女たらし。

一二三 **火薬煙草** ケヴィン・イーガンは架空の名前だが、そのモデルとなったジョーゼフ・ケイシーはフィニア会員で爆弾作り。煙草に火をつける仕種に導火線の連想がつきまとうのはそのため。

一二三 **緑の妖精** アブサントのことか。普通はその色と強いアルコール度のゆえに「緑の悪魔」と言う。「白いの」はミルク。

一二四 **《半スチエくれ！》** *Un demi setier!* フランス語。スチエはフランスの昔の穀物および液体の量目。半スチエは約四分の一リットル（半パイント）。特に居酒屋などで、グラス入りワインを注文するのに使った（『ハラップ標準仏英辞典』）。Gはデミタスのコーヒーと解する。

二四 **《この人アイルランドの人……》** *Il est irlandais. Hollandais? Non fromage. Deux irlandais, nous, Irlande, vous savez? Ah, oui!* フランス語。

二四 **《スラーンチャ！》** *slainte!* ゲール語で「健康を祈る」の意。乾杯の言葉。

二四 **ダルカシア一族** 中世アイルランドの南西部マンスター地方の豪族。その一人ブライアン・ボルーはアイルランド王となり、クロンターフの激戦（一〇一四）で北欧のヴァイキング族を敗走させたが自らも戦死した（マイケル・リクター『中世アイルランド』他）。

二四 **アーサー・グリフィス** アイルランドの政治家・ジャーナリスト（一八七二―一九二二）。当初はフィニア会の会員、のちにシン・フェイン（ゲール語で「われら自身」の意）運動の主導者となり、アイルランド産業経済の自立を説いた。アイルランド自由国の成立後、下院議長となったが、内乱の最中に急死。

二四 **AE、ポイマンドレス、人々のよき牧者について** HWG版による補正。AEは神秘主義詩人ジョージ・ラッセルの筆名（第一挿話参照）。ポイマンドレスは神秘哲学の書『ヘルメス文書』（二〜三世紀）第一巻の名称。また、ここに登場する宇宙の精神の化身。「人々のよき牧者」はその別名（フランシス・A・イェイツ『ジョルダーノ・ブルーノとヘルメス哲学の伝統』一九六四、他）。

二四 **ムッシュー・ドリュモン** エドゥワール・ドリュモン（一八四四―一九一七）。フランスのジャーナリスト。強硬なユダヤ人排斥論者、反ドレフュス派。

二四 **《黄いろい歯》** *dents jaunes* **《老いぼれ婆あ》** *Vieille ogresse* フランス語。

二五 **モード・ゴン** アイルランド独立の運動家（一八六六―一九五三）。詩人イェイツが絶世の美女と称えて求婚しつづけたが報いられなかった。若いころ、ミルヴォワと恋におち、一八九五年に娘イズー（英語読みではイスールト）をもうけたが、世間向きは養女で通した（ゴン『女王に仕える者』／サミュエル・レヴェンソン『モード・ゴン』／エリザベス・コックスヘッド『エリンの娘たち』他）。

一二五 **《祖国》とか、ムッシュー・ミルヴォワ**　ルシヤン・ミルヴォワ（一八五〇―一九一八）は、フランスのジャーナリスト・政治家。反議会主義、排外主義、軍国主義を主張、対ドイツ強硬論者ブーランジェ将軍を支持した。一八九四年から右翼の夕刊紙『祖国』*La Patrie* の政治欄を担当（同右）。

一二五 **フェリックス・フォール**　フランスの政治家（一八四一―九九）。一八九五―九九年に共和国大統領、ドレフュス事件の再審を拒否した。在職中、脳溢血のため急死。「愛人の腕のなかで」死んだと言われる（同右）。

一二五 **ウプサラ**　スウェーデン南東部の都市。

一二五 **《雑用係》の若い女**　The froeken, *bonne a tout faire* スウェーデン語とフランス語。

一二五 **《わたししますわよ》《ムッシュー方なら……》**　*Moi faire, ... Tous les messieurs* フランス語。

一二五 **緑いろの目よ……牙よ……**　スティーヴンの内的独白か。七つの大罪の一つ「嫉妬」は緑いろの目をした怪物として表されるが、ここは「緑の妖精の牙」からの連想であろう。アブサントびたりのイーガンを指すととる。

一二五 **夜明け組**　一八世紀末北アイルランドのプロテスタント過激派の徒党（第二挿話参照）。ケヴィン・イーガンはカトリック側の過激派だから、この形容はすこし奇妙。目深に帽子をかぶったテロリストの姿を指すのか。

一二五 **本部中央**　フィニア会（第二挿話参照）の創設者ジェイムズ・スティーヴンズ（一八二五―一九〇一）の呼名。イーガンの話は、一八六五年十一月二十四日、スティーヴンズがダブリンのリッチモンド監獄から脱出、逃亡したときのこと（『アイルランド史年表』他）。

一二五 **オレンジの花**　結婚式にのぞむ花嫁はオレンジの花束、花冠、飾りなどをつけるのが決り（*OED*）。

一二五 **マラハイド**　ホース岬の北にある港町。

一二六 **愛ゆえに**　アイルランドへの愛か（エルマン）。

一二六 **リチャード・バーク大佐**　正しくはリカード・オ

サリヴァン・バーク（一八三八―一九二二）。アイルランド生れ、フィニア会指導者の一人。アメリカの北軍将校として南北戦争に従軍。のちイギリスに渡り、反乱用の武器を密輸した。一八六七年、マンチェスター監獄に服役中の会員らを脱獄させようとして、裏切りに会い逮捕された。七二年狂気をよそおって釈放され帰米。その後も運動を支援した。「一族」はフィニア会の意か。

二六 **クラーケンウェル** ロンドンの刑務所。バーク大佐とジョーゼフ・ケイシー（ケヴィン・イーガンのモデル）が収容されていた。一八六七年十二月、マーフィ、サリヴァンらのフィニア会員が彼らを脱獄させるため、通りに面する壁に爆薬をしかけたが、通行人を殺傷しただけに終る。本文ではむしろバーク大佐らが爆薬をしかけた側のようにも読めるが、これはジョイスの作為か（コナー・クルーズ・オブライエン編『近代アイルランドの形成』所収、デズモンド・ライアン「スティーヴンズ、デヴォイ、トム・クラーク」／ヒッキーおよびドハティ『アイルランド史辞典、一八〇〇年以後』〈以下『アイルランド史辞典』〉他）。バークはクラーケンウェル刑務所に収容されていたが、ケイシーは爆破犯の一人とするGの注は誤りらしい。

二六 **鏡が砕け……** 第二挿話参照。

二六 **一日のうちに足を留める場所** キリストの「十字架の道行」の留になぞらえて。

二六 **《キルケニーの若者は……》** 作者不明の歌。アイルランド南東の町キルケニーの風景、若者、娘たちを称える（G）。聖カニス教会、ノア川、ペンブルック伯ストロングボウ（第二挿話参照）の城は、いずれもこの町の由来を示す風物。

二六 **ナッパー・タンディ** ジェイムズ・ナッパー・タンディ（一七四〇―一八〇三）。一七九〇年代の独立運動に参加、イギリス政府の手を逃れ、アメリカをへてフランスに亡命した。当時のアイルランドのバラッド「緑を着る」に「ナッパー・タンディに会ったとき、わが手を取ってこう言った。／懐かしのわがアイルランドはどうなった、いまはどんなになったのか？」とある。スティーヴンはケヴィン・イーガンとナッパー・タンディを重ね合せた。

一二七 **なれを思い出でたり……** 「詩篇」一三七・一「われらバビロンの河のほとりに坐りシオンを思い出でて涙を流しぬ」より。バビロンの虜囚となったユダヤ人たちが、シオンの地のダビデの都をしのぶ。

一二七 **キッシュの灯台船まで……** 灯台船はダブリン湾口のキッシュ砂洲に繋留されていた。スティーヴンは授業で教えた「リシダス」の「波の上を歩まれた主の御力により」を思い出している（第二挿話参照）。

一二七 **南の海岸を……** サンディコーヴのマーテロ塔の方角。

一二八 **やつが鍵を……** マリガンがマーテロ塔の鍵を持っている（第一挿話参照）。

一二八 **豹の旦那とその猟犬** ヘインズとマリガンの関係を大英帝国の主人と植民地の走り使いに当てはめて（K）。

一二八 **形相の形相** 第二挿話参照。

一二八 **銀まじりの黒衣** 『ハムレット』一幕二場。本来は亡霊の白髪まじりの黒髭。ここは月光のなかの喪服姿を言う。

一二八 **プールベッグ道路** リフィ川河口から南岸壁をたどり、堤防突端のプールベッグ灯台にいたる。

一二八 **《砂に埋もれた乗合馬車》** *Un coche ensablé* フランス語。次項ヴィヨの批評「真のパリの詩人」から（G）。coche には川船の意味もある。

一二八 **ルイ・ヴィヨ** フランスのジャーナリスト（一八一三―八三）、カトリック系日刊紙『ユニヴェール』の主筆。熱烈な教皇至上権擁護の論陣を張った。

一二八 **ゴーチエ** テオフィル・ゴーチエ。一九世紀フランスの作家・詩人。「芸術のための芸術」を主張して、もっぱら文章の彫琢と形式美の完成をめざした。小説に『モーパン嬢』（一八三五）、詩集に『螺鈿七宝集《らでんしっぽう》』（一八五二）他。ヴィヨとゴーチエはそれぞれ同時代の対極を代表する。

一二九 **無骨者さま** Sir Lout 民話や伝承童謡に登場する大男の類。

一一九 **フィーフォーファム……**　伝承童謡の人食い巨人のきまり文句。「ウイルランドずんの血の……」は「イギリス人の血の匂いがするぞ」のもじり。シェイクスピア『リア王』三幕四場にもこの引用がある。ジョイス自身は巨人が歯の代りに岩を詰めているから発音がまずいと説明したが（バッジエン『ジェイムズ・ジョイスと「ユリシーズ」の創作』）、歯の悪い巨人（K）と解すれば「歯なしのキンチ」（第一挿話、本挿話後段参照）と結びつく。

一一九 **二人のマリアたち**　初めに見かけた「女ども」。マグダラのマリア、ヤコブとヨセフの母マリアの二人を連想したとする説もある（G）。ともにイエスに仕え、磔刑に立ち会い、その死骸が墓に納められるのを見届けた（「マタイ伝」二七―二八／「マルコ伝」一五―一六）。

一一九 **葦の茂み**　「出エジプト記」二・三に、エジプト王の迫害を恐れた母親が赤子のモーセを葦のなかに隠したとある。

一一九 **違う、犬がいる**　スティーヴンは強度の近眼だが（『肖像』参照）、この日は眼鏡をかけていない（第十五挿話参照）。まず遠くの二人の姿を前出の二人の女と見間違え、犬を連れているのに気づいて別の一組であることを知り、次に男と女を見分け、近づくにつれ、ザル貝採り、ジプシーという順序で正体をつかむ（ただしこの正体もつまりはスティーヴンが考えたもの）。「視覚世界という避けがたい様態」の具体例であり、変容する物の形の例でもある。これに限らず、本挿話では事物や動物が（言葉の上で）さまざまに姿を変える。

一一九 **北欧民族のガレー船**　ガレー船 galleys のイメージの出現は、犬の吠声 bark と帆船 barque の連想が作用しているという説がある（バージェス『ヒア・カムズ・エヴリボディ』）。

一一九 **マラカイが……**　このマラカイ（九四八―一〇二二）はヴァイキング族と戦ったアイルランド王の一人。詩人トマス・ムーアの「エリンに古き日々を思わしめよ」より。「首飾り」は「傲慢な侵略者から勝ち取った」もの（T）。

一一九 **鼻頭鯨**　turlehide whales　turlehide は鯨ないし

鯨の種類を意味する古語。ここでは原義「鼻孔＋頭」を踏まえて意訳しておく。

二九 **浜辺に乗りあげて……** 一三三一年、飢饉の年に、二百頭を超える鯨がダブリン湾の浅瀬に押し寄せた（T）。

三〇 **凍てついたリフィ川の上を……** 一三三八年十二月、ダブリンは異常な寒気に襲われリフィ川が凍結した（T）。いずれも一八世紀の記録を踏まえて。なおリフィ川については本挿話末尾の注を参照。

三〇 **取替え子** 妖精が幼児を盗んでその身代りに置いて行く子供。知的障害の子や醜い顔立ちの子が多い。

三〇 **ぼくはなすすべもなく……** ジョイス自身が大の犬嫌いで、自分を犬に追いつめられた鹿になぞらえたことがある。女神ディアナ（アルテミス）の湯浴み姿を盗み見て鹿に変えられた猟師アクタエオン（アクタイオン）の物語が背景にある（エルマン）。

三〇 **《恐ロシキ物ヲ……》** *Terribilia meditans* ラテン語。出典未詳。

三〇 **薄黄いろのチョッキ** マリガンのチョッキ（第一挿話参照）。

三〇 **運命に仕える従僕** シェイクスピア『アントニーとクレオパトラ』五幕二場で、クレオパトラがオクテイヴィアス・シーザーをそう言う。

三〇 **王位をねらう者** マリガン（第一挿話他参照）。以下は王位をねらった歴史上の人物。いずれもアイルランドに関係がある。

（1）エドワード・ブルース（一二七六頃―一三一八）。スコットランド王ロバート一世（ブルース）の弟。一三一五年北アイルランドに上陸、支持されて王を名乗り、イギリス軍と戦って戦死した。

（2）トマス・フィッツジェラルド（一五一三―三七）。アイルランド副総督。イギリス王ヘンリー八世に反逆し、捕えられ、処刑された。騎馬の兵士たちの兜に絹の房飾りをつけさせたので絹のトマスと呼ばれる（ヘンリー・ボイラン『アイルランド人名辞典』他）。側近の家臣に絹の服を着せたという説もある（エドマンド・カーティス『アイルランド史』他）。

（3）パーキン・ウォーベック（一四七四頃―九九）。フランス生れ。ヨーク公を偽称、イギリス王位の継承権を主張してアイルランド貴族の支持を得たが、ヘンリー七世軍に捕えられ絞首刑に処せられた。白薔薇はヨーク家の紋章。

（4）ランバート・シムネル（一四七五頃―一五三五）。指物師の息子。十歳の頃に利用されてウォリック伯を名乗り王位継承権を主張。一四八七年アイルランド貴族らに擁されてダブリンで即位、ヘンリー七世軍に捕えられたが処刑を免れ、イギリス王室台所の皿洗い係を命じられた。

三〇 **みんなが王たちの子**　ディージーの言葉では、古代アイルランド王の子孫であるアイルランド人（第二挿話参照）。ここは王位継承権を主張する者たちへの皮肉。

三〇 **王位をねらうやつらの天国**　アイルランドを指す。

三〇 **やつは……**　マリガン（第一挿話参照）。

三〇 **オル・サン・ミケーレで……**　中世フィレンツェの詩人で、ダンテの友人グイド・カヴァルカンティ（一二五五頃―一三〇〇）が、墓地で宮廷人たちにからかわれたときの当意即妙の答え「きみらは自分の家にいるときには好きなことを言う」を指して。家とは死人の家つまり墓。ボッカッチョ『デカメロン』第六日第九話より。

三一 **《もちろん》**　*Natürlich*　ドイツ語。

三一 **メイドン岩**　ドーキー海岸沖にある。

三一 **殻まじりココア**　shellcocoa　ココアの実と殻をまぜて挽いた飲物（*OED*）。

三一 **まくりあげて……**　水に濡れないようにスカートの裾をたくしあげて、ピンで留めているのだと推定している。朝、マリガンが歌った「ペチコートをばまくりあげ」（第一挿話参照）も頭にある。

三一 **黄褐色の紋地に……**　紋章学用語。犬が牡鹿に変ったのは、マリガンの綽名「バック」（牡鹿）や、彼の嘲笑「使いっ走り犬め」が頭にあるせいか。犬も牡鹿もともに紋章に用いる。

三一 **水際のレース編み房飾り**　砂浜にひろがる波の泡。

三一 **押し寄せるセイウチの群**　白い波頭。セイウチ

seamorse の別名は「海馬」seahorse だからセイウチもまた白い波頭を指すことになる。ただし、これはジョイス独特の用法か。

一二三 **九つ目の波**　九番目に押し寄せる波はほかの波より大きいという言伝えがある。

一二四 **一つの大いなる目的に向って**　神の顕示に向って。ディージーの言葉（第二挿話参照）や、前段の「永遠法」を念頭に置いて。

一二五 **あわれな使いっ走り犬め**　第一挿話のマリガンの台詞。

一二六 **ぼろっきれ**　Tatters 犬の名前。アイルランド出身の劇作家・俳優ダイオン・ブーシコー（一八二〇—一九〇）の劇『放浪者』（一八七四）の主人公コンの飼犬の名前でもある（アダムズ）。

一二七 **貧しい者の素朴なお楽しみ**　一八世紀の詩人トマス・グレイの「田舎の墓地で書いた哀歌《エレジー》」の「貧しい者たちの短くて素朴な物語」をもじったとする解釈がある（T他）。

一二八 **やつの婆さんでも**　教室のなぞなぞを思い出して（第二挿話参照）。

一二九 **豹、大豹**　pard, panther「パード」も「パンサー」も「豹」。後者は大型の豹を指すという俗信があるから、ここでは「大豹」と訳しておく。

一三〇 **姦通によって生れ**　かつては「パード」と獅子 leo の間に生れた雑種が「レパード」leopard であるとされた（*OED*）。現在ではこの「レパード」も豹を指す。これの混同か。

一三一 **禿鷲のように**　紋章学では「パンサー」は口から火を吐く架空の動物。時に獅子の尾と鷹の爪の前足を持つ（フォックス＝デイヴィス『紋章学完全案内』一九七八）。

一三二 **やつに起されたあとで……**　ヘインズ、つまり「豹の旦那」。スティーヴンの連想は犬、マリガン、豹、ヘインズ、夢とつづく。

一三三 **ハルーン・アル・ラシード**　アッバス王朝第五代のカリフ（教主）（七六四頃—八〇九）で、『千一夜物語』の「船乗りシンドバッドの物語」他に登場する。

一三四 **クリームフルーツ**　キョウチクトウ科の果実。アフリカ西岸シエラ・レオネに産する（*OED*）。

三四　**赤い肌のジプシーたち**　一般に赤銅いろの肌をしているから（*OED*）。顔を赤く塗るからという説もある。

三四　**ならず者と連れの安淫売……**　以下の一節には下層社会の隠語が織りこまれているが、訳文では厳密な対応を考慮しない。

三四　**まぶい都**　Romeville　隠語でロンドンを言う。「すてきな町」rum ville の訛り（パートリッジ）。

三四　**ブラックピッツ……ファンバリー小路**　両方ともダブリンの特別区内にある。

三四　**皮なめし場**　ファンバリー小路の角に皮なめし、羊皮、羊毛商店があった（G）。

三五　**《おてては白くて……》**　「ならず者、淫売の情婦を称えて歌う」の第二スタンザ。リチャード・ヘッド『隠語の学園』（一六七三）より（T他）。隠語の織りこみはここまで。

三五　**陰気な快楽**　邪悪な業を心に思い浮べて愉悦を感じること。トマス・アクィナス『神学大全』第二巻より。

三五　**《ヤマアラシ修道士》**　*frate porcospino*　イタリア語。アクィナスの綽名。論旨の鋭さと堅固さのゆえに。

三五　**ハムレット帽**　「ラテン区帽」を言い換えて。後段では「帆立貝帽」に変る。

三五　**太陽の炎の剣**　「創世記」三・二四に、神がアダムとイヴを追放したのち、エデンの園の東に「おのずから旋《まわ》転る焔の剣」を置いて生命の木にいたる道を守った、とある（T他）。

三五　**彼女はとぼとぼ歩む、重荷を引っ張《シュレップス》る……**　She trudges, schlepps, trains, drags, trascines her load　原文では「引きずる」の意をドイツ語 schleppen フランス語 traîner 英語 drag イタリア語 trascinare に言い換え、さらにこれを英語の三人称単数現在形に変えた。「重荷」は前出の「獲物」（ザル貝）だが、比喩としては「創世記」三・一六の「懐妊の苦しみ」も指すか（G）。

三六　**《葡萄酒イロノ海》**　マリガンがホメロスの言葉を引いたのを思い出して（第一挿話参照）。

三六　**見よ、われは……**　「ルカ伝」一・三八、マリアの「視よ、われは主の婢女なり」を踏まえて（T

他)。女性は月に支配されるから。

三六 **《諸人コゾリテナンジニ来ラン》** *Omnis caro ad te veniet* ラテン語。「詩篇」六五・二より。死者のためのミサの入祭文に用いる。

三六 **そのひび割れに……** 前段の「トネリコのステッキを割目に立てた」を受けて。また、詩の着想(記憶の割目)を忘れないように印をつけておけの意か。

三六 **ぼくの文字板は……** 『ハムレット』一幕五場。字句はやや異なる。文字板は象牙や木の小板を綴じてメモ用にしたもの。

三六 **エムは二つなけりゃ** 「口が女の口の接吻に」Mouth to her mouth's kiss という句では口 mouth が二度繰り返され、従って m も二度出てくるが、これを「口が女の接吻に」Mouth to her kiss に変えると、mouth が一度、m も一度しか出てこない。粘着力の強い鼻唇音 m が二度繰り返されれば、音読したときに接吻を示唆する擬音効果が増す。スティーヴンは頭のなかで自作の詩句を添削しているのである。

三六 **エムをぴったりくっつけろ** Glue 'em well アルファベットの m と「それら」「両方」'em (them) の意をかけて「両方をぴったりくっつけろ」でもある。

三六 **ムーム** moomb 一語に、月 moon 口 mouth 子宮 womb うめき moan 接吻の擬音などを集約した。「ウーム」Oomb は子宮の意味とうめき声を重ねたのか。「子宮」womb と「墓」tomb の組合せ(第七挿話参照)は韻文の脚韻の古典的な例。韻を踏みながら、出生と交合と死(人間の一生)を同時に示すから。HWG版による補正。B版では単に womb とある。

三六 **御好意に感謝して** ディージーの手紙の結びから(第二挿話参照)。

三六 **彼は……書きつづった** 先程から案じていた詩を書きつける。完成した四行の詩が第七挿話に現れる。

三七 **光のなかで輝く暗闇が……** 「ヨハネ伝」一・五「光は暗黒《くらき》に照る」を逆にして(第二挿話参照)。

三七 **避けがたい人間の形** 光が不可避的に作りだす影。

三七 **クロインの主教様** 哲学者・アイルランド教会の聖職者ジョージ・バークリー（一六八五—一七五三）。クロイン大聖堂はアイルランド南部のコーク市の近くにある。彼は実際に目が見る視覚世界は平面にすぎず、頭脳が距離感を作りだすと考えた。従って、思考の場（頭）と視覚世界を隔てる「ヴェール」を剝ぎ取り、内界と外界の境界を取り払ったことになる。「広縁牧師帽」はアイルランド教会、英国国教会の高位の牧師が用いる。

三七 **寺院のとばり** 「出エジプト記」二六・三一〜三五より、聖所と内部の至聖所を分かつ青、紫、紅の幕。ここの「寺院」は内界、つまり脳髄のほう。

三七 **紋地に線彫りした……** 紋章学用語。本挿話の冒頭とも関連する。

三八 **ホッジズ・フィギス** ダブリンの書店・出版社。市の中心グラフトン通りにある。

三八 **リーソン・パーク** 市の南部の郊外にある。

三八 **スティーヴィ** スティーヴンの愛称としてごく普通に用いる。

三八 《**むしろ**》 *piuttosto* イタリア語。

三八 **林檎入り蒸しパン** apple dumplings デザート用だが、apple-dumpling shop は女性の胸を意味する俗語（D／パートリッジ）。

三八 **触れておくれ……** 女の言葉とも取れる。

三九 《**神視タマイケルニ……**》 *Et vidit Deus. Et erant valde bona* ラテン語。「創世記」一・三一。六日間にわたる天地の創造を終えて、七日目の安息を取る前に。

三九 《**こんにちは**》 *Bonjour* フランス語。ケヴィン・イーガンの口調だが、前文のラテン語の最後の bona からフランス語の bon に連想がつづき、神が世界に挨拶する言葉にもなる。

三九 **五月の花のように……** 「五月の花のように喜ばしい」は一六世紀以来用いられている慣用句（T／『オクスフォード版イギリス諺辞典』）。Gはダン・J・サリヴァンの歌から、放浪者が夢で故郷に帰り「おまえを五月の花のように喜び迎えます」と言う母親の言葉を聞く箇所をあげる。

三九 **パンの神の時……** マラルメの詩「牧神の午後」を意識して。

二二九 **《もはや顔をそむけて……》** イェイツの詩「ファーガスと行くのは誰か？」より（第一挿話参照）。

二二九 **《おや、なんてちいさな足なの！》** *Tiens, quel petit pied!* フランス語。

二三〇 **その名を口にし得ぬ愛** ワイルドの相手役アルフレッド・ダグラスの詩「二つの愛」から。ワイルドは一八九五年の有名な裁判のときにこの詩句の説明を求められ、年長の男と年少の男の精神的な愛だと述べた（エルマン『オスカー・ワイルド』他）。つまりは男色のことだが、ここは男同士の友情のことか。

二三〇 **彼の腕、クランリーの腕** HWG版による補正。

二三〇 **コック潟** Cock lake サンディマウント海岸沖に実在する潟。岸と平行に細長く伸びている。ただし cock は卑語で「陰茎」。ここは潮の満ちるさまを描くと同時に、スティーヴンの放尿の様子（「手もとの仕事」）を述べてもいる。

二三〇 **投げ輪縄** lassoes 一端を引くと締まるように、輪結びにした獣皮製のロープまたは紐。中南米で牛や野馬などをつかまえるのに用いる。長さ約十メートルから三十メートル（*OED*）。

二三〇 **ペチコートをば……** 第一挿話参照。

二三一 **聖アンブロシウス** ミラノの大司教（三四〇頃―三九七）。初めて教会で本格的に讃美歌を用いた。

二三一 **《昼モ夜モ……》** *diebus ac noctibus iniurias patiens ingemiscit* ラテン語。聖アンブロシウスの『ロマ人への書』注解』より。特に「我らは知る、すべて造られたるものの今に至るまで共に嘆き、ともに苦しむことを」（八・二二）について言う（G）。

二三一 **向うが五尋の淵なんでね** 第一挿話参照。

二三一 **そなたの父は……** 『あらし』一幕二場。エアリエルの歌より。

二三一 **そら、ぽっかり、ぽっかり、イルカくん……** 伝承童謡のもじり。

二三一 **たとえ水底深く沈んだにしても** ミルトン「リシダス」より（第二挿話参照）。

二三一 **神は人となり……** カバラ神秘思想の輪廻説をまねて。最後の「フェザーベッド山」はダブリンの南に実在するが、ここでは「羽根布団」にもかけている。

海変り　seachange『あらし』一幕二場。エアリエルの同じ歌より。海の力による変身。

《パリ賞》　第二挿話参照。ここは薬の広告文のもじりに用いている。「いちばん安楽な死に方」の宣伝のつもりか。

われ渇く　「ヨハネ伝」一九・二八より。十字架上のイエスの言葉を使って、スティーヴンは酒が飲みたくなったと言う。

《ワレハ言ウ……》　*Lucifer, dico, qui nescit occasum*　ラテン語。復活祭前日聖土曜日の祈りをもじって。「明ケノ星」*Lucifer* は天上から落ちる前のサタンの名前でもある。スティーヴンは犬だけでなく雷も大嫌い（本挿話、第十四挿話参照）。

帆立貝帽と杖と……　『ハムレット』四幕五場のオフィーリアの歌をもじって。巡礼の服装だが（第二挿話参照）、神話のメルクリウス（ヘルメス）の身なりにもかけて。

火曜日がいちばん長い日だ　六月二十一日。夏至。天文学上の夏はこの日に始まり秋分の日に終る。いわゆる夏時間（一九一六年制定）とは別。

楽しくて新しい年のうちでも……　ヴィクトリア朝の詩人アルフレッド・テニソンの詩「五月祭の女王」より。「こんなにすてきな楽しい日はない」とつづく。五月祭の女王に選ばれた娘の喜びと、やがて病を得て死んで行く悲しみを歌う歌。「ローン・テニソン」は、爵位を得たのちのテニソン卿（ロード・テニソン）という呼び名と上流階級のスポーツであるローン・テニスをかけ合せて。

《とにかくもう》　*Già*　イタリア語。

黄いろい歯の婆あ　ヴィクトリア女王。前段参照。

歯なしのキンチは……　マリガンの言葉を思い出して（第一挿話参照）。

後方注目の姿勢　紋章学用語。獅子、豹、鹿、犬などの獣が、肩越しに後ろを振り返り見る姿勢。

流れに逆らいながら　「流れ」はリフィ川。上げ潮に乗ってリフィ川をのぼるのか。「三本マストの帆船」は「ローズヴィーン号」（第十挿話、第十六挿話他参照）。リフィ川はダブリンの南南西約三十七キロのウィックロー丘陵地帯の水源に発し、プーラフーカの滝（第十五挿話他参照）となって流れ落ち、西から北を大きく迂回して東に向きを変え、チャペリゾッド（第七挿話参照）で市中にはいり、ダブリン湾に注ぐ。市の中心オコネル橋付近の川幅は約四十二メートル。川はダブリンの中央を貫流して市を南北に分ち、その埠頭、船、艀、河岸、橋とともに、登場人物たちの生活と意識の底に根をおろしている。『フィネガンズ・ウェイク』（一九三九）の女主人公アナ・リヴィア・プルーラベルは、リフィ川を象徴する女性であり、大いなる母、すべての女性の集約である（W・セント・ジョン・ジョイス『ダブリン近辺』／『ブルーガイド・アイルランド』他）。

4

カリュプソ――

一三九 **ミスタ・レオポルド・ブルーム**　全巻を通じてブルームにミスタをつけるあつかいは喜劇的効果をねらうものか。ジョイスがトリエステ時代に読んだモリス・クレア『ウィリアム・シェイクスピアとの一日』（一九一三）の技法を取り入れた（エルマン『ジョイスの意識』）。

一三九 **生鱈子のソテー**　fried hencods' roes 普通、鱈子と呼ばれるのは塩蔵品スケトウダラの卵巣。生鱈子はマダラの卵巣。ブルームは生鱈子を「内臓」あつかいしているらしい。第十一挿話で語り手が思い出すときはあつかいが別格だけれど。生鱈子のソテーは、皮に包まれたままの生鱈子を布巾でくるみ、水、酢、塩の入った鍋で軽く煮る。固くなったら水ですすいで布巾にくるみ一晩冷やす。翌日、薄切りにして胡椒をまぶし、バターなどでいため、レモンをのせてブラウン・ソーダ・ブレッドなどと食べる。アイルランドでは朝食、あるいは軽い夕食の料理として人気がある（アームストロング『料理のジョイス』）。

一四〇 **ムクニャオ**　Mkgnao

一四〇 **ムルクニャオ**　Mrkgnao 英語の猫の鳴き声は普通 mew, meow, miaow, miau, miau, miaul である。

一四〇 **残忍で。彼女の本性。ふしぎなことに……好きみ**

たい　HWG版による補正。B版では「この猫みたいに阿呆な猫ちゃん見たことない」の次の独立した一節である。

〔四一〕**チュクチュクちゃん**　chookchooks　chook　はオーストラリア口語で「ひよこ」。二度重ねたのは幼児語のつもりか。

〔四一〕**ムルクルニャオ**　Mrkrgnao　Mrkr　はローマ神話のメルクリウス　Mercurius　のギリシア語綴りを連想させる、それゆえこの猫の鳴き声はメルクリウスを思い出させる、というのがジュリオ・ド・アンジェリスの説（フリッツ・セン『ジョイスの話法解体』）。ギリシア語まで持ち出さなくても、ここにはメルクリウス（英語名マーキュリー）の、子音だけでの簡略化がひそんでいるかもしれない。メルクリウス（第一挿話参照）は旅人の守護神。そしてブルームはこれからダブリン中を旅する。

〔四一〕**調理台**　dresser　食器戸棚つき調理台。三段になっていて食器や食品が入っている。またエプロン（調理板と訳出）も付属品としてある。

〔四一〕**ハンロン牛乳店**　ハンロンという名の牛乳店はダブリンには三軒あったが、ここで言及されているのは下ドーセット通り二六のハンロン牛乳店のことであろう（G）。

〔四二〕**バックリーの店**　上ドーセット通り四八のジョン・バックリー経営の肉屋。豚肉を不浄の食べ物と考えないキリスト教徒が羊肉を売るのに対し、ユダヤ人のドルゴッシュが豚肉を売るというのは皮肉である（アダムズ）。

〔四二〕**ドルゴッシュの店**　ドルゴッシュはポーランド系ユダヤ人の名。ユダヤの飲食規定では豚肉を禁じている。架空の人物だが、住所は上ドーセット通り五五Aにあった肉屋（ユダヤ人ではない）のを借用したのか（G）。

〔四二〕**階段を昇って……**　台所は半地下にあり、夫婦の寝室は一階のホールの奥にあるらしい。

〔四二〕**彼女**　妻マリアン・ブルーム（愛称モリー、旧姓トウィーディ）。三十三歳。スペイン南端にあるイギリス領軍事基地ジブラルタルで生れた。父は駐留英軍の軍人。母はスペイン系ユダヤ人。十五歳のころ、ダブリンに移住した。ソプラノ歌手。

一四三 **プレヴナ戦のとき**　プレヴナはブルガリア北部の町で、一八七七年にロシア、トルコ両軍の攻防の的になった。イギリスは厳正中立を守っていたから、トウィーディが戦闘に参加したはずがない。老兵のほら話か（G）。ブルームの書棚にはホージア著『露土戦争史』がある。トウィーディがジブラルタルの図書館から借り出して返却しなかったものらしい（第十七挿話参照）。

一四三 **高級帽**　high grade ha　帽子 hat となるべきだが、最後の文字 t がすりきれて消えている。

一四三 **びん革**　汗よけのために帽子の内側についている革製の帯。

一四三 **白い紙きれ**　ヘンリー・フラワーという偽名のカード（第五挿話参照）。

一四三 **じゃがいもはある**　広く信じられている迷信に、リューマチを治す最上の方法は上着かズボンのポケットにじゃがいもを入れて持ち歩くこと、というのがある。ただし新じゃがを黒くかつ木のように固くなるまで取って置いたものに限る（フィリッパ・ウェアリング『縁起と迷信事典』）。このじゃがいもはブルームの母親の形見（第十五挿話参照）。

一四四 **ドアの裾皮**　防雨用の垂れ。

一四四 **七五番地の地下室のゆるんだ……**　He crossed to the bright side, avoiding the loose cellarflap of number seventyfive　揚げ蓋は路上にあって石灰を地下貯蔵庫に入れるのに用いる。七五番地は通りをはさんでブルームの家の真向いよりもやや右手にあるが、彼はドアを出て左手へ向うから、通りを直角に渡ったとしても揚げ蓋を避ける必要はない。ジョイスが番地を数え違えたのであろう（『地誌案内』）。あるいはブレイ・ヘッド（第一挿話参照）と同様に、想像力による小さな変改を行なったか（ほかに第十挿話を参照）。

一四四 **ジョージ教会**　プロテスタント教会。ブルームの行手正面に見える。『ダブリンの市民』「下宿屋」を参照。

一四四 **ボーランド社**　ケイペル通りその他に数軒の店を持つベーカリー会社（G）。

一四四 **われらの日用の糧** 「主禱文」の一節。

一四五 **怪傑ターコー** クリスマス・パントマイムの題名。一九世紀末のアイルランドで繰り返し演じられた（第一挿話参照）。

一四五 **ダルシマー** 東洋起源の弦楽器。共鳴箱に金属弦を張り、小さいハンマーで叩いて演奏する。

一四五 **太陽を追いかけて** フレデリック・ディオダーティ・トンプソン『太陽を追いかけて――地球駆けめぐりの記』（一八九三）への言及。ブルームはこの本を所有している（第十七挿話参照）。なお、この本の見出しにあるのは「輝く太陽の光」ではなく前段のダルシマーをかき鳴らす東洋の少女の絵（T）。ただし実際に描かれている姿は三味線を奏でる日本の娘。

一四五 **アーサー・グリフィス** 第三挿話参照。

一四五 **《フリーマン》** ダブリンの朝刊紙『フリーマンズ・ジャーナル』の略。自治推進派だが穏健で保守的。社説欄上部に、アイルランド銀行（一八世紀末までアイルランド議会だった）の背後から昇る朝日の図案をのせ、「アイルランド、一つの国家」というモットーを付していた。図案は銀行を東から描いているため、朝日は北西から昇ることになる（T）。

一四六 **ラリー・オロークの酒場** 食料品、茶、ワイン、酒商。店はエクルズ通りから上ドーセット通りに出る角にあった。

一四六 **ショウガやお茶がらや練りビスケットの鼻をつく匂い** 当時の酒場独特の匂いを比喩的に言った。この三つの匂いをまぜたような匂い。練りビスケットは砕いて練ったビスケットで離乳食などにする。

一四六 **マコーリーの酒場** 食料品および酒商。下ドーセット通り三九＆八二。トマス・マコーリー経営の店。オロークの酒場よりも北にあり、北環状道路と交差する角の両側にあった（『地誌案内』）。

一四六 **ロシア軍はな……朝飯前だよ** 一九〇四年二月に始まった日露戦争は、大国イギリスから独立することを悲願にしているアイルランド人のあいだで大きな話題になった。

一四六 **ディグナム** 六月十三日、月曜日に死亡、今日十六日、木曜日がその葬式（第五挿話参照）。

四七 **リートリム州**　アイルランド中央部北の州で農業地域。その住民は田舎者と見なされている（G）。

四七 **赤毛のバーテン**　淡い色の目、髪が黒あるいは赤毛、長頭の人はケルト人に多い（『コロンビア百科事典』）。

四七 **アダム・フィンドレイター**　茶、ワイン、酒および食料商。その支店はダブリン市に五、ダブリン州に六。成功した実業家で政治的野心に富む（G）。

四七 **ダン・タロン**　ダニエル・タロン。食料品およびワイン商。パブの主人として成功。一八九九年から一九〇〇年にダブリン市長（G）。

四七 **居酒屋の前を……**　当時、販売免許をもつ酒場は八百ほどあった。それにもぐりの酒場を加えると千以上。

四七 **聖ヨセフ公立小学校**　上ドーセット通り八一―八四にあった。公立小学校は下層中産階級や労働者階級の子弟を教育する機関で、実用的な教育をほどこした。

四八 **アービーシー……ダブルユー**　Ahbeesee defeegee kelomen opeecue rustyouvee doubleyou　アルファベットの語順を覚えさせるために。

四八 **イニシュターク、イニシャーク、イニシュボフィン**　Inishturk. Inishark. Inishboffin　いずれもアイルランド西部の島の名。それぞれ「イノシシの島」「牡牛の島」「白い牝牛の島」を意味する（G）。

四八 **ブルーム山脈**　アイルランド中部の山脈。

四八 **燻製ソーセージ**　polonies　ポロニー polony はイギリスでは大型のボローニャ・ソーセージを意味するが、またポーランドの古名でもある。店主の出身にかけた言葉遊びを含むか。

四八 **十五パーセント**　HWG版による補正。B版では「五十パーセント」。

四八 **デニー**　リメリック市のハム・ベーコンの製造会社（G）。

四九 **いたちの目**　縁の赤い丸い小さい目。

四九 **いきのいい肉ですよ**　目の前の女中の尻を見ながらのブルームの内的独白。

一四九 **テベリア湖畔のキンネレテ模範牧場**　テベリア湖はガリラヤ湖の別称。湖畔の都市テベリア（いまのティベリアス）とキンネレテが聖書に出てくる。

一四九 **モーゼズ・モンテフィオーレ**　イギリスの慈善家でイタリア生れのユダヤ人（一七八四―一八八五）。ユダヤ人解放とパレスティナ植民その他に尽力した（G）。

一四九 **やはりユダヤ人なんだな**　こんな広告をのせる新聞を購読しているのなら、この肉屋の主人も「やはりユダヤ人だろう」とブルームは推測した。

一四九 **皮を剝いだ**　unpeeled　ここの接頭語 un- は否定ではなく強調を示す稀な用法（*OED*）。ブルームはかつてジョーゼフ・カフの家畜市場で働いていたときを思い出している。

一五〇 **お尻**　hams　肉屋のハムにかけて。

一五〇 **右のほうに歩きはじめた**　ブルームの戻り道とは逆の方向。

一五〇 **スカプラリオ**　修道会に属する信者たちの会員章のようなもの。四角い小さな布二枚を紐で結び、首から前後に垂らして服の下につける。色は所属する修道会によって異なる（『キリスト教用語辞典』他）。

一五〇 **エクルズ小路**　エクルズ通りから慈悲の聖母病院沿いに北に入る小路。

一五〇 **たくましいやつ**　一九〇四年、ダブリン首都警察における最低身長は五フィート九インチで、普通のダブリン市民の身長よりずっと上だった（G）。

一五一 **ああ、お巡りさん……迷っちゃったの**　ミュージックホールの唄の文句をもじって。ロンドンに出て来て間もない娘たちが見物中に迷子になるという歌詞。一八九〇年代に流行した唄（G）。

一五一 **熱烈な光**　ユダヤ人同士の親愛の情を示して。

一五一 **またにしよう**　ユダヤ人だと確認しあうことを。

一五一 **アゲンダット・ネタイム**　「開拓会社」を意味するヘブライ語に近いが正確ではない（G）。

一五一 **ヤッファ**　イスラエルの海港。一九五〇年以降はテル・アビブ・ヤッファ。

一五一 **八十マルク**　HWG版による補正。B版では八マルク。

一五一 **一ドゥナム**　イスラエルにおける土地面積の単位、

一千平方メートル。

〔五三〕**シトロン**　レモンに似た淡黄色の香気ある果実。地中海地方原産。ユダヤ教では祖先が荒野を放浪したことを記念する秋の収穫祭、仮庵祭《かりいおさい》に使用しており、そこでさまよえるユダヤ人の象徴にもなる。ブルームはこの果実から友人のシトロンを想起する。

〔五三〕**かわいそうなシトロン**　ユダヤ人の友人。ブルームが西ロンバード通りに住んでいたころ近所にいた。次に出てくるマスティアンスキーとモイゼルも同じ。

〔五三〕**シターン**　リュートに似た弦楽器。ルネッサンス期のイギリスで流行した。

〔五三〕**籐椅子**　basketchair　正確には柳枝製の椅子。

〔五三〕**アービュータス・プレイス、プレザンツ通り**　ともに西ロンバード通り近くにある。

〔五三〕**一つでも疵があると駄目なんだ**　ユダヤ教の仮庵祭に用いるシトロンを指して。この考え（教え）は、ブルームが所有している本『タルムードの哲学』（第十七挿話参照）によるらしい。

〔五三〕**あのノルウェーの船長**　ジョイスの父親が得意にしていた笑い話にあるせぐつのノルウェー人の船長か。彼は洋服屋の不手際をののしり、洋服屋は船長の体が洋服に合わないと非難する（エルマン）。

〔五三〕**天に行なわるるごとく地にも**　「主禱文」より。

〔五三〕**雲が……**　第一挿話でスティーヴンが見た雲。

〔五三〕**ソドム、ゴモラ、エドム**　ソドムとゴモラは「創世記」一八―一九にある「平野の町々」の名。その罪のゆえに、神が硫黄の火を降らせて滅ぼした。エドムはイサクの長子エサウの別名で、彼に由来する土地の名もエドム（「創世記」三二、三六）。しかし山地だから「平野の町々」にははいらない。ブルームの記憶に混乱がある。

〔五三〕**キャシディ酒店**　上ドーセット通り七一。

〔五四〕**塩の外套で押し包む**　ソドムから逃げるときに後ろを振り返ったせいで塩の柱になったというロトの妻を連想して（「創世記」一九・二六）。

〔五四〕**ベッドの左側から降りたせいかな**　ベッドの左側から降りると不吉なことが起きるという迷信があ

る。

一五四 **サンドー式の体操**　ユージーン・サンドー（本名フレデリック・マラー）はミュージックホールで自分のたくましい筋肉を見世物にした。『強壮な肉体とその獲得法』（一八九七）の著者（シェリル・ヘア『ジョイスの文化の解剖』他）。ブルームはこの本を所有している（第十七挿話参照）。

一五四 **二十八ポンド**　ダブリンの不動産評価は賃貸料の年額で示されていた。『トム編ダブリン市住所人名録』（一九〇四）〈以下『トム』〉にすべて掲載されている。

一五四 **タワーズ、……マカーサー**　この家の窓に広告を貼りつけている不動産屋の名。

一五四 **バークリー道路**　エクルズ通りの先にある。

一五四 **金髪を風になびかせた少女**　ブルームの心のなかで太陽の光と娘のミリーが重なる。

一五四 **ミセス・マリアン・ブルーム**　夫の名前にミセスをつけてミセス・レオポルド・ブルームと書くのが当時の礼儀。差出人のブレイゼズ・ボイランは夫の存在を無視して露骨に彼女の名あてにしている。

一五四 **大胆な筆跡**　Bold hand「図太い手口」にもかけて。

一五五 **マリンガー**　ウェストミーズ州の町。ダブリンの西北西約七十キロの地点にある。

一五五 **ミリー**　ミリセント（愛称ミリー）・ブルーム。ブルーム夫妻の娘で十五歳になる。親元を離れてマリンガーの写真店で働いている。

一五五 **ベッドカバー**　bedspread 掛けぶとんの上に掛けるのだが、取らないで、そのまま寝ることもある。ベッドのなかでものを食べるときなど、掛けぶとんをよごさないので便利。

一五七 **コーシャー**　ユダヤ教の掟に従って料理された清浄な食品。

一五七 **タム**　タモシャンターの通称。ベレーに似たスコットランドの帽子。頂きにも毛糸の玉房がついている。

一五七 **ミスタ・コフラン**　ミリーが働いている写真店の主人。

一五七 **オーエル湖**　マリンガー近辺の湖。

一五七 **若い学生**　アレック・バノン（第一挿話参照）。

一五七 **ブレイゼズ・ボイラン**　ブレイゼズは綽名。地獄のボイランの意。広告業者兼興行主で、モリーの演奏のスケジュールを立てる。モリーが受け取った手紙を書いた人物。目下の彼女の愛人。

一五七 **海辺の娘たち**　ハリー・B・ノリス作詞作曲の歌（一八九九）（ザック・ボーエン『ジェイムズ・ジョイスの作品における音楽の引喩』／G）。

一五七 **蓋つきカップ** moustachecup　口ひげを濡らさないように上の一部にカバーがついている。

一五七 **クラウン・ダービー磁器**　イングランド中部の都市ダービー産の磁器。クラウン・ダービーという名称は英国王室認可の印として王冠標がついているから（G）。

一五七 **おばかのミリーがくれた誕生日の贈物**　ブルームが二十七歳のときのこと（第十七挿話参照）。「おばかのミリー」(Silly Milly) は愛称で、silly billy（おばかさん）と語呂を合せている。

一五七 **《おお、ミリー・ブルーム……》**　アイルランドの文人サミュエル・ローヴァーの詩「おお、セイディ・ブレイディ……」（一八三五）のもじり（G）。

一五八 **グッドウィン老教授**　ピアニスト。かつてモリーの伴奏者だった。

一五九 **プログラム**　モリーは六月二十五日にベルファストで演奏会を開く予定。

一五九 **《あそこへ行って》** *Là ci darem* イタリア語。「手を取って」*Là ci darem* [*la mano*] とつづく。モーツァルトのオペラ『ドン・ジョヴァンニ』一幕九場で、主人公が村娘ツェルリーナを誘惑するときの二重唱。

一五九 **《愛のなつかしいやさしい歌》**　G・クリフトン・ビンガム作詞、ジェイムズ・ライマン・モロイ作曲の歌曲（一八八四）（G）。

一五九 **フラワーウォーター**　花の精油で匂いをつけた蒸留水。

一六〇 **下に落ちたのね、きっと** It must have fell down　彼女の言葉の文法的誤りのせいでブルームはイタリア語の発音を心配することになる（K）。

一六〇 **《行きたいけれど行きたくもなし》** *Voglio e non vorrei* は「あそこへ行って手を取って」という

ドン・ジョヴァンニの呼びかけに対するツェルリーナの返事。正しくは *Vorrei e non vorrei*（行きたくもあり行きたくもなし）だが、ブルームは無意識的に最初の動詞の仮定法を直説法に代えて多少とも積極的な返事にした（G）。妻とボイランとの関係に仮定法はないと考えたためか。

一六〇 **オレンジいろの鍵模様のついた室内便器** orange-keyed chamberpot 紀元前九世紀から七世紀にかけて、ちょうどホメロスが生きていた（もし生きていたならだが）時代の模様だから、ペネロペイアもこの模様のついた便器を使ったろう（ヒュー・ケナー『ユリシーズ』）。

一六一 **彼に会っただって？** Met him what?

一六一 **輪廻転生** Metempsychosis 死後、魂は別の肉体に再生するという神秘的教義。古代インド、古代ギリシアのオルペウス信仰、および一九世紀後半の神智学が信奉した。ただ前二者では人間が動物、植物に転生することがあるが、神智学は進化論の影響を受けたため、人間は人間に転生する（G）。

一六一 **ちんぷんかんぷん！** O, rocks! この rocks は卑語で「睾丸」の意になるが、ここでは意訳しておく。好色本の作者ポール・ド・コックの名前と対応してもいる。

一六一 **ドルフィンズ・バーン** ダブリン南西の地区。モリーはブルームと最初に出会ったときここに住んでいた。

一六一 **《サーカスの花ルービー》** エイミー・リード『ルービー。あるサーカス少女の実人生の物語』（一八八九）が下敷。リードの主眼はサーカスの生活の残酷さを暴露するところにある（G）。

一六一 **ありがたく敷布を拝借** Sheet kindly lent ジョン・ヘンリー・ニューマン（一八〇一—九〇）作の讃美歌「導け、やさしい光よ」Lead, kindly Light のパロディ（ボーエン『ジェイムズ・ジョイスの作品における音楽の引喩』）。

一六一 **ヘングラー・サーカス団** ヘングラー兄弟のサーカス団が当時ダブリンでも興行した。

一六二 **変形変態** metamspychosis 前出 metempsychosis から metamorphosis［(1) オウィディウスの『変身物語』のような魔力による変形の変形。

（2）動物学、植物学における変態」を連想して造語。ブルームの言い間違いか。この言葉はHWG版による補正。B版では「輪廻転生」のまま。

一六二 **ポール・ド・コック**　フランスの通俗作家シャルル・ポール・ド・コック（一七九三—一八七一）。姦通小説をよく書く。彼の名 Kock は英語の cock（男根）に通じる。

一六二 **横から眺めた**　ポットの注ぎ口に男根を連想したのかもしれない。

一六二 **ケイペル通りの図書館**　リフィ川の北、ケイペル通り一六六。貸出部、参考書室、新聞室がある（G）。

一六二 **カーニー**　ケイペル通りの書籍販売商。図書館の向い側にあった（G）。

一六三 **《フォート・ビッツ》**　一八九八年にロンドンで創刊された一ペニーの週刊誌。写真誌と称したが実はソフト・ポルノに近かった（G）。

一六三 **こわれた椅子型便器**　the broken commode 座席の下の戸棚に便器を収納したもの。こわれたのはモリーの体重のせいらしい。寝室には「オレンジいろの鍵模様のついた室内便器」とこれと二つあることになる（第十五挿話、第十七挿話参照）。

一六五 **グレヴィル・アームズ・ホテル**　マリンガーのホテル（G）。

一六六 **誕生日もたまたま今月の十五日**　ミリーの誕生日は一八八九年六月十五日。

一六六 **デンジル通りのミセス・ソーントン**　ダブリンの助産婦。住所はホリス通りの産婦人科病院に近い、デンジル通り一九A。一八八九年にブルームが西ロンバード通りに住んでいたとすれば、その八百メートルほど東になる（G）。

一六六 **死んだルーディ**　彼の息子ルードルフ。一八九三年十二月二十九日に生れ、十一日後の一八九四年一月九日に死亡。

一六六 **XLカフェ**　食堂。グラフトン通り八六。

一六六 **週給十二シリング六ペンス**　悪くない給与である。ダブリンの女店員の平均給料は週給七シリング（『ダブリンの市民』の「イーヴリン」）。そしてミスタ・ディージーの学校でのスティーヴンの給料は週給にすれば約十六シリング（G）。

一六七 **貧血性の気味がある。いつまでもミルクを飲ませたから**　幼児のときに肉などの食事を与えないと、貧血性になると言われている。

一六七 **エリンズ・キング号**　ダブリン湾のキッシュの灯台船（第三挿話参照）を一周する観光船。船名は「エリンの王」の意。エリンはアイルランドの古名。

一六七 **《どの子を見てもえくぼと巻毛……》**　前出「海辺の娘たち」の歌詞から。

一六七 **まるで休日の馭者だよ……**　ボイランの姿を思い出して。

一六八 **モリーにも起るだろう**　ミリーにキスの経験がおとずれるのが不可避であるように、モリーもいずれボイランとキスしあうであろう、とブルームは想像する。

一六八 **マッコイ**　ブルームの友人。かつて鉄道会社の事務員、現在は市の検屍官助手（第五挿話参照／『ダブリンの市民』の「恩寵」に登場）。

一六九 **雷が来るのか**　第三挿話のスティーヴンと同様に、ブルームも今日は雷雨がありそうだと感じる。雷雨は第十四挿話で来る。

一六九 **踊り場まで……かなわないな**　踊り場脇の室内便所に行くのを面倒くさがっているのか。踊り場横の洗面所はイギリスの家に見かける構造である。

一六九 **《ティットビッツ》**　一八八一年に創刊された一ペニーの週刊誌。あるジャーナリズム史家は、現代のポピュラー・ジャーナリズムは《ティットビッツ》の創刊によってはじまった、と言う（G）。ジョイスはこの雑誌が好きだった。一つには読者が誤植を一つ指摘すると一ギニー払うような正確癖が気に入っていたのか。また、無用な情報に対する熱中ぶりを面白がったのか（アダムズ）。

一七〇 **女中は庭に出てました**　伝承童謡「六ペンスの歌」から。

一七〇 **隣の庭の鶏たち**　一九〇四年当時、ダブリン市民にとって裏庭での養鶏は普通のことだった（K）。

一七〇 **ここで蜂だか……月曜日**　ブルームは一九〇四年五月二十三日に蜂にさされ、医師ディクソン（第十四挿話参照）の手当てを受けた。

一七〇 **ドラゴー理髪店**　リフィ川南側のドーソン通り一

七にあった。ブルームは数日前にボイランに出会ったときのことを思い出しているらしい（第八挿話参照）。

一七〇 **風呂屋**　タラ通りにダブリン市営公衆浴場があった。

一七一 **ジェイムズ・スティーヴンズ**　アイルランド独立運動の指導者でフィニア会（第二挿話参照）の創設者。一八六五年ダブリンのリッチモンド監獄に投獄されたが、数日後に仲間の助けを得て脱獄（第三挿話参照）。オブライエンの詳細は不明。

一七一 **王様は会計室にお出ましだ**　前出の伝承童謡「六ペンスの歌」より。

一七一 **懲罰椅子**　罪人を縛りつけて晒しものにするための椅子。ここでは窮屈な便器のこと。

一七一 **フィリップ・ボーフォイ**　Philip Beaufoy　実在の人物。一八九〇年代に《ティットビッツ》に、年に二、三回登場。その作品は《ティットビッツ》入選作の水準にあるもので、つまり、ひどいもの。ジョイスはボーフォイの紳士然とした名前と作品の程度の低さとの対比を喜んだ（アダムズ）。

一七一 **一段につき一ギニー**　旧貨幣単位の一ギニーは二十一シリング、一ポンドは二十シリング、一シリングは十二ペンス（第一挿話参照）。三段分の稿料三ポンド三シリングと半段分の十シリング六ペンスの合計が三ポンド十三シリング六ペンス。

一七二 **カスカラ・サグラダ**　原義は「聖なる樹皮」。クロウメモドキ属の乾燥樹皮で作った緩下剤。

一七二 **ねた涸れ時だ**　Silly season　古いジャーナリズム用語。本来は議会閉会中の八、九月を言う。ニュースが乏しく、埋め草記事が多い。

一七二 **ミスタ・アンド・ミセス・L・M・ブルーム**　Mr and Mrs L. M. Bloom　前出のボイランの「ミセス・マリアン」という失礼な宛名に対し、これで鬱憤晴らしをしている。

一七三 **ロバーツ**　ブルームの客の一人らしいが不明。

一七三 **グレタ・コンロイ**　『ダブリンの市民』の「死者たち」の女主人公。

一七三 **細革**　welt　底革と甲革との継ぎ目革。

一七三 **メイ**　音楽関係の興行会社。スティーヴンズ・グリーン西通りにあった（G）。

一七三 **ポンキエッリの時間の踊り**　アミルカーレ・ポンキエッリは一九世紀イタリアの大衆的なオペラ作曲家。「時間の踊り」は代表作『ジョコンダ』（一八七六）第三幕のバレエ曲。踊り手が、次々に衣装を替えて夜明けから夜までの一日の経過を表現する。

一七三 **あれが最初の晩だった**　モリーはこの夜はじめてボイランに会った。

一七四 **ヘイホー**　物の擬人化は他の挿話にもみられるが、ここでも鐘が人間の言葉を語る。ヘイホーは本来は失望、疲労などを表す感嘆詞。

一七四 **十五分前**　九時十五分前。

一七四 **三度だ**　五線譜上に三度で構成される音程。たとえばドとミ。

5　食蓮人たち——

一七七 **サー・ジョン・ロジャーソン河岸**　リフィ川の河口の南岸にある。一八世紀初頭の弁護士で後の王座裁判所首席裁判官サー・ジョン・ロジャーソンが造らせた（G）。ブルームはここまで徒歩でやって来たらしい。彼はこの河岸を河口に向って歩いている。

一七 荷馬車　lorries　長くて平たい荷台のある四輪馬車(オーエンズ「ギフォードの注解を注解する」/OED)。

一七 **リースク亜麻仁圧搾工場**　ロジャーソン河岸一四—一五。

一七七 **郵便電報局**　ロジャーソン河岸一八。

一七七 **宛名をここの局留にしてもよかったな**　本挿話後段にあるとおり、ブルームは局留経由で一人の女性と文通している。

一七七 **船員宿泊所**　海難船員協会を兼ねる。ロジャーソン河岸一九。

一七七 **ブレイディ共同住宅**　ライム通りの安アパート（G）。

一七七 **樽の箍のひしゃげたのを手にして**　ビール樽の箍がこの女の子の玩具である（K）。

一七七 **タウンゼンド通りを横切って**　ブルームはブレイディ共同住宅を過ぎてから右手に折れ、東ハノーヴァ通り沿いに進み、その延長にあるタウンゼンド通りから左に折れて東ロンバード通りにはいった。

一七七 **ベセル** Bethel 東ロンバード通りにある救世軍会館の名称。ベセルはベテルで「神の家」の意(「創世記」二八・一九)。

一七八 **エル、そう、神。の家というのは、アレフ、ベースのベース** El, yes: house of: Aleph, Beth 「エル」はヘブライ語の「神」、「アレフ」はヘブライ語アルファベットの第一字、「ベース」は第二字だが、「家」をも意味する。ブルームの連想は風呂 bath が意識下にちらついているせいもある。

一七八 **コーニー・ケラハー** コーニーリアス・ケラハー。オニール葬儀店(北ストランド道路一六四)の支配人(虚構の登場人物)。裏で警察の密偵をしているという噂がある。

一七八 **あの娘にいつだか……** ケラハーの持ち歌。出典は不明。

一七八 **ベルファスト・アンド・オリエンタル紅茶商会** ウェストランド通り六。ブルームは東ロンバード通りからグレイト・ブランズウィック通りを突っ切り、ウェストランド通りにはいる。

一七八 **トム・カーナン** 紅茶商。『ダブリンの市民』の「恩寵」に登場する。

一七九 **もっとゆっくり** HWG版では「もっとゆっくり」のあとに「額と髪を」という句がはいり、「撫でた。」の次に「ほっとして、もう一度帽子をかぶり、また読んだ。」という文がある。

一七九 **《甘美な無為の暮し》** *dolce far niente* イタリア語。

一七九 **植物園** エクルズ通りから約一・六キロ離れたグラスネヴィンにある。

一七九 **そんなふうな法則** アルキメデスの原理を思い出そうとしている。

一七九 **ヴァンス** エラズマス・スミス高校の(たぶん虚構の)教師(G)。ブルームはこの高校に通学した。

一七九 **毎秒毎秒三十二フィート** 重力加速度(メートル表記では9・8m/s^2)。

一八〇 **《フリーマン》**　第十七挿話の収支報告書によると、ブルームは途中一ペニーで買ったらしい。

一八〇 **誰もいない**　他者の存在を気にして。この言葉をブルームは何度もつぶやく（M・フレンチ『世界としての書物』）。

一八一 **ヘンリー・フラワー**　彼がマーサ・クリフォードとの文通に用いている偽名。フラワーは実名ブルームと同様「花」を意味する。

一八一 **赤服**　Redcoats　当時の英国陸軍の非番および正装の軍服は赤い上衣（ただし一九世紀末までに戦闘服はカーキいろに変った）。それで、「赤服」は英国陸軍の兵士の綽名になった（G）。

一八一 **モード・ゴン**　南アフリカでのボーア戦争（一八九九―一九〇二）の初期にダブリン駐屯イギリス軍の夜間外出禁止が一時解除され、兵士たちはオコネル通り周辺の盛り場を徘徊した。これをきっかけにモード・ゴン（独立運動の女性指導者。第三挿話参照）その他はイギリス軍の募兵に反対する運動をはじめ、その一環として「敵国の兵士と交際するアイルランドの娘たちの恥辱」について訴えた。一九〇四年五月から六月にかけてもこの問題が再燃していた（G）。

一八一 **グリフィスの新聞**　アーサー・グリフィスが創刊した週刊紙『ユナイテッド・アイリッシュマン』（一八九九―一九〇六）。

一八一 **国王の連隊**　エドワード七世（在位一九〇一―一〇）を名誉隊員に迎えた連隊は「国王の連隊」と呼ばれた。近衛歩兵第一連隊の別称としても用いられる（G）。

一八一 **フリーメイソンのは着てた**　エドワード七世は一八七四年から国王に即位する一九〇一年まで英国フリーメイソンの大棟梁（グランド・マスター）を務めていた（G）。

一八二 **毛？**　女性が髪の毛を切り取って恋人に贈るのは昔からの風習。弦楽器の弦などのように小さな輪に束ねたりする。

一八三 **教会員バッジ**　教会の一員であることを示すバッジ。お守りにすることもある（G）。

一八三 **ホロハン**　『ダブリンの市民』の「母」の登場人物。足が悪いので、ホッピー・ホロハンという綽名がある。ホッピーは「ひょこひょこ歩きの」の意。

一八二 **グローヴナー・ホテル**　当時の高級ホテル。ウェストランド通り五。

一八二 **縫いつけのポケットに……つんとした女のよう**　この二人の女性は第十五挿話でブルームの幻想のなかの貴夫人として登場する。

一八三 **みめ麗わしく……**　諺「品行正しき人が麗わしき人」をもじって。

一八三 **高潔な**　「高潔な」の原語 The honourable は子爵や男爵の子女の敬称として使うが、ここでは「名誉ある」「操ただしい」など普通の形容詞としての意味も生かして。次のブルータス云々はシェイクスピア『ジューリアス・シーザー』三幕二場、マーク・アントニーの名演説の文句。

一八四 **コンウェイの酒場**　ウェストランド通り三一―三二。

一八四 **子鹿皮と、組紐編みの手首覆い**　第十五挿話のブルームの幻想のなかでは「子鹿皮の銃士ふう手袋に組紐編みの手首覆い」と描写が細密になる。

一八四 **ブロードストン**　西のゴールウェイ地方行き鉄道の発着駅。リフィ川の北、コンスティチューション・ヒル通りの先にあった。一九三七年に廃駅(『ブルーガイド・アイルランド』他)。

一八四 **長いブーツ**　第十五挿話のブルームの幻想のなかでは「ジャックブーツ」。膝の上まである。

一八五 **アーチ酒場**　ダブリン中央部、リフィ川の北。ヘンリー通り三二(G)。

一八五 **獅子っ鼻野郎め**　電車の運転手に。

一八五 **天国と妖精**　トマス・ムーアの東方物語集『ララ・ルーク』(一八一七)にある詩から。天国の門まで来ていながらはいることを許されない妖精を歌う。

一八五 **《仲間意識》** *Esprit de corps* フランス語。

一八六 **《もしも家庭に……》**　プラムツリー社はダブリンのマーチャンツ河岸二三の瓶詰肉製造業。ただしこの広告は当日の『フリーマンズ・ジャーナル』死亡欄の下には掲載されていない(G)。

一八七 **旅行鞄を狙ってるぞ**　マッコイは市の検屍官の秘書で、妻はソプラノ歌手。彼女の演奏旅行を口実に旅行鞄をかき集めるという話が『ダブリンの市民』の「恩寵」に出てくる。質に入れるためである。

一八七 **女王様は寝室でパンを召上り**　伝承童謡の「六ペンスの歌」より。

一八七 **黒髪の女と金髪の男**　黒髪の女性はスペードのクイーンで、金髪の男性はハートのキング。占いでは、ハートは愛を、スペードは死と墓を暗示。HWG版では、このあとに「手紙。」という言葉がはいる。

一八七 **《愛の……》**　「愛のなつかしいやさしい歌」より。第四挿話参照。

一八八 **用心ぶかく**　ボイランの名前を言わなくてすむよう用心している。

一八八 **《やさしぃぃい歌》**　*Sweeeet song*　HWG版による補正。B版では *Sweet song* となる。

一八九 **ウィックロー・レガッタ**　毎年八月にウィックロー（ダブリンの南およそ四十キロのところにある港町）で行なわれる（G）。

一八九 **ボブ・カウリー**　第十挿話に登場。

一八九 **ブランズウィック通りに向って**　ブルームはウェストランド通りを北へ戻り、それから右へ（東へ）曲ってグレイト・ブランズウィック通りを行く（G）。

一八九 **天然痘**　一九〇四年五月から六月にかけてベルファストで天然痘が発生した（G）。

一八九 **おれのあとをつける気かな？**　マッコイは興信所で働いていたことがあるらしい。

一九〇 **《リア》の公演**　『見捨てられたリア』*Leah the Forsaken*（一八六二）の公演。ユダヤ系ドイツ人の劇作家ザロモン・ヘルマン・モーゼンタールの『デボラ』（一八五〇）をアメリカの劇作家が英語劇に翻案したもの。ヒロインのユダヤ娘リアを、キリスト教に改宗したユダヤ人ナータンが迫害する（T／G）。シェイクスピアの『リア王』とは無関係。

一九〇 **ミセス・バンドマン・パーマー**　ミリセント・パーマー（一八六五―一九〇五）。アメリカの女優。一九〇四年六月十六日の『フリーマンズ・ジャーナル』がダブリンのゲイアティ座における彼女の

『リア』公演の広告と、前日の『ハムレット』公演についての記事を掲載した（G）。

一九〇　**ハムレットは女だったのかもしれない**　ブルームはハムレット女性説をもうひとひねりして、オフィーリアはハムレットが女であることを知ったため狂気におちいり自殺した、と考える（G）。ハムレット女性説については第九挿話を参照。

一九〇　**かわいそうなパパ**　ブルームの父親ルドルフ・ヴィラーグはユダヤ系ハンガリー人。ダブリンに移住してから、ハンガリー語で「花」を意味する「ヴィラーグ」を英語で同じ意味を持つ「ブルーム」に改名。一八八六年六月二十七日に七十歳で服毒自殺した。彼も劇中のナータンと同様、ユダヤ教を捨ててキリスト教（プロテスタント）に改宗した（第八挿話、第十七挿話参照）。

一九〇　**ケイト・ベイトマン**　イギリスの女優（一八四三—一九一七）。一八六三年（ブルームは一八六五年と勘違いしている）にロンドンのアデルフィ劇場で『リア』を演じて大成功をおさめた（G）。

一九〇　**リストーリ**　イタリアの女優アデライーデ・リストーリ（一八二二—一九〇六）（G）。

一九〇　**《ラヘル》** *Rachel*　ブルームがドイツ語の原作の女主人公デボラを思い出せずにラヘル（英語名はレイチェル）を思い浮べるのは（1）「創世記」（二九）におけるレア Leah の妹の名がラケル Rachel であるためか、（2）あるいはかつてリアを演じたフランスの女優エリサ・ラシェル Elisa Rachel（一八二一—五八）を思ってであろう（G）。

一九〇　**盲目のアブラハム……場面だ**　盲目の老人であるアブラハムがナータンの顔を撫でると、それがかつて自分が瞼を閉じてやり、棺に納めて釘を打ってやったナータンの父親そっくりであることに気づいて、「おまえはユダヤ人だ」と叫ぶ。「ナータンの声！……」は劇中のアブラハムの台詞（G）。

一九二　**《行きたいけれど行きたくも》** *Voglio e non*　イタリア語。第四挿話参照。

一九二　**《あそこへ行って手を取って……》** *Là ci darem la mano*　第四挿話参照。

一九二　**角を曲って**　ブルームはグレイト・ブランズウィ

ック通りの角を右に曲ってカンバーランド通りにはいる。この通りはウェストモアランド通りと平行しているから、彼はふたたび南へ行く道筋をたどっている。

一九二 **停車場**　ウェストモアランド通り駅。カンバーランド通りにまたがる。

一九二 **ミード建築店**　マイケル・ミード・アンド・サンズ。グレイト・ブランズウィック通り一五三―一五九。

一九二 **廃屋不動産**　Ruins and tenements　法律用語「土地不動産（に関する諸権利）」lands and tenements（*OED*）のもじりか。

一九三 **亭主は？**　And Mr?　ミセス・エリスは未亡人で、ダブリン幼稚園の経営者で、ブルームは子供のときにこの幼稚園に通っていた。ボイランの手紙の宛名「ミセス・マリアン」（第四挿話参照）が頭にあるせいで、彼女の夫のことを考える（K）。

一九三 **あの世界《ワールド》**　word（言葉）を world と打ち違えて。B版では word とあるが、その後のボドリー・ヘッド版で world に改められた。これがタイプライターで打った手紙であることは第十七挿話に記されている。封筒の宛名がタイプで打ってあるのはすでに明らか。

一九四 **待ちこがれているあなたのマーサ**　マーサ・クリフォードという名前もおそらく偽名だろう（ハート&ヘイマン『ジェイムズ・ジョイスの「ユリシーズ」』）。

一九四 **ぜひ教えてね。知りたいの**　HWG版では、このあとに「××××」の印がある。キスを表す。

一九五 **どんな薔薇にもとげはある**　諺。

一九五 **クーム**　リフィ川の南、聖パトリック大聖堂近辺のいわゆる「特別区」（第三挿話参照）のなかにある。かつては商業の中心地で繁華だったが当時は貧民街になっていた。

一九五 **《あら、メアリの……》**　出典不明。マーサおよびそのピンからの連想。

一九六 **マーサ、メアリ**　聖書にあるラザロの姉妹マルタとマリアの英語名。その家にイエスが立ち寄ったとき、マルタは忙しく立ち働いて彼をもてなしたが、マリアはイエスの足元に坐って彼の言葉に耳を傾けた。イエスはマリアが「善きかたを選びたり」と褒めた（「ルカ伝」一〇・三八～四二）。ブルームはラザロの妹のマリアと娼婦マグダラのマリアを混同している。

一九六 **昔の巨匠**　一五世紀から一八世紀にかけての大画家。

一九七 **もう一人の女**　マルタのこと。

一九七 **アッシュタウンの石壁の穴**　フィーニックス公園の北側にあるアッシュタウン門の「壁の穴」は、選挙の票を買収する金の受渡し場所になることがあった。ブルームはその近くに井戸があると考えているらしい（G）。

一九七 **速歩競馬**　一人乗りの二輪車を引いて走る競馬。繋駕《けいが》レース。アッシュタウン門に近いフィーニックス公園競馬場で行なわれた。

一九七 **アイヴァー卿**　アイヴァー伯エドワード・セシル・ギネス（一八四七―一九二七）はギネス醸造会社の共同経営者の一人で、慈善家だった（G）。

一九七 **兄のアーディローン卿**　サー・アーサー・ギネス（一八四〇―一九一五）。やはりギネス醸造会社の共同経営者の一人で、政治家でもあった（G）。

一九八 **一ガロン**　一ガロンは四クォート、一クォートは二パイント。また一シリングは十二ペンスだから十五ガロン（約一樽）で一ポンド（すなわち二十シリング）。百万ポンドを得るには千五百万ガロンを売る必要がある。

一九八 **駅にはいって来る列車が……通過した**　いまブルームのいるアーチの上にはウェストランド通り駅がある。

一九八 **オール・ハローズ教会**　ウェストランド通り四六にあるローマ・カトリック教会。オール・ハローズとは諸聖人といった意味。別名聖アンデレ教会。裏口はカンバーランド通りに、表口はウェストモアランド通りに面していた。ブルームは裏口から教会にはいり、表口からまたウェストモアランド通りに戻る。

一九八 **帽子をぬぎ**　敬虔な行為のようだが、カードを移しかえるためのカモフラージュでもある。

一九八 **マリンガー行きの無料切符**　第四挿話参照。

一九八　**ジョン・コンミー師**　実在実名の人物。当時はダブリンの聖フランシスコ・ザビエル教会の修道院長（第十挿話に登場）。かつてスティーヴン（およびジョイス）が学んだクロンゴーズ・ウッド・コレッジの校長や、ベルヴェディア・コレッジの学事長を歴任した（『肖像』参照）。

一九八　**聖ペドロ・クラベル**　スペインの聖職者、聖人（一五八一―一六五四）。四十四年間にわたり南米コロンビアのカルタヘナでアフリカから送られてくる黒人奴隷の救済に努め、「黒人への伝道の守護聖人」と呼ばれた。

一九八　**カトリックの連中は……正しい宗教に改宗させたいというんだから**　この箇所はHWG版による補正。B版では「けがらわしい異端邪説だ」の次に来る。グラッドストンはイギリス自由党の政治家（一八〇九―九八）で、四度総理大臣を務めた。条件つきながらアイルランドの自治を認めようとしていたし、カトリックに対して寛容であると思われていた。彼が死ぬ前日にダブリン大司教ウィリアム・J・ウォルシュ（一八四一―一九二一）は信徒への書簡を発表し、彼のために祈りを捧げるよう要請した。カトリックへの改宗を祈れという主旨ではないが、そのように解釈しうる文面であった（G）。

一九九　**至福の民**　中国人の別名。

一九九　**彼らの神ブッダは……寝そべっている**　キルデア通りの国立博物館の玄関ホールに仏陀の涅槃《ねはん》像があった。

一九九　**シャムロックというのは聖パトリックの名案**　聖パトリックはアイルランドの守護聖人（三八五頃―四六一）。三位一体の教義を説明するためにシャムロック（クローバーに似た三つ葉の植物で、現在はアイルランドの国花）を用いた。

一九九　**聖歌隊**　教皇ピウス一〇世により、一九〇三年教会の聖歌隊から女性が排除されたことをブルームは知らない。『ダブリンの市民』の「死者たち」を参照。

二〇〇　**わが隣とは誰なるか？**　「ルカ伝」一〇・二九。

二〇〇　**第七の天国**　ユダヤ教徒およびイスラム教徒の至高天。神の住処。

三〇〇 **胸当て** halters スカプラリオ（第四挿話参照）のことか。

三〇〇 **例のもの** 聖体器（聖別したパンを納める）を指す（G）。

三〇〇 **水にひたしてあるのか？** ブルームの推測は間違い。水ではなくて葡萄酒。

三〇〇 **つぶやいている** 聖体拝領時の祈りの言葉を。

三〇〇 **《コルプス》、つまり肉体。死体《コープス》** *Corpus.* body. Corpse.

三〇〇 **臨終を迎える者たちのホスピス** 「臨終を迎える者たちのための聖母ホスピス」がダブリン南部のハロルズ・クロスにあった（G）。

三〇一 **こんな山高みたいなもの** These pots pot は pot hat の略。俗語で山高帽子を言う（パートリッジ）。

三〇一 **過越祭のマッツォ** 種を入れぬパン（「出エジプト記」一二・八）。

三〇一 **酵母の……お供えもの** 昔ユダヤ人が安息日ごとにヤハウェに供えた十二個のパンの一つ（「レビ記」二四・五〜九）。ブルームはこのお供えとマッツォを混同しているらしい（G）。

三〇一 **神の国が自分の内部にあるという実感** 「見よ、神の国は汝らの中《うち》に在るなり」（「ルカ伝」一七・二一）。

三〇一 **アイス一つが一ペニー** 伝承童謡の歌詞。

三〇一 **ルルドの奇蹟、忘却の水** ルルドは南フランスにあるカトリックの聖地。一八五八年にベルナデット・スビルーという少女がここで聖母マリアの出現を目撃して以来、そこの泉の水（忘却の水）には病を癒す力があると信じられている。

三〇一 **ノック村での聖母出現** アイルランド北西部メイヨー州の村。一八七九年と八〇年に何人かの村人が聖母マリアの出現を目撃した（G）。

三〇一 **み国の来たらん腕に安らかに抱かれて** 「主禱文」の一節「み国の来たらんことを」と、聖歌「イエスの腕に安らかに抱かれて」の合成。

三〇二 **聖餐杯** communion cup 聖杯 chalice と同じだが、本来はピューリタンが好む用語（*OED*）。ブルームはキリスト教（プロテスタント）に改宗したユダヤ人を父に持ち、自身はプロテスタントからさらにカトリックに改宗した男だが（第十七挿話参照）、熱心な信者ではないらしい。カトリックの儀式や用語にも詳しくない。後出の「ミサ・ボーイ」も正しい用語ではないようだ。

三〇三 **I・N・R・I** 「ユダヤびとの王ナザレのイエス」Iesus Nazarenus Rex Iudaeorum というラテン語の省略形。「ヨハネ伝」一九・一九を参照。「鉄の釘は打ちこまれた」Iron nails ran in はブルームの思い違いか、それとも冗談。

三〇三 **I・H・S** もとはギリシア語のイエスの名の省略形。「人類の救い主イエス」Iesus Hominum Salvator あるいは「この印のもとに汝は勝利を得るであろう」In Hoc Signo Vinces というラテン語の省略形とされることもある（G）。「わたしは罪を犯した」I have sinned「わたしは苦しんだ」I have suffered はおそらく冗談。

三〇三 **リボン** スカプラリオの紐のことか。

三〇三 **無敵革命党** 一八八一年にフィニア会から分離した過激派の秘密結社。一八八二年五月六日にアイルランド長官フレデリック・キャヴェンディッシュ卿と次官トマス・ヘンリー・バークをフィーニックス公園で暗殺した（第七挿話参照）。

三〇三 **デニス・ケアリー** 正しくはジェイムズ・ケアリー（一八四五―八三）。無敵革命党の指導者の一人。フィーニックス公園暗殺事件後に逮捕されたが、政府側に寝返って同志に不利な証言をする。釈放されて南アフリカに逃げる途中、船上で一味の暗殺者に射殺された。

三〇三 **参列者にはちっとも……** 当時のミサの習慣。

三〇三 **お供えの葡萄酒** 前出の「お供えのパン」がユダヤの司祭のみ口にすることができたのにかけて。

三〇三 **ガーディナー通りの教会** 聖フランシスコ・ザビエル教会。

三〇三 **バーナード・ヴォーン神父** 実在の人物。イギリスのイエズス会士で著名な説教家（G）。

三〇三 **ピラト** ローマ領ユダヤの総督で、キリストに有罪の判決を下した。

三〇四 **《誰カアラン！》** *Quis est homo!* ラテン語。「聖母ハ立テリ」の第三連の冒頭「誰カ涙ヲ注ガザルモノアラン」*Quis est homo qui non fle-*

ret より。

二〇四 **メルカダンテ、七つの最後の言葉**　イタリアの作曲家メルカダンテ（一七九五―一八七〇）のオラトリオ「十字架上のキリストの最後の七つの言葉」。

二〇四 **パレストリーナ**　イタリアの作曲家（一五二五頃―九四）で、「教皇マルケルスのミサ」などを残した（第一挿話参照）。

二〇四 **ベネディクティーヌ。緑のシャルトルーズ**　ともにフランス産のリキュール。ベネディクティーヌはもとはベネディクト会の修道院で、シャルトルーズ（緑・黄・白の三種類あり）はカルトジオ会本院で醸造されていた（G）。

二〇四 **去勢した男**　いわゆるカストラート。ボーイ・ソプラノを去勢して声変りを防ぐ。

二〇五 **見ていると……祝福した**　聖杯を洗浄した後の動作。

二〇五 **例のもの**　ミサ典書。

二〇五 **ミサ・ボーイ**　the mass boy　聖祭侍者を指すか。

二〇五 **カードの言葉**　読誦ミサのあとに、二つの祈りが（ラテン語ではなく）それぞれの国語で唱えられた。内容は一八八四年と八六年にレオ一三世が規定し、一九〇三年にピウス一〇世が改訂したもの（G）。

二〇五 **われらのより頼みと力にまします天主……**　前注の祈りの一つ。文言は『公教会祈禱文』の「ミサの祈り」より。

二〇五 **永福にして原罪なき童貞**　聖母マリア。出所は右に同じ。

二〇五 **囁きの回廊**　囁き声が丸天井に反射して遠くにいる人にも聞える。ロンドンの聖ポール大聖堂のものが有名。ここは比喩的に用いて。

二〇六 **めでたしマリア、聖母マリア**　「天使祝詞」を思わせる。告解のあとで神父から悔悟のしるしにこの祈りを唱えよと命じられることがある（G）。

二〇六 **ファーマナ州の遺言書事件**　不詳。ファーマナ州は現在の北アイルランドにある。

二〇六 **母なる公教会の自由と栄え**　これも前注「ミサの祈」の一部。

二〇六 **教会博士** 初期キリスト教会の学徳の高い聖父、教師の称号。

二〇六 **大天使聖ミカエル……** 前注の二つの祈りのうちの他の一つ。文書は前注「ミサの祈り」による。

二〇七 **平修士バズ** Brother Buzz「バズ」はブンブンいう蜂の羽音の擬声音。もちろん固有名詞ではなく、金を集めに来たりして絶えずうるさくつきまとう平修士一般への綽名である（第十五挿話参照）。

二〇七 **復活祭の義務** 告解して聖体を拝領すること。この注意をうながすのは主任司祭の義務とされる（『キリスト教用語辞典』他）。

二〇七 **ちらりとお月様が見える** Glimpses of the moon 女性の臀部（K）。ハムレットが亡霊に呼びかける言葉のなかに同じ句がある。ただし劇では「定かならぬ月の光（に照らされたこの地上）」の意（一幕四場）。

二〇七 **教えてやらないと……下さらないの** HWG版による補正。B版では「女は楽しんで見てるだけ」の次にある。

二〇七 **聖水盤** 教会の入口にある。信者は右手の人差指と中指をその聖水に浸し、額に触れるか、十字を切る（G）。

二〇七 **プレスコット染物工場** W・T・C・プレスコット（通称ビリー・プレスコット）経営の工場。染物、洗濯、カーペット掃除を請け負う。下アビー通り八にあった（G）。

二〇七 **十五分過ぎ** 十時十五分過ぎ。懐中時計で確認したのであろう。第八挿話参照。

二〇七 **あの化粧水をつくらせとくほうがいい** 一九〇四年当時は、こういうものは特別に調合してもらうしかなかった（M・ホジャート『ジェイムズ・ジョイス 学生用入門書』）。

二〇七 **スウィニー薬局** F・W・スウィニー経営の薬局。リンカン・プレイス八。

二〇八 **ハミルトン・ロング薬局** グラフトン通り一〇七。

二〇八 **洪水の年** 『トム』によると一八三九年、ダブリンは大暴風雨に襲われた。

二〇八 **ユグノー教徒の墓地** メリオン通り一〇。一七世紀にはフランス人のプロテスタント教徒たち、つまりユグノーの教会がその近くにあった（G）。

二〇八 **薬屋** スウィニー。

二〇八 **賢者の石** 卑金属を黄金に化す力を持っている上に万能薬であると信じられていた物質。中世およびルネッサンスの錬金術師たちはこの石をさがし求めた。

二〇八 **Aq. Dist. Fol. Laur.** ラテン語 Aqua Distillata Foliarum Laurocerasil の略。薬学用語。セイヨウバクチノキの葉入りの蒸留水（B・オヘアおよびJ・ディロン『「フィネガンズ・ウェイク」のための古典語辞書』）。

二〇八 **Te Virid.** Te. Virid. と両方に省略のピリオドが付してあればラテン語（薬学用語）Terebinthum Viridis（緑テルペンチン）の略だが、Te Virid. ならばラテン語 Te Viridis の略で緑茶。ただしこれはジョイスが気まぐれに作った語形だろう（B・オヘアおよびJ・ディロン）。

二〇八 **まず御自分を治療してみるべきですな** 「医者よ、みずから己れをいやせ」（「ルカ伝」四・二三）のもじり。

二一〇 **皮膚が一重しかなかった……レオポルドだ** ヴィクトリア女王の末息子オールバニー公レオポルド（一八五三―八四）は血友病をわずらっていた。血が止りにくい病気だから、その患者には皮膚が一重しかないという俗信があったらしい（G）。

二一〇 **《スペインの肌》** *Peau d'Espagne* フランス語。香水の名前のつもり。モリーのスペイン系の血筋にかけて。

二一〇 **あのオレンジフラワー・ウォーターは……ここにある石鹸もいい匂いだな** HWG版による補正。B版では「あのオレンジフラワー。純粋な牛乳石鹸。ウォーターは……」となる。

二一〇 **ハマーム** アラビア語で浴場を意味する。オコネル通りにこの名のトルコ風呂があったが、ブルームがここで考えているのはリンカン・プレイスからレンスター通りへと曲ってすぐのところにある浴場のこと。

二一〇 **風呂のなかでやろう** ブルームは手淫をしようと思い立つ（バージェス『ヒア・カムズ・エヴリボディ』／K）。第十三挿話では「風呂のなかでやらなくてよかった」と考えている。

二一 **おはようございます、ペアズ石鹸を……** イギリスでよく使われていた石鹸の宣伝文句（G）。

二三 **窮屈なカラーをしていると……** 当時の医学的迷信（G）。

二三 **ゴールドカップ・レース** ロンドン西方四十キロのアスコット競馬場で毎年六月の第三週に行なわれる。一九〇四年には六月十六日午後三時に出走し、穴馬のスローアウェイ号が勝った（G）。

二三 **ちょうど捨てようと思ってたんだ、と……** I was just going to throw it away, Mr Bloom said.

二三 **思い切ってやってみるよ** ライアンズはブルームの「捨てる」（スローアウェイ）という言葉を馬の名前にとった。

二三 **エジプトの肉の鍋** 「ぜいたくな暮し」を意味する。「出エジプト記」一六・三（第三挿話参照）。

二三 **モスクふうの浴場へ** ブルームは角を曲り、リンカン・プレイスからレンスター通りへ。トルコ風呂はレンスター通り一一にある。

二三 **鍋のなかの鱈みたいにからだを折り曲げた** 重傷を負って戦いから帰って来た恋人を歌う歌「ジョニー、とてもあなたとは思えない」の一節をもじって。

二三 **ホーンブローア** トリニティ・コレッジの南門の守衛を指して（G）。

二四 **キルデア通りクラブ** トリニティ・コレッジの運動場と道をへだてて向い側にある。おもなメンバーは親英派の裕福な地主階級であった。

二四 **ドニーブルックの村祭** ドニーブルックはダブリンの南東のはずれにあった村。一二世紀に始まる村の祭は馬鹿さわぎで有名だったが、一八五五年に廃止された（G）。

二四 **マッカーシーが……大さわぎ** マッカーシーなる男を主題にしたロバート・マーティン作の歌にちなむ（G）。

二四 **はかなく過ぎ行く……宝** エドワード・フィッツボール台本、ウィリアム・ヴィンセント・ウォレス作曲のオペラ『マリターナ』（一八四五）の歌詞のもじり。

二四 **これがおれのからだ** 最後の晩餐の席でイエスは

パンを裂いて弟子たちに与え、「これは……わが体なり」と言う（「ルカ伝」二二・一九）。この言葉は聖体拝領のとき反復される。

6

二七 **乗れよ、さあ、ブルーム** サイモン・ディーダラスはみんなからサイモンと名前で呼ばれるが、レオポルド・ブルームは姓で呼ばれる（K）。ユダヤ人であるため距離を置かれている。会葬者たちはそれぞれの会葬馬車に乗りこみ、弔意を表するためにディグナムの家の前から市中を通って、北のグラスネヴィンにあるプロスペクト墓地へおもむく。

ハデス――

二八 **通り** サンディマウントのニューブリッジ通り。

二八 **ブラインドをおろしている** アイルランドでは近所に葬儀があるとブラインドをおろし店を閉めるのが習慣になっていた（G）。

二八 **ミセス・フレミング** パートタイムでブルームの家に通う家政婦。

二九 **九番地** ディグナムの家。サンディマウントのニューブリッジ通り九番地にある。

二九 **トライトンヴィル道路** サンディマウントからアイリッシュタウンへと北に向う通り。さらにリングズエンド道路、グレイト・ブランズウィック通り、オコネル通り、ブレシントン通り、バークリー通り、バークリー道路を経て北環状道路に至る。

二九 **昔ながらの奥ゆかしい習慣** 会葬馬車がダブリンの中心部を通り、人々が死者に哀悼の意を表する風習。

三〇 **《忠実ナル友人》** 原文の「忠実なるアカテス」*fidus Achates* はウェルギリウスの叙事詩『アエネイス』第一巻から。サイモンが使うことでわかるように慣用句。アカテスは主人公アエネアスの忠実な部下。

三〇 **自分の父親が誰なのか知っているよ** 『ヴェニスの商人』二幕二場に「誰が自分の子供なのか知っているのは利口な父親」とある。

三一 **ウォレス兄弟瓶製造工場** リングズエンド道路三四。

三一 **ドダー橋** ドダー川は南から北に流れ、リングズエンドとアイリッシュタウンの西側でリフィ川に注ぐ。

三一　**グールディング・コリス・アンド・ウォード弁護士事務所**　虚構の人物リチー・グールディングが、実在のコリス・アンド・ウォード弁護士事務所（ディム通り三一）の仕事をしている。鞄に自分の名前を書き加えて共同経営者を気どる（G）。

三一　**ステイマー通り**　ダブリンの南中心部。グランド運河の近く。

三一　**イグネイシャス・ギャラハー**　『ダブリンの市民』の「すこしの雲」の登場人物。第七挿話で、彼はロンドンの『デイリー・メイル』および『イヴニング・ニューズ』の記者であることがわかる。

三一　**背中にアイロンを当てる**　現在の赤外線療法のように、患部に（もちろん肌に直接ではなく）アイロンを当てる療法があった（カスペル「『注解』の注解」*JJLS* 一九九一年秋号）。

三一　**やつをきりきり舞いさせてやる**　I'll tickle his catastrophe 文字通りには「やつのけつを（引っぱたいて）うずかせてやる」。シェイクスピア『ヘンリー四世』第二部二幕一場より。劇ではフォールスタッフの小姓が女に向って言う。

三一　**ピーター・ポール・マクスウィニー**　実在の人物。ジョイスの祖母のいとこで、一八五三年、オコネル通り二三―二八に百貨店ニュー・マートを開店した。ダブリン市長を二度務めた（G）。

三二　**ルーディ**　一八九三年十二月二十九日に生れ、九四年一月九日死亡。

三二　**イートン・スーツ**　イギリスのパブリック・スクールの名門イートン校の制服をまねた、少年用のスマートな服。腰までしかない短い上衣で、折り襟は幅が広く、シャツは幅の広い白いリネンのカラーつき（G）。

三二　**レイモンド台町**　南環状道路のウェリントン兵舎の向い側。ブルームは一八九三年初めにはここに住んでいた。

三二　**悪を行なうことを止めよの塀**　リッチモンド刑務所の塀。入口の上に「悪をおこなうことを止め、善をおこなうことをならい」（「イザヤ書」一・一六～一七）とあった。当時はすでにウェリントン兵舎の一部（G）。

三三 **ああ、あたしもう、たまらないわ**　God, I'm dying for it　口語で be dying for は「したくてたまらない」だが、die「死ぬ」をちらつかせて生命と対比する。

三三 **グレイストーンズ**　ダブリンの南南東三十キロ足らずのところにある小さな漁村。夏の避暑地として有名。

三三 **ドイツ語**　ブルームの父はハンガリー系ユダヤ人だから、ドイツ語と関わりがある。

三三 **ちぇっ、畜生め！　呆れかえるの尻尾だわ！**　O jumping Jupiter! Ye gods and little fishes! 前者は比較的おだやかな誓言。一九世紀半ばごろから二〇世紀にかけて使われた。後者は下層および中産下層階級が使う軽蔑の間投詞。一八八四年ごろから一九一二年にかけて（パートリッジ）。

三三 **コーニー**　コーニーリアス・ケラハー。葬儀店の支配人。第五挿話参照。

三三 **やぶにらみ根性**　that squint「やぶにらみ」squint は（1）「やぶにらみ」、（2）「（仕立屋が足りない布を）切り詰める」。コーニーの吝嗇《りんしょく》にかけての冗談（G）。

三三 **ついて来られる？**　Do you follow me?　follow は「（死者を）墓場まで送って行く」（パートリッジ）だから、ケラハーの職業にかけて。しかしここでは「（冗談の）意味を理解する」くらいの意で用いた。第十五挿話参照。

三四 **気のせいばかりじゃなさそうだが……おれも気がついてた**　腰かけの革に性行為の痕跡がある（ボーエン『ジョイス研究必携』）。

三四 **トム・カーナン**　『ダブリンの市民』の「恩寵」の主人公。第五挿話、第十挿話参照。

三四 **ネッド・ランバート**　メアリズ・アビー通りの穀物商店で働いている。第十挿話参照。

三四 **ハインズ**　『ダブリンの市民』の「蔦の日の委員会室」の登場人物。委員会室で自作のパーネル追悼の詩を朗読する。

三五 **グランド運河**　The grand canal　ダブリンのリフィ川河口とアイルランド西海岸とをむすぶ。運河の河口にもっとも近い橋（ヴィクトリア橋）

は船を通すための旋開橋で、今それが開いていたため馬車は一時停止した。

三五 **犬の収容所**　グランド運河河岸に犬と猫の収容所がある。ダブリン動物虐待防止協会が設立し運営している（G）。

三五 **老犬アトス**　ブルームの父親が飼っていた犬。その名はアレクサンドル・デュマの『三銃士』の一人にあやかったものらしい。

三五 **御旨の行なわれんことを**　Thy will be done 「主禱文」の「御旨の天に行なわるるごとく地にも行なわれんことを」を踏まえて。

三六 **パディ・レナード**　『ダブリンの市民』の「対応」に登場する。『ユリシーズ』の他の箇所にも。

三六 **《クロッピー・ボーイ》**　一七九八年アイルランド東南部ウェックスフォード州を中心に蜂起した急進派の通称（第二挿話参照）。ここはその蜂起を歌ったウィリアム・B・マクバーニー（一九〇二頃没）作のバラッドの題名（G）。

三七 **《過去を振り返って整理しなおす》**　これもカーナンの口癖の一つ。いわゆるカーナンの「回想整理癖」。第十挿話、第十一挿話参照。

三七 **ダン・ドーソンの演説**　第七挿話参照。チャールズ・ダン・ドーソンはスティーヴン通りでダブリン・ベーカリー会社を経営して成功した。ダブリンの商人政治家の一人。カーロー州選出の下院議員。ダブリン市長（一八八二、八三）、そして一九〇四年にはダブリン市の収税官（G）。

三七 **死亡欄を走り読み……**　『フリーマンズ・ジャーナル』の死亡欄は第一ページの左手の欄の上方にあった（G）。

三八 **小さき花**　死亡広告欄の決まり文句の一つ「小さき花」はリジューの聖テレジア（一八七三—一九七）の別名。このフラワーと墓碑銘の「いとしいヘンリー」が、ヘンリー・フラワーことブルームとマーサの手紙を思い出させる。

三八 **《いとしいヘンリーが天上の……》**　新聞の死亡欄に出る追悼詩の典型。この場合は死後一か月目に行なう死者ミサ（月忌み）の告知として（G）。

三八 **あたしの我慢が……**　マーサ・クリフォードの手紙から。第五挿話参照。

三八 **公立小学校。ミード建築店の材木置場。馬車溜り**　グレイト・ブランズウィック通り沿いにつづく。

三九 **エインシェント音楽堂**　小規模のコンサートや芝居が開かれるホール。グレイト・ブランズウィック通り四二。イェイツの『キャスリーン伯爵夫人』はここで上演された（一八九九）。『ダブリンの市民』の「母」の音楽会の舞台、また「死者たち」のメアリ・ジェインはここでおさらい会を開いた。

三九 **四分の一喪服**　全部黒の正式喪服にたいして、黒と白（あるいはグレー）の半喪服がある。四分の一喪服というのは、それに由来するブルームの造語であろう。

三九 **聖マルコ教会の陰鬱な礼拝堂**　グレイト・ブランズウィック通り北側にある。一七三七年ごろに建てられた新古典主義的な建物で、ごつごつした黒っぽい壁面などが「陰鬱な」印象を与える（G）。

三九 **クイーン座**　二〇世紀初頭のダブリンにおける三大劇場の一つ。グレイト・ブランズウィック通り二〇九（G）。

三九 **ユージーン・ストラットン**　アメリカのミュージックホール・スター（一八六一―一九一八）。黒人に扮装して演ずるミンストレル・ショーで人気を博し、この日ロイヤル座に出演した。

三九 **《リア》**　モーゼンタール原作『デボラ』の翻案『見捨てられたリア』。第五挿話参照。

三九 **《キラーニーの百合》**　三幕物のオペラ（一八六二初演）。劇作家ダイオン・ブーシコーが自作の芝居『金髪の娘』をオペラ化し、エルスター・グライムズ歌劇団がクイーン座で上演した（G）。

三九 **《ブリストル号の愉快な航海》**　ヘンリー・C・ジャレット原作によるミュージカル・コメディ。ユージーン・ストラットンのショーとともに、一九〇四年六月十六日のロイヤル座の二大演目であった（G）。

三〇 **彼が午後うちに来る。彼女の歌**　モリーが午後四時にボイランに会うのを知っているブルームは、家を出るとき彼女に、今夜は『リア』を見に行くから帰宅は遅くなる、と言ったらしい。

三〇 **サー・フィリップ・クランプトン**　ダブリン出身

の有名な医者（一七七七—一八五八）で、英軍の軍医総監を務めたこともある。記念の噴水と胸像は、グレイト・ブランズウィック通り西端のコレッジ通りに立っていた。のちに撤去（G）。

三〇　**レッドバンク食堂**　ドリアー通り一九—二〇。牡蠣料理で有名。

三〇　**粋な姿**　HWG版による補正。

三〇　**ミスタ・ブルームは自分の左手の爪……**　ボイランから視線をそらすために。

三〇　**女たちを彼女を**　「女たち」と一般的に述べたあと妻モリーと特定している。

三一　**個人的な用事でクレア州に行かなきゃならない**　墓参のため。ブルームの父親はアイルランド西部クレア州の州都エニスで、一八八六年六月二十七日に自殺した。

三一　**メアリ・アンダーソン**　アメリカの女優（一八五九—一九四〇）。一九〇四年六月十六日ベルファストのアルスター・ホールで『ロミオとジューリエット』のバルコニーの場面を演じた（G）。

三二　**J・C・ドイル……ジョン・マコーマック**　ドイルはバリトン、マコーマックはテノール。ともに二〇世紀初頭のアイルランドを代表する歌手。

三二　**《マダム》**　既婚夫人への敬称だが女優や歌手にもまたドレス・メイカーなどにもよく用いた。世紀の変り目のころのヴィクトリア朝ダブリンの風習。モリーは結婚前からマダム・マリアン・トウィーディという芸名を使っていた（クレア・A・カルトン『ジョイスにおける名前と名づけ』／*OED*）。

三二　**スミス・オブライエン**　ウィリアム・スミス・オブライエン（一八〇三—六四）。アイルランド独立運動の闘士。一八四八年の飢饉の際にはジェイムズ・スティーヴンズらとともにティッペラリー州の警察駐屯地を襲撃して失敗、死刑の判決を受けたが減刑されて懲役に服し、五四年に釈放されたあとは政治的活動から身を引いた。六四年六月十六日没。ファレル作の銅像はウェストモアランド通りとドリアー通りの交差点に立っていた。

三二　**今日のよき日が……**　For many happy returns　誕生日の祝いの言葉。

二三 **ファレル** サー・トマス・ファレル（一八二七—一九〇〇）。アイルランドの彫刻家。

二三 **トウィーディ** 法務官ヘンリー・R・トウィーディ。ヒューム通り一三。

二三 **昔の体面の名残り** 「父のかぶっていた帽子」というアイルランドの歌より（G）。

二三 **オキャラハン** オキャラハンはアメリカの劇作家ウィリアム・ベイル・バーナードの笑劇『落ちぶれて』（一八三九）の主人公（G）。ブルームはこの靴紐売りに芝居の主人公の名前を当てはめてみたのか、それとも、たまたま二人の名前が一致したせいで、この芝居を連想したのか（ベンストック夫妻）。

二三 **十一時二十分** ブルームは港湾管理局の時計を見た。

二三 **《行きたいけれど行きたくもなし》** *voglio e non vorrei*『ドン・ジョヴァンニ』一幕九場第七番の小二重唱、ツェルリーナの返事をブルームがすこし記憶違いして。第四挿話参照。

二三 **《行きたくもあり行きたくも》** *vorrei e non* [*vorrei*]「行きたくもあり行きたくもなし」となる。こちらが正しい歌詞。

二三 **《すこしおののく》** *Mi trema un poco il* [*cor*]「この心すこしおののく」。同じ小二重唱のつづき。

二三 **クロフトン** 『ダブリンの市民』の「蔦の日の委員会室」の登場人物。

二三 **ジュアリ・ホテル** コレッジ・グリーン七—八。

二三 **モイラ・ホテル** トリニティ通り一五。

二四 **巨大なマントをまとった解放者の銅像** ダニエル・オコネルの銅像。南からオコネル橋を渡り切るとオコネル通り南端中央に立っている。「解放者」は彼の通称。

二四 **ルベンの子孫** ヤコブとレアの第一子ルベン（「創世記」二九・三二）から出たルベン族はイスラエル十二支族のひとつ（「民数紀略」一—五、二一）。イエスを裏切ったユダは「ルベンの支族の一人」だったという伝説があり、ここではルーベン・J・ドッド老人を当てこすっている。

二四 **エレファント・ハウス** 雨具商エルヴァリの店。オコネル通り四六—四七。

二三四 **グレイの像**　サー・ジョン・グレイ（一八一六―七五）の銅像。『フリーマンズ・ジャーナル』の社主、編集者。アイルランドの愛国者。

二三五 **ルーベン・Jと息子の件**　ルーベン・J・ドッドは実在の人物。事務弁護士で、ニューヨークの愛国保険会社、相互保険会社などの代理人。以下の話は一九一一年十二月二日の『アイリッシュ・ワーカー』に「命を助けたお礼に半クラウン」という見出しで掲載された（エルマン）。半クラウンは二シリング六ペンス。ここではフロリン銀貨一枚（二シリング）とさらに切り詰められた。

二三五 **マン島**　アイリッシュ海の島。ダブリンからイングランドへの船の寄航地だから、いかにも安あがりな避難所である。

二三五 **バラバ**　ピラトがキリストの代りに放免したユダヤ人の盗賊（「マタイ伝」二七・一六〜二六）。

二三七 **一シリング八ペンス多すぎる**　前注の通り一フロリンは二シリング。つまりルーベン・Jの息子の命なんて四ペンスで十分だということになる。

二三七 **ネルソン塔**　トラファルガー沖海戦の英雄ネルソン提督（一七五八―一八〇五）の記念塔。オコネル通りの中央郵便局のそばに立っていた。

二三八 **麦のお酒**　John Barleycorn モルト・ウィスキー用大麦の擬人化。ここではウィスキーそのもの。

二三八 **鼻が灰いろになるまで**　till it turns adelite この adelite は不明。Gは「灰いろまたは灰いろがかった黄いろの鉱物質」と取り、Kは単に「灰いろ」と注しているが説明はない。おそらく adelpholite（ニオブ酸塩）の誤記（またはブルームの記憶違い）と解したのであろう。この解釈が正しければ、赤鼻は死ぬまで（顔が灰いろになるまで）治らないの意となる。もちろんブルームはディグナムの死顔を思い浮べている。仏訳が lie de vin（ワインの澱《おり》、赤紫色）としたのは推測によるのか。

二三八 **みんなが……彼を見た**　終油の秘蹟も受けられない「とつぜんの死」は、カトリック教徒にとっては「いい死に方」ではない。

二三八 **こちら側**　ブルームたちが走っている道の左側、すなわちオコネル通りの西側。

二三八 **土地管理人事務所**　一九世紀には土地管理人は大地主（たいてい不在地主）の代行者として格が高かったが、一九世紀後半から相次ぐ土地改革が行なわれたせいで（その頂点は一九〇三年）落ちぶれた（G）。

二三八 **禁酒ホテル……盲人職業訓練所**　これらの建物はいずれも上オコネル通り西側の南端から北端にかけて存在していた（『地誌案内』）。

二三八 **ギル書店**　M・H・ギル・アンド・サン書店。上オコネル通り五〇。

二三八 **故マシュー神父の守護のもとに**　シオボールド・マシュー神父（一七九〇―一八五六）は「禁酒の使徒」と呼ばれた（T他）。上オコネル通りにその像がある。

二三九 **パーネル像の礎石。発作。心臓**　パーネル像のための礎石は一八九九年十月八日上オコネル通りの北端に据えられたが、実際に像が置かれたのは一九一一年十月一日。パーネルの死因もディグナムと同じように心臓の発作だった（G）。

二三九 **白い馬たちが……小さな棺桶が見えた**　死者が子供または未婚者である場合、霊柩車には白馬を使う慣習があった（G）。ロータンダ（円形建築物）はラットランド広場南東の角から南西側にかけて並ぶ病院、劇場、音楽堂などの建物群。

二三九 **彼の骨が……誰も気にしない**　死んだ乞食の葬送を主題にしたトマス・ノエル作の歌「乞食の馬車の旅」に、「彼の骨は石の上でがたがたと鳴る。彼は誰も気にせぬ乞食にすぎぬ」という一節がある（G）。

二三九 **生の只中において**　英国国教会の『祈禱書』にある「死者の埋葬」の一節「生の只中においてわれらは死のなかにある」から。Kはこれを引用して、マーティン・カニンガムはプロテスタントであると解釈するが、『ダブリンの市民』の「恩寵」に登場するカニンガムは明らかにカトリックである。また第十挿話の冒頭を参照。

二四〇 **キリスト教徒としての……**　カトリック教会は聖別された墓地に自殺者を埋葬することを拒んだが、英国国法は一八二三年以降これを認めた（G）。

二四〇 **墓穴にいれてから……**　死者の霊が生者のもとに

現れるのを防ぐため（G）。

二四一 **《あたしはアジアの……》** ジェイムズ・フィリップ作曲、ハリー・グリーンバンク作詞のオペレッタ『ゲイシャ』（一八九六初演）でO・ミモザ・サンが歌う（T）。

二四一 **知ってるんだ** マーティン・カニンガムはブルームの父親の自殺を知っている。

二四一 **彼の骨ががたがたと鳴る** 前段の歌「乞食の馬車の旅」より。

二四一 **日があたって** HWG版による補正。

二四二 **ゴードン・ベネット杯自動車レース** アメリカの元スポーツ選手ジェイムズ・ゴードン・ベネットが一九〇〇年にはじめた国際的ロードレース。一九〇四年度は六月十七日にドイツのフランクフルト郊外で行なわれ、六月十六日の『イヴニング・テレグラフ』に予想記事が載った（G）。前年七月のレースはダブリン郊外で行なわれている。『ダブリンの市民』所収の「レースのあとで」を参照。

二四二 **ケリーを見た人いませんか？** ウィリアム・J・マッケナ作の歌「誰かケリーを見た人いませんか？」（一九〇九）のなかで、コーク州出身のケリーが恋人とニューヨーク見物に来て彼女を置き去りにする。元歌はイギリスのC・W・マーフィとウィル・レターズ作の「マン島から来たケリー」（一九〇八）。アメリカ版のコーラスに、「ケリーを見た人いませんか？／K、E、ダブルL、Y」とある（G）。

二四二 **《サウル》の葬送行進曲** イスラエルの最初の王サウル（「サムエル記」上）を主題にしたヘンデルのオラトリオ（一七三九）の葬送行進曲。伝統的にイギリス軍の葬儀で演奏される。

二四二 **彼って……ひとーりにするなんて** アントーニオはイタリアのアイスクリーム売りでケリーの原型らしい。こちらの台詞はイギリス版の元歌から（T）。

二四二 **つまさき旋回！** ブルームはオルガンのメロディの軽妙さに似つかわしいバレエの「つまさき旋回」を想定している。

二四二 **《慈悲の聖母病院》** The *Mater Misericordiae*

当時ダブリン最大の病院で、バークリー道路とエクルズ通りの角にある。

二四二 **臨終を迎える者たちのための聖母ホスピス**　ダブリン南部のハロルズ・クロスにあった（第五挿話参照）。

二四二 **ミセス・リオーダン**　『肖像』に「ダンテ」という呼び名で登場する寡婦。資産のある頑固なカトリックで、スティーヴンが少年のころディーダラス家に寄宿していた。のちにシティ・アームズ・ホテルに移り住んでからブルームとも交際があった。

二四三 **おれが蜂に刺されたとき……若い見習い医師**　医師ディクソン。ブルームが蜂に刺されたのは五月二十三日。その後ディクソンはホリス通りの国立産婦人科病院に移った（第十四挿話参照）。

二四三 **烙印を押された牛の群**　牛はリフィ川北埠頭から船でリヴァプールに送られ、さらにイギリスおよびヨーロッパ各地に輸出される。

二四三 **覆いをつけた蹄**　padded hoofs 覆い（pad）は詰物をした革、フェルトなど。馬の鞍ずれを防ぎ、膝、足裏を保護する（*OED*）。ここは口蹄疫感染予防のためか（第二挿話参照）。

二四三 **カフ**　ジョーゼフ・カフ。家畜業者で、もとブルームの雇い主。

二四三 **イギリス好みのローストビーフ**　古い唄の文句（T）。

二四四 **クロンシラ**　ミッドランド・グレイト・ウェスタン鉄道の乗換駅。ダブリンの西十キロ余りのところにあった（G）。

二四四 **公園正門**　フィーニックス公園の南東の入口。

二四五 **ダンフィの角**　北環状道路とフィブズバラ道路の交差点。一八九〇年ごろまで角にトマス・ダンフィの酒場があった。

二四五 **茶いろの服を着たまま**　パディ・ディグナムがフランシスコ修道会の会員であることを示す。彼ら会員は修道士の服装で葬られる（カスペル「『注解』の注解」*JJLS* 一九九一年秋号）。

二四六 **おれにも慰めを。生命の霊薬を**　死んだディグナムの声がブルームの意識にはいりこんできた、と考えることもできる。「生命の霊薬」Elixir of life はここではウィスキーを指す。本来は錬金術の用語で「不老不死の妙薬」。

二四六 **ロイヤル運河**　葬列はドダー川、グランド運河、リフィ川、ロイヤル運河と四つの水路を渡る。

二四六 **さがってゆく艀**　閘門のなかで艀の水位がさがる。

二四六 **《お化け》号で船の旅**　J・P・ルーニーのバラッドの題名から（T）。

二四七 **アスローン、マリンガー、モイヴァリー**　中部アイルランドを横断するロイヤル運河沿いの地名。しだいにダブリンに近づいている。

二四七 **安全自転車**　連動装置がなく前輪が大きい旧型ではなく、いまの型に近い自転車。

二四七 **レン**　P・A・レン経営の競売場。バチェラーズ・ウォーク九。

二四七 **ジェイムズ・マッキャン**　グランド運河会社の会長。一九〇四年二月十二日に死亡。Gはディグナムよりも四か月前に亡くなったマッキャンが、彼のために冥府の川の渡し守カロンの代役を勤めると解する。ブルームはロイヤル運河沿いに旅行してマリンガーにいる娘のミリーに会いに行くことを考えているのに、ここの「おれ」はいきなりグランド運河会長であった故人を引き合いにだす。ここでもディグナムの声が侵入してきたのか。

二四七 **リーシュリップ、クロンシラ**　リーシュリップはダブリンから十七キロ半、クロンシラは十キロ余り西寄りの町。前者はリフィ川沿い、後者はロイヤル運河沿いにあり、さらにダブリンに近づく。

二四七 **ブライアン・ボルー酒場**　J・M・ライアンが経営する酒場。看板にアイルランド王ブライアン・ボルー（九二六―一〇一四）の絵が描かれている（T）。

二四七 **フォーガティ**　『ダブリンの市民』の「恩寵」に登場する。墓地の近くで食料品店を経営。トム・カーナンは近所づきあいの仲だが、つけを溜めている。

二四八 **姿は消えても……**　ジョージ・リンリー作詞の歌（一八四〇）（G）。

二四八 **チャイルズが殺された**　サミュエル・チャイルズが七十六歳になる兄トマスを殺害したとされる事件（一八九八年九月二日）。法廷弁護士シーマー・ブッシュがサミュエルの弁護をして無罪をかちとった（G）。

二四九 **殺された者の目に焼きついた殺人者の姿**　殺された者の網膜に殺人者の姿が残像として残っているという迷信があった。

二四九 **プロスペクト墓地**　グラスネヴィン墓地の正式の名称。

二五〇 **大型馬車一台と小型が三台**　大型馬車は霊柩車、小型馬車は会葬馬車。

二五〇 **シムネル・ケーキ**　四旬節第四日曜日（キリストのエルサレム入城を記念する日、枝の主日）、クリスマス、復活祭などにつくられるフルーツケーキ。

二五〇 **男の子**　ディグナムの息子。

二五一 **フィングラス**　墓地から北西の方角にある村。石切り場がある（G）。

二五一 **マウント・ジェローム**　ダブリンの南郊のハロルズ・クロスにあるプロテスタント墓地。

二五一 **さっき浴槽から出るとき重くなった感じがした**　浮力のある水中と比べて。

二五二 **マーティン・カニンガムが囁いた**　ここではブルームの視点から外れる。

二五二 **エニスでクイーンズ・ホテルを経営してた男**　エニスはクレア州の州都でダブリンの西南西二百二十キロ余り。ブルームの父が「経営」していたことになっているホテルはチャーチ通りにあった。いまもある（G）。

二五二 **枢機卿**　エドワード・マッケイブ（一八一六―八五）。一八七九年に大司教、八二年に枢機卿（G）。

二五二 **アーテイン**　ダブリンの北五キロ足らずのところにある。この近くに貧しい家庭の子供をあずかるカトリックの施設があった（第十挿話参照）。

二五三 **トッドの店**　ダブリンの絹織物商。リフィ川北側のジャーヴィス通りとメアリ通りが交差する角にあった。

二五三 **世界には男よりも女のほうが多い**　マリーとリー合作の歌「男ひとりに三人の女」の一節（G）。

二五三 **さっそくにもあとを……言えない言葉**　夫の死体とともに妻が生きながら焼かれるというヒンズー教の習慣。一八二九年にイギリス政府により禁止された。

二五三 **あの男と？** ボイランのこと。ブルームは自分が死んだら妻は他の男と再婚すると考えている。

二五三 **ヴィクトリア女王が……もう流行おくれ** ヴィクトリア女王は一八六一年に夫アルバート公が死んだあと長く喪に服した。

二五四 **フログモア記念霊廟** 女王がアルバート公と彼女自身のためウィンザー城内に建てた霊廟（G）。

二五四 **彼女の息子のほう** ヴィクトリア女王は君主の責務を息子エドワードと分担することを拒絶した。母の死後にエドワード七世が即位したとき、彼はすでに六十歳に達していた。

二五四 **コークのおらが町民たち** トマス・クロフトン・クローカー作の歌（一八二五）の題名（G）。

二五四 **コーク公園の競馬** コーク公園で年に一度開かれる競馬。一九〇四年の復活祭月曜日は四月四日だった（G）。

二五五 **ジョン・ヘンリー・メントン** 事務弁護士。実在の人物だが、『ユリシーズ』のなかではディグナムの前の雇い主ということになっている。

二五六 **どちらも意識していなかった** 父は自分の死が、息子は父の死が迫っているのを意識していなかった、と解する。第十挿話の息子の内的独白を参照。

二五六 **オグレイディに三シリング借りがある** 「オグレイディに十ドル借りがある」というアイルランドのコミック・ソングのパロディだが、「アスクレピオスに雄鶏一羽の借りがある」というソクラテスの最後の言葉のパロディにもなっている（G）。

二五六 **どっちの端が頭だろう？** 棺は祭壇のほうに頭を向けて置かれる。

二五六 **何かのはいった真鍮のバケツ** 聖水と、聖水を棺にふりかけるための灌水器（末端に球のついた棒）がはいっている。例によってブルームはカトリックの儀式に詳しくない。

二五六 **ストラ** 襟垂帯。司教、司祭が祭服を着て首に十字にかける細長い布。

二五六 **誰が本を読むんだろう？……** 伝承童謡「誰がコック・ロビンを殺したの？」の歌詞をもじって。

二五七 **ドミネナミネ** Dominenamine 「主ノ御名ニヨリテ」In nomine Domini というラテン語を、ブルームが聞き違えている（G）。

二五七 **筋骨たくましいキリスト教徒**　正しい信仰に達するには健康な肉体をもって社会的な義務を果すのが前提であると強調する英国国教会の一派（G他）。ブルームはプロテスタントの主張をカトリックの司祭に当てはめている。

二五七 **汝はペテロなり**　「マタイ伝」一六・一八。「我この磐《いわ》の上に我が教会を建てん。黄泉《よみ》の門はこれに勝たざるべし」と続く。

二五七 **《汝ノシモベノ……》** *Non intres in judicium cum servo tuo, Domine* ラテン語。死者のためのミサのあと、棺を墓へと運び出す直前に唱える「赦罪文」の一節（G）。「詩篇」一四三・二を参照。

二五八 **マーヴィン・ブラウン**　実在の人物。ダブリンの音楽教師、オルガン奏者（G）。

二五八 **聖ウェルブルガ教会**　ダブリン最古の教会でリフィ川の南側ワーバーグ（古英語名ウェルブルガの現代英語発音）通りにある。七世紀アングロサクソン族の聖女ウェルブルガにちなんで名づけられた。建てられたのは一二世紀後半。一七五九年に設置されたオルガンは傑作の一つといわれる（G）。

二五八 **末端に球のついた棒**　灌水器。バケツは聖水器を指す。祝別した聖水をこれに入れ、灌水器をひたして振りかける。例によってブルームは儀式に無関心。

二五八 **《ワレラヲ試ミニ引キタマワザレ》** *Et ne nos inducas in tentationem*　ラテン語。「主禱文」の一節。「マタイ伝」六・一三に由来。

二五九 **《天国ニ》** *In paradisum*　ラテン語。「天使たちは天国に彼を導きたまわんことを」の出だし。棺を墓へ運び出すときに唱える。「死者のための祈り」より。

二五九 **オコネル・サークル**　墓地中央にある円形塚。ダニエル・オコネル（愛称ダン・オー親父）は最初そこに埋葬されたが、のちに墓地礼拝堂付近にオコネル記念塔が完成し、一八六九年には遺骨もそちらに移された。彼らが眺めている「聳え立つ円錐形」は、実際には記念塔のほうである（G）。

二六〇 **彼の心臓《ハート》はローマに埋められてるんだ**　一八四七年オコネルはイタリアのジェノヴァで死んだ。遺体はアイルランドに送られたが、心臓だけはローマの聖アガタ教会に埋葬された（G）。

二六〇 **彼女の墓**　サイモン・ディーダラスの妻、スティーヴンの母、メアリ・グールディング・ディーダラスの墓。一九〇三年六月二十六日に埋葬された。

二六一 **この墓地では油断ができないからな**　カーナンもカトリックの慣習をよく知らない。

二六一 **同じ立場**　ブルームはユダヤ人でプロテスタントからカトリックに改宗した（第五挿話、第十七挿話参照）。カーナンも本来プロテスタントで結婚を機に形だけカトリックに改宗した男である（『ダブリンの市民』の「恩寵」参照）。

二六一 **アイルランド教会**　英国国教会に対応するプロテスタントの教会組織。

二六一 **言葉は……別の話**　一九〇四年当時ローマ・カトリック教会は礼拝にラテン語を使っていたが、英国国教会やアイルランド教会は英語を使っていた。

二六一 **《われは復活なり生命なり》**「ヨハネ伝」一一・二五にあるイエスの言葉。英国国教会の「死者の埋葬」の祈りで引用される。

二六二 **いたんだ心臓**　Broken heart「傷ついた心」の意味もある。

二六二 **最後の日というあの観念**　「ヨハネ伝」六・四〇を参照。

二六二 **出でよ、ラザロ！**「ヨハネ伝」一一・四三を参照。

二六二 **五番目に出て来たので**　And he came fifth「出でよ」come forth の forth を fourth と読み換えて fifth に特別な意味を持たせるのは、英語圏ではかなりありふれたジョークだった。

二六二 **トロイ衡なら**　トロイ衡は貴金属や宝石の重量を計る衡量。正しくは二十四グレインで一ペニーウエイト（一・五五五二グラム）。

二六二 **きみのトゥーラルーム、トゥーラルーム**　コーニー・ケラハーが口癖のように歌う（第五挿話参照）。トゥラルー（あばよ）と同義か。

二六三 **ラウンドタウン**　ダブリン南郊の村。テレニュアの旧名。

二六三 **ローンボウリング**　芝生の上で木の球を転がして、的球 jack に近づけるゲーム。

二六四 **ウィズダム・ヒーリー**　デイム通りの印刷所および文房具店の経営者で、かつてのブルームの雇い主。モリーと結婚した一八八八年ごろから約六年勤めたらしい(第八挿話参照)。

二六四 **ジョン・オコネル**　グラスネヴィンのプロスペクト墓地管理人。

二六五 **クーム**　リフィ川南側の「特別区」にある。かつての商業地域だが、当時は貧民街になっていた。第五挿話参照。

二六六 **キーズ商店の広告**　ブルームはキーズ商店と広告の契約を結ぼうとしている。第七挿話参照。

二六六 **《人身保護令状》** *Habeat corpus* ラテン語。法律用語として用いる。違法に拘禁されている疑いのある者を出廷させる命令書。たくさんの死人を拘禁するオコネルを頭において。

二六六 **ボールズブリッジ**　ダブリン南東の郊外にある。キーズ商店があった。

二六七 **灰いろのなかに銀の糸**　レックスフォード作詞、ダンクス作曲の歌「金いろのなかに銀の糸」(一八七四)のもじり(G)。

二六七 **墓場があくびする時刻に**　『ハムレット』三幕二場から。

二六七 **むやみに子供を……**　ダニエル・オコネルには多くの私生児があるという噂があった(G)。

二六七 **トルコの墓地の売春婦たち**　一九世紀半ばに出た『一アメリカ人によるトルコのスケッチ』という本には、トルコの墓地に娼婦が出るという話が載っている(G)。

二六七 **墓石のなかでの恋**　ブラウニングの詩「廃墟のなかでの恋」(一八五五)のもじり。

二六七 **ロミオ**　『ロミオとジューリエット』五幕。二人の恋人は墓所で死ぬ。

二六七 **死の只中においてわれらは生のなかにある**　前出、英国国教会の『祈禱書』にある「死者の埋葬」の一節、「生の只中においてわれらは死のなかにある」を逆にした。

二六七 **帳尻合せだよ**　Both ends meet たぶんブルームはもう一つの諺 Extremes meet「両極端は合致

する」を重ねて考えている（D）。

二六八 **直火で焼いたビフテキ** grilled beafsteaks HW G版による補正。B版では frilled beafsteaks「襞飾りつきのビフテキ」。

二六八 **あの男には** ジョン・オコネルをさして。

二六八 **ギャンブル少佐** 実在の人物。マウント・ジェローム墓地の登録官、事務官。

二六八 **キリスト教徒の男の子を……** 生贄《いけにえ》を捧げて復活と豊穣を祈ったかつての豊穣祭のうろ覚えか。

二六八 **ウィリアム・ウィルキンソン** 不明。

二六九 **死の蛾** ヨーロッパ産の蛾ドクロメンガタスズメ。胸と背に髑髏斑紋があり俗信では死の先触れ。

二六九 **きみの頭はおずを巻く。かあゆい海辺の娘たち** ボイランの歌う「海辺の娘たち」を思い出して（第四挿話参照）。

二六九 **ペテロ** イエスがペテロに「われ天国の鍵を汝に与えん」と言ったため（「マタイ伝」一六・一九）、数多くの伝説で天国の扉の管理者とされている。

二七〇 **《ハムレット》の墓掘りたち** 『ハムレット』五幕一場でオフィーリアの墓を掘る二人。道化役を演じる。

二七〇 **人間の心をいかに深く理解していたかがわかる** シェイクスピアについて一九世紀の学者が用いる常套句。

二七〇 **《死者について語るな巡回陪審裁判》** *De mortuis nil nisi prius* ラテン語の成句「善きことにあらざれば死者について何事も語るな」De mortuis nil nisi bonum を、ブルームは間違って覚えていた。あるいはわざともじった。「ニシ・プリウス」は「巡回陪審裁判」を意味する法律用語（G）。

二七〇 **この男の葬式なんて** ジョン・オコネルを指して。

二七〇 **われらはシーザーを葬るために来た** シェイクスピア『ジューリアス・シーザー』三幕二場。マーク・アントニーのシーザー追悼の演説より。

二七〇 **彼の三月十五日《アイズ・オヴ・マーチ》……** 『ジューリアス・シーザー』一幕二場で、予言者がシーザーに Beware the ides of March「三月十五日を警戒せよ」と言う。古代ローマ暦では三、五、七、十月の十五日と、その他の月の十三日をアイズ ides と呼んだ。したがってディグナムの死んだ六月十三日もアイズである。

二七〇 **マッキントッシュ**　macintosh ゴム引き防水外套。(一般に)雨外套。インドゴム引きの防水布の考案者でスコットランドの化学者チャールズ・マッキントッシュ Charles Macintosh の名にもとづく。この布マッキントッシュで各種の雨外套が作られると、その名はレインコートを指すようになった。普通名詞にも固有名詞にもなり得る言葉ゆえ、このあとマッキントッシュの男が出没するたびに混同が生じる。

二七一 **《おお、気の毒なロビンソン・クルーソー……》** 伝承童謡を少し変えた。「老いぼれ牝山羊の皮剝いで上衣を作ってもらうとは」という句が二行の間に挿入される(T/オーピー夫妻『オクスフォード版伝承童謡辞典』)。

二七二 **アイルランド人の家庭は彼の棺桶なんだ**　「イギリス人の家庭は彼の城である」という諺のもじり。

二七二 **十三人**　ディグナム少年、その叔父、カニンガム、パワー、ディーダラス、ブルーム、カーナン、ランバート、ハインズ、ケラハー、メントン、オコネル、それにマッキントッシュ。

二七二 **メサイアス洋服店**　イーデン河岸五。一九〇三年九月、ブルームはこの店でボイランと出会った。

二七三 **驢馬が鳴いた。雨になるぞ**　真昼どきに驢馬が鳴けば雨が降る、というアイルランドの俗信があった(G)。

二七三 **親父も遠くへ行って……**　ブルームの父親はダブリンのクランブラシル通りの家に住んでいたが、自分が所有するクレア州のホテルに出かけて自殺した。

二七三 **鼻がとがって……**　死が迫っている三つの徴候。これも俗信。

二七三 **枕を引き抜いて……助かりっこないんだから**　ゾラの『大地』(一八八七)に、年とった農民の父親が、彼の財産をねらっている息子夫婦の手にかかって死ぬ場面がある(G)。

二七四 **罪びとの死というあの絵**　未詳。

二七四 **《ルチア》**　ドニゼッティのオペラ『ランメルモールのルチア』(一八三五)は、ウォルター・スコットの小説『ラマームアの花嫁』（一八一九）を下敷にした悲劇。互いの家族の反目ゆえに引き裂かれる二人の恋人たちの悲劇的な運命をあつかう。

二七四 **《もう二度とおまえを見ることはないのか？》** 三幕第三唱で、ルチアが気の進まぬ結婚の末、発狂し死んだことを聞いて、エドガルドも自殺する。ブルームの想起する言葉は見あたらない。

二七四 **蔦の日** パーネルの命日（十月六日）。この日彼の支持者たちは忠誠心のあかしとして常緑の蔦の葉を身につけた。『ダブリンの市民』の短篇「蔦の日の委員会室」を参照。

二七四 **人生のフライパンから煉獄の炎のなかへのな** 「フライパンから炎のなかへ」は「小難をのがれて大難に陥る」という意味の慣用句。

二七四 **誰かが自分のはいる墓の上を歩いている** 日向にいて身震いするのは誰かが自分のはいるはずの墓の上を歩くからだ、という俗信（G）。

二七四 **フィングラス** プロスペクト墓地の北西にある村。

二七六 **ルイス・バーン** 実在の人物。医学博士。ダブリン市の検屍官（G）。

二七六 **彼は火曜日のせいで死んだ** He died of a Tuesday 意味は明らかではないが、「彼は腫瘍のせいで死んだ」He died of a tumor のような解剖所見のパロディと見る説もある（カスペル『注解』の注解）。広告料を着服して新聞社を首になったマッコイのことか。または前段の「あらゆる金曜日は木曜日を葬るんだ」の残響を聞き取って「彼」を「月曜日」と解釈することもできるかもしれない。

二七六 **チャーリー、きみはわがいとしの人** スコットランドの俗謡から。スチュアート朝復興をねらって反乱を起したチャールズ・スチュアート（一七二〇—一八八）を歌う。

二七六 **マッキントッシュ** Macintosh

二七六 **マキントッシュ** M'Intosh Mac- はスコットランド、アイルランドの人名（姓）の前について son of を意味する。Mc-, Mᶜ-, または M'- と略す。ブルームが雨外套の男と言ったのをハインズは人名と誤解した。

二七七 **見た人いませんか？ K、E、ダブルL** 歌「誰かケリーを見た人いませんか？」より。前出。

二七八 **党首の墓** パーネルの墓。墓地礼拝堂のドアの向い側にある。一九〇四年当時は墓石がなく、鉄の柵で囲われているだけであった（G）。

二七八 **古いアイルランドの心たち手たち** リチャード・F・ハーヴィ作の歌から（G）。

二七九 **万霊節** 煉獄にいる死者のために祈る、奉教諸死者の記念日（十一月二日）。

二七九 **二十七日におれは親父の墓に行く** 毎年六月二十七日にブルームはエニスにある父の墓に詣でる。

二七九 **コルク・リノリューム** 亜麻仁油とコルク屑をまぜあわせて粗布に引いたもの（OED）。

二七九 **ワーズワースだかトマス・キャンベルだかの……賛辞《ユーロジー》とすべきだな** ブルームはトマス・グレイ（一七一六―七一）の代表作「田舎の墓地で書いた哀歌《エレジー》」を考えているが、別の二人の詩人の名しか思い浮ばない。

二七九 **全能の名医が彼を呼び戻された** 医者の墓碑銘にしばしば用いられる文句（G）。ドクタ・マレンは第八挿話に再出。かつてのかかりつけの医者らしい。

二七九 **神の分譲地** 特に教会付属墓地を「神の土地」God's acre と呼ぶ。ブルームはこの「土地」を分譲地に見たてる。

二七九 **《教会タイムズ》** 英国国教会の発行する週刊新聞。しばしばこの種の不動産広告を掲載する（G）。

二八〇 **フーパー参事会員** ジョン・フーパー。実在の人物。コーク出身。ダブリン市議会参事会員（G）。

二八〇 **おばかのミリー** ブルームの娘ミリーの愛称（第四挿話参照）。

二八〇 **聖心** キリストの心臓。一七世紀フランスの修道女マルグリット・マリ・アラコックは、キリストがみずからの心臓を取り出して彼女に見せ、それを彼女の胸のなかに入れる、という幻想をくりかえし見たという。のちに彼女はイエズスの聖心会（フランス語名サクレ・クール）という修道会をつくった。

二八〇 **果物籠をかかえた……アポロンという画家だった** ギリシアの画家ゼウクシス（前五世紀）が葡萄を描くと、小鳥がやって来てつつくほど真に迫っていた。葡萄籠を持った少年を描いたとき、やはり小鳥が来てつつこうとするのを見てゼウクシスは「この絵は失敗作だ。少年がちゃんと描いてあれば小鳥たちはこわがって逃げたろうに」と言ったという。ブルームはこのゼウクシスを別の画家アペレス（前四世紀）と取り違え、さらにそれを神話のアポロンと混同したらしい（G）。

二八〇 **なんという数だろう！……歩きまわっていたわけだ**　おそらくダンテ『地獄篇』第三歌の「人々の長い行列がつづいた。死がこれほど多くの人々を破滅させたとは思えなかった」を踏まえて（G）。

二八〇 **われらもかつては現在の汝らのごとくであった**　墓碑銘の常套句。

二八一 **ロバート・エメット**　アイルランドの愛国者（一七七八―一八〇三）。反乱罪で処刑された。遺体のありかは現在にいたるまで不明だが、同志たちが真夜中ひそかにプロスペクト墓地に埋葬したという噂が伝わっている（第十挿話参照）。ブルームはロバート・エメリーという人物の墓からエメットを連想した。

二八二 **《中国の旅》という本**　第十七挿話参照。

二八二 **神父たちは猛反対**　火葬は最後の審判における死者の復活を妨げるから。

二八二 **別の会社**　業火の燃えさかる地獄のことか。

二八二 **オランダ式オヴン**　重い蓋つきの鉄製鍋。バーナーとともに地獄の炎を滑稽めかして。

二八二 **灰を灰に**　英国国教会『祈禱書』の「死者の埋葬」における「土を土に、灰を灰に、塵《ちり》を塵に」から。

二八二 **パルシー教の……鳥に食わせる**　パルシー教徒（八世紀にペルシアからインドに逃れたゾロアスター教徒の子孫）には、死体を塔の上にさらして鳥葬にする習慣がある。ボンベイ付近の「沈黙の塔」は有名（G）。

二八三 **ミセス・シニコーの葬式**　彼女の自殺に近い死については『ダブリンの市民』の「痛ましい事故」を参照。彼女は一九〇三年十月十七日に埋葬された。

二八三 **もうひとつのあの世界《ワールド》は……手紙に書いてたな**　第五挿話のマーサの手紙を参照。

二六三 **タンタロス・グラス**　タンタロス（鍵つきキャビネット）に入れてあるカットグラスのデカンター（の酒）。

7

アイオロス――

二六九 **ヒベルニア**　アイルランドのラテン語名。

二六九 **ネルソン塔**　ナポレオン戦争当時のイギリス海軍提督ホレイショー・ネルソン（一七五八―一八〇五）記念塔。オコネル通りの中心、ダブリン中央郵便局北東側にあり、高さ約三十六メートルの円柱の上に四メートル近い像が立っていた。一九〇四年当時はここに電車の発着場があり、ダブリンの周辺へ線路を延ばしていた。ダブリンの市電は当時としてはヨーロッパ随一の能率的な組織。塔は一九六六年四月深夜過激派の手で爆破されたため現在はない（『ブルーガイド・アイルランド』／G）。

二九〇 **王冠をいただく者**　THE WEARER OF THE CROWN 文字どおりに取れば国王自身だが、この王冠は換喩。笏《しやく》で王権をあらわす類。従ってこの句は、王の代理人、あるいは王の権威をかさに着る者の意。また当時の郵便車にE・Rの文字の上に王冠の印も付されていたとすれば、車そのものを指すことになる。現代イギリスの郵便車やポストの胴に、王冠とE・Rを組み合せた印があることを考えるとその可能性が大きい。ただし現代のE・RはElizabeth Regina エリザベス女王の頭文字。

この挿話は修辞学的語法を多用しているので、代表的なものはその都度説明する。

二九〇 **中央郵便局**　東側正面はオコネル通りに、北はヘンリー通り、南は北プリンス通り（正確には「北プリンスの通り」Prince's Street North）に面している。

二九〇 **E・R**　Edward Rex エドワード王の頭文字。Rex はラテン語で王。当時のイギリス国王エドワード七世（在位一九〇一―一〇）を指す。

二九〇 **プリンス通りの倉庫**　フリーマンズ・ジャーナル社（プリンス通り四―五）の西隣。社の北側が北プリンス通りをはさんで中央郵便局と相対し、南側はアビー通りに面していた。

二九一　**レッド・マリー**　赤毛のマリーの意。実在の人物。ジョイスの母方の叔父ジョン・マリーの綽名（エルマン）。ただし作中のスティーヴンと彼は無関係。ジョイスは母方の縁戚の一人をスティーヴンの叔父リチー・グールディングに仕立て、もう一人を実名のまま他人として登場させた。

二九一　**アレグザンダー・キーズ**　ダブリン市南郊ボールズブリッジ五―六の酒商。ブルームは彼から広告の注文を取るつもり。

二九一　**《テレグラフ》の編集室**　『イヴニング・テレグラフ』の編集室。同じ建物のなかに朝刊『フリーマンズ・ジャーナル』の編集室もある。いまブルームがいるのはこちら。両方は姉妹紙で（第二挿話参照）、ほかに日曜週刊紙『ウィークリー・フリーマン』もあった。また一八九一年にナショナル・プレス社と合併して「フリーマンズ・ジャーナル・アンド・ナショナル・プレス」と称した。

二九一　**ラットレッジ**　実在の人物。フリーマンズ・ジャーナル社の経理営業担当支配人（G）。

二九一　**デイヴィ・スティーヴンズ**　実在の人物。キングズタウン新聞販売店の経営者で、一種の名物男らしい。前年エドワード七世のアイルランド訪問の際に謁見を許されて「国王の使者」という綽名を得た（G）。

二九一　**鋏と糊**　アーサー・グリフィス（第三挿話参照）が出版した刊行物の題名でもある。英米やヨーロッパの新聞の見出しをつないで文章を作り、同時代の出来事に皮肉な注釈を加えながら、政府の検閲を逃れた。ただしこれは一九一〇年代の話らしい（『アイルランド史辞典』）。

二九二　**ウィリアム・ブレイデン**　実在の人物（一八六五―一九三三）。法廷弁護士。一八九二年から一九一六年までフリーマンズ・ジャーナル社の編集発行人（G）。

二九二　**人物は雨傘にみちびかれて**　steered by an umbrella　隠喩。

二九二　**脂肪のひだがぼってり……ぼってり、根っこに**　Fat folds of neck, fat, neck, fat, neck　首句反覆。ブレイデンの足どりに合せて。

二九三 **救世主……マリア、マルタ**　Our Saviour. . . Mary, Martha 第五挿話の「マーサ、メアリ」。

二九三 **テノール歌手のマリオ**　ジョヴァンニ・マッテオ・マリオ（一八一〇―八三）。イタリアのテノール歌手。一八七一年に引退（G）。

二九三 **《マルタ》**　ドイツの作曲家フリードリッヒ・フォン・フロトー（一八一二―八三）のオペラ（一八四七）。一八世紀イギリスのリッチモンドを舞台にしたお伽話。引用の二行は、裕福な農民ライオネル（じつはダービー伯爵の遺児）が農家の娘マルタ（英語読みでマーサ。じつは宮廷の女官ハリエット）を思って歌う「夢のように」から。

二九三 **《来ぉよや、なれ、去りにしひとよ、／来ぉよや、なれ、いとしきひとよ》** *Co-ome thou lost one,* ／*Co-ome thou dear one*　音節分解。

二九三 **司教杖**　羊飼の杖に似た形をしており、司教やミトラを冠ることを許された大修道院長が儀式の際に用いる（『キリスト教用語辞典』）。

ここも換喩の例。カトリック教会と新聞社、または宗教の権威と表現の自由。

二九三 **大司教様**　ダブリンの大司教ウィリアム・J・ウォルシュ（一八四一―一九二一）。フリーマンズ・ジャーナル社のパーネル支持を批判して、しばしば抗議の投書をした（G）。

二九四 **二人は膝が、脚が、靴が、消えて行くのを見ていた**　They watched the knees, legs, boots vanish 接続詞省略。

二九四 **部数の落込みを救えるかな？**　「彼もわれらが救世主の一人さ」にかけて。

二九四 **ナネッティ**　実在の人物。ジョーゼフ・パトリック・ナネッティ（一八五一―一九一五）。イタリア系アイルランド人（「自分の本当の国を見たことがない」）。印刷所監督で政治家。ダブリン市議、イギリス下院議員、ダブリン市長などを歴任した。一九〇四年当時はダブリン市議兼下院議員（G）。

二九四 **ハインズも……どすどすん、どすん**　HWG版による補正。B版では次の「ここにきわめて……」の最初にある。

二九五 **老いぼれの灰いろ鼠**　墓地で見かけた鼠（第六挿話参照）。

二九五　**あの平凡な労働者って筋**　自分は政治に関心を持つ一労働者だというのがナネッティの主張であった（G）。

二九六　**公報**　『ダブリン・ガゼット』を言う。毎週火曜日と金曜日にイギリス政府出版局が発行していた（G）。

二九六　**アン女王逝去**　かびの生えたニュースを指す慣用的表現。アディソンの発行する新聞『スペクテイター』が、アン女王の死（一七一四）を遅れて掲載したことから（G）。一七二二年のバラッドを最初の例にあげるものもある（『オクスフォード版イギリス諺辞典』）。

二九六　**ティナヒンチ郡ローズナリス村**　the townland of Rosenallis, barony of Tinnahinch　アイルランドでは townland は町または村、barony は州内の分割区域つまり郡（*OED*）。ティナヒンチ郡はリーシュ州にある。Gはリーシュ州ローズナリス教区ダーグル河畔ティニヒンチ・ハウスとするが、ローズナリスはリーシュ州の小村、ダーグル渓谷とティニヒンチ・ハウス Tinnehinch House はウィックロー州丘陵地帯にあり（W・セント・ジョン・ジョイス『ダブリン近辺』他）、二つは結びつかない。リーシュ州ティナヒンチ郡ローズナリス村とすべきである（オーエンズ）。ティナヒンチの地名はカーロー、ウィックロー、リーシュ（旧クイーンズ）の各州に見られる（P・W・ジョイス『アイルランドの地名の起源と歴史』）。なおティニヒンチ・ハウスは政治家ヘンリー・グラタンがアイルランド議会から贈られた館。地名の綴りはB版では「ティナチンチ」Tinnachinch だがHWG版によって補正。

二九六　**法令により……**　以下はすべて日曜週刊紙『ウィークリー・フリーマン』の記事のパロディ（G）。

二九六　**バリナ**　アイルランド西部の町。メイヨー州モイ川河口にある。

二九六　**M・A・P**　ロンドンの週刊誌 *Mainly About People*（『主として人の噂』）の略名。ブルームはそれを Mainly All Pictures（ほとんど写真だけ）の頭文字に見立てた。写真や絵が多くて文字が少ない日曜週刊紙を当てこすって。

二九六 **印刷工のキュプラーニ**　フリーマンズ・ジャーナル社にイタリア系の印刷工キャプラーニ（一字違い）がいた。このキャプラーニ兄弟はそれぞれオコナー家の姉妹と同時に結婚式をあげた（G）。

二九六 **アイルランド人よりも……**　More Irish than the Irish　強調反覆法。慣用句。移住者またはその子孫で、アイルランドの風土や気質になじんだ人間を言う。

二九六 **何もかもお猿の落書きにしてしまう**　Monkeydoodle the whole thing　普通は　monkeydoodle business「いんちき、ごまかし」などのように用いる（*OED*）。ここは動詞「めちゃくちゃにする」の意と取って直訳した。

二九六 **ロング・ジョン**　綽名。のっぽのジョンこと、ジョン・ファニング。ダブリンの副執行官　subsheriff（第十挿話他参照）。副執行官は裁判の訴状の送達、判決の執行、議員の選挙の管理などを司る。『ダブリンの市民』の「恩寵」には「登記代理人で市長製造業のミスタ・ファニング」とある。

二九七 **マーの店**　酒場の名前。ダブリンの中心北アール通り四。

二九八 **やつには聞えて……鉄の神経**　HWG版による補正。B版では「七月に載せたいって言うんです、とミスタ・ブルームが言った」の次に来る。ナナンはナネッティの通称。

二九九 **肉を包めばいい**　今朝の肉屋の包紙を思い出して（第四挿話参照）。

二九九 **千一のこと**　thousand and one things　単に「様々なこと」の意だが、『千一夜物語』*The Thousand and One Nights* への連想があろう。

二九九 **鍵の家**　House of Key(e)s　アレグザンダー・キーズ Keyes の店とマン島の下院ハウス・オヴ・キーズ Keys をかけて。マン島はアイリッシュ海にあるケルト系の島。イギリス領だが独自の下院を持つ。その紋章、交差する二つの鍵は、アイルランドの人間にとっても自治の象徴であり得た。

三〇〇 ***voglio***　モーツァルトのオペラ『ドン・ジョヴァンニ』のアリアから。彼はモリーがこれを正しく発音できるかどうか心配している（第四挿話参照）。

三〇〇 **キルケニー** アイルランド南東部の州および州都。ダブリンから百二十キロほどある（第三挿話参照）。

三〇一 **墓場の塀の下で……それにエス（s）も二つ** 原文では綴り字パズルの文言のなかにブルームの独白が混じる。It is amusing to view the unparone ar alleled embarra two ars is it? doubleess ment of a harassed pedlar while gaugingau the symmetry with a y of a peeled pear under a cemetery wall「ワイがあるぞ」（with a y）はHWG版による補正。

三〇一 **やつ** 墓地での弁護士メントンとのやり取りにこだわって（第六挿話参照）。

三〇一 **するっと……そいつがするっと注意を引くところは、まるで人間そっくり** 声喩法。

三〇三 **馬事大会** ダブリン王立協会馬事大会。品評会と馬術大会を兼ねた催し。毎年八月にダブリン南郊のボールズブリッジで開かれ、ヨーロッパじゅうから名馬と観光客が集まる（『ダブリンおよび近郊案内』他）。ブルームはキーズに三か月の長期契約を呑ませようと頭をひねる。しかし、二か月にされたことがあとでわかる。

三〇四 **過越の祭** ユダヤ教の過越祭。ユダヤ暦第一月ニサンの月（太陽暦で三月から四月にかけて）十四日から七日間祝われる。イスラエルの民のエジプト脱出前夜、神ヤハウェはエジプト人の長子とその家畜の初仔をことごとく殺した。イスラエルの民は命じられていたとおり、家の門ごとに小羊の血を塗っておいたので、ヤハウェはその印のある家にははいらずに通り過ぎた（「出エジプト記」一二）。過越祭はこれを記念するユダヤ人の祭。

三〇四 **ムナグィデ・クッリトパ** mangiD kcirtaP パトリック・ディグナム Patrick Dignam の逆綴り。字位転換。

三〇四 **逆に指さしながら** ヘブライ語は右から左へ書く。

三〇四 **ハッガダー** 過越祭の儀式で用いる典礼書。

三〇四 **ペサハ** Pessach 過越祭を意味するヘブライ語。

三〇四 **翌年はエルサレムにて** 過越祭の第一夜に唱える言葉から。ユダヤ人の聖地帰還に対する願望を表す（G）。

三〇四 **まったくなあ……** 父親の死を思って。

三〇四 **われらをエジプトの国より出し奴隷の家に……** 正しくは「主なる神はわれらをエジプトの国、奴隷の家より連れ出した」。ハッガダーで三度繰り返される主題だが、ブルームは間違えて記憶している。「出エジプト記」一三・三「汝らエジプトを出で奴隷たる家を出づるこの日を覚えよ」を参照（G）。

三〇四 **あの長い年月の苦難** All that long business カスペルは「あの長ったらしい祈りの文句」と解する（「『注解』の注解」〈以下カスペル〉）。

三〇四 **《アレルヤ》** *alleluia* ヘブライ語の「ハレルヤ」hallelujah「主を称えよ」のギリシア語およびラテン語形（G）。ハッガダーのなかで繰り返される。

三〇四 **《いすらえるヨ、聴ケ、主ナルワレラノ神ハ》** *Shema Israel Adonai Elohenu* ヘブライ語。ユダヤ人が日々唱える祈り「シェマ」から。*Adonai Echad*「唯一のエホバなり」とつづく。神の唯一性を表明する信仰告白。「申命記」六・四「イスラエルよ聴け我らの神エホバは唯一《ただひとり》のエホバなり」から。毎朝夕に唱える祈りで、過越祭に唱えるものとは違う。したがって「いや、これは別のだ」となる（G）。

三〇四 **十二人の兄弟たち** 過越祭第二夜の祈り「誰が一なるものを知るか」のなかに、「十二はイスラエルの部族」という言葉がある。これをヤコブの十二人の息子たち（「創世記」三五）と混同した（G）。ただし、旧約においてはイスラエル十二部族はヤコブの十二人の子らにさかのぼる。

三〇四 **羊と、猫と……肉屋が牡牛を殺し、犬が猫を殺し** And then the lamb and the cat and the dog and the stick and the water. . and he kills the ox and the dog kills the cat 連辞畳用。文中で接続詞を継続的に多用すること。ブルームは過越祭第二夜に唱える詠唱「一匹の小山羊」を思い出そうとするが、例によって間違える。正しくは「小山羊は猫に食われ、猫は犬に咬まれ、犬は棒でぶたれ、棒は火で焼かれ、火は水で消され、水は牡牛に飲まれ、牡牛は屠畜者に殺され、屠畜者は死の使いに殺され、死の使いは聖なる者に殺される」となる。イスラエルを征服した国々、エジプト、アッシリア、バビロン、ペルシアなどが、入れ代りながら他を征服する歴史を表す。「一匹の小山羊」はイスラエルの民を、「死の使い」を殺す「聖なる者」は彼らを約束の地へみちびく全能の神を指す（G）。

三〇四 **シトロン** ブルームのかつての隣人（第四挿話参照）。

三〇五 **マッチ** 粗面に擦りつけて点火するいわゆる摩擦マッチか。かつては今日の安全マッチよりも普通に用いられた。

三〇五 **トムの印刷所** フリーマンズ・ジャーナル社のそばにあり、ブルームはかつてここに勤めた。『ダブリン・ガゼット』など各種の政府出版物や『トム』を印刷出版する。ジョイスはこの人名録一九〇四年版を参照して『ユリシーズ』を執筆した。

三〇五 **シトロンレモン** かつての隣人の名前と石鹼の匂いを結びつけて。シトロンとレモンはもともと同種の果実。

三〇六 **銀の海に緑の宝石エリン** エリンはアイルランドの古名。緑はアイルランドを象徴する色。アイルランドの愛国者で弁護士のジョン・フィルポット・カラン（一七五〇―一八一七）の詩「わが心の鼓動」に「海の指輪にはめこまれたエメラルド」という語句がある（G）。シェイクスピア『リチャード二世』二幕一場に、イギリスを指して「銀の海にはめこまれたこの宝石」とあるのを踏まえたか。

三〇六 **亡霊が歩いているぜ** 演劇界やジャーナリズムの俗語で「給料配付中」を意味する。経理担当支配人ラットレッジが給料を配ってまわっているのを見て（エルマン）。ブルームが亡霊のように歩いているのを見て言うともとれる（G）。『ハムレット』一幕二場でハムレットが「亡霊はまた出ぬともかぎらぬ」と言うのを参照。

三〇六 **マクヒュー教授** メイヌース神学校でロマンス語教師をしていたヒュー・マクネイルがモデル。「教授」は綽名。『イヴニング・テレグラフ』の編集委員（エルマン）。

三〇六 **いやはや、お苦しみのキリスト様だい** Agonising Christ バージェスも言うように（『ジョイスプリック』）、サイモンの罵り言葉は常套句の域を脱している。第三挿話の「まったく神様も泣きますよ」、本挿話後段の「くそったれの玉ねぎめ！」などを参照。

三〇七 **酒を変えやがったな** 酒を別なのに変えると早く確実に酔うという俗信を踏まえて（G）。

三〇七 **《尻に広げる葉むら》** *the overarsing leafage* 前段の「宙に広げる葉むら」*the overarching leafage* を茶化して。

三〇七 **かくてクセノフォンはマラトンに臨み……** バイロンの『ドン・ジュアン』（一八一九―二四）第三曲中の讃歌「ギリシアの島々」第三スタンザ「山々はマラトンに臨み、マラトンは海に臨む」をもじって。

クセノフォン Xenophon はギリシアの歴史家・軍人（前四三〇頃―三五四頃）、ソクラテスの弟子。ギリシア傭兵隊の一員としてペルシアの内乱に参加したが戦いに敗れ、一万人の兵を率いて退却を敢行した。その経緯を詳述したのが著書『アナバシス』（第一挿話参照）。アテネがペルシア軍を破ったマラトンの戦い（前四九〇）の際には彼はまだ生れていない。ここで唐突にクセノフォンが出て来るのは、この名の英語読みのゼノフォーンからゼノフォービア xenophobia（外国人嫌い）を連想したせいもある（ヴィンセント・J・チェン『ジョイス、民族そして帝国』）。

三〇七 **水練りビスケット** water biscuit 小麦粉と水で作るクラッカーに似たビスケット。

三〇七 **副大法官のチャタートン爺さん** 実在の人物（一八二〇―一九一〇）。勅選弁護士、法務次官、法務長官を歴任し、下院議員、アイルランドの副大法官を務めた（G）。

三〇七 **ジョニー、おじさんに席をゆずっておあげ** 一九世紀末のポピュラー・ソングから。若い者に言う常套句。元の歌は「トミー、おじさんに……」（G／パートリッジ）。

三〇八 **キケロ** ローマの雄弁家・政治家（前一〇六―四三）。その文章はラテン語の模範。ダン・ドーソンの修辞たっぷりの演説を皮肉って。

三〇八 **ダン・ドーソン**　実在の人物。ダブリン・ベーカリー会社の経営者。下院議員。一九〇四年当時はダブリン市収税官（第六挿話参照）（G）。

三一〇 **ピンクのページ**　『イヴニング・テレグラフ』の最終版は薄いピンク色の紙に印刷されていた（G）。

三一〇 **狂風《はやち》を刈り取らねばならなくなる**　「ホセア書」八・七「かれらは風をまきて狂風を刈りとらん。種《ま》くところは成長《おえたて》る穀物なくその穂はみのらざるべし」から。悪事を働いて報いを受けることをいう。

三一〇 **D・アンド・T・フィッツジェラルド事務所**　ダブリンの事務弁護士事務所。実在した（G）。

三一〇 **ゲイブリエル・コンロイ**　『ダブリンの市民』の「死者たち」の主人公。親英保守系の『デイリー・エクスプレス』に書評を書いて、愛国者の女性に問い詰められる。

三一〇 **マイルズ・クローフォード**　『イヴニング・テレグラフ』の編集長。架空の人物。当時の編集長と副編集長を融合し誇張して作りあげたらしい（エルマン）。

三一〇 **《インデペンデント》**　パーネルが企画した新聞『アイリッシュ・デイリー・インデペンデント』。創刊はその死後の一八九一年十二月。彼の主張を受けて急進的な立場に立ったが、『フリーマンズ・ジャーナル』などとの競争に敗れて一九〇〇年保守派の経営者ウィリアム・マーチン・マーフィに身売りし、反パーネルに転じた（G／『アイルランド史辞典』）。

三一一 **右と思えばまた左**　Hot and cold in the same breath 字義通りには「同じ息で温めたり冷やしたり」で、首尾一貫しない態度、または優柔不断を言う慣用句。イソップの寓話「旅人とサチュロス」に由来する。寒い冬の夜にサチュロスに助けられた旅人が息を吹きかけて手を温め、熱いおかゆを出されると息を吹きかけて冷やす。サチュロスは同じ息で温めたり冷やしたりする男は信用できないと言って彼を追い出す（G）。

三一二 **月だ……やつはハムレットを忘れたぞ**　「アイル

ランドの薄明」とあれば、次に「月」が来るのはアイルランドの常套的レトリックだが、「月」の後にあってしかるべき「夜明け」がこの演説にはない。マクヒューは『ハムレット』一幕一場のホレイショーの言葉「茜いろのマントを着た朝が向うの東の山の露を踏んでやって来る」を頭に置いているのか（G）。このマクヒューの言葉はB版では次の「故郷の訛り」の最初にある。HWG版によって補正。

三二三 **くそったれの玉ねぎめ！** shite and onions! 罵り言葉 tripe and onions（「臓物と玉ねぎ」から「下等な食物」、「下らぬもの」の意）をサイモン流に強調して（*OED*／D）。

三二三 **生焼けのどんがらすめ！** Doughy Daw! ドーソン Dawson はベーカリー会社の経営者、コクマルガラス daw は寓話の孔雀の羽根で飾り立てたカケス jay の代りにも使う。daw, jay にはそれぞれに「阿呆」「おしゃべり」の意がある。「生焼けの」doughy は「未熟な」「たるんだ」「鈍い」でもある。以上を頭韻を踏む二語にまとめて彼の文体を揶揄した。

三二三 **ウェザラップ** 実在の人物。ダブリン市税務局に勤めていたW・ウェザラップ。一時期ジョイスの父親の同僚であったらしい（アダムズ）。

三二三 **巣にはたっぷり羽根を溜めこんでいる** 慣用句。「金を溜めこんでいる」の意。

三二三 **偽地主殿** かつてのフリーマンズ・ジャーナル社の経営者フランシス・ヒギンズ（一七四六―一八〇二）の綽名。地方の地主と偽って裕福な女性と結婚したことから。賭博場経営を経て、この新聞社の経営者となった。親英保守派で、独立運動に参加した愛国者を密告したことでも知られる（G／ボイラン『アイルランド人名辞典』）。編集長クローフォードの日和見主義を皮肉ったか。

三二四 **北コーク市民軍** North Cork militia 一七九八年のアイルランド農民らの反乱の際、イギリス政府側に立って戦い、クローフォードの言葉とは逆に、しばしば屈辱的な敗北を喫した。「スペインの士官たち」や「オハイオ」との関連は不明（G）。クローフォードの妄想か。市民軍は当時の政府によって組織された民兵の集団。フランスとの戦いに出国した正規軍に代ってアイルランドの治安を維持していたから国外へは出なかった。士官は主としてプロテスタントの地主階級。ただし兵のなかにはカトリックの小作農たちも多くいた（トマス・バートレット「モラル経済の終焉——一七九三年のアイルランド市民軍騒乱」C・P・E・フィルピン編『アイルランドのナショナリズムと民衆の抗議』所収／他）。編集長の切れ切れの言葉は「われわれ北コークの農民は北コーク市民軍と戦って常に勝った」の意に取れなくもない。クローフォードは後段にあるようにコークの生れ。

三一五 **長短長格** cretic 古典詩学で長、短、長の音節が一組をなす韻律。英詩では強、弱、強の音節をこれに当てる。

三一五 **アイオロスの竪琴** 風鳴琴とも言う。共鳴箱に弦を張った一種の楽器。窓のそばに置くなどして風が鳴らすのにまかせる。ロマン派の詩人たちが詩的霊感の象徴とした。ここは本来の語意にあるギリシア神話の風神アイオロスと、アイルランドの詩歌の象徴としての竪琴にもかけて。

三一五 **デンタル・フロス** 蠟を塗った絹糸。歯の隙間を掃除するのに使う。

三一六 **カナダ詐欺事件** ペテン師が格安のカナダ渡航を斡旋すると称して客から金を詐取した事件。一九〇四年六月十七日に下級裁判所に差し戻され七月十一日に判決が出ている（G）。審判中の事件だからこの日の話題の一つになり得る。

三一六 **《スポーツ》** フリーマンズ・ジャーナル社の週刊スポーツ新聞。土曜日に発行。

三一七 **おとあし** feetstoops 「あしおと」footsteps の母音転換。

三一九 **《寄る年波》** *anno Domini* ラテン語「紀元後（主ノ年）」の俗語的用法。

三一九 **《おれたちゃウェックスフォードの若者だい……》** バラッド「ウェックスフォードの若者たち」の一節。一七九八年の反乱の際、北コーク市民軍と戦ってこれを破ったウェックスフォード州の若者たちを歌う（G）。「度胸ひとつで」*with heart and hand* は「身も心も打ちこんで」を意味する慣用句。

三〇 **バチェラーズ・ウォーク**　リフィ川北側の河岸の通りで、オコネル橋から上手のメタル橋までのあいだを言う。フリーマンズ・ジャーナル社に近い。

三〇 **ディロンの店**　ジョー・ディロンの競売場。

三〇 **世界はきみの前に……**　ミルトン（第二挿話参照）の叙事詩『失楽園』の結びに「世界は二人の前に広く開けていた」とある。「二人」は楽園を追放されたアダムとイヴ。

三〇 **半カーテン**　引き上げ式ブラインド。窓の下部のローラーから引き上げる。

三一 **オーヴァル**　酒場。中アビー通り七八。

三一 **パディ・フーパー**　実在の人物でコーク出身、ダブリン市参事会員ジョン・フーパーの息子。『フリーマンズ・ジャーナル』の記者。後年の編集長。ジャック・ホールもジャーナリストらしい（G）。

三二 **和睦のきせる**　アメリカ・インディアンが和睦のしるしに互いに吸い合う。

三二 **《ありがとさん》** *Thanky vous*「ありがとう」の俗語にフランス語の二人称目的格をくっつけた。

三三 **《そなたを誘惑したのは……》**　ダブリン生れの歌手・作曲家マイケル・バルフ（一八〇八―七〇）のオペラ『カスティールの薔薇』（一八五七）第三幕のアリアから。騾馬《らば》追いに姿を変えたスペイン古王国のカスティールの王が「カスティールの薔薇」と謳われる美女に言う（G）。

三三 **《イムペリウム・ローマーヌム》** *Imperium romanum* ラテン語で「ローマ帝国」。

三三 **ブリックストン**　ロンドン郊外の地名。当時は無味単調な都市周辺の典型（G）。

三三 **火のなかの脂**　諺。騒動の元の意。ただし古くは「決定的に失敗した企て」の意に用いた（『オクスフォード版イギリス諺辞典』）。

三四 **地獄の雪玉ほどの……**　俗語の慣用句。まったく見込みはないの意（パートリッジ）。

三四 **かつてはローマであったこの壮麗**　エドガー・アラン・ポーの詩「ヘレンに寄せる」より。

三四 **《ここにあるは善し……》**　聖書の直接の引用ではないが、「マタイ伝」一七・四でペテロがイエスに言う「主よ、我らの此処に居るは善し、御心ならば我ここに三つの庵を造り、一つを汝のため、一つをモーセのため、一つをエリヤのためにせん」などを踏まえて（G）。

三四 **トーガ**　古代ローマ市民が外出のときに着用したゆったりとした上衣。

三五 **ギネス記一章**　the first chapter of Guinness's　ダブリンの醸造業者ギネスと「創世記」Genesis をかけて（G）。

三五 **ローマ法**　近代ヨーロッパ法制の基礎をなす。

三五 **ポンティオ・ピラト**　ラテン語でポンティウス・ピラトゥス。ローマ人。帝国の属州ユダヤの総督（在職二六―三六）。イエスの無罪を知りながら、ユダヤ人大衆の手に渡し、十字架につけさせた（「ヨハネ伝」一八―一九）。第五挿話参照。

三五 **財務裁判部長官パリス**　実在の人物。クリストファー・パリス（一八三一―一九二〇）。

三五 **王立大学**　学位授与のための機構。学生の教育には関与しない。

三五 **ドネゴール**　アイルランド北西端の州。手織のツイードの主要生産地。

三五 **ミスタ・オマッデン・バーク**　『ダブリンの市民』の「母」にも登場する。

三五 **《おはいり、みなさん！》**　*Entrez, mes enfants!*　フランス語。

三五 **青春が経験に連れられて……**　うぶな若者が中年紳士に連れられて高級売春宿を訪れる図柄をもじって。ウィリアム・ホーガースの連作銅版画「放蕩息子の遍歴」（一七三五）の一つを思わせる。

三六 **《嵐さかまく南から……》**　ディージーの手紙の端を破って書きつけた詩句がここで形をなす。原文は On swift sail flaming / From storm and south / He comes, pale vampire, / Mouth to my mouth. スティーヴンは最後の一行を決めるのに苦労したはずだが（「口が女の接吻に」。いや、エムは二つなけりゃ。エムをぴったりくっつけろ。口が女の口の接吻に」第三挿話参照）、実はダグラス・ハイドが翻訳したゲール語の民謡「わが悲しみは海を行く」（'My Grief on the Sea'）の最後のスタンザ And my love came behind me — / He came from the South; / His breast to my bosom, ／ His mouth to my mouth（愛する人が後ろから―／南から来て／わたしの胸に胸合せ、／わたしの口に口づける）の最後の一行とほぼ同じものになった（ハイド編訳『コナハト地方の愛の歌』初版一八九三年を参照）。ハイドの訳詞はアメリカに渡ったまま音沙汰のない恋人が帰国して自分を抱いてくれるのを夢想する娘の歌だが、スティーヴンの四行には伝奇趣味がかいま見られる。これをスティーヴンの無意識的な模倣と見るか、意識的なパロディ化と取るかは批評家によって意見が分れる（アダムズ／カイバード「コナハト地方の愛の歌」『アイルランドの古典』二〇〇一年所収）。いずれにしろ作者ジョイス自身がきわめて意識的にこの重ね合せを行なっているのは明らかである。ここには創作行為に対するある種のアイロニカルな観察、および『ユリシーズ』の後半で顕著になる文体模倣《パスティーシュ》のひとつの兆しがあるのかもしれない。

三三七　**去勢牛を助ける歌びと**　第二挿話参照。

三三七　**スター・アンド・ガーター**　ホテルの名。ドリアー通り一六。リフィ川南岸近くにあった。

三三七　**ヘレネ、夫メネラオスを捨てて……ブレフニーの領主オロークが**　第二挿話のディージーの言葉。

三三八　**一アイルランド人がウィーン城壁の上で……**　一八五三年二月十八日、オーストリア皇帝フランツ・ヨーゼフ一世（在位一八四八―一九一六）が旧ウィーン市をかこむ稜堡上で一人のハンガリー人暗殺者に襲われたとき、アイルランド人亡命者の子、副官オドネルがこれを倒して皇帝を救った（G）。ティアコネルはドネゴールの古名。

三三八　**わが国王をオーストリア陸軍元帥に……**　一九〇三年、エドワード七世はウィーンを訪問した際にフランツ・ヨーゼフ一世を英国陸軍元帥に任じた。一九〇四年六月九日、皇帝の甥で皇位継承者フランツ・フェルディナント大公（一八六三―一九一四）がその返礼にイギリスを訪れ、エドワード七世にオーストリア陸軍元帥の司令杖を手渡した（G）。

三三八　**灰いろ雁**　第三挿話注参照。

三三九　**《ドミネ！》**　*Domine!* ラテン語 dominus の呼

格で「主よ！」。B版では主格 *Dominus!* となっているが、HWG版により補正。

三九 **ロード！** Lord!「主よ！」。英語の lord はキリストの呼称にも貴族の称号にも用いられるのを皮肉って。

三九 **ロード・ジーザスだと？** Lord Jesus?「主イエスだと？」マクヒューはダブリン訛りで「ジェイザス」と発音したかもしれないが、訳文は標準英語の発音表記とする。ジョイスは「ジェイザス」と読ませたいときは Jaysus と綴る。次項とも、疑問符はHWG版による補正。

三九 **ロード・ソールズベリーだ？** Lord Salisbury?「ソールズベリー卿だ？」 第三代ソールズベリー侯爵（一八三〇―一九〇三）。イギリス保守党の指導者。三度にわたって首相を務め、自由党の首領グラッドストンと対立、アイルランドの自治に反対した。

三九 **ウェストエンド** ロンドン中央部西寄りの区域。バッキンガム宮殿、国会議事堂以下、諸官庁、高級ホテル、有名クラブなどが多い。

三九 **キュリエ・エレイソン！** KYRIE ELEISON! ギリシア語で「主よ、憐れみたまえ！」。ミサ聖祭の求憐誦。入祭文のあとで唱える（『キリスト教用語辞典』）。

三九 **《キュリオス！》** *Kyrios!* ギリシア語の主格で「主は！」。

三〇 **セム族もサクソン族も知らない母音** ギリシア語の母音イープシロン υ（ローマ字ではyで表す）はヘブライ語にも英語にもないから（G）。

三〇 **《キュリエ！》** *Kyrie!* ギリシア語の呼格「主よ！」。

三〇 **トラファルガー沖で壊滅した……** 一八〇五年十月二十一日、フランス・スペイン連合艦隊がネルソン提督のひきいるイギリス艦隊に撃破されたのを悼んで。フランスとスペインは共にカトリックの国でアイルランドの支援者。

三〇 **アイゴスポタモイ** 前四〇五年、アイゴスポタモイ沖の海戦でスパルタ側がアテネの艦隊を撃滅。翌年の前四〇四年、二十数年にわたるペロポネソス戦争はアテネの敗北と没落をもって終る。

三〇　**彼らは戦場に行った……だが常に敗れた**　イェイツの詩の題名（一八九二初出）から。のち「戦いの薔薇」と改められ、『詩集』（一八九五）に収められた。元の題名はマシュー・アーノルドの『ケルト文学研究』（一八六七）のエピグラフを借りたもの。

三〇　**《マチネ上演》** *matinée*　演奏会や劇などの昼興行。フランス語だが英語でも使う。夜のそれに比べて略式の公演になることが多い。ピュロス（第二挿話参照）がつまらぬ小競り合いで討死したのを指して。

三一　**サルスティウス**　ローマの歴史家、政治家（前八六―三五）。ユリウス・カエサルの支持者。前四四年、彼が暗殺されてからは政界を退き歴史の著述に専念した。

三一　**悼んで引っかけているのさ**　黒縁の眼鏡を「かける」wear と結びつけて、喪に服しているのさの意になる。かつての神学校教師マクネイル（マクヒューのモデル）は日常でも燕尾服を着る習慣があったからという解釈もある（エルマン）。死、喪服はスティーヴンの母に対するマリガンの言葉（第一挿話参照）に結びつく。

三二　**ローズ・オヴ・カースト・スティール**　Rows of cast steel「鋳鉄の列」つまり線路。

三二　**強くなってきたようだ**　I feel a strong weakness 修辞学で言う撞着語法。

三二　**コミューン**　いわゆるパリ・コミューン。一八七一年三月、普仏《ふふつ》戦争に敗北した後、パリの労働者と市民が反乱を起して確立した革命政権をいう。七十二日間つづいたが、五月、政府軍と凄惨な戦いを交えたのち崩壊した。

三二　**フィンランド総督の暗殺**　フィンランド総督でロシアの将軍ボブリコフは、強引にロシア化政策を進めたが、一九〇四年六月十六日、ヘルシンキ時間午前十一時（ダブリン時間午前八時三十五分）に暗殺された。当日の昼ダブリンにニュースが届いていたかどうかは不明だが、場面が新聞社であることを考慮に入れるべきかもしれない（G）。

三三　**考えただけのことでしてね……**　HWG版による補正。B版では次の「寄せ集め」の最初にある。

三三　**寄せ集め**　OMNIUM GATHERUM　まがいラテン語。「すべての人」omnes の所有格 omnium に英語の「集まり」gathering の語尾をラテン語ふうに変えてつなげた。

三三　**ねえ、空気な新鮮が吸いたい！**　O, for a fresh of breath air! レネハン得意の語順のすり替え。ここのせりふはマダム・ブルームの声色を使った皮肉で性的な当てこすりかもしれない。なお、レネハンのあけすけなモリー評が第十挿話にある。

三四　**《青春の辞書には……》**　イギリスの作家・劇作家・政治家エドワード・ブルワー＝リットンの劇『リシュリュー』（一八三八）三幕の主人公の台詞「青春の辞書には……『失敗』などという言葉はない」から（G）。

三四　**ちびの怠け者のたくらみ屋め**　クロンゴーズの寄宿学校時代、幼いスティーヴンは眼鏡をこわされて書取りができなくなり、ドーラン神父に不当な鞭打ちの罰を受けた。そのときの神父の言葉を思い出して（『肖像』参照）。

三四　**ボリス・イン・オソリー**　ダブリンの西南西百六キロ余り、リーシュ州にある町。一八四三年、ダニエル・オコネルは古い由緒のあるこの土地で連合法撤廃の集会を開いた。一九〇四年、これにちなんで同地で大集会を開催する計画があった（G）。ただし、当時のフリーマンズ・ジャーナル社の記事によって作成した一八四三年のアイルランドにおける連合法撤廃集会開催地約五十か所の分布図（オリヴァー・マクドナ『解放者ダニエル・オコネル一八三〇－一八四七』所収）に、ボリス・イン・オソリーは含まれていない。国民党はアイルランド議会党の通称。一八九〇年以後パーネル派と反パーネル派に分裂したが、一九〇〇年に一応の再統一を果した。

三四　**ジェイクス・マッカーシー**　『フリーマンズ・ジャーナル』の記者。しかし、ジェイクスには便所の意味もある（G）。ここは「何もかも」の意に用いているから、新米記者のようなものか。クローフォードの言葉は例によって曖昧。歴史の事実を正確に踏まえているかどうかも定かではない。次のフィーニックス公園暗殺事件についても同様。

アル中症状のせい（ランバート）と、風見鶏の生き方をしているせい（ブルーム）か。

三三五　**イグネイシャス・ギャラハー**　『ダブリンの市民』の「すこしの雲」に登場する。ダブリンからロンドンに渡って活躍している新聞記者。第六挿話参照。

三三五　**クラレンス・ホテル**　リフィ川の南岸ウェリントン河岸にある。

三三五　**一八八一年五月六日**　正しくは一年違いの一八八二年五月六日土曜日夕暮れ時。

三三五　**フィーニックス公園の暗殺**　着任したばかりのアイルランド長官（総督を補佐して行政を司る）キャヴェンディッシュと次官バークがフィーニックス公園内の公邸へ帰る途中、無敵革命党の一味に襲われ刺殺された事件。無敵革命党はフィニア会の過激分子の分派（第五挿話参照）。

三三五　**きみが生れる前**　スティーヴンの生年はジョイスと同じ一八八二年と考えられる。

三三五　**《ニューヨーク・ワールド》**　ニューヨークの日刊紙。事実、『ニューヨーク・ワールド』は一八八二年五月七、八の両日にフィーニックス公園暗殺事件のあらましを伝えている（G）。

三三五　**ティム・ケリー、キャヴァナ、ジョー・ブレイディ**　いずれも無敵革命党員で暗殺事件に関与したが、直接に手を下したのはケリーとブレイディ。マイケル・キャヴァナは彼らを乗せて逃走した馬車の馭者役。

三三六　**道順を全部**　彼らが逮捕されるのは翌八三年の一月、裁判が開かれて事件の全貌が判明するのは二月以降のことで、事件の直後には一味の名前はもちろん、逃走経路もまったく不明だった（アダムズ／トム・コーフ『フィーニックス公園の殺人』）。編集長は事件当日から公判にいたる時日の経過を無視している。劇的な効果を高めるためとも取れるが、やはりアル中症状による記憶力減退のせいと考えるべきかもしれない。キャヴァナの馬車は公園西側の門を出て、郊外の南を大きく迂回し、南南東から再び市中にはいり、デイヴィの酒場に立ち寄った。

三三六　**フィッツハリス**　ジェイムズ・フィッツハリス。暗殺者の一味を乗せて馬車を走らせたのはマイケル・キャヴァナで、フィッツハリスではない。しかし、彼は官憲の目を眩ますために別な馬車に別の仲間を乗せて、公園南東側の正門からダブリンの中心へ向った。逮捕後の裁判でケリー、ブレイディ、他三名が死刑。フィッツハリスは終身刑を宣告されたが、一九〇二年に仮釈放された。綽名「山羊皮」の由来は、酒代の借金を払うのに飼っていた山羊を殺し、皮を剝いで売ったから。釈放後は馭者溜りの主人ではなく石材置場の番人をしていたという（G／アダムズ／コーフ『フィーニックス公園の殺人』）。第十六挿話でブルームとスティーヴンが馭者溜りに行く。

三二六 **バット橋** オコネル橋の東側、ダブリン税関の手前にある。最も河口に近い橋。

三二六 **ホロハン** 『ダブリンの市民』の「母」に登場する。通称ホッピー・ホロハン。足が悪くてひょこひょこ歩くから。

三二六 **ブランサム・コーヒー** ロンドンのブランサム社のコーヒー。よく広告が出ていた。

三二七 **公園正門** 公園の南東側にある。

三二七 **総督公邸** 公園内中央北側。長官と次官の公邸も近くにあった。

三二七 **ノックマルーン門** 公園の西端にある。

三二七 **デイヴィの酒場** ラニラの北東、上リーソン通り。

三二八 **バークの酒場** ホリス通りにある（第十四挿話参照）。編集長はデイヴィの酒場を言い直したことになるが、前の発言が正しい。HWG版では「デイヴィの酒場」に訂正してある。

三二八 **あざやかだ、じつに** CLEVER, VERY 前後倒置。

三二八 **決して目を覚すことのない悪夢** 今朝、ディージーに答えた言葉「歴史というのは……ぼくがなんとか目を覚したいと思っている悪夢なんです」（第二挿話参照）を思い出してみずから解答を与える。アイルランドの歴史という悪夢から逃れられない。

三二八 **ディック・アダムズ** 実在の人物。リチャード・アダムズ。『コーク・エグザミナー』や『フリーマンズ・ジャーナル』の記者を務めた。一八七三年から弁護士としても活動。フィーニックス公園暗殺事件ではフィッツハリス他の弁護を担当した（G）。

三三八 **マダム、わたしはアダム。そうしてエルバを見るまでできた**　Madam, I'm Adam. And Able was I ere I saw Elba 二つとも有名な回文。「おれは見ていた」とアダムズとにかけた駄洒落。

三三九 **プリンス通りの婆あ**　『フリーマンズ・ジャーナル』の綽名。

三三九 **グレガー・グレイ**　ダブリン在住の画家（G）。

三三九 **パディ・フーパー**　本挿話前出。

三三九 **テイ・ペイ**　Tay Pay　T・Pのダブリン訛り。ジャーナリスト、新聞社主、アイルランド議会党所属の下院議員トマス・パワー・オコナー（一八四八―一九二九）の通称。ゴールウェイで学び、一八七〇年ロンドンに出て活躍。夕刊紙『スター』ほか、『サン』、『M・A・P』、『T・P's週刊新聞』などを創刊編集した（『アイルランド史辞典』／ボイラン／G）。

三三九 **ブルーメンフェルド**　ラルフ・D・ブルーメンフェルド（一八六四―一九四八）。アメリカ生れの新聞記者。一九〇四年当時はロンドンの『デイリー・エクスプレス』記者（G）。

三三九 **ピヤット**　フェリックス・ピヤット（一八一〇―八九）。フランスの社会革命家・ジャーナリスト。一八七一年のパリ・コミューン参加後ロンドンに亡命した。革命家として新聞に寄稿し雑誌の編集もした（G）。ここはギャラハーを称えて「いまどきのピヤット」だと言うつもりか。とすれば「新聞記者どものおやっつぁん」も、レネハンの「煽情ジャーナリズムの父親」もギャラハーを指すことになる。したがって「偉大なギャラハー」THE GREAT GALLAHER は皮肉。ただしGはレネハンの言葉をピヤットへの評価と見てその不当性を指摘する。

三三九 **クリス・キャリナン**　よく言い違えやへまをするので有名なダブリンのジャーナリストらしい（アダムズ）。Gもベンストック夫妻もギャラハーは文字通りキャリナンの義兄弟であったと考える。

三三九 **ざったく、あまやか**　Clamn dever「まったく、あざやか」Damn clever の字位転換。

二四〇 **レイディ・ダドリー** 夫のダドリー伯は一九〇二年から〇六年までアイルランド総督（第十挿話参照）。

二四〇 **去年のあの竜巻** 一九〇三年は「大風の年」（第一挿話参照）。二月二十六日から二十七日にかけて大風が吹いた（G）。

二四〇 **ナンバー・ワン** 無敵革命党員P・J・P・タイナンの綽名。謎の首領格と見られていたが実際にはさほどの力はなかったらしい。綽名の由来はその写真が法廷で証拠物件第一号と呼ばれたからだという。一八八三年一月の一斉逮捕の際はロンドンにいたため、無事フランスからアメリカへ逃れた（コーフ『フィーニックス公園の殺人』）。

二四〇 **ホワイトサイド** ジェイムズ・ホワイトサイド（一八〇四―七六）。法廷弁護士、雄弁家。一八四四年オコネルの裁判の際に弁護を担当した。

二四〇 **アイザック・バット** 法廷弁護士・政治家（一八一三―七九）。多くのフィニア会員の弁護を担当、アイルランド自治運動の先駆者（ボイラン／G）。

二四〇 **オヘイガン** トマス・オヘイガン（一八一二―八五）。法廷弁護士。一八六八年、カトリックとして最初のアイルランド大法官（『アイルランド史辞典』／G）。

二四一 《……**なれがやすらい**……**たゆたい**》... *la tua pace/... che parlar ti piace/mentreché il vento, come fa, si tace* イタリア語。ダンテ『神曲』「地獄篇」第五歌九二、九四、九六行より。不倫の恋ゆえに地獄に落ちたフランチェスカの言葉から。訳文も韻を合せたが原文のシンタックスと厳密な対応はしていない。次の「彼」はダンテ。

二四一 《**暗闇の空を**》 *per l'aer perso* イタリア語。『神曲』「地獄篇」第五歌八九行より。

二四一 《**かの平和の焔章旗**》……《**いよいよ見るの願いに燃えしむる**》 *quella pacifica oriafiamma... di rimirar fê più ardenti* イタリア語。『神曲』「天国篇」第三十一歌一二七、一四二行より。天上に昇ったダンテは聖母マリアの姿を見る。引用はHWG版により補正。

二四一 **暗下闇** underdarkneath 交差連絡。underneath

と darkness をまぜる。

三四二 **ぼくの言葉をねじ曲げて解釈している** 編集長は誰もギャラハーの称賛に乗ってくれず、オモロイが「下っ端ども」の絵葉書売りまで引合いに出したのにいきり立ったのか。

三四二 **第三職業** 聖職者、医者につぐ第三の職業。つまり法律家。

三四二 **コルクの足が先っ走りしているぜ** コーク生れをアルスターのバラッド「コルクの足が止らない」にかけて（G）。

三四二 **ヘンリー・グラタン** アイルランドの政治家・雄弁家（一七四六―一八二〇）。アイルランド議会の独立と連合法反対を主張、カトリック解放運動に献身した（本挿話「ティナヒンチ郡ローズナリス村」注参照）。

三四二 **フラッド** ヘンリー・フラッド（一七三二―九一）。政治家・雄弁家。アイルランドの政治的独立をめざした。

三四二 **デモステネス** ギリシアの政治家・法廷弁論家（前三八四―三二二）。マケドニアのフィリッポス二世やアレクサンドロス大王に対し、弁論の力をもってギリシアの自由を守ろうとしたが敗れて自殺した。

三四二 **エドマンド・バーク** ダブリン生れの政治家・雄弁家・著述家（一七二九―九七）。イギリス下院で多くの名演説を残した。著書に『美と崇高についての考察』（一七五七）、『フランス革命についての考察』（九〇）ほか。

三四二 **ハームズワース** アルフレッド・ハームズワース（一八六五―一九二二）。ジャーナリスト・大衆新聞経営者。『アンサーズ』（一八八八）をはじめ、『ロンドン・イヴニング・ニューズ』、『デイリー・メイル』、『デイリー・ミラー』、その他を発刊、当時の新聞帝国を築いた（ボイラン）。また『ユニオン・ジャック』、『勇気』、『半ペニーの驚異』など少年向けの雑誌を出版した（『ダブリンの市民』の「出会い」参照）。チャペリゾッドはダブリンの西郊リフィ川上流沿いにあり、フィーニックス公園の西端と境を接する。当時は村。『ダブリンの市民』では「痛ましい事故」の主人公が住む。

三四二　バワリー通りの赤新聞経営者　ジョーゼフ・ピューリツァ（一八四七—一九一一）。前出『ニューヨーク・ワールド』の経営者。ハームズワースの友人で従兄弟ではないが、イギリスの劇作家トム・テイラー（一八一七—八〇）の喜劇『われらがアメリカの従兄弟』（一八五八）をもじったか。彼の新聞社はバワリー通りではなくパーク通りにあった（G）。その遺志によってピューリツァ賞が設立されたのは一九一七年。

三四二　《パディ・ケリー報知》　*Paddy Kelly's Budget*　週刊娯楽新聞。一八三二年十一月から三四年一月にかけてダブリンで発刊された（G）。

三四二　《ピュー新報》　*Pue's Occurrences*　ダブリン最初の日刊新聞。一七〇〇年に創刊され約五十年間つづいた（G）。

三四二　《スキベリーンの鷲》　*The Skibereen Eagle*　コーク州スキベリーンの週刊新聞（一八四〇頃—一九三〇）。小さな地方新聞のくせに、われわれはイギリス首相とロシア皇帝を「見張る」という大仰な主張をして笑い話の種となった（G）。

三四二　新聞なんて……　「マタイ伝」六・三四「一日の苦労は一日にて足れり」をもじって。

三四三　アイルランド義勇軍　Irish volunteers　一七七五年、アメリカ独立戦争が勃発してアイルランド駐在のイギリス軍が出兵した後、七八年、アルスター地方を皮切りに各地の地主がそれぞれに作った私的な治安維持組織。九三年に市民軍法令 Act of Militia が制定され、義勇軍はより公的な市民軍に吸収された。前注「北コーク市民軍」参照（G／R・F・フォスター『近代アイルランド一六〇〇—一九七二』他）。

三四三　ルーカス博士　チャールズ・ルーカス（一七一三—七一）、医師・愛国者。創刊当時の『フリーマンズ・ジャーナル』寄稿者。「市民」と署名するのが常だった。

三四三　ジョン・フィルポット・カラン　法廷弁護士・愛国者・雄弁家（一七五〇—一八一七）。アイルランド議会議員。カトリック農民の解放を主張した。

三四三　ケンダル・ブッシュ　チャールズ・ケンダル・ブ

ッシュ（一七六七―一八四三）、アイルランドの裁判官・雄弁家。グラタンと共に連合法に反対した。

三四三 **シーマー・ブッシュ**　ダブリンの法廷弁護士（一八五三―一九二二）。一八九九年十月、チャイルズ殺人事件の公判で被告の弁護を担当し雄弁をふるう（第六挿話参照）。勅選弁護士になるのは一九〇四年にイギリスに渡ってから。

三四四 **《わたしの耳の入口にそそぎこんだのだ》**『ハムレット』一幕五場。父王の亡霊が弟クローディアスに殺された経緯をハムレットに説明する。スティーヴンは「兄殺し」という言葉でこの場面を連想した。「彼」は父王の亡霊。

三四四 **背中の二つある獣**　『オセロー』一幕一場イヤーゴーの台詞から。交合中の男女を指す。亡霊はどうやって弟クローディアスと王妃ガートルードの不義を知り得たのか、の意。王の生前すでに二人のあいだに関係があったと解釈して。

三四四 **諸芸ノ女教師いたりあ**　ITALIA, MAGISTRA ARTIUM ラテン語。

三四四 **証拠法**　証拠と証明による法の分野。ブッシュが実際に比較したのはイギリスの証拠法とアイルランドのそれで、「ローマ人の裁き」と「古いモーセの律法」ではない（G）。

三四四 **《復讐法》** *lex talionis* ラテン語。法律用語。「同害刑法」とも言う。「目には目を」の報復を認める。

三四四 **ミケランジェロのモーセ像**　実際にはローマの聖ピエトロ・イン・ヴィンコリ聖堂にある。

三四五 **ごくありふれた話なのさ**　オモロイの素振りがそう言うかのように見える。

三四五 **使者はもの思いにふけりながら……**　ここから急に大衆冒険小説の文体に変る。スティーヴンがこの場をパロディ仕立てにしたという説がある。「使者」Messenger は普通名詞ではなくこの種の小説に登場する人物の名前かもしれない（カスペル）。ディケンズ的文体とみる説もある（G）。

三四五 **《凍りついた音楽》**ドイツの哲学者シェリング（一七七五―一八五四）は、建築は「空間の音楽、いわば凍りついた音楽である」と述べた（G）。

二四五　《神のごとき人間の像》　ウィリアム・ブレイク『無垢の歌』の「神の像」は「愛」に対してこの言葉を用いている。

二四六　**あつく御礼申しあげそろ**　Muchibus thankibus　英語の Much thanks にラテン語ふうの語尾をくっつけた。スチュアート・ギルバートはこれをパロディとしている。

二四六　**マゲニス教授**　実在の人物。ユニヴァーシティ・コレッジのウィリアム・マゲニス教授。早くからジョイスの才能を認めていた（G）。

二四六　**オカルト信者連**　世紀末前後のヨーロッパでは心霊術、神智学の類が流行した。イェイツ、ラッセル、コナン・ドイルなど、影響を受けた詩人や作家も少なくない。ダブリンにも神智学協会が設立され、ラッセル（筆名AE）が中心になって活動した（第九挿話参照）。

二四六　**オパール秘めやか詩人ども**　「オパール」opal も「ひめやか」hush もAEの愛用語。周辺に集まった若い亜流詩人たちをからかって。

二四六　**ブラヴァツキー**　ヘレナ・ペトローヴナ・ブラヴァツキー（一八三一—九一）。ロシア生れの神智学者。霊媒としても有名。一八七五年ニューヨークに神智学協会を創設、八七年ロンドンに移住。著書に『ヴェールをぬいだイシス』（一八七七）、『神智学への鍵』（八九）その他がある。

二四六　**意識のさまざまな層**　神智学が想定する意識の七つの層（G）。

二四七　**ジョン・F・テイラー**　法廷弁護士・雄弁家・ジャーナリスト（一八五〇頃—一九〇二）。マクヒューの言う演説は一九〇一年十月二十四日に行なわれた（G）。イェイツも『自叙伝』中の「幼年と青年時代の回想」でテイラーのこの演説の模様に触れている。

二四七　**フィッギボン判事**　ジェラルド・フィッツギボン（一八三七—一九〇九）。一八七八年から控訴裁判所判事。アイルランドのイギリス化を推進する保守派（G）。彼が「アイルランド語の復活」に反対し、テイラーがこれに反論したのだろう。

二四七　**ティム・ヒーリー**　ティモシー・M・ヒーリー（一八五五—一九三一）。アイルランド議会党党員で下院議員。党首パーネルの片腕となり、一時は彼を「アイルランドの無冠の帝王」と称えたが、人妻との恋愛が表沙汰になってからは徹底的に攻撃して党分裂の原因を作った。「子供服の坊や」はパーネルの不倫の恋愛を批判する子供っぽい道徳観を揶揄したものか。

二四八 **憤恚《いきどおり》の鉢** 「ヨハネ黙示録」一六・一「我また聖所より大いなる声ありて、七人の御使いに『往きて神の憤恚《いきどおり》の鉢を地の上に傾けよ』と言うを聞けり」より。

二四八 **驕る者の嘲笑を** 『ハムレット』三幕一場、ハムレットの有名な独白に「この世の鞭や侮蔑、暴君の無法、驕る者の嘲笑、……」などを誰が耐え忍ぶものか、云々とある。

二四九 **《渦巻き昇る煙をば》** 『シンベリン』五幕五場の幕切れのシンベリンの言葉。祭壇から神のもとに渦巻き昇る煙を言う。ここは煙草の煙をそれになぞらえて（第九挿話参照）。

二五〇 **父祖** 教会の教父たち、すなわち初期から中世にいたるキリスト教の大神学者たち。ここは特にアウグスティヌスを頭に置いて（G）。

二五〇 **滅びるものも……** アウグスティヌス『告白』（三九七）七・一二「また、こういうことも、はっきりとわかってきました。すなわち、滅びるものもやはり善いものなのである。もちろんそれは、最高の善ならば滅びるはずはありませんが、いくらかでも善いものでないとしたら、滅びることすらできないでしょう。もし最高の善であるとしたら不滅であったでしょうし、いかなる善でもないとしたら、それらのうちには、滅びるべき何ものもふくまれていないことになるでしょうから」（山田晶訳）より。

二五一 **ナイル河。子供、大人、彫像** エジプト王はイスラエル人の男の赤子をナイル川に放りこめと命じるが、モーセを生んだ母親は彼を葦の籠に入れてナイル河畔の葦の茂みに隠し、その姉に見張らせた。モーセは王女に救われ、「子供」から「大人」に成長し、イスラエルの民を率いて約束の地を求め（「出エジプト記」「レビ記」「民数紀略」「申命記」）、ミケランジェロの「彫像」に変貌した。

三五一　**あの赤子マリアたち**　the babemaries　モーセをめぐる二つの演説をきっかけに、スティーヴンの連想は赤子モーセの姉と王女の二人（前注）や、一時間ほど前に浜辺で見かけた二人の女に飛ぶ。彼の心のなかでは、女たちは鞄に死産児を入れて捨てに来た二人の産婆であり、キリストの磔刑を見届けた二人のマリアたちでもある（「二人のマリアたち。あれをこっそり葦の茂みに隠して来たのさ」第三挿話参照）。この一瞬のフラッシュバックが前置詞も接続詞も切り捨てた難解な一語 the babemaries に凝集した、と解釈したい。

三五一　**葦の揺籃**　前注参照。新共同訳では「パピルスの籠」。

三五一　**格闘でも身ごなしのすばやい男**　モーセはイスラエル人を虐待するエジプト人を打ち殺した（「出エジプト記」二・一二）。

三五一　**石の角**　中世以来、モーセ像の頭に角を生やす慣習がある。「光を発する」と解釈されるべきヘブライ語 qaran が「角を生やす」と訳されたせい。ミケランジェロのモーセ像にも角がある（G）。

三五一　**《イシスとオシリスの……》**　イシスは受胎と豊饒の女神、その兄で夫でもあるオシリスは死と復活の神、二人の息子ホールスは天空の神。アモン・ラーは太陽神。

三五一　**《この高慢な訓戒に頭を垂れ、意志を曲げ、屈伏していたら……》**　*had the youthful Moses... bowed his head and bowed his will and bowed his spirit...*　漸層法。

三五一　**《選ばれた人々を引き連れて……》**　前注参照。「奴隷の家」はエジプト。その経緯は「出エジプト記」で語られる。

三五一　**《昼は雲の柱……》**　「エホバかれらの前に往《さき》きたまい昼は雲の柱をもてかれらを導き夜は火の柱をもて彼らを照らして昼夜往きすすましめたまう」（「出エジプト記」一三・二一）。

三五一　**《シナイ山頂の雷電のただなかにあって……》**　モーセがシナイ山頂でエホバの教えを聞いたとき、民はみな「雷《いかずち》と電《いなびかり》と喇叭の音と山の煙れるを」見た（「出エジプト記」二〇・一八）。

三五二　**《国なき民の言葉をもって……》**　「出エジプト記」

三四・二九に「モーセその律法《おきて》の板二枚を己れの手に執りてシナイ山より下りしがその山より下りし時にモーセはその面《かお》の己れがエホバと物言いしによりて光を発つを知らざりき」とある。「国なき民」はイスラエルの民、「律法の板」は十戒を記した石板。

三五二 **彼は約束の地にはいらずに死んだ**　エホバはモーセに「汝は我がイスラエルの子孫に与うる地を汝の前に観わたすことを得ん。但しその地には汝いることを得じ」と言う（「申命記」三二・五二）。彼はピスガの山頂に登り、約束の地を見渡して死んだ。

三五二 **風とともに去った**　世紀末の詩人アーネスト・ダウスン（一八六七―一九〇〇）の詩「私ハヤサシイきゅならノ言ウママデアッタトキノ私デハナイ」'Non Sum Qualis Eram Bonae Sub Regno Cynarae' より。

三五二 **マラマストに……**　マラマストはダブリンの南西五十六キロほどの場所にある土砦。一六世紀後半、ケルトの一族がここでイギリス人に虐殺された。タラはダブリンの北西三十三キロ余りの地点にある丘。古代アイルランド王の城址がある。一八四三年、「民衆指導者」ダニエル・オコネルはこれらの土地のほか各地で連合法撤廃の大集会を開き、イギリス政府に圧力をかけたが、同年十月投獄されて運動は挫折した（G／マクドナ『解放者ダニエル・オコネル』）。彼もまた「約束の地」にはいらずに死んだ一人。

三五二 **入口のある耳**　前注『ハムレット』一幕五場の父王の亡霊の言葉を参照。

三五二 **四方の天風**　「ゼカリヤ書」二・六「我なんじらを四方の天風のごとくに行きわたらしむればなり」より。

三五三 **アーカーシャ**　サンスクリット語で「エーテル（空）」の意。ヒンズー教の五つの元素（地、水、火、風、空）の一つ。神智学で「アーカーシャの記録」は、地上のあらゆる事件、思考、行為を記録する宇宙の記憶を言う。

三五三 **フランス式の御挨拶**　口先だけの招待、空約束。

三五三 **ムーニーの店**　下アビー通り一にある酒場。フリーマンズ・ジャーナル社に近い。スティーヴンがマリガンと十二時半に会う約束をした酒場シップは下アビー通り五。

三五四 **さあ、来い、マクダフ！** 『マクベス』五幕八場。マクベスが戦いの相手マクダフに言う。

三五五 **《いりうむ、今ヤナシ！》** *Fuit Ilium!* ラテン語。ウェルギリウス『アエネイス』二・三二五より。イリウムはトロイアのラテン語名。落城間際の激戦のさなかにトロイア側の一人が言う。

三五五 **風吹くトロイア** テニソンの詩「ユリシーズ」（一八四二）より。

三五五 **世のもろもろの王国も** 「マタイ伝」四・八「悪魔またイエスをいと高き山につれゆき、世のもろもろの国と、その栄華とを示して言う」より。

三五六 **大好きな泥んこダブリン** DEAR DIRTY DUBLIN アイルランドの女流作家、レイディ・シドニー・モーガン（一七八〇—一八五九）の言葉。頭韻を踏んでいる。

三五六 **ダブリンの市民** ジョイスの短編集（一九一四）の題名でもある。

三五六 **ファンバリー小路** 特別区にある貧しい通り。ブラックピッツも同様。

三五六 **湿っぽい夜に……もっと早く、おにいさん！** スティーヴンは娼婦との交渉を思い出す。

三五六 **生命あれ** 「創世記」一・三「神光あれと言いたまいければ光ありき」をもじって。

三五七 **聡き乙女ら** 「マタイ伝」二五・一〜一三。キリストの寓話に、灯火の油を怠りなく用意した処女だけが新郎を迎え入れることができるとある。

三五七 **フロレンス・マッケイブ** この名前は第三挿話のスティーヴンの独白のなかにも出る。

三五七 **御受難修道会** 一七二〇年イタリアで創始された修道会。キリストの受難に対する信心を広める。

三五七 **ルルドの聖水** 第五挿話参照。

三五八 **ダブルX** ビール、スタウト類の品質や強さを示す。ダブルXは中級品。

三五八 **うん、……目に見えるよ** HWG版による補正。B版では次の「ブルームの帰還」の最初にある。

三五八 **《アイリッシュ・カソリック》と《ダブリン・ペニー・ジャーナル》** ともに毎週木曜日発行の週

刊新聞。建物はアビー通りにある（G）。

三五九　**土曜日最終版**　the Saturday pink　ピンクのページはスポーツ欄にも使われるが（*OED*）、ここは土曜日最終版のつもりか（前注参照）。

三五九　**《キルケニー・ピープル》**　土曜日発行の週刊新聞（G）。キルケニーはアイルランド南東部の州および州都（前注、第三挿話参照）。

三六〇　**K・M・A**　Kiss my arse「おれの尻を舐めろ」の頭文字。「勝手にしやがれ」「くそくらえ」等の意だが、いっそう侮辱的。

三六〇　**アイリッシュタウンで何を……？**　ブルームはアイリッシュタウンでスティーヴンを見かけている（第六挿話参照）。

三六一　**K・M・R・I・A**　Kiss my royal Irish arse「おれの高貴なアイルランドの尻を舐めろ」の頭文字。

三六一　**風を起す**　RAISING THE WIND　金を工面するという意味の俗語でもある。

三六一　**《無資産報告》**　*Nulla bona*　ラテン語。法律用語。執行官が強制執行を試みたにもかかわらず差押えの対象となる財産が見当たらなかったときの報告書（『英米法辞典』）。

三六二　**靴直し連の遠出**　waxies' Dargle　本来は靴の修理屋たちが年に一度催すダーグル渓谷（ダブリンの南二十キロ足らず）へのピクニックを言う（T）。ダーグルという名の酒場へ行く二人の老婆の歌もあるらしい（K）。

三六二　**ラスマインズの青い円屋根**　拠り所の聖母教会の銅葺きの円屋根。ネルソン塔の南三キロ余り。

三六二　**アダム・アンド・イヴ教会**　フランシスコ会の教会。リフィ川南岸、マーチャンツ河岸にある。ネルソン塔の西南西約一キロ。

三六二　**聖ロレンス・オトゥール教会**　リフィ川河口付近の北岸、ネルソン塔の東約一・二キロ。聖ロレンス・オトゥールは一二世紀のダブリン大司教。アングロ・ノルマン人のアイルランド侵入に抵抗した。

三六三　**片柄つき間男**　onehandled adulterer　ネルソン提督は相次ぐ海戦で右目、右腕を失った猛将だが、一七九八年、ナポリ駐在のイギリス公使ウィリアム・ハミルトンの夫人エマ（一七六五頃—一八一五）と浮名を流したことでも有名。ダブリンの生活で身近な「片柄つき」の品は室内便器。室内便器も間男も寝室と縁がある。ネルソン像が片手を腰にあてがう姿勢をとっていたゆえの連想というが（ケナー『ユリシーズ』）、写真で見るかぎり（ティンダル『ジョイスの国』）像はトの字形に左腕を斜め下に伸ばしている。ほかにジョイス博物館（サンディコーヴのマーテロ塔を改装した）館長の「当博物館の最近の獲得品はジョイスの『片柄つき間男』！」という報告がある（*JJQ* 一九六六年夏号）。

三六四 **通り** オコネル通り。

三六四 **アンティステネス** ギリシアの哲学者（前四四四頃—三七〇頃）。犬儒派の祖。ゴルギアスとソクラテスに学んだ。

三六四 **ゴルギアス** ギリシアのソフィスト（前四八三頃—三七六頃）。弁論術と修辞学の大家。

三六四 **本** 現存しないが、アンティステネスは『ヘレネとペネロペイアについて』のなかで、オデュッセウスの貞淑な妻ペネロペイアはその徳によってヘレネよりもなお美しい、と論じたらしい（G）。

三六四 **アルゴス** ペロポネソス半島の都市国家の一つだが、ホメロスほかの古典ではしばしばギリシアと同義に用いられた。ヘレネは本来スパルタの王メネラオスの妃。

三六四 **ペネロピー・リッチ** エリザベス朝の貴婦人（一五六二頃—一六〇七）。スティーヴンが「プーア・ペネロピー」に合せて連想した。この「プーア」は「あわれな」だが「貧乏な」とも読める。フィリップ・シドニーの恋愛ソネット連作『アストロフェルとステラ』（一五八二頃執筆）のステラのモデル。一五八一年にロバート・リッチ卿と結婚したが、九四年ごろマウントジョイ卿の愛人となり、一六〇五年リッチ卿と離婚、その後マウントジョイ卿と結婚。

三六六 **《神ハワレラニコノ安楽ヲ……》** *deus nobis haec otia fecit* ラテン語。ウェルギリウスの『牧歌』一・六より。

三六六 **《ピスガ山から……》** モーセは死の直前にピスガ

山に登り「約束の地」カナンを望見したが、はいることを果さずに死んだ。二人の老婆も目の下にダブリンを見ながらアイルランドが独立するのを見ずに死なねばならない（ケナー『ユリシーズ』）。老女が塔（男根の象徴）に登り、姦通者（ネルソン）のそばまで来たものの、性的快楽には縁遠く、プラムの種（多産の象徴）を虚しく鋪道に落すの意をも含むか。

三六六 **ホレイショーは注目の的**　ホレイショー・ネルソン。

三六七 **サー・ジョン・グレイ**　『フリーマンズ・ジャーナル』の編集者、社主、政治家。連合法撤廃を主張、オコネルといっしょに裁判を受けた。第六挿話注参照。

三六七 **彼は冷たく言い捨てた**　HWG版では「彼は微笑を浮べて冷たく言い捨てた」。

8 ライストリュゴネス族——

三七一 **ド・ラ・サール会**　一七世紀に設立されたカトリックの教職会。会の経営するクリスチャン・ブラザーズ・スクールは貧しい家庭の子弟の教育に力を注ぎ、学問教育を目的とするイエズス会と対照的に職業教育を重んじた。

三七一 **国王陛下御用達**　下オコネル通り四九、グレアム・レモン菓子店が掲げる看板の文句（G）。ブルームはこの店の前にいる。

三七一 **神よ。守りたまえ。われらの**　イギリスの「国歌」の冒頭、「神よ、われらの慈悲深い国王を守りたまえ」より。

三七一 **YMCA**　キリスト教青年会。キリスト教理想社会の建設をめざすプロテスタントの組織。一八四四年ロンドンに設立された。

三七一 **ブルー……おれのことか？**　ちらしの Blood のはじめの四文字が Bloom の綴りと同じだから。「小羊の血」は「ヨハネ黙示録」七・一四に由来する。

三七二 **腎臓の燔祭**　古代ユダヤ教では、腎臓は神ヤハウェのための祭壇で焼かれる特別な器官であった（「出エジプト記」二九・一～二八）。

三七二 **ドルイド教の祭壇**　ドルイド教は古代ケルト族の

宗教。人間を生贄として捧げる習慣があった。

三七二 **エリヤはきたらん** 「マラキ書」四・五による。ユダヤ教徒は、メシアの来臨（キリスト教徒にとってはキリストの再臨）に先立って、エリヤがこの世につかわされると信じていた。

三七二 **ジョン・アレグザンダー・ダウィー博士** アメリカの福音伝道者（一八四七―一九〇七）。エリヤ、洗礼者ヨハネにつづく「第三のヨハネの顕現」と自称していた。一九〇一年、シカゴ近郊にザイオン・シティを創設して、シオンの教会の復興を試みた。一九〇四年六月にヨーロッパを訪問したが、ダブリンには立ち寄っていない（G）。

三七二 **儲け仕事** 布教して寄付を募る。

三七二 **トリーとアレグザンダー** ルーベン・アーチャー・トリー（一八五六―一九二八）、チャールズ・マキャラム・アレグザンダー（一八六七―一九二八）。ともにアメリカの信仰復興運動伝道者。協力して布教活動を行なった。二人がダブリンに来たのは一九〇四年三月から四月にかけて（G）。

三七二 **一夫多妻** ダウィーは一夫多妻を奨励した（G）。

三七二 **幽霊みたいな思いつき** 奇術師ジョン・ペパーは燐光性の衣装、照明、暗幕などを用いて装置を作った。幽霊のような幻が舞台に浮びあがる（G）。

三七二 **鉄の釘は打ちこまれた** 第五挿話参照。

三七三 **マラガ** スペイン南部の港町。

三七三 **バトラー記念館** 楽器製作者ジョージ・バトラーの家。オコネル通り南端のオコネルの銅像わきにあり、バチェラーズ・ウォークを見通すことができた。記念館はこの銅像のそばにあったことから与えられた名称（G）。

三七三 **ディーダラスの娘** ディリー・ディーダラス（第十挿話参照）。

三七三 **ディロンの競売場** ブルームのいる角からバチェラーズ・ウォークを十軒ほど西側に下ったところにある。

三七三 **殖えよ、地に満てよ** 「創世記」一・二八より。

三七三 **国の脂を食らって** 「創世記」四五・一八より。

三七三 **ヨム・キップール** 「贖《あがな》いの日」。秋の収穫を祝う「仮庵祭」（ユダヤ暦第七月）の五日前。その日に断食を行なうべきことは「レビ記」二三・二六〜三二に定められている。

三七三　**十字印の菓子パン**　キリストの磔刑を記念して聖金曜日などに食べる、砂糖衣で表面に十字形の模様をつけた丸い菓子パン。

三七四　**プディングは食べてみなけりゃ**　「プディングのよしあしは食べてはじめてわかる」という、「論より証拠」と同意の諺。

三七四　**煙のまるい塊が……**　ビール会社の艀には蝶番つきの煙突がついていて、低い橋を通過するときはそれを引き下ろし、煙を吐き出す（ロバート・ニコルソン『ユリシーズ案内』）。ビール会社とはリフィ川上手の南岸に位置するギネス醸造会社。艀は船積みのために河口までの運搬を受け持つ。

三七四　**ルーベン・Jの息子……飲んだろうな**　第六挿話参照。当時、下水はそのままリフィ川に放出され、その河口は下水道並に汚れていた。

三七五　**エリヤは秒速三十二フィートにてきたら**　Elijah thirtytwo feet per sec is com 第五挿話でブルームは物体の落下速度のことを考えている。

三七五　**エリンズ・キング号**　第四挿話参照。

三七五　**《飢えさらばえた鷗鳥……》**　*The hungry famished gull/ Flaps o'er the waters dull* 詩句は脚韻を踏んでいるがブルームの創作らしい。

三七五　**《ハムレットよ……》**　『ハムレット』一幕五場より。一部語句の相違がある。

三七六　**バンベリーケーキ**　乾葡萄、オレンジの皮、蜂蜜、香辛料などを混ぜた卵形のパイ。オクスフォードシャのバンベリー市が発祥の地。

三七六　**崩れやすいケーキを……**　ブルームの身振りは荒野でカラスに養ってもらったエリヤと対照的（「列王紀略上」一七・六）。

三七六　**天からの珍味**　マナ。イスラエル人がエジプトを脱出して荒野で飢えに苦しんでいる時、神が恵み与えた（「出エジプト記」一六）。

三七六　**アナ・リフィ**　リフィ川の別名。ただし、普通はその上流部を意味する。

三七七　**キーノー商店**　ロンドンの反物商。ダブリンにも小売店をもっていた（G）。

三七七　**これぞわれらがたどる命の流れのなかで**　W・V・ウォレス作曲のオペラ『マリターナ』より。

第五挿話「はかなく過ぎ行く……」の注参照。

三七八 **医師ヘンリー・フランクス**　実在の人物らしい（L・ハイマン『アイルランドのユダヤ人』一九七二）。

三七八 **ダンス教授マギニ**　北グレイト・ジョージ通り三二番地（現ジェイムズ・ジョイス・センター）居住のデニス・J・マギニ。その派手な服装で有名であった（G）。

三七八 **貼紙無用。百十錠送れ**　POST NO BILLS. POST 110 PILLS 公衆便所の「貼紙無用」の掲示への悪戯を思い出して（NO BILLS の N と B の一部を消して 110 PILLS に変えた）。したがって次の文は、百十錠も送れなどというやつは性病でひどい目に会っているのだろう、の意。

三七八 **もし彼が……**　彼とはボイラン。ブルームはボイランが性病にかかっているのではないかと心配している。

三七八 **港湾管理局**　オコネル橋の南、ウェストモアランド通りとアストン河岸が交わる角にダブリン港の管理本部があり、ここの時計はダンシンク天文台直結の最も信頼しうるもので、ダンシンク標準時を知らせた。「時報球」は柱の上に置かれた球。決められた時刻になると下に落ちて、こちらはグリニッジ標準時を知らせる。前者はグリニッジ標準時よりも二十五分遅い（G）。後段でブルームも自分の思い違いに気がつく。

三七八 **ダンシンク天文台**　フィーニックス公園の北西にあり、一七八三年から一九四六年までトリニティ・コレッジが所有・管理していた。

三七八 **サー・ロバート・ボール**　ダブリン生れ、トリニティ・コレッジ出身の天文学者（一八四〇―一九一三）。ケンブリッジ天文台長。ブルームが言うのは、彼が蔵書の一冊として所有している『天の話』（第十七挿話参照）。

三七八 **とがった管は彼に会った**　Met him pikehoses 第四挿話参照。

三七九 **バス樽声**　base barreltone voice　バス base とバリトン barytone にかけている。

三七九 **ビッグ・ベン**　英国国会議事堂の大時鐘にかけて。

三七九 **わたしたちは罪を犯した、わたしたちは苦しんだ**

オール・ハローズ教会の司祭の背中の頭文字、I・H・S、すなわち「人類の救い主イエス」にかけて。第五挿話参照。

三七九 **H・E・L・Y・S**　この広告の行列があとで現れるときには、最後のSに所有格を示す記号アポストロフィがついて'Sとなっている。

三七九 **ウィズダム・ヒーリーの店**　デイム通り二七—三〇。文房具の製造販売業。経営者はチャールズ・ウィズダム・ヒーリー。

三八〇 **ボイラ**　ボイランと言いかけて。ドリアー通り一五に事務所をかまえていたという設定になっている。

三八〇 **マグレイドの店**　アビー通り四三。広告代理店。

三八〇 **好奇心。塩の柱にされても、つい**　ロトとその家族が、神の怒りにふれて炎上するソドムの町を逃れる際、妻が天使たちの指示にそむいて後ろを振り向き、「塩の柱」に変えられた（「創世記」一九・二六）。

三八〇 **デイム通り八五番地**　前注の通りヒーリーの店の番地は二七—三〇である。またデイム通りは八二番までで八五番地は存在しない（G）。

三八一 **トランクィラの修道院**　カルメル会の修道院。ダブリンの南郊ラスマインズにある。一八三三年に創設（G）。

三八一 **カルメル山の聖母の祭日**　カルメル会の創立を祝う祭。七月十六日か、その次の日曜日。

三八一 **名前も甘くていい、カルメラ焼き**　言葉の連想。カルメラ焼きは赤ざらめで作る。

三八一 **ローヴァー自転車店**　ウェストモアランド通り二三。

三八一 **例の競走**　自転車競走。トリニティ・コレッジの運動場で行なわれる。第五挿話参照。

三八一 **フィル・ギリガン**　ブルームの幼友達。第十七挿話参照。

三八一 **結婚した年**　一八八八年。

三八二 **大火事になった年**　一八九四年五月、ヘンリー通りからプリンス通りにかけてアーノット織物商店所有の建物が焼失した（G）。

三八二 **ヴァル・ディロンが市長だった**　ヴァレンタイン・ディロン。一八九四年から九五年にかけてダブリン市長。一九〇四年没（G）。

三八二 **グレンクリーの感化院の晩餐会** ウィックロー州グレンクリーのセント・ケヴィン感化院で年一回基金調達のために催された。感化院はダブリン市街から南に十六キロほど下ったグレンクリー川上流にあった（G）。

三八二 **市参事会員のロバート・オライリー** 市参事会員は各選挙区で最も得票の多かった議員が選ばれる。洋服屋のオライリーが参事会員であったのは一八九〇年代（G）。

三八二 **始めの合図** 「食前の祈り」が終り、主人役ないし主賓がスープに手をつける時が始まりのきっかけ。

三八二 **ボブボブが体内の参事会員を** Bobbob... for the inner alderman ロバートの愛称のボブを重ねて。「体内の参事会員」は inner man（胃）のもじり。

三八二 **われらのすでに食せしこの賜物のために……** 「われらの食せんとするこの賜物を祝したまえ」（「食前の祈り」）のもじり。

三八二 **シュガーローフ山** ダブリンの南南東二十二キロのところにある。標高六百五十五メートル。ピクニックは一八九三年。

三八二 **ちょうど追り出しはじめたときだ** ルーディを懐妊したのは三月、出産は十二月二十九日。

三八二 **ドクレルの店** トマス・ドクレル、建築内装業者。下スティーヴン通り四七、四八、五〇。

三八三 **ペンデニス** Pendennis 正解はあとでブルームが思い出すようにペンローズ Penrose である。しかしペニス penis の中間に den（野獣の住む穴、洞穴）を入れることで、意識下で長大なペニスの男を夢想している（クレア・A・カルトン『ジョイスにおける名前と名づけ』）。the penis の the（= de）を、ミドル・ネームのようにはさんだと見ることもできる。

三八三 **植字工代表の名前** 印刷所監督のナネッティは植字工代表マンクスの名を思い出せない（第七挿話参照）。

三八三 **バーテル・ダーシー** 『ダブリンの市民』の「死者たち」に登場する。

三八三　**支部**　フリーメイソンの支部。ブルームは一八九三年ごろに、「国王特許ハンガリー富籤」を販売しようとして逮捕されかけるが、フリーメイソンの仲間たちに救われたらしい。

三八三　**市長公邸**　ドーソン通りにあり、その樫の間は一般の人々の催しに開放されていた(G)。

三八四　**高校**　エラズマス・スミス高等学校。市長公邸から西ロンバード通りのブルームの自宅へ行く途中にある。ブルームの母校ということになっている。実際には詩人W・B・イェイツがこの高校で学んだ。

三八五　**ミセス・ブリーン**　ミセス・ジョーゼフィン・ブリーン、旧姓ポーエル、愛称ジョージー。モリーの友人で、この二人はブルームをめぐる恋敵であった。

三八六　**《明日はあなたのお葬式……》**　二つの歌が混じっている。一行目は、フィーリクス・マグレナンの「彼の葬式は明日」より。二行目はロバート・バーンズの「ライ麦畑を歩いていたら」より(G)。

三八七　**ハリソンの店**　菓子店。ウェストモアランド通り二九。

三八七　**デメララ粗糖**　サトウキビから採る薄茶いろの粗糖。南米ガイアナのデメララ川流域が原産地だった。

三八七　**格子枠の上に立って**　地下の調理場に通じている。

三八七　**一ペニーの夕食**　慈善団体の施し。冬のあいだ一ペニーないし半ペニーの夕食を支給した。人々は鎖で食器をつないであるカウンターの前に立って食事をした(G)。

三八八　**新月**　一九〇四年六月十三日に新月。

三八八　**アップ**　up「おしまい」「手の施しようがない」が主要な意味(パートリッジ／D／他)。

三八九　**女ってアンフェアセックスだよ**　一般に女性をフェアセックスと称するのに引っかけて。

三九〇　**タルト**　tart「身持ちの悪い女」という意味もある。

三九〇　**ドルフィンズ・バーン**　ダブリンの南西の郊外。ルーク・ドイルはブルーム夫婦の友人。

三九〇　**幕**　act「行為」という意味もある。第四挿話の便所の場面を思い出して。

三九〇 **ホーン先生** アンドルー・J・ホーン。元アイルランド王立医学会副会長。ホリス通りの国立産婦人科病院の、二人いる院長のうちの一人（G）。

三九一 **キャシェル・ボイル・オコナー・フィッツモリス・ティズダル・ファレル** エンディミオンという綽名がついていた実在の奇人で、彼の本名はジェイムズ・ボイル・ティズダル・バーク・スチュアート・フィッツモリス・ファレル。ジョイスは自分と同じ名（ジェイムズ）、パーネルと同じ名（スチュアート）を除くなどの操作をしている（カルトン『ジョイスにおける名前と名づけ』）。

三九三 **アルフ・バーガン** 冗談好きとしてダブリンでは有名だった。クレア通りのデイヴィッド・チャールズ弁護士事務所の事務員（G）。

三九三 **スコッチ・ハウス** パブ。バーグ河岸六―七。

三九三 **《アイリッシュ・タイムズ》社** ウェストモアランド通り三一。『アイリッシュ・タイムズ』は現在も発刊されている日刊新聞（夕刊はない）。保守的な立場に立つ。ブルームはここにタイピスト募集の広告を出して、マーサ・クリフォードと知り合った。

三九三 **求む、有能な……紳士の助手** ブルームの出した広告文面から。

三九三 **もうひとつのあの世界《ワールド》** 「もうひとつのあの言葉《ワード》」を書き誤ったのをそのまま記憶して。来世ということになる（第五挿話参照）。

三九三 **奥さんが……教えて** マーサの手紙。第五挿話参照。

三九四 **リジー・トゥウィッグ** 実在の女流詩人。熱心なアイルランド国民党員。『アイリッシュ・ロザリー』と『ユナイテッド・アイリッシュマン』に自作の詩を発表していた（G）。

三九四 **R・C** ローマ・カトリック教徒。

三九四 **ジェイムズ・カーライル** 『アイリッシュ・タイムズ』社の経営者（G）。

三九四 **コーツの株** ジェイムズ・コーツらが経営するスコットランドの製糸会社は、一八九六年、ライバル社を合併して業績を拡大、会社の株価を上げた（G）。

三九四 **《アイリッシュ・フィールド》** 毎週土曜日にダブ

リンで発行される狩猟新聞（G）。

三九四 **レイディ・マウントキャシェル**　マウントキャシェル伯（一八二九―一九一五）は生涯独身を通したので、レイディ・マウントキャシェルなる人物は存在しない。新聞記事はブルームによる『アイリッシュ・フィールド』のパロディ（G）。

三九四 **ラスオース**　ダブリンから北西に四十キロほどのところにある村。近くにウォード・ユニオン猟人会の本部がある（G）。

三九四 **ウォード・ユニオン**　狐狩りのシーズンは十一月から四月中旬まで。ウォード・ユニオン猟人会はシーズン中、週に二、三度狩猟会を開いていた（G）。

三九五 **グローヴナー・ホテルの……あの女**　第五挿話参照。

三九五 **あの獅子っ鼻の運転手め**　第五挿話参照。

三九五 **シェルボーン・ホテル**　スティーヴンズ・グリーン北通り二七―三二。

三九五 **おれがそいつをいじりまわしても平然としていた**　Didn't take a feather out of her my handling them 裏に feather「女の陰毛」がちらつく（G）。

三九五 **やつのいかれっぷりには筋道《メソド》があるよ**　『ハムレット』二幕二場におけるポローニアスの台詞「いかれているがそれなりに筋が通っている」より。

三九五 **教育酪農場**　「健康食品」、「ノンアルコール飲料」を製造。ダブリンの何か所かで軽食食堂を経営していた（G）。

三九五 **YMCAの**　HWG版による補正。

三九五 **シオダーの従兄弟**　シオダーはミセス・ピュアフォイの夫。その従兄弟とはモーティマー・エドワード・ピュアフォイ。第十四挿話参照。しかし実在の人物ではない。

三九五 **ダブリン城**　アイルランド総督府として用いられていたのみならず、さまざまな官公庁を収容していた。

三九六 **三人の陽気な酔いどれ**　ダブリンの北、トルカ川河畔にあるパブ（G）。

三九六 **まぐさ桶を一人占めにする犬**　イソップ物語の犬。まぐさ桶のなかに坐りこんで、牛たちが干し草を食べるのを邪魔する。意地悪な人のこと。

三九六 **ローの店**　アンドルー・ローの経営するパブ。南グレイト・ジョージ通りにあった。彼が歩いているウェストモアランド通りから国立図書館に行くには遠回りになる。デューク通りのバートン・ホテルは「ちょうど通り道」に当っている。

三九六 **バートン**　バートン・ホテル・アンド・ビリヤードルーム。食堂と称していた。デューク通り一八にある。

三九六 **ウェストモアランドのボールトンの店**　ウィリアム・ボールトン経営の食料品雑貨店。茶、酒、その他をあつかう（G）。

三九六 **酢を染みこませたハンカチーフ**　熱を下げ頭痛を和らげるため。

三九七 **ヴィクトリア女王はあれをやったそうだ**　ヴィクトリア女王はレオポルド王子を出産した際に、クロロホルムを用いて無痛分娩を試みた（G）。

三九七 **靴のおうちにお婆さん……あったから**　伝承童謡より。

三九七 **亭主は肺病だったらしいな**　結核患者は性的に強壮であるという迷信があった。しかしヴィクトリア女王の大君アルバート公は肺病ではなく、腸チフスで亡くなった（G）。

三九七 **銀の光の憂愁の思い**　第七挿話に出てくるダン・ドーソンの演説より。

三九七 **ミセス・モイゼル**　ミリーが生れた一八八九年当時、ブルーム夫妻は西ロンバード通りに住んでいたことになっている。当時その近くにニサン・モイゼルという男が実在しており、しかもその息子の妻は一八八九年に娘を生んでいる（G）。

三九八 **トム・ウォール**　勅選弁護士トマス・J・ウォール（アダムズ）。

三九八 **アイルランド議事堂**　アイルランド銀行を言う。一八〇〇年に連合法が成立するまでここは議事堂だった。

三九八 **アプジョンと、おれと、オーエン・ゴールドバーグ**　パーシー・アプジョンもゴールドバーグも、ブルームのかつての友人。ただし後者は実在の人物。

三九八 **グース・グリーン**　ダブリンの北郊ドラムコンドラにある。

三九八 **鯖公** Mackerel「ぽん引き」の意味もある。

三九八 **コレッジ通り** ウェストモアランド通りの南端と交差。コレッジ通りの東端に警察署と宿舎がある。

三九八 **巡査はたいてい気楽な稼業** ギルバートとサリヴァンのオペラ『ペンザンスの海賊』で歌われる歌のもじり。

三九九 **トミー・ムーア** アイルランドの詩人トマス・ムーア（一七七九―一八五二）。代表作は『アイルランド歌曲集』（一八〇七―三四）。その像は、コレッジ通りの西端、アイルランド銀行とトリニティ・コレッジのあいだに立つ。

三九九 **流れの集うところ** ムーアの『アイルランド歌曲集』のなかの詩。エイヴォンモアとエイヴォンベッグのふたつの川が合流するアヴォーカの谷（ダブリンの南五十六キロ）の美しさを歌っている。

三九九 **ジューリア・モーカン** 『ダブリンの市民』の「死者たち」に登場。

三九九 **マイケル・バルフ** アイルランドのオペラ作曲家。代表作は『ボヘミアン・ガール』（一八四三）、『カスティールの薔薇』（一八五七）。

三九九 **ジョー・チェインバレン** ジョーゼフ・チェインバレン（一八三六―一九一四）。イギリスの政治家。グラッドストン自由党内閣のアイルランド自治法案に反対し、自由統一党を結成（一八八六）。一八九五年には保守党と合同してソールズベリー内閣をつくり、植民地大臣に就任（―一九〇三）。急進的な帝国主義者としてボーア戦争（一八九九―一九〇二）に主戦論を唱えた。一八九九年十二月十八日、名誉学位を受けるためにトリニティ・コレッジを訪れたときには、ジョン・オリアリーやモード・ゴンらが警察の規制を押し切ってボーア人支持の集会をひらき、抗議の意をあらわした（G）。

三九九 **マニングの店** アビー通りとリフィ通りが交わる角でパブを経営。

四〇〇 **角帽** キャップの上が四角く平らで房飾りがついている。式典用。

四〇〇 **聖母病院** バークリー道路とエクルズ通りの角にある慈悲の聖母病院。第六挿話参照。

四〇〇 **ホリス通りに勤めていて** ホリス通りの国立産婦

人科病院。

四〇〇 **デ・ヴェット**　ボーア人のパルティザン指導者。

四〇〇 **ジョー・チェインバレンを……吊してやれ！**「ジョン・ブラウンの遺体」という軍歌の一節のもじり（G）。

四〇〇 **ヴィニガー・ヒル**　ウェックスフォード州エニスコージーにある。一七九八年の反英蜂起の際に、ウェックスフォードの蜂起軍の本拠地となり、また敗戦地となった（G）。

四〇〇 **バター取引所の楽隊**　バター取引所は酪農場主のギルドで、アイルランド各地に支部をもつ。ダブリン支部は楽隊をもっており、政治集会において演奏することがあった。一八九九年十二月十八日の集会にも参加していた（G）。

四〇〇 **首吊り台でつるされようと**　T・D・サリヴァン（一八二七―一九一四）作の歌、「神よアイルランドを救いたまえ」より（G）。

四〇〇 **ハーヴィ・ダフ**　アイルランドの劇作家・俳優ダイオン・ブーシコーの劇に登場する人物。密告者（G）。

四〇〇 **ジェイムズ・ケアリー**　第五挿話「デニス・ケアリー」の訳注を参照。

四〇一 **いまにすばらしい時代が来るんだぜ**　イギリスの作詞作曲家ヘンリー・ラッセル（一八一三―一九〇〇）に「いまにすばらしい時代が来る」という歌がある（G）。

四〇一 **十人ずつの……密告できない**　スティーヴンズのフィニア会は十人一単位で構成され、その長であるセンターが区のセンターに、そして区のセンターは師団センターに、さらに師団センターは最高会議へ繋がるように組織され、最高幹部だけが全体をつかむ仕組みになっていた（G）。

四〇一 **シン・フェイン**　第一挿話参照。

四〇一 **見えざる手**　イギリスの劇作家トム・テイラーの劇『見えざる手』（一八六四）にかけて（G）。

四〇一 **ラスク**　ダブリン北方十七・六キロのところにある小村。アイリッシュ海に臨む。

四〇一 **バッキンガム・パレス・ホテル**　スティーヴンズの一味はラスクからスコットランドに渡り、列車でロンドンまで行き、ヴィクトリア駅のパレス・

ホテルに投宿した。その後、フランス経由でアメリカに渡った(G)。

四〇二 **ガリバルディ** イタリアの愛国者、将軍(一八〇七—八二)。イタリア統一の功労者。革命運動に参加して死刑を宣告され、いったん南米に逃亡した。

四〇二 **馬鹿げた大風呂敷でも** Gammon and spinach ナンセンス、たわごとの意。伝承童謡「蛙がお嫁をさがしたくなった」のリフレインから。政治諷刺のパロディにも使われた(パートリッジ/オーピー夫妻『オクスフォード版伝承童謡辞典』/*OED*)。直訳すれば「ベーコンとほうれん草」の意にもなり得るが、それぞれの語が「たわごと」「でたらめ」の意味を持つ。

四〇二 **聖ミカエル祭** 九月二十九日。この祭日にアイルランドおよびイギリスでは鵞鳥を食べる風習がある。

四〇二 **鵞鳥の脂をもう一クォートどうぞ** 一クォートの液量は一リットル強だから、どう見ても不自然だが、もてなし振りを誇張した皮肉か。鵞鳥の脂は普通は打身などに軟膏として用いる。

四〇二 **一ペニーのロールパンで軍楽行進** 救世軍は「改宗」したと称して街頭行進に加わる者に一ペニーのパンを与えた(G)。

四〇三 **北西から昇る自治の太陽** 第四挿話参照。ブルームの目の前にはアイルランド銀行(かつての議事堂)がある。

四〇三 **トリニティ・コレッジの無愛想な正面** 一七五九年に建造された新古典主義様式の建築。正面は高さ約九十メートル、いかめしく険しい趣の石造りである(G)。

四〇三 **パンと玉ねぎ** 奴隷の代表的な食事(G)。

四〇四 **カーワン** ダブリンの建築業者。

四〇四 **ドクタ・サモン師** 神学博士、数学者のジョージ・サモン(一八一九—一九〇四)。一九〇四年一月二十二日公邸で死去(ボイラン『アイルランド人名辞典』)。

四〇四 **霊安室みたい** HWG版による補正。

四〇四 **ウォルター・セクストン宝石店** グラフトン通り一一八。

四〇四　**ジョン・ハワード・パーネル**　チャールズ・スチュアート・パーネルの兄のジョン（一八四三―一九二三）。一八九五―一九〇〇にサウス・ミーズ州選出の下院議員。一九〇四年にダブリン市の式典長（G）。

四〇五　**半熟目のゴースト**　Poached eyes on ghost「半熟卵とトースト」（Poached eggs on toast）のもじり。

四〇五　**D・B・Cに寄って……**　D・B・C（ダブリン・ベーカリー会社 Dublin Bakery Company）の喫茶室にはチェスをする人たちが集まっていた。

四〇五　**いかれファニー**　フランシス・イサベル・パーネル（一八四九―八二）。アイルランド独立運動に力を尽くし兄を助けたが、晩年はアメリカに移住して愛国的な詩を書いた（G）。

四〇五　**姉のミセス・ディキンソン**　旧姓エミリ・パーネル（一八四一―一九一八）。パーネルの死後『愛国主義者の誤り』という伝記を書いた（G）。

四〇五　**マカードル外科医**　ジョン・S・マカードル。王立外科医大学特別研究員で聖ヴィンセント病院の外科医であった（G）。

四〇五　**デイヴィッド・シーヒーが……負かしたからな**　デイヴィッド・シーヒー（一八四四―一九三二）。一九〇三年サウス・ミーズ州の議席をジョン・ハワード・パーネルと争って勝った。

四〇五　**チルターン三郡執事職**　イギリス議会の議員が辞職して就任する一種の名誉職。チルターンはイングランドのオクスフォードシャから東側に広がる丘陵地帯で王室直轄である。ここはダブリン市の式典長職を三郡執事になぞらえたか。

四〇五　**愛国者の宴会。公園でオレンジの皮を食べる**　愛国者たちの集会では、親英派のオレンジ党や、アイルランド警察の創始者ロバート・ピール（綽名をオレンジ・ピール、つまりオレンジの皮）に対する挑戦の意思表示にオレンジを食べた（G）。

四〇五　**頭の二つある蛸……**　自転車で追い越して行くラッセルが連れに話しているのを耳にして。内容は曖昧だが、オカルティズムと世界終末論（二つの頭）に取りつかれているスコットランド生れの友人のこと（G）、ロンドンとエディンバラという二つの頭を持つイギリスの経済力のこと（ケナー）、その他の説がある。

四〇六 **ひげに自転車**　詩人ＡＥはひげをはやし、自転車に乗って農民相手に演説して回った。

四〇六 **ＡＥというのは何の意味だろう？**　実際には aeon（イーオン、永劫）の最初の二文字を筆名としたもの。

四〇六 **塩漬の燻製鰊**　塩辛さのせいで安眠をさまたげ、夢を見させる（オーエンズ）。

四〇七 **炭酸ソーダを使うんだ**　一九世紀末の菜食主義者の手引では、変色防止（栄養価を保つため）にソーダの使用を勧めていたが、その後ソーダはビタミンを破壊することが明らかになった（Ｇ）。

四〇七 **アイリッシュシチュー**　材料として羊肉、じゃがいも、玉ねぎ、塩、胡椒を使用。

四〇七 **イェイツ父子商会**　グラフトン通り二。光学器械および数学用器具製造業（Ｇ）。

四〇七 **ハリス老人の店**　ナッソー通り三〇。美術商。シンクレア青年はハリスの孫。

四〇八 **ゲルツ**　ドイツの光学器具製造会社。プリズムの開発で知られた。

四〇八 **リメリックの乗換駅**　ティッペラリー州にある。ダブリン南西約二百五キロ、エニス南東約七十七キロ。

四〇八 **しょっちゅうああいう黒点の話をした**　ＨＷＧ版ではこのあとに「裏庭から見あげながら」とつづく。

四〇八 **今年は皆既日蝕がある**　一九〇四年九月九日。

四〇九 **ジョリー教授**　チャールズ・ジャスパー・ジョリー（一八六四—一九〇六）。トリニティ・コレッジの天文学教授、ダンシンク天文台長（Ｇ）。

四一〇 **ラ・メゾン・クレール礼装店**　グラフトン通り四。

四一〇 **満月は二週間前の日曜日のあの夜**　一九〇四年五月二十九日、日曜日。

四一〇 **トルカ川**　ダブリン北郊を流れ、フェアヴューでダブリン湾にそそぐ小さな川。

四一〇 **フェアヴュー**　一九〇四年当時は干潟。その後埋め立てられて公園になった。

四一〇 **五月の若い月がほほえむ、恋人よ**　トマス・ムーアの歌「若い五月の月」より。

四一〇　螢のラァァンプが光っているよ、恋人よ　トマス・ムーアの歌「若い五月の月」より。

四一〇　アダム小路　グラフトン通りの脇道。

四一〇　《女を捜せ》 *cherchez la femme*　フランス語。通常の意味は「犯罪の陰に女あり」だが、ここはわざと文字通りの意味に用いた。

四一〇　エンパイア酒場　パブ兼レストラン。アダム小路一—三。

四一〇　ホイットブレッド　グレイト・ブランズウィック通りのクイーン座の経営者。クイーン座も元はアダム小路一—三にあった（G）。

四一一　パット・キンセラ　一八九〇年代に、アダム小路一—三のハープ劇場を経営した。

四一一　ダイオン・ブーシコー　アメリカで活躍したアイルランドの俳優・劇作家。

四一一　三人のかわいい女学生　ギルバートとサリヴァン合作のオペラ『ミカド』（一八八五）の中の三重唱。

四一一　彼の半熟の目　酒を飲み過ぎ充血した目。

四一一　かつてわれらの財布をはたかせたあのハープ　The harp that once did starve us all　トマス・ムーアの唄「かつてタラのホールに鳴りしあのハープ」The harp that once through Tara's Halls のパロディ。

四一一　グラフトン通り　ダブリンのショッピング街。流行の先端を行く。

四一一　灼けた舗道　グラフトン通りは御影石で鋪装されていた。

四一二　大根足がぞろぞろ……　ミリーの手紙から。第四挿話参照。

四一二　ブラウン・トマス絹織物店　グラフトン通り一五—一七。

四一二　ユグノー教徒が……　ブルームの指摘する通り、一七世紀末にフランスからイギリスやアイルランドに逃れて来たプロテスタント系のユグノーが、絹やポプリンの織物産業を持ち込んだ。

四一二　《神のいくさぞ！》タラ、タラ　ドイツの作曲家ジャコモ・マイヤーベーア（一七九一—一八六四）のオペラ『ユグノー教徒』（または『清教徒』）の一節。

四三 **雨水で洗濯して下さい**　表示の文言。こまやかで変色しやすい布地の場合には雨水が利用された(G)。

四三 **ろくしちはち九月の八日**　モリーの誕生日は聖母マリアの誕生の日でもある。

四三 **ヤッファから来る……味わいの濃い果物**　第四挿話参照。

四三 **アゲンダット・ネタイム**　第四挿話参照。

四三 **コンブリッジ画材店**　グラフトン通り二〇。デューク通りの角。

四四 **歯ぐき**　HWG版による補正。

四四 **腹がすけば腹が立つ**　Hungry man is an angry man 諺。

四四 **教科書の詩で読んだけど**　アイルランドの詩人サミュエル・ファーガソン(一八一〇―八六)の詩「コーマック王の埋葬」。コーマック王(在位二五四頃―二七七頃)はタラの丘を本拠としてアイルランドの全土を統治したと伝えられる。

四五 **おがくず**　掃除をしやすいように床に敷いておく。

四五 **胃がむかついた**　HWG版による補正。B版では前段の「人間どもの匂い」の次にある。

四五 **このざまとあのざまを見ろ**　『ハムレット』三幕四場。ハムレットが父と叔父の肖像を母に見比べさせて言う台詞を少し変えて。

四六 **それでは元の諺が……**　元の諺は「銀のスプーンをくわえて生れる」。つまり裕福な家庭に生れるということ。

四六 **あぬ男と月ゆう日に……会いむしてね**　I munched hum un thu Unchster Bunk un Munchday

四七 **ここじゃないよ……**　探している相手が見当たらないので退出するというポーズ。

四七 **デイヴィ・バーンの店**　デューク通り二一のパブ。ブルームはいったん通り過ぎたこの店に戻る。

四七 **トリニティ・コレッジの学長も誰も彼も……**　アルフレッド・パーシヴァル・グレイヴズ(一八四六―一九三一)のバラッド「オフリン神父」から(G)。彼は詩人ロバート・グレイヴズの父でもある。

四七 **エイルズベリ道路からも、クライド道路からも**　ダブリンの中心から南東にそれぞれ四キロと二・

四キロのところにある。両方とも富裕な郊外住宅地。

四一八　**サー・フィリップ・クランプトンの噴水**　水飲み用のコップが付属していた。現在は銅像も噴水も存在しない（第六挿話参照）。

四一八　**シティ・アームズ・ホテル**　プラシャ通り五四にある長期滞在者用ホテル。家畜市場に近い。ブルーム夫妻は一八九三年から九四年のあいだ、あるいは一八九四年から九五年のあいだ、ここに住んでいた。ブルームが家畜仲買商カフの店に勤めていたからで、家畜市場は午前二時から始まるから、こうするしかなかった（G）。

四一八　**《定食》** *table d'hôte*　このほうがたとえば「スープと肉料理とデザート」soup, joint and sweet などという言い方より洒落ていると思われていた（G）。ここではお仕着せ料理の意。

四一九　**キャベツと肉の炒め物**　Bubble and squeak 文字通りの意味「あぶくと悲鳴」にもかけて。

四一九　**親方も恐い兄貴分も出かけちまった**　Top and lashers going out 「頭と尻尾は切り離された」と読むこともできる。Gは「独楽も革紐もなくなった」と解する。

四一九　**飢えた亡霊たち**　冥府を訪れたオデュッセウスが犠牲の羊の血を穴に注ぐと、飢えた亡霊たちがその血をすする（『オデュッセイア』第十一歌）。

四一九　**シャンディガフ**　ビールとジンジャービール、もしくはジンジャーエールを混ぜた飲み物。

四一九　**ノージー・フリン**　『ダブリンの市民』の「対応」にも登場する。nosyは「大鼻」でもあるが、また「おせっかいの」、「出しゃばりの」、「詮索好きの」を意味する。

四二〇　**サンドイッチ？　ハム一族が……**　Sandwich? Ham and his descendants mustered and bred there　ノアの息子ハムとその子孫たちがかの地に集まって繁殖した、とも読める。C・C・ボンボー『文学の収穫地より珍奇なるもの収集』（一八九〇）に次の詩が収められている。「アラビアの砂漠でなぜ飢えないのですか？　そこにはサンドがあるからです。サンドイッチはそこにどのように入ったのですか？　ハム一族がそこでブレッド

（繁殖）し、マスタード（招集）させられたからです」（フリッツ・セン「メタスタシス（急変転）」*JJQ* 一九七五年夏号）。

四〇 プラムツリーに乗っかって プラムツリーは女性の性器を指す隠語として使われることがある（パートリッジ『シェイクスピアの猥褻語』）。

四〇 コーシャー kosher ユダヤ教の掟にしたがって料理された清浄な食物。

四〇 肉とミルクはいっしょに口にしない ユダヤ教の食物の定め「仔山羊をその母の乳にて煮るべからず」（「出エジプト記」二三・一九）。

四〇 ヨム・キップール Yom Kippur ユダヤ教の「贖いの日」。断食をして終日懺悔の祈りを唱える。

四一 無垢な者たちの虐殺 ユダヤのヘロデ王は、ユダヤ人の王となるべきキリストが生れたと聞き、ベツレヘムの二歳以下の幼児全部を虐殺せよと命じた（「マタイ伝」二・一六）。十二月二十八日は罪なき嬰児殉教の日である。

四一 飲み食いして楽しめ 「伝道之書」八・一五「ここに於いてわれ楽しみを讃《ほ》む、そは食い飲みして楽しむよりも好き事は日の下にあらざればなり」より。

四一 粉ダニのたかるチーズ Mity cheese HWG版による補正。B版では「強大なチーズ」（Mighty cheese）。

四一 胡瓜のように冷たいのを cool as a cucumber 「落ち着き払って」という慣用句を利用した。

四一 神が食物を創り悪魔が料理人を作った God made food, the devil the cooks イギリスの作家ジョン・テイラー（一五八〇―一六五三）の「神は肉を遣わし、悪魔は料理人を遣わす」をもじって（G）。

四一 ゴルゴンゾーラ 北イタリア、ミラノ近郊のゴルゴンゾーラ村で産する青かびチーズ。

四三 大がかりな演奏旅行 実はベルファスト一か所だけ。

四三 酒場の時計は五分すすめてある 当時の酒場の閉店時刻は厳格であったから、不注意な客のために少し進めてあった（G）。

四四 ジャック・ムーニー 『ダブリンの市民』の「下

宿屋」に登場。ボブ・ドーランの妻の兄。

四四 **あのボクシング試合**　一九〇四年四月二十八日に、ダブリンのM・L・キョーとイギリスのダブリン駐在第六竜騎兵連隊のギャリーの試合があり、第三ラウンドでキョーがギャリーにノックアウト勝ちした。ただし、ジョイスはこの試合を多少変えて、たとえば、日付を五月二十二日に、前座試合だったのをメイン・イヴェントに、イギリス兵を砲兵隊の曹長にしている（G）。

四四 **そのほほえみは……**　オペラ『マリターナ』のアリアのもじり。第五挿話参照。

四五 **胸をむかつかせながらうまそうに味わった**　ブルームは匂いの強い食べ物が好みらしい（第四挿話冒頭を参照）。

四五 **麦酒、葡萄酒および蒸溜酒類を販売し消費することを許可する**　酒場の開業許可証の文言。

四五 **表が出たら……**　どちらに転んでもおれは得をする。

四五 **エプソム**　イギリス南東部サリー州の競馬場。ダービーやオークスなどの有名な競馬がここで開催される。

四六 **先々週**　一九〇四年六月二日（G）。

四六 **セント・アマントの逆目に賭けてれば……**　競馬の連勝単式で、予想した一着と二着の馬がそれぞれ二着、一着に来ることを逆目と言う。この場合、ノージー・フリンが一着になると予想した馬は二着となり、二着と予想したセント・アマントが一着になったことを示す。二頭の馬と着順をともに当てなければ勝ちにはならない。

四六 **牝馬**　実際には牝馬であった。

四七 **スカイテリア**　スコットランドのスカイ島原産。足が短く、毛足が長い。

四七 **わんちゃんのわんわんちゃん**　doggybowwowsy-wowsy

四八 **ブライプトロイ通り**　ベルリンの通り。第四挿話参照。

四八 **やつは今朝レッドバンクにいた**　やつはボイランを指して。第六挿話参照。レッドバンクは西海岸クレア州にある牡蠣の産地で、ダブリンのドリアー通り一九―二〇に同名のレストランがあった

(G他)。

四二八 **六月はRのない月だから……** 五、六、七、八月がRのない月。産卵期と重なる。

四二八 **腐りかけた肉の好きなやつ** HWG版では「美食の好きなやつもいるし。腐りかけた肉。兎の……」となる。

四二八 **あれはレオポルド大公だったっけ……** ブルームは混乱している。オットー一世はバイエルンの王(在位一八八六—一九一二)で、叔父のレオポルド大公がその摂政を務めた。バイエルン王家はハプスブルク家ではない(G)。

四二八 **石油と小麦粉を……生のペストリーが……** 不明。ブルームは「頭のふけ」から連想して奇妙な食べものを思い浮べたのだろう。

四二九 **《選ばれた人々》** *élite* フランス語。

四二九 **《上流社会》** *crème de la crème* フランス語。

四二九 **王室御用の蝶鮫** キャビアのとれる蝶鮫はイギリスの領海においては王室の所有物であった。

四二九 **ブランデーをかけて火をつけた鴨** 食卓に供する直前にブランデーをかけて火をつける。

四二九 **《パルム公爵夫人ふう》** *à la duchesse de Parme* フランス語。パルメザンチーズを使った料理。イタリア北部の町パルム(パルマ)はパルメザンチーズで知られる。

四二九 **ばかみたいに肥らせた鵞鳥** フォアグラをとるため。

四二九 **ユグノー系** 本挿話前注を参照。

四三〇 **ムウウイキル** Mooikill マイケル(通称ミッキー)と綴っているつもり(G)。

四三〇 **エイ、エイチァ、ハ** A Aitcha Ha ハンロン Hanlon と署名しようと努力している頭の動きを写す。エイはエイチァ H の前半。

四三〇 **湾はライアン岬の……** ライアン岬はホースの南東側、ドラムレックは南側の突端、サットンは本土とホース岬の連結部。海の深さが違うため色も異なる(G)。

四三一 **ホースの丘** ホース岬の丘。百七十七メートル余りある(G)。

四三一 **ウェヌス** ローマ神話の春・豊饒・愛の女神。ギリシア神話のアフロディテと同一視された。英語名ヴィーナス。

四二一　**ユーノー**　ローマ神話で女性の保護・結婚の女神。ユピテル（ジュピター）の妻。ギリシア神話のヘラに相当する。英語名ジューノー。

四二一　**図書館博物館**　両者は隣接している。

四二一　**もし女神がピグマリオンと……**　ギリシア神話。ピグマリオンは自分の彫刻したガラテイア像に恋し、女神アフロディテに生命を与えてくれるよう祈る。その願いが成就して二人は結婚する。

四二二　**オールソップ印のビール**　バチェラーズ・ウォーク三五、オールソップ父子ビール会社製の安ビール（G）。

四二二　**食物、乳糜……大地、食物**　ジョルダーノ・ブルーノ（一五四八—一六〇〇）は『原因、原理および一者について』（一五八四）で「世界霊魂」（第二挿話参照）の思想を唱えた。その考えによると、霊魂は様々な形態に変転増殖する（G）。「輪廻転生」（第四挿話参照）とも関連するだろう。

四二三　**ジョン・ワイズ・ノーランの細君**　フィクション。ヘンリー通り二一、アイルランド農場乳製品販売所の支配人はミセス・J・W・パワーであった（G）。

四二三　**おいしそうな体**　Plovers on toast 直訳すれば「トーストにのせた千鳥（の肉）」。

四二四　**彼は優秀な会員なんだよ**　HWG版による補正。

四二四　**光と生命と愛**　フリーメイソンは、光の象徴として、聖書（天上の光）、直角定規（内面の光）、コンパス（兄弟愛）を重視する（G）。

四二五　**イィィィィチャァァァァァチ！**　Iiiiichaaaa-aaach!

四二五　**ある女が……**　フリーメイソンの会員になるには二十一歳以上の成人男子であることが条件。ただし何名かの例外的な女性会員もいる。

四二五　**棟梁**　master mason　フリーメイソンの階級。「徒弟」「職人」の上位にある。「親方」とも言う。

四二五　**ドナレイルのセント・レジャー家の一人**　アーサー・セント・レジャーの娘、エリザベス・オールドワース（一七七三年頃没）（G）。

四二六　**トム・ロッチフォード**　実在の人物。一九〇五年五月六日、下水溝のガス中毒で倒れた清掃作業員を救出するため、自らも下水溝に降りた。ジョイスは年代を一年早めてロッチフォードの英雄的行為を小説に取り入れた（アダムズ／第十挿話参照）。

四三七 **立つのは誰だい？**　「立つ」standには「おごる」という意味もある。したがって次の「腰かけてる」の裏の意味は「おごる気はない」。

四三七 **ストーン・ジンジャー**　炻器《せっき》の瓶に入れたジンジャービア（*OED*）。炻器は吸水性のない焼物。気孔性のない点で陶器と区別する（『広辞苑』より）。

四三七 **排水管の具合は……**　ロッチフォードの消化不良と、下水溝の武勇伝にかけて。

四三七 **ジンジャーポップ**　ジンジャービアを指す俗語（*OED*）。

四三八 **ジェイミソン**　アイリッシュ・ウィスキーの銘柄。

四三九 **それなら例のレントゲン光線で**　レントゲン光線の発見は一八九五年。当時は緑色の物体の体内移動もこれでつきとめることができると考えられていた。ブルームの内的独白は（四二八ページの）毒殺云々のつづきか。

四四〇 **《ドン・ジョヴァンニよ、そなたは晩餐を共にしよう《ア・チェナール・テーコ》と／わたしを招いた《ミンヴィタスティ》》**　*Don Giovanni, a cenar teco/M'invitasti* イタリア語。モーツァルトのオペラ『ドン・ジョヴァンニ』二幕十五場。

四四〇 **《キルケニー・ピープル》**　土曜日発行の週刊新聞（第七挿話参照）。

四四〇 **配管業ウィリアム・ミラー**　デューク通り一七。

四四〇 **この《テーコ》というのは……**　オペラ原文のイタリア語「テーコ」の意味（汝と共に）をブルームは「今夜」と取りちがえ、以下そのように誤訳した英語の歌詞を口ずさむ。

四四一 **《ドン・ジョヴァンニよ、今夜そなたは晩餐に／わたしを招いた。／ザ・ラム・ザ・ラムダム》**　*Don Giovanni, thou hast me invited/ To come to supper tonight,/The rum the rumdum*

四四一 **プレスコット染物工場の……ビリー**　HWG版による補正。

四四一 **ブライトン、マーゲイト**　ともにイギリスの海水浴場で保養地。

四四一 **ジョン・ロング酒場**　ドーソン通り五二。

四三 **グレイ菓子店**　デューク通り一三。ドーソン通りとの交差点にある。

四三 **トマス・コネラン師が経営する本屋**　ドーソン通り五一Bにあり、プロテスタント系の出版物を専門に販売していた（G）。

四三 **《私はなぜローマ教会を離れたか？》**　カナダの長老派教会の牧師チャールズ・パスカル・テレスフォア・チニクィ（一八〇九―九九）のローマ・カトリック教会批判の小冊子（G）。

四三 **鳥たちの巣協会**　プロテスタントの伝道協会。キングズタウンで孤児収容施設を経営していた（G）。HWG版による補正。B版にはこの言葉はない。

四三 **あの向うにある建物**　モールズワース通り四五。「ユダヤ人のキリスト教改宗促進ロンドン協会」の系列に属する（G）。一八六五年、ブルームの父親はこの組織に頼ってプロテスタントに改宗した。

四三 **ドラゴー理髪店**　ドーソン通り一七。

四三 **あの男**　ボイラン。

四四 （重量も）**大きさも闇よりずっと黒いものなんだ**　HWG版による補正。

四五 **ペンローズ**　かつてシトロンの家に下宿していた人物の名前を今やっと思い出して（本挿話前出）。

四五 **通りごとに別々の匂いがある**　HWG版による補正。

四五 **スチュアート会館**　知恵遅れの子供たちのための施設。モールズワース通り四〇。

四六 **郵便局がある**　モールズワース通り四。

四六 **レヴェンストンのダンス教室**　南フレデリック通り三五。

四六 **ドーランの酒場**　モールズワース通り一〇。

四七 **ニューヨークでは……**　一九〇四年六月十六日付の『フリーマンズ・ジャーナル』の記事によると、イースト・リヴァーにおける汽船の火事で千人以上の死者が出た。その大部分は行楽中の子供や女性であった（G）。

四七 **サー・フレデリック・フォーキナー**　ダブリン市裁判所判事（在職一八七六―一九〇五）。『ブルーコート・スクールの歴史』『裁判官および巡回裁判の物語』などの著書がある。

四七 **フリーメイソン会館**　モールズワース通り一七―一八（G）。

四七 **トロイ大司教**　ダブリン大司教ジョン・トマス・トロイ（一七三九―一八二三）（G）。

四七 **アールズフォート・テラス**　フォーキナーの住居があった（G）。

四七 **ブルーコート・スクール**　ダブリン市内ブラックホール・プレイスにある。ロンドンの名門校クライスツ・ホスピタルを手本とした学校。プロテスタントでイギリス系のアイルランド人子弟を教育した。

四八 **神がそなたの魂に……**　死刑判決の最後に言う。

四八 **マイラス慈善市**　実際には一九〇四年五月三十一日に開かれた。

四八 **マーサー病院**　下マーサー通りにある慈善病院。一七三四年、ミセス・メアリ・マーサーが邸宅を寄贈して設立された（ダグラス・ベネット『ダブリン百科事典』一九九一）。

四八 **《メサイア》の初演も……**　一七四二年にヘンデルはフィッシュアンブル通りにある音楽ホールにおける慈善音楽会で『メサイア』を初演した。

四八 **キーズの店**　ボールズブリッジ五―六。ディグナムの家に近い。

四八 **日ざしを浴びた麦藁帽子……折返しつきのズボン**　ボイランを指す。

四八 **サー・トマス・ディーンの設計**　正しくはディーン（一七九二―一八七一）の息子サー・トマス・ニューナム・ディーン（一八三〇―九九）と孫のサー・トマス・マンリー・ディーン（一八五一―一九三三）の設計（G）。

四九 **サー・トマス・ディーンはギリシア建築が……**　息子と孫の設計した博物館、およびその対面にある図書館もギリシア様式を思わせるところがある（G）。

ジェイムズ・ジョイスの生涯

結城英雄

ダブリンの時代（一八八二―一九〇二）

ジェイムズ・ジョイスは、一八八二年二月二日、ジョン・スタニスロース・ジョイスとメアリ・ジェイン・ジョイス（旧姓マリー）の長男としてダブリン南郊のラスガーで生れた。父親はコーク出身の酒好きで陽気な機知に富む人物であり、母親は父親より十歳年下の音楽好きの美人であった。父親にはコークの資産と収税吏としての十分な年収もあり、八八年九月、ジョイスは最年少の六歳半でイエズス会の名門校クロンゴーズ・ウッド・コレッジに入学する。彼は勉学のみならずスポーツにも秀でていた。ジョイスにとってこの頃は最良の時代であったようだ。

しかし父親の放恣《ほうし》な生活と大家族であることが重なり、一家は急速に没落する。

そしてパーネルの永眠する九一年、彼と運命をともにするかのように、父親も収税組織変革により失職し、ジョイスは学業の中断を余儀なくされる。この後、父親は僅かな年金を受給しながら職を転々とし、一家はダブリン市内の住居を移り住む。

ジョイスは貧困な家庭の子弟のためのクリスチャン・ブラザーズ校に一時通学する。しかし九三年四月、十一歳のとき、コンミー神父の助力により、弟と一緒に市内のイエズス会の名門校ベルヴェディア・コレッジへ入学を認められる。彼はここでも頭角をあらわし、政府から何度も奨学金を与えられる。とりわけ作文ではずば抜けた才能を示した。そして十四歳の頃には性に目覚めて娼婦との体験をもち、信仰について懐疑を抱く。こうして同校を卒業する十六歳頃までに、彼は夥しい数の書物に読み耽り、イプセンに傾倒しはじめる。

ジョイスはベルヴェディア・コレッジを卒業すると、同じくイエズス会系の大学ユニヴァーシティ・コレッジ・ダブリンに進学する。彼は大学で孤高の姿勢を保ち、仲間の民族主義運動やアイルランド文芸復興運動とは一線を画し、イプセンへの傾倒を強めた。特筆すべきは、一九〇〇年四月、イギリスの著名な雑誌『フォートナイトリー・レヴュー』にイプセン論が掲載され、イプセンより感謝の言葉が寄せられたことである。周囲の人々も驚いた。その後、〇一年にはアイルランド文芸劇場の地方性を批判する論文「わいわい騒ぎの日」を自費出版し、〇二年には社会から拒絶された悲劇の一詩人についての論文「ジェイムズ・クラレンス・マンガン」を発表する。

ダブリン脱出（一九〇二―〇四）

一九〇二年六月、ジョイスはユニヴァーシティ・コレッジ・ダブリンを卒業する。方向の定まらないまま彼は、十月に同大学医学校に一旦入学した後、パリの医学校への留学を決意し、十二月一日にパリへ向けて出発する。理系の学科の力不足と家庭の経済的窮乏が留学の原因とされるが、むしろダブリンからの脱出願望によるところが大きい。しかし貧窮と郷愁からか、早くもクリスマスに彼はダブリンに一時帰省する。

そして翌〇三年一月十七日、彼は再びパリへと出発する。今度は読書と執筆の時間を配分し、書評を書いたり英語を教えたりしながら、主として日中は国立図書館で、夜は聖ジュヌヴィエーヴ図書館で美学の研究に打ち込んで過ごす。この時期に彼は、アイルランドの劇作家シングや老革命家ケーシーなどと知り合い、また「内的独白」の源泉とされるエドゥアール・デュジャルダンの『月桂樹は伐られた』も入手した。

そんな四月のある日、ジョイスは母危篤の電報でダブリンに呼び戻される。そして八月十三日、母親は四十四歳でこの世を去る。彼は母親に深い愛情を抱いてはいたが、宗教との訣別から死の床にある彼女のために祈ることをせず、そのために内心の呵責を抱く。また母親の死により一家の求心力が奪われ、父親はますます無為になる。こうした状況の中でジョイスは、職探しとか、医学校への復籍とか、日刊新聞の発行とか、いろいろと方向を模索し、一方で、後年の女性依存を暗示するかのように、叔母ジョーゼフィン・マリーに心の支えを求める。

そして転機の〇四年が訪れる。創作も数多い。一月には『ダナ』という新しい雑誌に自伝風のエッセイ「芸術家の肖像」を寄稿する。編集者ジョン・エグリントンより拒絶されることになるが、これは『スティーヴン・ヒーロー』と改題され、後の『若い芸術家の肖像』へと発展する萌芽である。詩も以前から書きためており、後に『室内楽』に収められる詩を何編か発表する。またジョージ・ラッセルの勧めで、農業協同組合の機関紙『アイリッシュ・ホームステッド』に「姉妹」(八月)、「イーヴリン」(九月)、「レースのあとで」(十二月)を発表する。これらは『ダブリンの市民』に収められることになる短篇小説である。

さらにこの年、三月から六月までドーキーの私立学校で臨時教師を務めながら、五月にはアイルランド音楽祭に参加して銅メダルを獲得する。そして八月にはその機縁で、テナー歌手マコーマックとエインシェント音楽堂で歌っている。しかしゴールウェイ出身の女性で、妻となるノーラ・バーナクルとの出会いを忘れることはできない。ジョイスは六月十日に彼女を通りで見初め、二人は十六日に初めての逢びきをする。後年この日付は『ユリシーズ』において記念されることになる。

こうして九月のある日、ジョイスは友人ゴーガティの借りていたマーテロ塔に寄寓し、その数日後に同宿していたトレンチという人物が悪夢にうなされて発砲する。驚き青ざめたジョイスをしりめに、ゴーガティもそれに乗じて発砲してみせる。ジョイスは恐怖から直ちに塔を去り、この発砲事件を契機にアイルランドを脱出する決心を固める。そして十月八日、彼は四方八方から金を借り、ノーラを伴い大陸へとダブリンを脱出する。本当の脱出である。しかしダブリンが心から離れることは決してない。

『ダブリンの市民』と『若い芸術家の肖像』の時代（一九〇四—一四）

ジョイスとノーラはロンドンからパリを経由して、十月十一日にチューリッヒに到着した。その地の語学学校ベルリッツ・スクールで英語教師の職に就任する手筈になっていたのである。しかし手違いでそのようなポストはなく、十一月初めにイタリア領ポーラ（現クロアチア共和国領プーラ）のベルリッツ校に赴任し、そして翌〇五年三月にオーストリア・ハンガリー帝国領（現イタリア領）トリエステのベルリッツ校に転任する。トリエステではイタリア語が使われ、民族主義運動も高揚していた。数か月間のローマ移住をのぞき、夫婦はこの地にほぼ十年間居住し、ジョイスは語学教師のかたわら創作活動を続けることになる。子供も〇五年にジョルジオが、また〇七年にルチアが生れる。

この間、彼の心はダブリンに対する思いで揺れている。〇五年十月には話相手にと弟スタニスロースをベルリッツの講師に呼び寄せている。そして〇六年七月から〇七年二月までのローマ滞在においては、ダブリンへの郷愁を抱き、その屈折した気持が『ダブリンの市民』の最後の短篇小説「死者たち」を書く動機となっている。また〇九年七月から九月にかけては、『ダブリンの市民』の出版契約の交渉がてらダブリンに帰省し、母校のイタリア語の教授職の可能性を探る。さらに同年十月から翌一一年一月にかけて再度帰省し、映画館を開館している。

どうやら、ジョイスのダブリン脱出願望はそれほど強固ではなかったようだ。しかし一二年の夏に一家で帰省した折、『ダブリンの市民』の出版をめぐるモーンセル社との契約が決裂し、その夜一家はダブリンを発つ。ジョイスがその後二度と祖国の土を踏むことはないことから、この時期を彼の真のダブリン脱出とすることもできる。あるいはダブリンへの思いに憑かれながらも、作品の性格が彼のその後の帰国を不可能にしていたのだろうか。

ともあれ、トリエステでの創作は『ダブリンの市民』と『若い芸術家の肖像』が中心となる。両作品は同時に書き進められ、出版もそれぞれ一四年と一六年である。しかし異なる苦労があった。『ダブリンの市民』所収の十五の物語は〇四年から〇七年にかけて完成するが、この作品は実名入りの不穏当な表現が散見するため、様々な出版社に拒否される。その経緯は「ある奇妙な歴史」と題された手紙で説明されている。一方、『若い芸術家の肖像』は、『スティーヴン・ヒーロー』という表題で出発した後、〇七年に現行の題名に改題されて翌〇八年に第三章まで仕上げ、方向を見失い、一時中断される。この作品は、その末尾に「ダブリン一九〇四—トリエステ一九一四」と記されているように、完成に十年の歳月を要している。モダニズムの傑作たるゆえんの苦闘である。

こうしてトリエステでの十年が経過し、一三年末、二通の手紙が届く。一通は十一月二十五日付のロンドンの出版業者グラント・リチャーズの手紙で、〇六年には拒否した『ダブリンの市民』の出版を再考しようというものである。もう一通はエズラ・パウンドのロンドンからの十二月十五日付の手紙で、W・B・イェイツの紹介による原稿依頼であった。状況が一変した。

翌一四年一月二十九日、彼はリチャーズと契約し、六月十五日に『ダブリンの市民』が出版される。多少のセンセーションが起った。また一月半ばに、『若い芸術家の肖像』の第一章をパウンドに送り、パウンドが直ちに絶賛の返事をよこし、『若い芸術家の肖像』は『エゴイスト』の二月号から連載が開始される。なかなか好評であった。そして八月には第一次大戦が勃発するが、創作は軌道に乗り、ジョイスは執筆に励む。

『ユリシーズ』の時代（一九一四―一二）

ダブリンを脱出して十年目、ようやくその存在が認められ、ジョイスは新たな作品『ユリシーズ』に着手する。しかしイタリアが参戦したために、イギリス国籍の一家は一五年六月末、スイスのチューリッヒに移住する。この頃のチューリッヒは戦争忌避者たちで溢れる活気のある都市で、トリスタン・ツァラやハンス・アルプらのダダイズムの運動を手始めとした様々な芸術活動が展開していた。ジョイスにとって移住は幸いであったろう。そしてこの地で彼はフランク・バッジェン（三四年に『ジェイムズ・ジョイスと「ユリシーズ」の創作』を出版）と知り合い、ガーティのモデルとなる女性とも交際する。

ジョイス一家の暮しが楽であったわけではない。英語の個人教授の他、生活の大部分は援助によって支えられていた。ゴールウェイに住むノーラの叔父からの送金、パウンドらの尽力によって与えられた基金、あるいはチューリッヒ在住の芸術家のパトロンであるマコーミック夫人の一時期の寄金など一家の苦境の救いとなったが、とくにハリエット・ショー・ウィーヴァーが誰にもまして最大の援助の手をさしのべた。彼女は『エゴイスト』の編集長としてジョイスの才能を見抜き、一七年からジョイスの死後にいたるまで、一家を支援してくれることになる。本当の恩人である。

さて、『ユリシーズ』の執筆は一七年六月頃までには第六挿話「ハデス」まで進み、その年の末、ジョイスは最初の三挿話をパウンドに送り連載を打診する。パウンドは喜び、ウィーヴァーも連載に積極的であった。しかし検閲をめぐっての印刷の都合もあり、パウンドはニューヨークの前衛の文芸雑誌『リトル・レヴュー』への一八年三月号からの連載の手筈を整える。これでジョイスの仕事の速度も早まり、この年の大晦日までには第九挿話まで完成する。その一方、『ユリシーズ』の連載は編集者たちも予想していたように難渋し、一九年には一月号（第八挿話前半）と五月号（第九挿話の後半）が当局により没収される。

ところで、この頃のチューリッヒは戦争が終結し、戦争忌避者が離れ、活気がなくなっていた。そこで一九年十月、一家はトリエステに再び戻り、妹アイリーンのアパートに寄寓する。しかし弟のスタニスロースも身を寄せており、一家は翌二〇年七月、パウンドの勧めでパリに移住する。この地で一家は二十年暮すことになるが、パリには多くの文学者が集い、彼はすっかり有名人になっていて、好都合であった。パウンドはたくさんの人物に彼を引き合せてくれ、そうした折にジョイスは、英米文学を専門にする書店の経営者シルヴィア・ビーチに紹介され、彼女の書店に足しげく通い、彼女と親交を結ぶ。

そして翌二一年の二月、ニューヨークで『ユリシーズ』に対する猥褻の判決が下され、『リトル・レヴュー』の編集者マーガレット・アンダーソンとジェーン・ヒープがそれぞれ五十ドルずつ支払わされる。『リトル・レヴュー』は、前年一月号（第十二挿話後半）が没収された後、七—八月号に第十三挿話「ナウシカア」後半を掲載し、九月に悪徳防止協会から告訴されていたのであるが、この判決は『ユリシーズ』の出版が不可能になったことを意味するに等しい。事実、四月にはジョイスの作品を色々出版し、『ユリシーズ』の出版を検討していたヒューブシュ社が正式に断ってきた。

しかし、ジョイスがその話をビーチにしたところ、彼女は即座に自分のシェイクスピア書店で出版することを提案する。四月十日前後、二人は予約販売で合意する。印刷はディジョンのモーリス・ダランティエールに委託し、千部印刷することにする。オランダ紙による著者の署名入りの三百五十フランの本を百部、アーチの透かし模様の紙の二百五十フランの本を百五十部、リネン紙の百五十フランの本を七百五十部である。そしてウィーヴァーもその計画を支持し、限定版が売れた後、フランスの刷り本を使用したエゴイスト社版の出版を考えた。予約者名簿の中にはイェイツ、ヘミングウェイ、チャーチルらの名前があったが、G・B・ショーはそこに描かれている現実に不快感を感じて断りの手紙をよこした。

こういう状況の進展に励まされ、ジョイスの執筆ははかどった。その上、第十一挿話「セイレン」あたりから不平を洩らしたパウンドも、第十五挿話「キルケ」を褒めたたえた。そして八月に眼病の発作を起したが、十月には最終の第十八挿話

「ペネロペイア」を仕上げ、他の挿話の加筆・補正を行なった。その作業はほとんど出版まぢかまで続いた。その一方で、ヴァレリー・ラルボーによる『ユリシーズ』紹介の講演が十二月七日に行なわれ、二百五十人の聴衆がビーチの友人モニエの書店に集まった。

この時までに出版はジョイス四十歳の誕生日である二二年の二月二日と決められていた。ジョイスは迷信深く、彼の心の内では出版の日が護符的な意味を帯びていたのである。印刷業者のダランティエールもビーチも万難を排してその期待に応えようとしていた。そして二月二日、ダランティエールはパリに午前七時に到着するディジョン―パリ間の急行列車の車掌に『ユリシーズ』二冊を託し、ビーチが駅で汽車を待ち、一冊をジョイスのアパートに届け、一冊を書店に展示した。青地に白抜きの題字というギリシアの色を暗示する美しい装丁の本である。その末尾には「トリエステ―チューリッヒ―パリ、一九一四―一九二一」と記されている。この日、ジョイスは友人たちと会食し、ビーチの書店には本を見ようとする客が押し寄せた。

『ユリシーズ』に対する評価は賛否両論であった。T・S・エリオットのように賛嘆する人もいれば、ヴァージニア・ウルフのように敵意を示す人もいた。そしてダブリンの人々の間では自分が書かれているかどうか囁かれた。しかし猥褻の判決が下された結果、内容以上に作品そのものが話題となっていたことも事実である。

『フィネガンズ・ウェイク』の時代（一九二二―三九）

『ユリシーズ』を出版してまもなく、ジョイスは『フィネガンズ・ウェイク』の着想を得、翌年一九二三年三月には二ページほど書き始めた。この後十六年の歳月を費やす仕事の始まりである。これはチャペリゾッドの居酒屋の主人ハンフリー・チムデン・イアウィカー、その妻アンナ・リヴィア、彼らの双子の息子シェムとショーン、そして娘イザベルの物語である。人物は原型的な存在で、夢の形式を利用した世界の歴史である。

最初の発表は二四年のことで、『トランズアトランティク・レヴュー』四月号に『進行中の作品』と題して掲載される。ジョイスは編集長のフォード・マドックス・フォードの考えたこの表題が気に入り、以降雑誌へは『進行中の作品』として発表され、『フィネガンズ・ウェイク』という題名は出版間際まで妻以外の者には明かされなかった。そして二六年の末、ジョイスはユージン・ジョラスと知り合い、彼らの創刊する雑誌『トランジション』に『進行中の作品』の連載が決定する。ジョイスは発表の場ができたことを喜び、この雑誌は、二七年四月から三八年五月までの間に、『フィネガンズ・ウェイク』の大部分を掲載することになる。しかし眼病もかなり進行しており、ジョイスは何度も目の手術をする。『フィネガンズ・ウェイク』の執筆は眼病との闘いでもあった。

厄介なことは眼病以外にもいくつもあった。まず支援者のウィーヴァーに『進行中の作品』を理解させる必要があった。ウィーヴァーは既にこの作品への当惑を示していたが、二七年二月、彼女はジョイスが才能を浪費しているのではないかとの不安を打ち明け、彼は大きな衝撃を受け、しばらく寝込む。逆にジョイスの方が慰められるが、作品に対する彼女の考えは変らない。その点ではパウンドも同じで、理解不可能であるとの書信を送っている。その結果ジョイス指揮下に、二九年五月、『進行中の作品』の擁護の書が出版されるほどであった。

また『ユリシーズ』の出版をめぐってビーチとの確執も起る。三〇年代に近づくとアメリカでも出版の機運が高まり、ビーチはジョイスが恩義を無視しようとしていると反発を感じる。これまで彼女はほとんどの収益をジョイスに渡し、個人的な収入は無きに等しかったのである。しかし契約が曖昧であったため、三一年、彼女は自分の版権が侵害されることを理解しつつも、ジョイスの勝手にすることを認めてしまう。こうして三三年十二月に『ユリシーズ』が猥褻でないとする判決が下された後、アメリカでの出版を手始めとする印税のほとんどがジョイスのものとなり、ビーチとの関係に亀裂が入る。

そして何にもまして娘ルチアについての心労があった。彼女は早二九年頃から異常の兆しを見せ始めた。心を引かれていたベケットの拒絶も災いして、三二年に精神錯乱に陥り、三三年にかけて症状はさらに悪化する。この後、彼女は精神病院を出入りし、ユングを含む幾多の精神科医の診察を受け、ついには精神病院で生涯を送ることになるのである。

こうした状況においても執筆は進んだ。三〇年代後半のジョイスは、娘への心配からますます酒を飲み、ノーラとも頻繁に喧嘩し、友人も少なくなっていたが、しかし『フィネガンズ・ウェイク』の執筆はそうした疲れを癒し、正気を保つ手段であったのかもしれない。そこに溢れる笑いには人生に対する達観もあるだろう。三七年は家に引きこもり、翌年の誕生日までに完成させたいと励んだ。そして少し延期されたものの、三八年十一月には完成した。

一九三九年一月三十日には『フィネガンズ・ウェイク』がジョイスのもとに届けられ、二月二日の彼の誕生日にはその出版を祝うことができた。ただし発行は五月四日。末尾に「パリ、一九二二―一九三九」と記されているように、長い歳月が費やされている。しかし書評はあまり芳しいものではなかったし、それにもはやするべき仕事も発見できないまま、ジョイスは不機嫌であった。

晩年（一九三九―四一）

『フィネガンズ・ウェイク』が出版されてまもなく第二次大戦が勃発し、パリも暮しにくくなっていた。三九年十二月、ジョイス一家は南フランスに疎開するが、田舎は退屈で、第一次大戦時のようにスイスに行くことを画策する。こうして四〇年十二月十七日、ルチアをフランスの病院に残したまま、一家はチューリッヒに到着する。しかし到着して間もない翌四一年一月七日、ジョイスは、レストランでの夕食の帰りに胃痙攣を起し、一月十三日に死去する。原因は十二指腸潰瘍穿孔であった。享年五十八歳。雪の降る十五日、遺体はチューリッヒのフリュンテルン墓地に埋葬された。カトリックの祈りは故人のために控えられたという。

死後

ジョイスの死を報じるとき『ロンドン・タイムズ』は、伝記、些末な事実、およびエドモンド・ゴスやアーノルド・ベネットなどのいわばモダニズム以前の文学者たちの評価を引いて彼を侮辱しようとした。T・S・エリオットは抗議文を書いたが掲載されず、彼は雑誌『ホライゾン』で改めて反論した。

しかしジョイスの名声はいよいよ高まって行く。仏訳、独訳に倣ってジョイスの作品の翻訳が続々と刊行されている。各国でジョイス研究が盛んになり、「ジョイス産業」などと皮肉られるほどである。『ジェイムズ・ジョイス・クォータリー』（一九六九―）や『ジェイムズ・ジョイス・リテラリー・サプリメント』（一九八七―）など、専門誌も発刊されている。とくに一九六〇年代後半以後、ソレルス、ラカン、デリダなどパリの批評家たちがジョイスに多大の関心を示した。ガリマール書店のプレイアド叢書に二巻本のジョイス全集が収められたのも、これを背景にしている。

リチャード・エルマンの『ジェイムズ・ジョイス伝』（一九五九年、改訂版は一九八二年）は文学者の伝記の名作で、種々の賞を得た。ただしこれは遺族の希望を入れて秘匿している事柄があるらしく、種々の伝記的探求が始まっている。しかしそれは『ロンドン・タイムズ』の場合と違って、ジョイスへの敬意が動機になっている。

ジョイス語積木箱

池内　紀

『ユリシーズ』は翻訳者泣かせである。章ごとについている訳注の量からもわかるだろう。一行ごとに、さまざまな意味掛けがしてある。一語をきっかけに連想がひろがる。ちょっとした言いまわしが記憶をよび起こす。やにわにあらぬことが介入して、それとも知らず別のことを考えている……。

すべて英語の世界の話であってワード、フレーズ、センテンス、かかり結び、語源から派生する一語の歴史、そういったことがそっくり取り込まれて「ジョイス語」がつくられた。英語そのものは何とかなるにしても、ジョイス語となると、お手上げだ。訳者は立ち往生し、途方にくれ、天を恨みたくなる、泣くに泣けない。辞書・辞典類に問うこともできるが、しょせんは枝葉ごと、幹にあたるところは、脳髄をしぼってひねり出すしかない。

やっと日本語に移しても、それで安心というわけにいかない。『ユリシーズ』はすでに古典であって、研究者が調べつくしている。一語・一行をめぐり注解・注釈の山がある。研究者が三角眼《まなこ》で見張っている。この点、聖書とそっくりだが、聖書の場合は神さまが許してくれる。ジョイスの場合、何かにつけて、すぐさま手ひどく、とっちめられる。

そんなわけで『ユリシーズ』は、世界一翻訳のむずかしい文学作品の一つなのだ。もう一つあって、それは『フィネガンズ・ウェイク』である。ジェイムズ・ジョイスは翻訳者に地獄の苦しみをなめさせるため、この世に生まれてきたような人である。

ただし、これは訳者の立場に立ってのこと。うれしいことに読者はそんな場とかかわりがない。むしろ七転八倒の訳者の苦しみが楽しみの手がかりというものだ。ジョイス語のかけらを拾いあげ、積み木のように積んだり、並べたり、バラしていいのである。幼いころにしたように、わざと逆さまに立てたり、「鼻の油をちょとつけて」、くっつけてみたり。色とりどり、形さまざま、この積木箱には、眩しいばかりにジョイス語のかけらがあふれている。

本来の主人公ブルームが登場するのは第二部に入っての四章目。レーオポルト・ブルーム、父親はもともとルドルフ・ヴィラーグといって、ユダヤ系ハンガリー人だった。ダブリン移住にあたり、ハンガリー語で「花」を意味するヴィラーグを「ブルーム」に改めたことは訳注にみるとおり。

父はルドルフ、その子はレーオポルト。ともにドイツ語圏におなじみの名前であって、皇帝ルドルフ一世とかレーオポルト三世などとして歴史によく出てくる。東欧ユダヤ人はわが子の命名に際して、好んで権力にかかわりのある名前にした。たえず差別される立場にあって、せめてもわが子に名前の威光を授けてやりたいと思ったものか。そんなユダヤ人の慣例にならって、ジョイスはちゃっかりと支配者ハプスブルク家ゆかりの名前の二つを借用した。ついでながら、ともに日常にあっては、愛称のルディ、ポールディで呼ばれていたはずである。

その一方でユダヤ人は、姓はかたくななまでに変えなかった。改名しても意味は継承させていく。ハンガリー語の「花」のヴィラーグを、ドイツ語の「花」にあたる「ブルーメ」に変え、音をなぞって英語つづりにしたのがブルーム――ではあるまいか。わが積木箱の原理によると、「ミスタ・ブルーム」はこのようにして世に生まれ出た。

つまり、よきダブリン市民ブルームは「花」であって、多少とも浮世ずれした「花男」がダブリン市中を遍歴する。これは覚えていていいだろう。ひそかに女と文通するときの名が「フラワー」で、きちんと改名の作法によっている。ブルームの父親は自殺したというが、花男の父を毒草トリカブトで消すなんて、いかにもジョイスらしいやり方だ。

つづく第五章、場所は浴場、時刻は午前十時となっている。自宅を出たブルームが郵便局で、局留にしている女からの手紙を受け取る。「フラワー」氏宛の手紙を花男ブルームが読んで花言葉を思案する。ついては欲情がきざしてきて、「風呂のなかでやろう」と思い立つのはいいとして、どうしてこんな時刻に浴場が開いているのだろう？　しかもそれがトルコ風呂ときている。

「彼は明るい気分でモスクふうの浴場へ歩いて行った。たしかにモスクを思わせるよ、赤く焼いた煉瓦、尖塔」

きちんと歴史と風俗を踏まえている。十七世紀半ばにトルコ商人がコーヒーハウスと合わせて入浴人気をあおり立てたのがはじまりのようだが、十九世紀後半には、ほとんどあらゆるイギリスの町々にトルコ風呂がそなわっていた。

赤煉瓦造りで、玉葱型の大屋根と尖塔をもち、イスラム方式は「ハマーム」と呼ばれた。アラビア語の「ハマム＝熱を伝える」に由来する。たいていは入浴とコーヒーハウスを兼ね、早朝から営業。当時の宣伝コピーは「発汗、垢落し、ヒゲそり、高温浴、水浴、マッサージ、いずれもトルコ式」とうたっている。

オリエント風の建物は衛生上の効用以上のこと、つまりは肉体のたのしみを約束させたものであって、「風呂のなかでやろう」は、ごく当然のなりゆきだった。ブルームは実際はつつしんだようだが、想像のなかでは「黒くもつれあう縮れた茂みが漂うあたり、漂う毛の渦のなかに幾千人の子らのしぼんだ父親」があらわれる。花男の花飾りであって、ジョイスは念のためとでもいうかのように、章をこんな一行でしめくくっている。

「ものうげに漂う一つの花が見えた」

ロマン派の画家アングルに「トルコ風呂」と題した有名な絵がある。ハマームの床に全裸の美しい女たちがひしめき合っている。西洋の男たちが夢想したハーレムの変形であって、ヨーロッパのよき市民たちの内奥にひそむ欲望の投影というものだろう。いまでも蒸し風呂を「アイルランド・ローマ方式」といったりするのは、アイルランドでは、とりわけ蒸気浴が好まれたらしい。ブルームが向かったリンカン・プレイスからレンスター通りの角を曲ってすぐのところの「モスクふうの浴場」も、同じような施設をそなえていたにちがいない。

つづく六章目。墓地の場、時刻は午前十一時。

先頭に霊柩車、うしろに三台の会葬馬車。墓地はダブリン市の北にあって、市中をゆっくりと抜けていく。会葬者におなじみだが、葬式のときは、なぜか会話がはずむものだ。柩の中の人物とちがって、自分たちがたしかに地上に生きていることを、たがいにそれとなく確認しているらしい。

「墓穴の脚立にまたがった男たちが徐々に綱をくり出して行くにつれて、棺は沈下して見えなくなった。男たちが這いあがってきた。そしてみんな脱帽した……」

しばしの沈黙がひろがるときだ。墓穴の上手に男の子が花環をささげて立っている。これと隣合ってミスタ・ブルームこと花男。そのとき彼はへんなことを考えた。死は長い眠りだから、死者はもう何も感じない。

「問題は気がついた瞬間だよ」

さぞかし愕然とするだろう。死ぬのは自分じゃない、人違いだ、向かいの家の人ではないのか。ところが、まわりで囁きがする。死にゆく者を見守っているときに必ず起きる囁き。薄暗い部屋。このときオペラの一場面、死を迎えるシーンがブルームの頭をかすめるのもおかしいが、もっとおかしいのは、そのつぎである。墓掘りたちが鋤を取りあげて棺の上に土を落としはじめる。ブルームは顔をそむけながら、ふと思った。

「もしも彼がまだ生きていたら?」

まだ息があるとして、生きながらに埋められていることに気がついたら。——すぐさまブルームは解決策を考えた。棺桶のなかに「電気時計か電話を入れる」、あるいは帆布で通気孔をつくっておく。遭難を伝える信号旗の役まわり。

荒唐無稽の想念ではないのである。仮死状態のまま葬られるといったことが、たしかにあった。それも、ひんぴんと報告されていた。用心深い者たちは、万一のために合図を送ることのできる「信号旗」つきの棺を遺言した。

『ユリシーズ』が書かれていたのは、おりしも電話が普及しはじめていたころで、電話会社がしきりに電話の便利さ、さまざまな使用法を広告していた。そのうちの大きな一つが「死からの復活」だった。電話があると、死の国からよみがえることができる。墓の中から電話をすればいい。電話さえあれば、心やすらかに死を迎えることができる。

そんな時代の流行を取りこんで、ジョイスの同時代、ヴァルター・ラーテナウが『復活会社』という小説を書いている。アメリカ・ダコタ州のある町で、生きたまま埋葬するというトラブルがたてつづけに起きた。ついては墓地管理会社が小会社を設立、「ダコタ中央電信・電話復活会社」といって、資本金七十五万ドル。当復活会社と契約をしておけば、心ならずも墓に入ってしまっても、公共の電話網で連絡できる。

ユダヤ系ドイツ人ラーテナウはドイツ最大の電力会社の社長として財界に身を置きながら、かたわら文明批評の色濃い小説や評論を書いた。時代の動向を注意深く見つめていたにちがいない。電話という新しいメディアの登場とともに、いまや「死体」が口をきく!

そんな異色の財界人を、ジョイスがどの程度に知っていたかはわからない。それはともかくとして、『ユリシーズ』の墓地の場は、電信・電話復活会社とつながっているだろう。心霊術が大流行をみたのもこのころであって、「降霊術」といった名で、あちこちのサロンで死者を呼び出す会が開かれていた。

そこにはあきらかに電信や電話や写真といった新しいメディアが影響していた。死者の国からのメッセージは、モールス信号によって降霊術の会のテーブルをツー・トン、ツー・トンとたたいて送られてきたし、雑誌や新聞には競うようにして、生者に寄りそう霊媒を写しとったと称する写真が発表されていた。冥府のかなた、死者の国の支配者ハデスの章に、柩のなかの電話を夢想させたとき、ジョイスはいかにも二十世紀初頭の小説家だった。

おつぎの第七章は「ネルソン塔」ではじまっている。イギリス海軍提督ホレイショー・ネルソンであって、ナポレオン戦争のころに活躍した。ダブリン市中オコネル通りの中心部、中央郵便局の北東側にある高さ三十六メートルの円柱である。その上に四メートルにあまる銅像が立っている。訳注は親切に、一九六六年四月、アイルランド過激派の手で爆破され、この塔は現在はないことまでも教えてくれる。塔のあったところは市電の発着場であり、かつまた中央郵便局の前、ダブリンの心臓部にあたる。章名「アイオロス」は『オデュッセイア』に語られている風の神にちなんでおり、また小説の場は新聞社、まさしく情報という現代の風の神の棲むところにちがいない。それかあらぬか、きれぎれな断片のスタイルで書かれ、やんでは起き、起きてはまたやむ風の作法を踏襲している。

章の終わりちかくに、ふたたびネルソン塔が出てくるのにお気づきだろうか。

「たいした塔だよ！――よちよち婆さんが言う」のすぐあと、ちょっとしたやりとり。

――縞模様のペチコートの上に腰をおろし、片柄つき間男の銅像を見あげます。

――片柄つき間男ねえ！　と教授が叫んだ。こりゃあいい。思いつきだな。狙いがわかるよ。

「片柄つき間男」とは何か？　訳注が告げている。ネルソン提督は海戦で右目、右腕を失った。一七九八年、ナポリ駐在のイギリス公使ウィリアム・ハミルトンの夫人エマと浮名を流す。イギリス史に有名なエピソードであって、片腕の人と片柄つきの便器のつながり、室内便器が寝室や間男と縁があるしだい。

ネルソン提督のお相手を、たまたま私はよく知っている。じかに会った人の報告を読んだからだ。一七八七年だから、ネルソン提督がかかわる十年あまり前のこと。ゲーテの『イタリア紀行』のナポリ滞在中のくだりに語られている。

イギリス人、サー・ウィリアム・ハミルトンはイギリス公使としてナポリに住み、古代研究で知られ、ゲーテもつとに学究としてその名を知っていた。ところが訪ねてみると、予想だにしなかった人物としてあらわれた。「自然と芸術との頂点」ともいうべき絶世の美女とともに暮らしていた。

「非常に美しい。よく発育した女である」

ゲーテはこのとき三十八歳。好奇心旺盛な中年男は、人一倍の熱心さで見ていたのだろう。女はギリシア風の衣裳をつけ、わざと髪をといて、肩掛けをかけたりした。客に向かって挑発的なしぐさをしたらしい。

「立ったり、ひざまずいたり、横になったり、まじめになったり、悲しげにしたり、いたずらっぽくしたり……」

悔いるようでもあれば、迷わすようでもある。脅かしたり、不安そうにしたり、表情をつぎつぎに変えていく。

「当家の老人がそれを灯火で照らし、うっとりと見惚れている」

年寄りのイギリス公使が、まるで女衒《ぜげん》のように、自分の女を客に見せていたようだ。

「私たちはこのよろこびをすでに二晩味わった」とゲーテは書いているから、二日通ったのだ。画家である友人ティッシュバインがいっしょで、記念写真をとるようにしてスケッチをした。

美女はエマ・ハートといって、ナポリの貧民街の生まれ。訳注の生年に「一七六五頃」とあるのは、生まれた年が定かでないからだ。その美貌によって、つぎつぎと資産ある男たちの思いものになった。「高級娼婦」といわれるタイプにあたる。ハミルトンの甥のグレヴィル卿の愛人だったのを、老ハミルトンがゆずり受けた。妻にしたのは一七九一年だから、ゲーテが会ったのはその前のこと。「我をもこの世も忘れて」、美しい女に入れあげている老人と出くわした。

エマ・ハートはイギリス公使夫人を肩書にしてナポリ宮廷に出入りし、王妃マリア・カロリーネの背後にあって政治的な役割を演じたりした。このあとネルソン提督の愛人になった。十一年後だから、「自然と芸術との頂点」をすぎ、下り坂にさしかかっていたころと思われる。その後も数奇な生涯を送り、一八一五年、カレーの町で貧困のうちに死んだ。

ネルソン像はさらにもう一度、章のしめくくりに出てくる。そのときのセリフ。

「こりゃ笑わせてくれるぜ」

ジョイス語積木箱の楽しさがおわかりだろうか。花男と色男をからませ、ジョイスはとめどなく人を笑わせる小説を書いた。

ジェイムズ・ジョイス年譜

結城英雄編

一八八二年
二月二日、ジョン・スタニスロース・ジョイスとメアリ・ジェイン・ジョイス（旧姓マリー）のあいだに、十人兄弟（四男六女）の長男として、ダブリン南郊ラスガーのブライトン・スクェア四一番地で生れる。父親はコーク出身で、ダブリン市の収税吏。五月、フィーニックス公園暗殺事件が起る。
一八八四年（二歳）
十二月十七日、弟ジョン・スタニスロース・ジョイス誕生。
一八八六年（四歳）
グラッドストンのアイルランド自治法案が下院で否決される。
一八八七年（五歳）
五月、一家はダブリン南郊、ウィックロー州のブレイに移る。伯父のウィリアム・オコネルと家庭教師のミセス・ハーン・コンウェイ（愛称ダンテ）が同居する。

一八八八年（六歳）
九月一日、キルデア州サリンズのイエズス会の名門校クロンゴーズ・ウッド・コレッジに最年少（六歳半）で入学する。校長はコンミー神父。
一八八九年（七歳）
十二月、オシー大尉が妻キャサリン・オシーとアイルランド議会党党首ジョン・スチュアート・パーネルの不義を理由に離婚訴訟を起す。
一八九一年（九歳）
六月、一家の経済的没落のためクロンゴーズ・ウッド・コレッジを退学し、学業の中断を余儀なくされる。十月、パーネル死去。風刺詩「ヒーリーよ、お前もか」を書く。
一八九二年（十歳）
一家はダブリン南郊のブラックロック、次いでダブリン市内に移る。北リッチモンド通りのクリスチャン・ブラザーズ校に入学。
一八九三年（十一歳）
四月、コンミー神父の助力を得て弟と一緒に市内のイエズス会の名門校ベルヴェディア・コレッジに入学する。
一八九四年（十二歳）
財産処分のため父親とコークを訪ねる。チャールズ・ラムの『ユリシーズの冒険』を読み、ユリシーズについて「わが敬愛する英雄」という表題で作文を書く。

一八九六年（十四歳）
聖母マリア信心会の監督生となる。娼婦との体験をもつ。
一八九七年（十五歳）
作文で入賞する。信仰が薄れる。
一八九八年（十六歳）
イプセンの演劇に傾倒し始める。九月、ユニヴァーシティ・コレッジ・ダブリンに入学する。
一八九九年（十七歳）
五月、イェイツの『キャスリーン伯爵夫人』を反アイルランド的とする学生たちの抗議運動が起きるが、公然とイェイツを支持する。
一九〇〇年（十八歳）
一月、学内の文学・歴史協会で「劇と人生」と題する発表を行なう。四月、イギリスの雑誌『フォートナイトリー・レヴュー』に論文「イプセンの新しい劇」が掲載され、イプセンからの感謝の伝言をウィリアム・アーチャーを経て受け取る。
一九〇一年（十九歳）
アイルランド文芸劇場の地方性を非難する「わいわい騒ぎの日」を書き、女性の平等を論じた学友フランシス・スケッフィントンの一文とともに八十五部を自費出版する。
一九〇二年（二十歳）

二月、学内の文学・歴史協会でアイルランドの詩人ジェイムズ・クラレンス・マンガンについて発表。三月、弟ジョージ死去。六月、ユニヴァーシティ・コレッジ・ダブリンを卒業。医学校に入るが理系の科目が理解できず学費にも窮する。夏に訪ねたジョージ・ラッセルの紹介で、イェイツやグレゴリー夫人に会う。十二月一日に医学を勉強する口実でパリに出発。途中ロンドンでイェイツがアーサー・シモンズを紹介する。貧困のため三週間ほどでパリから帰国する。

一九〇三年（二十一歳）

一月、オリヴァー・セント・ジョン・ゴーガティと国立図書館で知り合う。一月十七日、再びパリに出発する。医学の勉強はせず図書館で美学を研究して日々を過ごす。三月、シングに会う。四月に母危篤の電報で帰国する。母親は八月十三日に死去。享年四十四歳。

一九〇四年（二十二歳）

一月、自伝的なエッセイ「芸術家の肖像」を書くが、雑誌『ダナ』の編集者エグリントンに断られ、『スティーヴン・ヒーロー』と改題し、長篇小説に書き直す決心をする。三月から六月までドーキーの私立学校クリフトン・スクールの臨時教師となる。五月、アイルランド音楽祭で入賞し、その縁で八月にはエインシェント音楽堂でテナー歌手マコーマックらと歌う。六月十日にノーラ・バーナクルと知り合い、十六日に彼女と最初の逢びきをし、以降親密に交際する。八月、ジョージ・ラッセルの勧めで農業協同組合の機関紙『アイリッシュ・ホームステッド』にスティーヴン・ディーダラスの筆名で短篇小説「姉妹」を発表し、九月には「イーヴリン」が、そして十二月には「レースのあとで」が掲載される。同じく八月、アイルランドの文学的状況の風刺詩「検邪聖省」を書く。九月九日、ゴーガティの住むサンディコーヴのマーテロ塔に寄寓するが、同宿のトレンチが悪夢にうなされて発砲し、ゴーガティもそれに乗じて発砲したために塔を去る。十月八日、ノーラ・バーナクルを伴ってダブリンを出発し、イタリア領ポーラ（現在はクロアチア共和国のプーラ）のベルリッツ校で英語教師の職に就く。

一九〇五年（二十三歳）

三月、トリエステのベルリッツ校に転任。七月二十七日に長男ジョルジオ誕生。十月、弟スタニスロースを呼び寄せる。十二月、ロンドンの出版業者グラント・リチャーズに『ダブリンの市民』の十二編を送るが、翌年出版を拒否される。

一九〇六年（二十四歳）

七月、ローマに移り銀行に職を得る。九月、寝取られ亭主を主人公とする短篇小説を着想する。十一月、その短篇小説の表題を「ユリシーズ」とする。『ダブリンの市民』の最後の物語「死者たち」を書き始める。

一九〇七年（二十五歳）

一月、シングの『西国の伊達男』をめぐる暴動がアビー劇場で起る。三月、銀行を辞めトリエステのベルリッツ校に復職。四月、トリエステ市民大学で「アイルランド・聖人と賢人の島」の講演を行なう。五月、ロンドンのエルキン・マシューズ社より詩集『室内楽』出版。七月二十六日、長女ルチア誕生。九月、「死者たち」を仕上げる。『スティーヴン・ヒーロー』を『若い芸術家の肖像』と改題して書き始める。

一九〇八年（二十六歳）

『若い芸術家の肖像』の最初の三章を仕上げるが、その後の方向が定まらず中断する。

一九〇九年（二十七歳）

一月、英語の個人教授を受けていた年長の弟子エットレ・シュミット（筆名イタロ・ズヴェーヴォ）に励まされ、『若い芸術家の肖像』を書く決心をする。七月、モーンセル社との『ダブリンの市民』出版の契約のため、息子ジョルジオを連れダブリンに帰省。友人コズグレイヴの言葉でノーラの過去に不信を抱くが、エクルズ通り七番地に住んでいた学友バーンの助言で誤解が解ける。八月、モーンセル社と出版契約成立。九月、妹エヴァを伴いジョルジオとトリエステに戻る。十月、再び帰省し、十二月、映画館ヴォルタ座を開館する。

一九一〇年（二十八歳）

一月、妹アイリーンを伴いトリエステに戻る。七月、ヴォルタ座が経営不振のため売りに出される。

一九一一年（二十九歳）

二月、モーンセル社から「蔦の日の委員会室」の記述の一部削除を求められる。八月、『ダブリンの市民』の出版の遅延に対する苛立ちを公開書簡とし、新聞『シン・フェイン』は九月二日付でその全文を掲載する。

一九一二年（三十歳）
三月、トリエステ市民大学公開講座でブレイクとデフォーについての講演を行なう。五月、新聞『イル・ピッコロ・デラ・セーラ』に「パーネルの影」を発表。七月、一家してゴールウェイとダブリンを訪問する。九月十一日、モーンセル社との出版契約が決裂し、組版が解体される。その夜ダブリンを出発し、トリエステへの帰途、風刺詩「バーナーからのガス」を書く。以降ジョイスは二度とダブリンの土を踏まない。市民大学で十二回連続の『ハムレット』についての講演を開始する。
一九一三年（三十一歳）
レヴォルテッラ高等商業学校（後のトリエステ大学）にポストを得、午前はそこで教え、午後は個人教授をする。十一月、グラント・リチャーズが再度『ダブリンの市民』の出版に関心を示す。十二月、イェイツの紹介でエズラ・パウンドより原稿を送れという来信。
一九一四年（三十二歳）
パウンドの斡旋でイギリスの雑誌『エゴイスト』の二月号から『若い芸術家の肖像』の連載を開始する。編集長は六月よりハリエット・ショー・ウィーヴァー。六月十五日、『ダブリンの市民』をグラント・リチャーズ社から出版。八月、第一次大戦勃発。『ジアコモ・ジョイス』を書く。十一月、『追放者たち』の草案を書く。『ユリシーズ』の執筆を開始する。
一九一五年（三十三歳）
四月、『追放者たち』をほぼ完成する。六月、『ユリシーズ』第三挿話の最初の数ページまで書き進め、末に一家でチューリッヒに移住。イェイツとパウンドの尽力でイギリス王室文学基金より七十五ポンド支給される。

一九一六年（三十四歳）

四月、ダブリンで復活祭武装蜂起。友人のスケッフィントンが銃殺される。八月、パウンドの尽力でイギリス王室費助成金百ポンドを支給される。十二月、アメリカのヒューブシュ社から『ダブリンの市民』と『若い芸術家の肖像』が出版される。

一九一七年（三十五歳）

二月、エゴイスト社版『若い芸術家の肖像』出版。ハリエット・ショー・ウィーヴァーが匿名の経済的支援を開始する。八月、緑内障のため目の手術をする。十月、ロカルノに転地療養に出かける。『ユリシーズ』の最初の三挿話を完成し、それを年末から翌一月にかけてパウンドに送る。ウィーヴァーと雑誌『エゴイスト』に『ユリシーズ』を連載する契約をする。

一九一八年（三十六歳）

一月、チューリッヒに戻る。パウンドが仲介者となり、アメリカの雑誌『リトル・レヴュー』（副題は「大衆の嗜好に何ら迎合することのない芸術雑誌」）三月号から『ユリシーズ』の連載を開始する。マコーミック夫人の経済援助を受ける。英国歌劇団を結成し、オスカー・ワイルドの『真面目が大切』などを上演。フランク・バッジェンと親交を結ぶ。五月、ニューヨークのヒューブシュ社とロンドンのグラント・リチャーズ社から『追放者たち』出版。十一月、第一次大戦終結。暮れには『ユリシーズ』第九挿話「スキュレとカリュブディス」まで完成。

一九一九年（三十七歳）

一月、アイルランド独立戦争始まる。『ユリシーズ』の『リトル・レヴュー』への連載は続いているが、一月号（第八挿話「ライストリュゴネス族」の前半）と五月号（第九挿話「スキュレとカリュブディス」の後半）は、猥褻であるとして郵政省により没収される。『エゴイスト』に『ユリシーズ』の他より穏和な第二、三、六、十の各挿話が掲載される。八月、『追放者たち』がミュンヘンで上演される。十月、一家でトリエステに戻り、レヴォルテッラ高等商業学校に復職。

一九二〇年（三十八歳）

六月、パウンドと初めて会い、彼の助言で七月に一家はパリに移住する。七月、アドリエンヌ・モニエとシルヴィア・ビーチに、また八月、T・S・エリオットとウィンダム・ルイスに会う。九月、カルロ・リナーティに「計画表」（リナーティ計画表）を送る。『リトル・レヴュー』の一月号（第十二挿話「キュクロプス」の後半）と七―八月号（第十三挿話「ナウシカア」の後半）が没収される。ニューヨークの悪徳防止協会は「ナウシカア」挿話を中心として『ユリシーズ』を非難し、『リトル・レヴュー』を告訴する。同誌は九―十二月号に第十四挿話「太陽神の牛」の一部を掲載して連載を打ち切る。十二月、ビーチがヴァレリー・ラルボーを紹介する。

一九二一年（三十九歳）

二月、『ユリシーズ』を掲載した『リトル・レヴュー』の編集者が猥褻文書出版により有罪の判決を受ける。四月、シェイクスピア書店のシルヴィア・ビーチとの『ユリシーズ』出版契約成立。印刷はディジョンのモーリス・ダランティエールにより、一千部の予約募集を行なう。『ユリシーズ』の執筆と加筆補正を続ける。十二月七日、ヴァレリー・ラルボーによる『ユリシーズ』紹介の講演がモニエの書店で行なわれる。ジョイスは前もって彼に「計画表」（ゴーマン＝ギルバート計画表）を貸し与えた。

一九二二年（四十歳）

一月、アイルランド自由国成立。二月二日、シェイクスピア書店より『ユリシーズ』を出版する。ノーラとともにイギリスを訪れ、ハリエット・ショー・ウィーヴァーに初めて会う。十月、エゴイスト社版『ユリシーズ』刊行。

一九二三年（四十一歳）

『進行中の作品』（『フィネガンズ・ウェイク』の仮題）の執筆を開始する。

一九二四年（四十二歳）

三月、『若い芸術家の肖像』の仏訳出版。四月、『進行中の作品』の断片がフランスの雑誌『トランズアトランティク・レヴュー』に掲載される。

一九二五年（四十三歳）

『クライティーリオン』を始めとしていくつかの雑誌に『進行中の作品』の断章を別々に掲

載する。眼病のため数回手術を受ける。

一九二六年（**四十四歳**）

アメリカの編集者サミュエル・ロスが『進行中の作品』と『ユリシーズ』からの盗載を行なう。十一月、パウンドとウィーヴァーが『進行中の作品』に当惑する旨の書信をよこす。

一九二七年（**四十五歳**）

二月二日、ロスの盗載行為に対して、アインシュタイン、クローチェ、ロレンス、ウルフ、エリオットら著名人の署名入りの抗議文を新聞社に送付する。前衛の月刊文芸雑誌『トランジション』創刊号（四月）より『進行中の作品』と題して『フィネガンズ・ウェイク』の掲載を開始する。七月、詩集『ポームズ・ペニーチ』をシェイクスピア書店より出版。十月、『ユリシーズ』の独訳出版。

一九二八年（**四十六歳**）

十月、『アンナ・リヴィア・プルラベル』（『フィネガンズ・ウェイク』第一部第八章）を出版。

一九二九年（**四十七歳**）

二月、『ユリシーズ』の仏訳出版。五月、サミュエル・ベケット他十二名で『進行中の作品』の擁護書を刊行。八月、『シェムとショーンの物語』（『フィネガンズ・ウェイク』第一部第六章、第二部第二章、第三部第一章の断片）出版。

一九三〇年（**四十八歳**）

スチュアート・ギルバートが『ジェイムズ・ジョイスの「ユリシーズ」』を出版。六月、『いたるところに子供あり』(『フィネガンズ・ウェイク』第三部第三章)出版。

一九三一年(四十九歳)

七月四日、父の誕生日に、ロンドンで妻ノーラと結婚式を行なう。十二月二十九日、父親ジョンが死去(八十二歳)。

一九三二年(五十歳)

二月、娘ルチアが精神錯乱に陥る。同月、息子夫婦に男子誕生。十二月、『ユリシーズ』のオデュッセイ社版刊行。

一九三三年(五十一歳)

娘ルチアが精神病院に入院する。十二月六日、ニューヨークでウールジー判事が『ユリシーズ』は猥褻に非ずとする判決を下す。

一九三四年(五十二歳)

一月、『ユリシーズ』がアメリカのランダム社から出版される。二月、ルチアが再び精神病院に入院する。六月、『天使マイケル、悪魔ニック、および誘惑女マギーらの黙劇』(『フィネガンズ・ウェイク』第二部第一章)をハーグで出版。フランク・バッジェンの『ジェイムズ・ジョイスと「ユリシーズ」の創作』が出版される。九月、ルチアにユングの診察を受けさせる。

一九三五年(五十三歳)

アンリ・マチスの挿絵入りの『ユリシーズ』がニューヨークの限定版クラブより出版される。

一九三六年(五十四歳)

十月、ロンドンでボドリー・ヘッド版『ユリシーズ』が出版される。十二月『詩集』出版。

一九三七年(五十五歳)

十月、ロンドンで『若く内気なストリエラ』(『フィネガンズ・ウェイク』第二部第二章)出版。アイルランド、エール共和国となる。

一九三八年(五十六歳)

十一月、『フィネガンズ・ウェイク』完成。

一九三九年(五十七歳)

五月四日、『フィネガンズ・ウェイク』がロンドンとニューヨークで同時に出版される。九月、第二次大戦勃発。十二月、一家は南仏に移住する。

一九四〇年(五十八歳)

十二月、チューリッヒに移住する。

一九四一年

一月十三日に十二指腸潰瘍穿孔で死去。チューリッヒのフリュンテルン墓地に埋葬される。

『ユリシーズ』人物案内

凡例

一　文末の数字はその人物が登場する挿話を示す。（　）で囲まれた数字の挿話で言及され、囲まれていない挿話で直接登場する。スティーヴン・ディーダラス、レオポルド・ブルーム、モリー・ブルームの三人については省略した。

二　『ユリシーズ』以前の作品に登場している場合は、（P、D）で示した。Pは『若い芸術家の肖像』、Dは『ダブリンの市民』の略。

アトス　ブルームの父親の愛犬。（六）、（十五）、（十七）

アプジョン、パーシー　ブルームの幼友達。（八）、（十五）、（十七）、（十八）

雨外套の男　→マッキントッシュの男の項参照

アルティフォーニ、アルミダーノ　イタリア人の音楽教師。スティーヴンの才能を惜しんで音楽を続けるよう説得、スティーヴンはその思いやりに感謝する。十、（十五）

イェイツ、ウィリアム・バトラー（一八六五―一九三九）　アイルランドの詩人、劇作家。二〇世紀最高の詩人の一人。一九二三年、ノーベル文学賞受賞。アイルランド文芸復興運動の中心人物の一人となり、一九〇四年十二月アビー劇場を創立。グレゴリー夫人、シングなどとともにアビー劇場のための戯曲を書いた。

ジョイスはイェイツの初期の詩を愛読しているし、『ユリシーズ』でスティーヴンがファーガスを歌ったイェイツの詩をしきりに思い浮べるのはその反映である。『キャスリーン伯爵夫人』初演（一八九九）の際には、同じ大学の学生たちがこれを反アイルランド的として攻撃したとき、彼らの抗議文に署名することを拒絶した。しかしジョイスはまた、アイルランド文芸復興運動の地方主義を嫌い、「わいわい騒ぎの日」（一九〇一）を書いて批判した。一九〇二年、ジョージ・ラッセル（AE）に紹介されてイェイツに会い、この後いろいろと世話になった。『キャスリーン伯爵夫人』のイタリア語訳を企てたほどで、イェイツに対する尊敬は生涯変らなかった。またイェイツは『ユリシーズ』の予約購読者になったし、作中にある自分へのからかいにもかかわらず、この長篇小説を賞讃した。（一）、（三）、（九）、（十五）

イーガン、ケヴィン　パリ在住のアイルランド亡命者。灰いろ雁の一人。（三）、（十二）、（十六）

一本足の水兵　コンミー神父に施しを求め、代りに祝福を与えられる。路上の小太りの女性とモリーからそれぞれ一ペニーずつ恵んでもらう。十、（十五）、（十八）

ヴォーン、バーナード　神父。イギリスのイエズス会士で著名な説教家。モリーは彼の説教のあとで歌ったことがある。（五）、（十）

ウッズ家の女中　ブルームの隣家の女中。四、（五）、（十一）

AE（一八六七—一九三五）　詩人、画家、神秘主義者、ジャーナリスト、農業協同組合運動家で、アイルランド文芸復興運動の指導者の一人ジョージ・ラッセルの筆名。組合の新聞『アイリッシュ・ホームステッド』の編集者（一九〇五年から二三年まで編集長）。ひげ面。スティーヴンは彼に一ポンド借りている。(二)、(七)、八、九、(十三)、(十四)、(十五)

エグリントン、ジョン（一八六八―一九六一）アイルランドの文芸評論家ウィリアム・カークパトリック・マギーの筆名。赤毛。アイルランド国立図書館副館長。ジョージ・ムーアの秘書役で雑誌『ダナ』を編集している。九、(十五)

オコネル、ジョン 恰幅のいい男でグラスネヴィンのプロスペクト墓地管理人。六、(十五)

オコネル、ダニエル（一七七五―一八四七）アイルランドの雄弁家、政治家、下院議員。連合法の撤廃を叫び、カトリック農民の権利獲得のために尽力した。ダブリンの中心にあるオコネル通りとオコネル橋は彼を記念して名付けられた。通りにその銅像がある。(二)、(六)、(七)、(十五)、(P、D「死者たち」)

オシー、キャサリン（一八四五―一九二一） イギリス中流上層階級の女性。アイルランドの政治家チャールズ・スチュアート・パーネルとの姦通が表沙汰になって、彼の没落を引き起した。キャサリンの祖父はロンドン市長で、父は国教会の牧師。兄は陸軍元帥になった。二十一歳のとき陽気な美男のオシーと結婚したが、やがて夫と別居して、自分の裕福な伯母（叔母？）のもとに身を寄せ、彼女の話し相手をする代償として経済的な援助を得た。夫がアイルランド議会党の代議士になったためパーネルと知り合い、熱烈な恋に落ちる。一八八二年、八三年、八四年に生れた三人の子は、いずれもパーネルによく似た顔立ちであった。

八九年、オシーによる離婚訴訟。パーネルは没落し、九一年キャサリンとパーネルは結婚した。パーネルの死後、キャサリンは一九一四年に回想録を刊行した。その直後、ジョイスはこれを読み、二〇年にトリエステを去ってパリへ行くまで手放さなかった。(二)、(十六)

オダウド、エリザベス　シティ・アームズ・ホテルの女主人。(十二)、(十五)、(十七)

オニール、H・J　葬儀屋。ディグナムの葬儀を扱う。(五)、(十)、(十二)、(十六)

オハンロン　「海の星」教会の主任司祭。司教座聖堂参事会員。十三、(十五)

オモロイ、J・J　法廷弁護士。かつては将来を嘱望されていたが、肺病を患って今は零落している。クローフォードに金を借りようとして断られ、ネッド・ランバートから借りることになる。七、十、(十五)

オライアン、テレンス　愛称テリー。バーニー・キアナン酒場の給仕。十二

オローク、ロレンス　愛称ラリー。酒場の主人。抜け目のない老人。四、十、(十一)、(十五)

カー、ヘンリー　愛称ハリー。イギリスの兵隊。「夜の町」でスティーヴンを殴り倒す。十五

カウリー、ロバート　愛称ボブ。神父とは単なる呼称。高利貸のルーベン・J・ドッドに借金の返済を迫られている。オーモンド・ホテルの特別室でサイモンの伴奏をする。(五)、十、十一、(十五)

ガーティ→ マクダウエルの項参照

ガードナー、スタンリー・G　モリーの恋人の一人。ダブリン駐留のイギリス陸軍中尉。ボーア戦争に出征。戦病死する。（十八）

カーナン、トム　茶輸入商会の外交員。プロテスタントからカトリックに改宗した。ジン愛飲者。（五）、六、（八）、十、十一、（十五）、（十六）、（十七）、（十八）、（D「恩寵」）

カニンガム、マーティン　アイルランド総督府の役人で裁判所に勤めている。博識で聡明、思いやりのある人物。アル中の妻をもち、家庭生活は不幸である。パワー、ノーランといっしょにディグナムの遺児のための援助金を募ろうとしている。（五）、六、（七）、十、十二、（十五）、（十六）、（十七）、（十八）、（D「恩寵」）

カフ、ジョーゼフ　家畜業者。もとブルームの雇い主。（六）、（十二）、（十四）、（十五）、（十八）

ガムリー　サイモン・ディーダラスの友人。市の石材置場の夜警。借金のことでルーベン・J・ドッドに訴訟を起された。（七）、十六

キーズ、アレグザンダー　酒商。ブルームは彼と広告の契約を結ぼうとしている。（七）、（八）、（十二）、（十五）、（十七）

キャフリー、セシリア　愛称はシシー、またはシス。子供好きで、トミーとジャッキーという四歳になる双生児の弟をもつ気立てのよい娘。ガーティの友人。十三、（十五）

ギャラハー、イグネイシャス　ダブリンからロンドンへ渡り、『デイリー・メイル』および『イヴニング・ニューズ』で活躍している新聞記者。フィーニックス公園暗殺事件をスクー

プした。(六)、(七)、(十五)、(D「すこしの雲」)

キャラン 国立産婦人科病院の看護婦。ブルーム一家の知人。(十三)、十四、(十五)、(十七)

ギャリオーエン ガーティ・マクダウエルの祖父ギルトラップの飼っている老犬。市民がキアナンの酒場へ連れて来ている。十二、(十三)、(十五)

キャリナン、クリストファー 愛称クリス。よく言い違いやへまをするので有名なダブリンのジャーナリストらしい。(四)、(八)、(十一)、(十五)、(十七)、(十八)

キョー(ミセス) コーエンの娼家の料理人。十五

キョー、マイラー ダブリンのボクサー。ボイランがその興行を五月二十二日に行なった。(八)、(十)、(十二)

クウィッグリー 国立産婦人科病院の看護婦。十四、(十五)

グッドウィン 老教授。ピアニスト。モリーの伴奏者。(四)、(八)、(十一)、(十五)、(十七)、(十八)

グリフィス、アーサー(一八七一—一九二二) アイルランド独立運動シン・フェインの提唱者。(三)、(四)、(五)、(八)、(十二)、(十五)、(十八)

クリフォード、マーサ 舞台外の人物。ブルームがヘンリー・フラワーという変名で文通している女性。まだ会ったことはない。彼女の名前も変名かもしれない。(五)、(六)、(十一)、(十三)、(十五)、(十七)、(十八)

グールディング、リチャード　愛称リチー。スティーヴンの母の弟（兄？）で弁護士事務所の訴訟費用見積人。サイモンとは不仲。ブルームの友人。勤め先のコリス・アンド・ウォード弁護士事務所の名前入り鞄に、自分の名前グールディングを書き加えて持ち歩く。（三）、（六）、（八）、十、十一、（十三）、（十五）

グレゴリー、イザベラ・オーガスタ（一八五二―一九三二）　劇作家。夫サー・ウィリアム・グレゴリーの死（一八九二）ののち文学に関心を深め、イェイツとともに農民説話を蒐集し、アイルランド文芸復興運動に指導的な役割を果した。『噂のひろがり』（一九〇四）ほかがある。（五）、（九）

グローガン婆さん　アイルランドの小唄ないし猥歌の登場人物。（一）、（三）、（九）、（十四）、（十五）

クロザーズ、J　スコットランド出身の医学生。十四、（十五）

クローフォード、マイルズ　『イヴニング・テレグラフ』の編集長。コーク出身、アル中。スティーヴンの才能に関心を示し、彼をジャーナリズムの世界に引き込もうとする。広告の件でブルームを軽くあしらう。七、（十二）、（十三）、（十五）

クロフトン、J・T・A　もともと保守党員だがアイルランド議会党（通称国民党）の運動員として働いたこともある。オレンジ会の会員らしい。（六）、十二、（十五）、（D「蔦の日の委員会室」）

ケアリー、デニス（一八四五―八三）　正しくはジェイムズ・ケアリー。無敵革命党員の一人。フィーニックス公園暗殺事件の翌年に逮捕されたが、政府側に寝返って同志に不利な証言をする。裁判のあとアイルランドを離れたが、船旅の途中で暗殺される。(五)、(八)、(十六)

ケネディ、マイナ　オーモンド・ホテルのバーの女給。金髪。日焼けのあとを気にしている。『オデュッセイア』との対応ではセイレン。十、十一、(十五)

ケラハー、コーニーリアス　愛称コーニー。オニール葬儀店の支配人。裏で警察の密偵をしているという噂がある。(五)、六、(八)、十、(十二)、十五、(十六)

コーエン、ベラ　メクレンバーグ(ティローン)通りにある娼家の女主人。息子をオクスフォードで学ばせているらしい。『オデュッセイア』との対応では魔女キルケ。十五、(十七)

コステロ、フランシス　綽名は拳骨《パンチ》。スティーヴンの友人。十四、(十五)

コフィ、フランシス　神父。グラスネヴィン墓地の礼拝堂付司祭。ディグナムの埋葬に立ち会った。六、(十一)、(十五)

コーリー、ジョン　スティーヴンの友人。十六、(D「二人の伊達男」)

コリガン、バーナード　愛称バーニー。ディグナムの義兄弟。六、(十)、(十六)、(十七)

コンプトン　イギリスの兵隊。カーの相棒。十五

コンミー、ジョン(一八四七—一九一〇)　イエズス会の神父。聖フランシスコ・ザビエル教会の修道院長。スティーヴンが少年時代に学んだクロンゴーズ・ウッド・コレッジの校長

やヴェルヴェディア・コレッジの学事長を歴任。ディグナムの遺児の一人を施設に世話しようとしている。(五)、(九)、十、(十四)、(十五)、(十七)、(P)

コンロイ、ゲイブリエル　大学の講師。親英保守系の『デイリー・エクスプレス』の文芸欄に寄稿している。妻の名はグレタ。(四)、(七)、(十三)、(D「死者たち」)

コンロイ、バーナード　「海の星」教会の助任司祭。(十)、十三、(十五)

サージャント、シリル　ディージーの学校の生徒。二

シトロン、J　ブルームのユダヤ人の友人。西ロンバード通りにブルームが住んでいたころ近所にいた。(四)、(七)、(八)、(十五)、(十八)

シニコー、エミリー　船長夫人。シドニー・パレイド駅で轢死。十月十四日もしくは十七日埋葬。(六)、(十七)、(D「いたましい事故」)

シーヒー、デイヴィッド　アイルランド選出のイギリス下院議員。(八)、(十)

市民　酒場の常連で熱烈なナショナリスト。古代ケルトに憧れ、一切のイギリス的なものに反抗。ギャリオーエンという犬を連れている。ユダヤ人嫌いでキアナンの酒場ではブルームと喧嘩する。アイルランド・スポーツの復興に熱心だったマイケル・キューサックがモデル。『オデュッセイア』との対応ではキュクロプス(一つ目の巨人)。十二、(十五)

シング、ジョン・ミリントン(一八七一—一九〇九)劇作家。アイルランド文芸復興運動の主要人物の一人。劇『西国の伊達男』など。無名のころパリでスティーヴンと会ったことになっている。(九)

シンプソン、ジョージーナ　ブルーム夫妻のかつての友人。夫婦はその新宅開きに招待された。(十五)、(十八)

スウィニー、F・W　薬剤師。リンカン・プレイスで薬局を経営。五、(十五)、(十七)

スウィンバーン、アルジャーノン・チャールズ（一八三七―一九〇九）イギリスの唯美派の詩人。(一)、(三)、(九)、(十)、(十五)

スティーヴンズ、デイヴィ　キングズタウンで新聞販売店を経営。一種の名物男。「国王の使者」という綽名をもつ。七、(十五)

ストラットン、ユージーン（一八六一―一九一八）アメリカのミュージックホール・スター。黒人に扮装して演ずるミンストレル・ショーで人気を博す。一九〇四年六月十六日ロイヤル座に出演。(六)、(十)、(十五)

スピノザ（一六三二―七七）オランダの哲学者。ポルトガル系ユダヤ人の息子。ブルームの蔵書のなかに彼の選集がある。(十一)、(十二)、(十七)、(十八)

スローアウェイ　ゴールドカップ・レースで優勝した競走馬。ブルームはバンタム・ライアンズに新聞を「捨てる《スローアウエイ》」と漏らして大穴を当てたと誤解される。(五)、(十二)、(十四)、(十五)、(十六)

セバスティアン　マウント・アーガス教会の神父。(十七)

セプター　ゴールドカップ・レースで三着にはいった競走馬。(七)、(八)、(十一)、(十二)、(十四)、(十五)

ソーントン（ミセス）　ダブリンの助産婦。ブルームの子供二人をとりあげた。（四）、（八）、（十五）

ダーシー、バーテル　テノール歌手。（八）、（十）、（十五）、（十七）、（十八）、（D「死者たち」）

ダドリー、ウィリアム・ハンブルウォード　第二代ダドリー伯爵。一九〇二年から〇六年までアイルランド総督。フィーニックス公園内の公邸から市内を抜けボールズブリッジの慈善市の会場に至る行程を騎馬行列する。注意して読むと多くの市民が挨拶を送っていないことがわかる（公衆便所を出て来たサイモンが「深々とおじぎをした」のはズボンのボタンをはめるためらしい）。（七）、十

ディクソン　見習医師。ブルームが蜂に刺されたとき治療した。（六）、（八）、十四、（十五）、（P）

ディグナム、パトリック・アローイシャス　愛称パッツィ。パディの息子、ディグナム坊や。（六）、十、（十二）、十三、（十五）、（十七

ディグナム、パトリック・T　愛称パディ。死者。弁護士ジョン・ヘンリー・メントンの事務所に勤めていたが酒のために失職してから死んだ。（四）、（五）、（六）、（七）、（八）、（十）、（十一）、（十二）、（十三）、（十四）、（十五）、（十六）、（十七）、（十八）

ディージー、ギャレット　スティーヴンが勤めているドーキーの私立学校長。アルスター出身のプロテスタントでイギリスとの連合の支持者、また女嫌いで反ユダヤ主義者。彼の経営

する学校は、近在の裕福な家庭の子弟のために英国式の教育を施すことを目的にしているらしい。二、(七)、(十五)、(十六)

ディーダラス、サイモン　スティーヴン・ディーダラスの父。一八四九年生れ。『肖像』で、スティーヴンは友達に聞かれて父親の肩書を並べる。――医学生、ボートの選手、テノール歌手、素人役者、院外団、小地主、小投資家、酒飲み、お人よし、話好き、誰かの秘書、醸造会社の何か、収税吏、破産者、そして今は自分の過去の讃美者、と。裕福な地主から没落したが、声楽の才と話術の才によってダブリンの人気者である。『ユリシーズ』では、幻覚の場面を別にすれば、彼とスティーヴンとは一度も出会わない。パディ・ディグナムの埋葬に行き、新聞社では一杯やりに行こうと友人を誘い、街を歩いていて娘のディリーから小遣いをせびられてペニー銅貨二枚を与え、ホテルのバーで唄を歌う。

ジョイスの父ジョン・スタニスロース・ジョイスがモデル。(一)、(二)、(三)、(四)、六、七、(八)、(九)、十、十一、(十三)、(十四)、(十五)、(十六)、(十七)、(十八)

ディーダラス、スティーヴン　二十二歳の青年。身長百八十センチ。没落した中流家庭の息子で作家志望者。経歴その他ジョイスによく似ている。『肖像』の主人公。あの長篇小説の末尾から二年と一か月と十日が経過した。カトリックの信仰を捨て、文学に志す彼は、ユニヴァーシティ・コレッジを卒業後、パリに行ったが、母の危篤を告げる電報で呼び返され、祈っておくれという母の願いを臨終の床のかたわらで拒んだ。母の死後、彼は、みじめな生活をしている父および妹たちと別居して、ダブリン湾に臨むマーテロ塔に友達のマリガンといっしょに住み、学校の臨時教師をしている。当時ダブリンで勢いを増しはじめていたアイルランド文芸復興運動に冷淡だし、向うも彼を評価していない。母の願いを拒んだゆえに「内心の呵責」に悩む荒れた生活で、マリガンとの仲もあやしくなって来た。今日、彼は、塔にはもう帰って来ないし、学校の勤めもやめようと決意する。

鋭敏な文学的感覚と豊かな教養の持主。ヨーロッパの新文学と新思潮（イプセン、フランス象徴主義、ニーチェなど）に親しんでいる。衒学的で警句を好む。父親ゆずりの美声の持主。テノール。ジョイス自身がモデル。『オデュッセイア』との対応ではテレマコス。（P）

ディーダラス、ディリー　スティーヴンの妹。ディロン競売場の前で家庭を顧みない父サイモンに出会って金を貰い、フランス語初級読本を買う。八、十、（十五）、（十六）、（十七）、（P）

ディーダラス、マギー／ブーディ／ケイティ　スティーヴンの妹たち。キャブラのセント・ピーターズ台地七番地に住み、質入や食物のことを話題にする貧しい生活を送っている。十、（十六）、（十八）、（P）

ディーダラス、メアリ（メイ）　旧姓グールディング。スティーヴンの母。敬虔なカトリック信者である。『肖像』の終り近くで、彼女は中古の背広を作り直して息子をフランスに送り出す。彼女の危篤の報によって帰った彼に、死の床で祈りを求めたが、信仰を失っていた彼は拒んだ。

ジョイスの母、メアリ・ジェイン・ジョイス（旧姓マリー）がモデル。（一）、（二）、

（三）、（六）、（七）、（八）、（九）、（十）、（十一）、（十四）、（十五）、（十六）、（十七）、（十八）

ディロン、ジョーゼフ　愛称ジョー。競売場の主人。（七）、（八）、（十）、（十五）

ディロン、マシュー　愛称マット。ブルーム一家の友人。（六）、（十一）、（十三）、（十五）、（十七）、（十八）

テニソン、アルフレッド（一八〇九―九二）　イギリスの桂冠詩人。（三）、（九）、（十五）

ドイル、J・C　バリトン歌手。（四）、（六）

トウィーディ、ブライアン・クーパー　モリー・ブルーム（旧姓トウィーディ）の父。ジブラルタル勤務のイギリス陸軍の下士官あるいは将校であったと推定される。Major Tweedy と呼ばれるが、major は少佐の正式な名称でもあり特務曹長（sergeant major）の通称でもある。おそらく少佐ではなかろう。鼓手長（drum major）と呼ばれることもある。モリーの母、ルニタ・ラレドと結婚したかどうか疑わしい。トウィーディは退役後ダブリンに戻った。すでに死亡。（四）、（五）、（六）、（十一）、（十二）、（十五）、（十六）、（十七）、（十八）

ドゥース、リディア　オーモンド・ホテルのバーの女給。ブロンズの髪。レネハンにせがまれて「打ち鳴らせ鐘を！」というエロチックな芸をする。『オデュッセイア』との対応ではセイレン。十、十一、（十五）

ド・コック、シャルル・ポール（一七九四―一八七一）一九世紀フランスの小説家。姦通を喜劇的に描いて全ヨーロッパに非常な人気を博した。マルクスも、ローマ教皇も、ルナンも、ドストエフスキーも愛読者だったと言われる。ジョイスのトリエステでの蔵書には彼の

『寝取られ亭主』(Le Cocu)が一冊ある。ジョイスは『追放者たち』のあとがきで彼についてずいぶん高い評価を下したのち、不満を述べている。

彼の本はブルーム夫妻の愛読書で、モリーは朝、また彼の本を借りて来てくれと頼み、ド・コック(英語「コック」cock は卑語で「陰茎」)という名をおもしろがる。そして「コック」という語は一日中、ブルームの意識にまつわりつく。夜の町の挿話ではブルームはミセス・イェルヴァートン・バリーに彼の小説を郵送したと非難される。ブルームの愛称ポールディ Poldy はポール・ド Paul de に由来するという説もある。(四)、(十一)、(十五)、(十八)

ドッド、ルーベン・J　ユダヤ人の高利貸で事務弁護士。ニューヨークの愛国保険会社、相互保険会社などの代理人。六、(八)、(十)、(十一)、(十二)、(十五)

ドラード、ベンジャミン　愛称ベン。事務弁護士。バス歌手。サイモン・ディーダラスの仲間。(六)、(八)、十、十一、(十五)、(十七)、(十八)

ドーラン、ロバート　愛称ボブ。ディグナムの友人。泣き上戸。義母は下宿屋を経営。年一度の酒狂いに陥っている。(五)、八、十、十二、(十五)、(D「下宿屋」)

ドリスコル、メアリ　もとブルームの家の女中。(十五)、(十八)

ドルゴッシュ、モーゼズ　ポーランド系ないしハンガリー系ユダヤ人。食肉店主。四、(十一)、(十五)

トールボット、フロリー　娼婦。トールボットという名前に示唆されているように良家の娘

らしい。十五

ナネッティ、ジョーゼフ・P　フリーマンズ・ジャーナル社の印刷所監督。イタリア系アイルランド人。ダブリン市会議員。イギリス下院議員。アイルランドの伝統的なスポーツ禁止の件について質問するため、六月十六日の夜ロンドンの議会に向う。一九〇六年から〇七年にダブリン市長。七、(八)、十、(十二)、(十三)、(十五)、(十七)

ノーラン、ジョン・ワイズ　マーティン・カニンガムの友人で遊び人。妻は牛乳店を経営。(八)、十、十二、(十五)

ハインズ、ジョーゼフ・マカーシー　愛称ジョー。『イヴニング・テレグラフ』の記者。ディグナムの葬儀参列者の報告を書く。パーネルの熱烈な支持者でもあった。六、七、(八)、十二、(十三)、(十五)、(十六)、(十七)、(D「蔦の日の委員会室」)

バーガン、アルフレッド　愛称アルフ。ブルームの知人。冗談好きの小男。副執行官ロング・ジョン・ファニングの下で働いている。(八)、十二、(十五)

バーク、アンドルー　綽名はピサー(小便男の意)。(十二)、(十五)、(十七)、(十八)

バーク、オマッデン　フリーマンズ・ジャーナル社の記者。七、(十)、(十一)、(十五)、(D「母」)

パット　(禿頭《ボールド》)　耳の不自由なオーモンド・ホテルのバーの給仕。十一、(十五)

パーネル、ジョン・ハワード　チャールズ・スチュアート・パーネルの兄。ダブリンの式典長。元サウス・ミーズ州選出の下院議員。八、十、(十五)

パーネル、チャールズ・スチュアート（一八四六―九一）一九世紀後半のアイルランドの代表的政治家。議会党党首。アイルランド独立運動の指導者。プロテスタントで、地主の息子で、ケンブリッジ大学卒。一八七五年、下院議員となり、アイルランド議会党を率いての議会における活躍で人気を得た。自由党と保守党のあいだでキャスティング・ヴォートを握り、「アイルランドの王冠なき王」と呼ばれた。しかし八九年、アイルランド議会党の前代議士オシーによって、彼の妻キャサリン（キティ）・オシーとの姦通を理由とする離婚訴訟を起こされ、ヴィクトリア朝ふうの倫理観による憤激が高まって、パーネルの名声はたちまち地に落ちた。九〇年、かつての盟友ヒーリーも彼と袂を分かつ。パーネルは九一年六月にキャサリンと結婚したが、同年九月雨中で演説したのち高熱を発し、十月六日、彼女に看取られて死んだ。

ジョイスの父ジョン・スタニスロース・ジョイスはパーネルの熱狂的な心酔者で、ジョイスの最初の作品である詩「ヒーリーよ、お前もか」を印刷して知友に配ったと言われる。この詩は伝わっていないが、彼の作中にはパーネルへの言及がすこぶる多い。(二)、(六)、(八)、(九)、(十)、(十二)、(十五)、(十六)、(十七)

バノン、アレック バック・マリガンの友人で学生。ブルームの娘ミリーと親しい。(一)、(四)、十四、(十五)

パワー、ジャック マーティン・カニンガムの友人。アイルランド警察に勤務する気さくな人物。六、(八)、十、十二、(十五)、(十六)、(十七)、(十八)、(D「恩寵」)

バーン、デイヴィッド　愛称デイヴィ。酒場の経営者。ブルームがここで遅い昼食をとる。八、(十五)

ヒギンズ、ゾーイー　ベラ・コーエンの娼家で働く娼婦。イギリス出身。ゾーイーはギリシア語で生命の意。ヒギンズはブルームの母親の結婚前の姓と同じ。十五

ピュアフォイ、ウィルヘルミナ　愛称マイナ。モリーの友人で多産の女。難産で国立産婦人科病院に入院中であったが、男子を出産。夫のシオダーはメソディストでアルスター銀行コレッジ・グリーン支店会計次席。(八)、(十)、(十一)、(十三)、十四、(十五)、(十七)、(十八)

ヒーリー、チャールズ・ウィズダム　印刷所、文房具店経営。かつてのブルームの雇い主。(六)、(八)、(十)、(十二)、(十三)、(十五)、(十七)、(十八)

ファニング、ロング・ジョン　副執行官。十、(十二)、(十五)

ファレル、キャシェル・ボイル・オコナー・フィッツモリス・ティズダル　エンディミオン・ファレルと綽名されたダブリンの変人。八、(九)、十、(十二)、(十五)

フォーキナー、フレデリック　ダブリン市裁判所判事。八、(十二)、(十五)

ブッシュ、シーマー(一七六七―一八四三)　法廷弁護士。サミュエル・チャイルズが七十六歳になる兄トマスを殺害したとされる事件の弁護をした。のち民事裁判所長。(六)、(七)、(十四)、(十五)、(十七)

フーパー、ジョン　市参事会員。(十七)

フリン、ノージー　大鼻《ノージー》の脳なし男。他人の噂話に鼻を突っこむ。デイヴィ・バーン酒場の常連。八、十、(十二)、(十三)、(十五)、(D「対応」)
ブリーン、ジョーゼフィン　愛称ジョージー。旧姓ポーエル。モリーの友人で、かつて二人はブルームを取り合う恋敵であった。モリーより一、二歳年長。八、十、十二、(十三)、(十五)、(十七)、(十八)
ブリーン、デニス　ジョージーの夫。U・Pと書いてある差出人不明の葉書を持ち歩き、一万ポンドの名誉毀損の告訴をしようとしている。少し気の変な男。八、十二、(十五)
ブルーム、マリアン　旧姓トウィーディ。愛称モリー。レオポルド・ブルームの妻。三十三歳。ソプラノ歌手。父親はジブラルタル要塞勤務のブライアン・トウィーディ特務曹長。母親(ルニタ・ラレドというスペイン系ユダヤ人)とは幼いうちに生別か死別した。ジブラルタルで一八七〇年九月八日に生れ、十五、六歳のころに父とともにダブリンへ来た。十八歳の年にレオポルドと結婚。現在、十五歳の娘がいる。ほかに十一年前に生れた男の子は生後すぐに死亡。これ以後、夫と本来の性的関係(この言葉は曖昧だが)をもっていない。最近、興行師のボイランに言い寄られ、今日(一九〇四年六月十六日、木曜)の午後、訪ねて来た彼と関係する。これは彼女の唯一の不貞であるかもしれないのだが、深夜、彼女はボイランとのことはこれきりにしようと思う。『オデュッセイア』との対応ではペネロペイア。
ブルーム、ミリセント　愛称ミリー。レオポルドとモリーの娘。一八八九年六月十五日生れ。現在十五歳。年のわりに大柄。金髪。かなりの美人らしい。現在は中部アイルランドのマリンガーで写真屋に勤め、見習いをしている。最近アレック・バノンという若い学生とつきあいはじめた。朝、彼女から来た誕生日祝いへのお礼の手紙でそのことを知り、ブルームは父親らしい関心を示す。病院でバノンはマリガンに彼女のことを語る。夜ふけ、モリーは彼女についていろいろに回想する。(一)、(四)、(六)、(八)、(十一)、(十二)、(十三)、(十四)、(十五)、(十六)、(十七)、(十八)

ブルーム、ルドルフ レオポルドとモリーとの死んだ息子。愛称ルーディ。一八九三年十二月二十九日から九四年一月九日まで、十一日間しか生きていなかった。モリーは埋葬のとき毛糸でチョッキを編んでやった。この子の思い出が二人には何かにつけてよみがえる。夜の町では、ブルームが、スティーヴンとルーディとが二重写しになる幻覚を見る。夜ふけにモリーは、自分たち夫婦の仲がうまく行かなくなったのはルーディの死によってだと考える。(四)、(六)、(八)、(十一)、(十二)、(十四)、(十五)、(十七)、(十八)

ブルーム、ルドルフ レオポルド・ブルームの父。ハンガリー系ユダヤ人の移民で、名をルドルフ・ヴィラーグからルドルフ・ブルームに改めた(Virag はハンガリー語の「花」で Bloom に通じる)。一八八六年、エニスで自殺した。(五)、(六)、(七)、(八)、(十一)、(十二)、(十三)、(十四)、(十五)、(十七)、(十八)

ブルーム、レオポルド・ポーラ 愛称ポールディ。三十八歳。身長百七十四センチ。警官の身長の最低が百七十七センチであった当時のダブリンでは、これは大男のほうである(ヒュー・ケナー)。体重七十二キロ。知的関心に富むが、高い教育は受けていない庶民。中流下層。さまざまの職を経たのち、現在はダブリンのフリーマンズ・ジャーナル社の広告取り。ただしこの新聞社の社員ではなく、独立の営業者。父はハンガリー系ユダヤ人、母もユダヤ系の血を引く。彼自身はアイルランド生れで、割礼は受けていないし、プロテスタントとカトリックの両方の洗礼を受けている。それにもかかわらずユダヤ人として、そして移民の息子としてダブリンでは外国人あつかいされている。父は十八年前に自殺した。母はすでに死亡。

ソプラノ歌手である五歳年下の妻とエクルズ通り七に住む。娘が一人いるが、いまは別の町に暮している。十一年前、ルーディという男の子をもうけたが、生後まもなく死亡。それ以来、心理的な理由で、妻と本来の性的関係をもつことができない（本来の性的関係が何を指すかは、かなり曖昧）。その代償か、郵便局の局留めで見知らぬ女と、匿名で恋文のやりとりをしている。また、手淫の癖がある。宗教心はないが、善良で理性的で穏やかな性質。動物に優しい。猫を飼っている。本は通俗科学書とポルノが好き。音楽は声楽、殊にアリアが好き。発明の才があると自分で思っている。今日の午後、妻の興行師であるボイランが訪ねて来る。かねがね妻に言い寄っている気配だったから、関係が生じるのではないか。そのことを案じながら家を出て、彼は一日中ダブリンを歩きまわる。『オデュッセイア』との対応ではオデュッセウス。

ブレイディ、ジョー　無敵革命党員。フィーニックス公園暗殺事件の下手人。（七）、（十二）

ブレイディ、フランシス　博士。モリーのかかりつけの医者。（十七）、（十八）

ブレイデン、ウィリアム　法廷弁護士。一八九二年から一九一六年までフリーマンズ・ジャーナル社の編集発行人。七、(十五)

フレミング　通いでブルーム家の家事を手伝っている。(六)、(十七)、(十八)

ヘインズ　オクスフォード大学卒業のイギリス人。アイルランドの民話を収集するためダブリンに来てマーテロ塔に泊っている。二十三歳。一、(九)、十、(十四)

ベスト、リチャード・アーヴィン（一八七二―一九五五）アイルランド国立図書館館員。後に館長。一九〇三年にジュバンヴィルの『アイルランド神話群』を英訳。「なんと」という言葉を連発する。ディレッタント。九、(十五)

ベネット、パーシー　ポートベロー兵舎に駐留しているイギリス軍の軍曹。マイラー・キョーと拳闘の試合をした。(八)、(十)、(十二)、(十五)

ベラ→コーエンの項参照

ペンローズ　ブルームの友人であるシトロン一家に下宿していた学生。ブルームはなかなか彼の名前を思い出せない。モリーとの仲を疑うせいか。(八)、(十五)、(十七)、(十八)

ボイラン、ヒュー　綽名はブレイゼズ Blazes（「地獄」「派手」「猛烈」などの意）。ダブリンの広告業者兼興行師。独身で、裕福で、しゃれ者。女にもてる。馬匹商人の息子。かねてからモリーに関心があったが、六月二十五日にベルファストでモリーも歌う演奏会を企画し、その相談にかこつけて今日の午後四時ブルーム家を訪れるという手紙を出した。ブルームは彼の意図を知りながら外出する。ボイランは彼女と関係し、満足させ、二十日（月曜）

の再訪を約束して去る。

『オデュッセイア』との対応では、ペネロペイアの求婚者たちに当る。(四)、(五)、六、八、十、十一、(十二)、(十三)、(十五)、(十六)、(十七)、(十八)

ボードマン、イーディス　愛称イーディ。二十一歳の娘。ガーティの友達。斜視。十三

ボーフォイ、フィリップ　『ティットビッツ』誌の入選懸賞小説『マッチャムのあざやかな手並』の作者。(四)、(八)、(十三)、(十五)、(十六)、(十七)

ボール、サー・ロバート（一八四〇―一九一三）　トリニティ・コレッジ出身のケンブリッジ大学天文学教授。ブルームの蔵書に彼の本がある。(八)、(十五)、(十七)

ホーン、サー・アンドルー・ジョン　国立産婦人科病院院長。(十四)

ホーンブローア　トリニティ・コレッジの門衛。五、十、(十五)、(十八)

マギニ、デニス・J　本名マギニス。ダンス等教授。派手な服装と仕草でダブリンの名物男だった。(八)、十、(十五)

マクダウエル、ガートルード　愛称ガーティ。中流下層の家庭の娘。処女である。第十挿話の終り近くで、街を歩いている途中、総督夫妻の行列に出会うが、視野をさえぎられて見そこなう。第十三挿話で、北国なのでまだ明るい午後八時に、女友達のイーディ・ボードマン、シシー・キャフリーといっしょに子供たちを連れて海岸に来ている。彼女は他の二人や子供たちからすこし離れて腰をおろしていて、若い恋人との結婚を夢想しているうちに、近くで休息している見知らぬ紳士（ブルーム）が自分を見ているのに気づき、彼に好意をいだ

き、折から打ち上げられる花火を見るようなふりをして体をのけぞらせ、スカートの奥の下着を見せて誘惑しようとする。彼はそれを見ながら手淫を行なうし、彼が何をしているか彼女にはわかっている。この挿話の前半は女性雑誌の小説の文体で彼女の考え方、感じ方、観察が語られるが、彼女はその種の読物の典型的な読者で、高い教育を受けていないし、教養はなく、感傷的で、ロマンチックである。

足に障害がある。父は酒癖が悪く、母を殴る。祖父はギャリオーエンという犬の飼主だから、父があの第十二挿話の市民だと考える説もある。その場合は、第十挿話で彼女が、病気で寝ている父のかわりに届け物をする途中だとあるから、市民が第十二挿話で酒場にいることと矛盾するが、これは、病気というのは嘘だと考えるわけか。『オデュッセイア』との対応では、漂着して眠っているオデュッセウスを救い、着物と食物を与える王女ナウシカアに当る。十、(十二)、十三、(十五)

マクヒュー、ヒュー　学者。フリーマンズ・ジャーナル社の編集委員。「教授」という肩書はその毒舌や衒学的な言葉に由来するらしい。あるいは実在のモデルがそうであったように、以前は神学校の教師をしていたのかもしれない。七、(十一)、(十五)

マーサ　→クリフォードの項参照

マスティアンスキー、ジューリアス　食料雑貨商。ブルームが西ロンバード通りに住んでいたころの隣人。(四)、(六)、(十五)、(十七)、(十八)

マッキントッシュの男　マッキントッシュを着てディグナムの埋葬の場にいた正体不明の人

物。六、十、(十二)、(十三)、十四、(十五)

マッコイ、C・P 愛称チャーリー。職を転々とした後、現在は市の検屍官の秘書。経歴という点でブルームと似ており、その妻ファニーもモリー同様ソプラノ歌手。(四)、五、(六)、十、(十二)、(十三)、(十五)、(十六)、(D「恩寵」)

マッデン、ウィリアム 医学生。スティーヴンの友人。十四、(十五)

マリー、ジョン 綽名は赤毛に由来するレッド。フリーマンズ・ジャーナル社の社員。出納係。七、(十五)

マリアン→ブルーム、マリアンの項参照

マリガン、マラカイ・ローランド・セント・ジョン 綽名はバック(「牡鹿」「伊達男」の意)。二十五歳。スティーヴンの友人。ダブリンのトリニティ・コレッジ(プロテスタント系)の医学生。オクスフォード大学に在籍したことがある。マリガンとスティーヴンはマーテロ塔にいっしょに住んでいる(今はイギリス人のヘインズも)。彼とスティーヴンがよく飲み歩くため、双方の肉親は、悪友のせいでこうなると嘆いている。マリガンはスティーヴン同様、文学好きで、ダブリンの文学者のなかでは彼のほうが格が上である。今夜のジョージ・ムーアのパーティでも、スティーヴンは招かれないのに、彼は招かれている。彼は滑稽を愛し悪ふざけにふけるが、そのためにはスティーヴンの心の傷に触れることも辞さない。才気に富むが鈍感な彼はスティーヴンの自尊心を侮辱しつづけ、そのくせスティーヴンは彼を男色者だと思っているらしい。

ダブリンの医師、作家、オリヴァー・セント・ジョン・ゴーガティがモデル。青年時代、彼とジョイスは友人にしてかつライバルで、一時マーテロ塔にいっしょに住んでいたことがあるが、そのときに仲たがいした。ゴーガティは和解しようと努めたが、ジョイスは終生、許さなかった。一、(二)、(三)、(六)、(七)、九、十、(十一)、(十二)、十四、(十五)、(十六)、(十七)

マルヴィ、ハリー ジブラルタル駐留のイギリス海軍の大尉でモリーの初恋の相手。十五歳のときモリーは彼と初めての接吻を交わした。(十三)、(十七)、(十八)

マンクス フリーマンズ・ジャーナル社の社員。植字工。七、(八)、(十六)

ミリー →ブルーム、ミリセントの項参照

ムーア、ジョージ（一八五二―一九三三）アイルランドの、一九世紀後半から二〇世紀初頭にかけての代表的作家。自伝的長篇小説『一青年の告白』（一八八八）が好評を博し、自然主義的だが繊細な『エスタ・ウォーターズ』（一八九四）で文名を確立した。一八九九年以後はアイルランド文芸復興運動に接近し、アイルランドを舞台にする小説を書いた。ジョイスに先行する世代の代表で、彼とは、知的な作風、フランス文学の影響などの点で似ている。しかしそのためかえってジョイスは彼を認めず、一九〇一年の「わいわい騒ぎの日」というアイルランド文芸劇場批判では名指しでムーアをおとしめた。ただし後年ジョイスの態度はおだやかになり、ムーアは一九一六年、ジョイス救援の運動に加わった。(九)、(十四)

めしいの若者 ピアノ調律師。八、十、十一、(十五)、(十七)

メントン、ジョン・ヘンリー　事務弁護士、宣誓代理人。死んだディグナムの前の雇い主。六、十、（十五）、（十六）、（十七）、（十八）

山羊皮　「馭者溜り」の主人。フィーニックス公園暗殺事件に関わった人物「山羊皮」ことフィッツハリスと推定される。（七）、十六

ライアンズ、フレデリック・M　綽名はバンタム（小柄な）。ブルームの知人。競馬狂。ブルームの「捨てる《スローアウェイ》」という言葉を競走馬のスローアウェイと取り違える。ブルームがスローアウェイに賭けているとレネハンに話す。五、八、（十）、（十二）、十四、（十五）、（十六）、（十七）、（D「下宿屋」）

ラヴ、ヒュー・C・ヘインズ　若い牧師。文学修士。カウリー神父の家主。歴史にくわしく、フィッツジェラルド家の本を書いている。十、（十五）

ラッセル、ジョージ→ＡＥの項参照

ランバート、エドワード・J　愛称ネッド。副大法官チャタートンの甥で穀物商店に勤めている。しかしその振舞いを見れば経営者のようでもある。六、七、十、（十一）、（十五）、（十六）、（十七）

ランボールド、H　リヴァプール市の親方理髪師《マスター・バーバー》。死刑執行人。五ギニーで死刑を請け負う旨の手紙をダブリン執政長官宛に出す。（十二）、（十五）

リオーダン（ミセス）『肖像』に「ダンテ」として登場する寡婦。資産のある頑固なカトリックで、スティーヴンが幼いころ、ディーダラス家に寄宿していた。後にシティ・アーム

ズ・ホテルに移り住んでからブルームとも交際があった。胃を病んで慈悲の聖母病院で死ぬ。(六)、(八)、(十二)、(十五)、(十七)、(十八)

リケッツ、キティ　コーエンの娼家の娼婦。やせて顔いろが悪く、髪を赤褐色に染めている。十五

リスター、トマス・ウィリアム（一八八五―一九二一）アイルランド国立図書館長。『ゲーテ伝』の英訳などがある。クウェイカー信者。禿頭。九、(十五)

リドウェル、ジョージ　事務弁護士。十一、(十五)

リンチ、ヴィンセント　医学生。スティーヴンの大学時代からの親友。酔って喧嘩に巻き込まれたスティーヴンを見捨てる。十、十四、十五、(P)

レナード、パトリック　愛称パディ。ブルームの知人。酒好きの男。デイヴィ・バーンの店の常連。(六)、八、(十二)、(十五)

レネハン、T　フリーマンズ・ジャーナル社の週刊スポーツ新聞『スポーツ』の記者。競馬の予想屋。たかり屋。フランス語を頻発する。ブルームがスローアウェイに賭けていると言い触らす。七、(八)、十、十一、十二、十四、(十五)、(十六)、(十七)、(D「二人の伊達男」)

ロッチフォード、トム　愛称トミー。発明好きの馬券売り。下水溝のガスで倒れた清掃作業員を救助した英雄的人物。自作の発明品をボイランに売ろうとしている。八、十、(十一)、(十二)、(十五)

ワイリー、W・E　トリニティ・コレッジの学生。自転車競走の選手。ガーティはその弟レジーに思いを寄せている。十、(十三)

ワイルド、オスカー（一八五四―一九〇〇）　ダブリンのトリニティ・コレッジを出てオクスフォード大学に学ぶ。ペイターの教えを受け、唯美主義の主唱者になる。鋭い警句には定評がある。作品に小説『ドリアン・グレイの肖像』(一八九一)、劇『サロメ』(一八九三)、劇『真面目が大切』(一八九五)、批評『意向集』(一八九一)など。同性愛が原因で二年間獄中生活を送る。(一)、(三)、(九)

アイルランド史略年表

前七〇〇〇以降　中石器時代人、新石器時代人の定着。巨大墳墓群（前三二〇〇年頃）が残っている
前五〇〇以降　ケルト族、ヨーロッパ南部および大ブリテン島より移住開始

四三二　聖パトリック来島、ケルト族にキリスト教を布教
五九〇頃　聖コルンバヌス、ヨーロッパ大陸に渡って布教を始める
七九五　北欧ヴァイキングの来襲が始まる
八〇〇頃　『ケルズの書』完成。円形塔、ケルト十字架等の建立
一〇一四　ブライアン・ボルー、クロンターフの戦いでヴァイキングを撃退
一一六六　レンスターの領主ダーモット・マクマロー、オロークとの抗争に敗れて英国へ逃亡

一一六九　マクマローの要請でヘンリー二世と貴族たちが侵攻、イギリスの植民地支配が始まる
一五三四　第十代キルデア伯トマス・フィッツジェラルド（通称絹のトマス）の反乱
一五四一　ヘンリー八世、アイルランド王の称号を得る
一五九二　トリニティ・コレッジ・ダブリンの創立
一六〇九　イギリス、アルスター地方に本格的な入植を開始。多数のスコットランド系移民を入植させる
一六四九　クロムウェル軍の侵入、ドロヘダの虐殺
一六九〇　オレンジ公ウィリアム三世、ボイン河畔の決戦でジェイムズ二世軍を撃破。カトリックの貴族たちがヨーロッパ各地に亡命、「灰いろ雁」の呼称を得る
一六九五　この年から一七二七年にかけてアイルランド刑罰諸法が制定され、カトリック教徒の公的活動に制限が加えられる
一七一三　ジョナサン・スウィフト、聖パトリック大聖堂の主席司祭となる
一七九五　メイヌース神学校創設。アルスターのプロテスタント派がオレンジ会を結成
一七九八　ユナイテッド・アイリッシュメンの蜂起、ウェックスフォード州の農民（通称クロッピー・ボーイズ）も加わる
一八〇一　連合法施行、アイルランド議会はイギリス議会に併合される
一八〇三　ロバート・エメット、僅かな手勢を率いてダブリン城を襲撃

一八二九　カトリック解放令施行、カトリック教徒被選挙権を獲得
一八四三　ダニエル・オコネル、連合法撤廃を叫び各地で大集会を開催
一八四五　大飢饉が発生し四九年まで続く。餓死者八十万、移民多数、人口は激減した
一八五八　フィニア会の結成、実力行使によるアイルランドの独立獲得を標榜する
一八六七　フィニア会員、イギリス、アイルランドの各地で蜂起を企てるがおおむね失敗に終る
一八六九　アイルランド国教会制度の廃止
一八七九　土地同盟の結成、各地で小作人と地主の抗争が始まる
一八八〇　パーネル、議会党党首に選ばれる
一八八二　フィーニックス公園暗殺事件。無敵革命党員、アイルランド長官と次官を刺殺。ユニヴァーシティ・コレッジ・ダブリンの開設（前身は一八五四年創立のカソリック・ユニヴァーシティ）
一八八四　マイケル・キューサック、ゲール体育協会を設立
一八九〇　パーネル、人妻との密通事件により失脚、翌九一年死去
一八九三　ゲール語同盟発足、ダグラス・ハイドが会長に就任
一八九八　地方自治体法施行、裁判制度、行政組織の再編成が行なわれる
一八九九　イェイツ、グレゴリー夫人その他、アイルランド文芸劇場を設立
一九〇三　エドワード七世、アイルランドを訪問

一九〇四　アーサー・グリフィス『ハンガリーの復活』を刊行。十二月アビー劇場開場
一九〇五　グリフィス、シン・フェイン（「われら自身」）の経済自立政策を発表
一九一六　四月二十四日ダブリン中央郵便局を主要拠点にして復活祭蜂起勃発。数日の激戦を経て二十九日に降服、指導者十五人が処刑される
一九一九　シン・フェイン党、国民議会を設立し独立を宣言。各地で英側に対する武力抗争が勃発、二一年までゲリラ戦が続く
一九二一　グリフィス、マイケル・コリンズほか国民議会代表がイギリス政府と条約を締結。北六州政府の存在を認め、南の自治権を獲得
一九二二　一月国民議会は小差でアイルランド自由国の成立を承認、北六州分離反対派が内乱を起し翌二三年まで内戦が続いた
一九三七　国名をエールに改称、大統領制を設ける。初代大統領はダグラス・ハイド
一九四九　国名をアイルランド共和国と改称、イギリスを宗主とするコモンウェルスから離脱

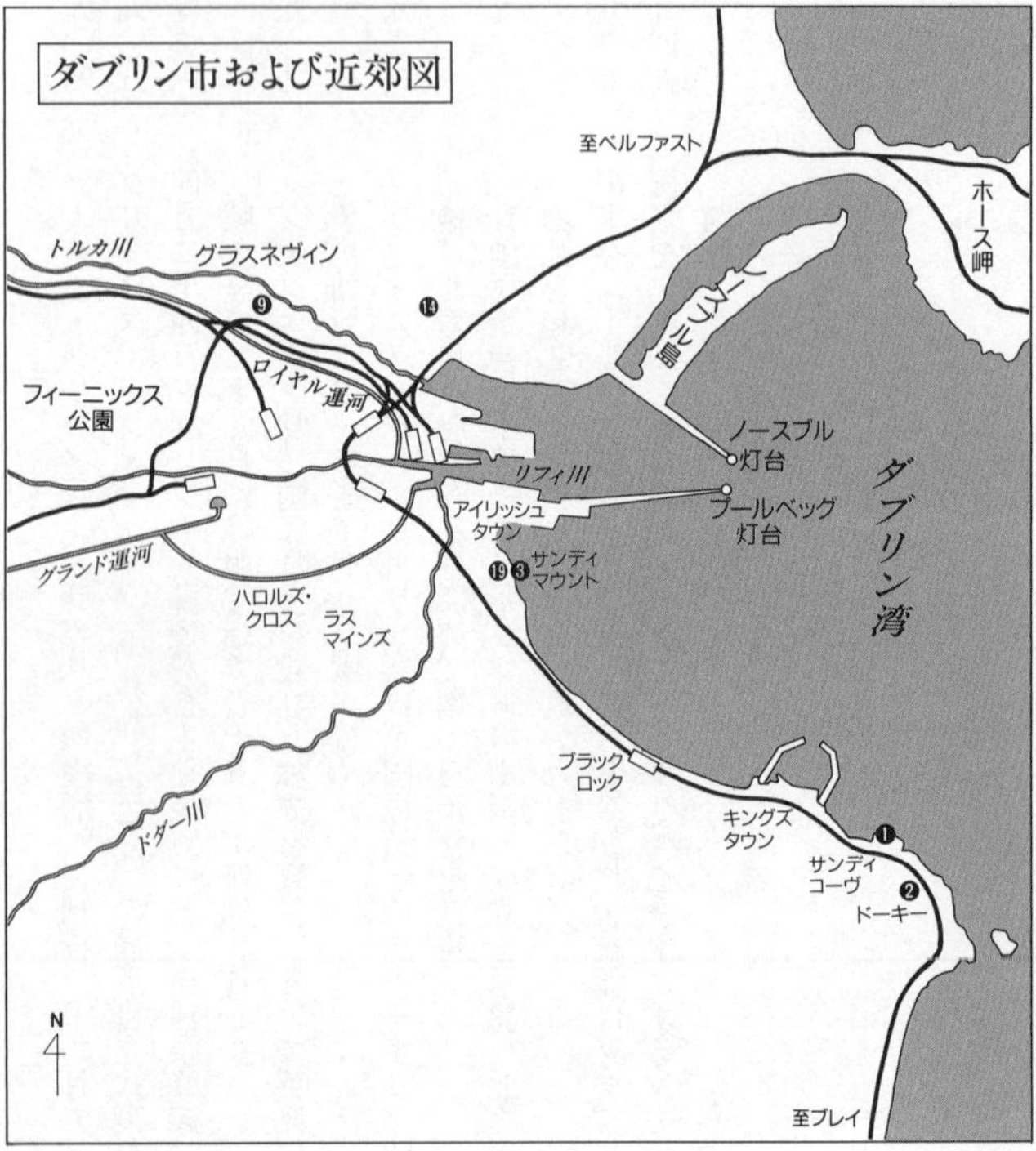
ダブリン市および近郊図
至ベルファスト
ホース岬
トルカ川
グラスネヴィン
ノースブル島
フィーニックス
公園
ロイヤル運河
ノースブル
灯台
リフィ川
ダブリン湾
アイリッシュ
タウン
プールベッグ
灯台
グランド運河
サンディ
マウント
ハロルズ・
クロス
ラス
マインズ
ブラック
ロック
ドダー川
キングズ
タウン
サンディ
コーヴ
ドーキー
N
至ブレイ

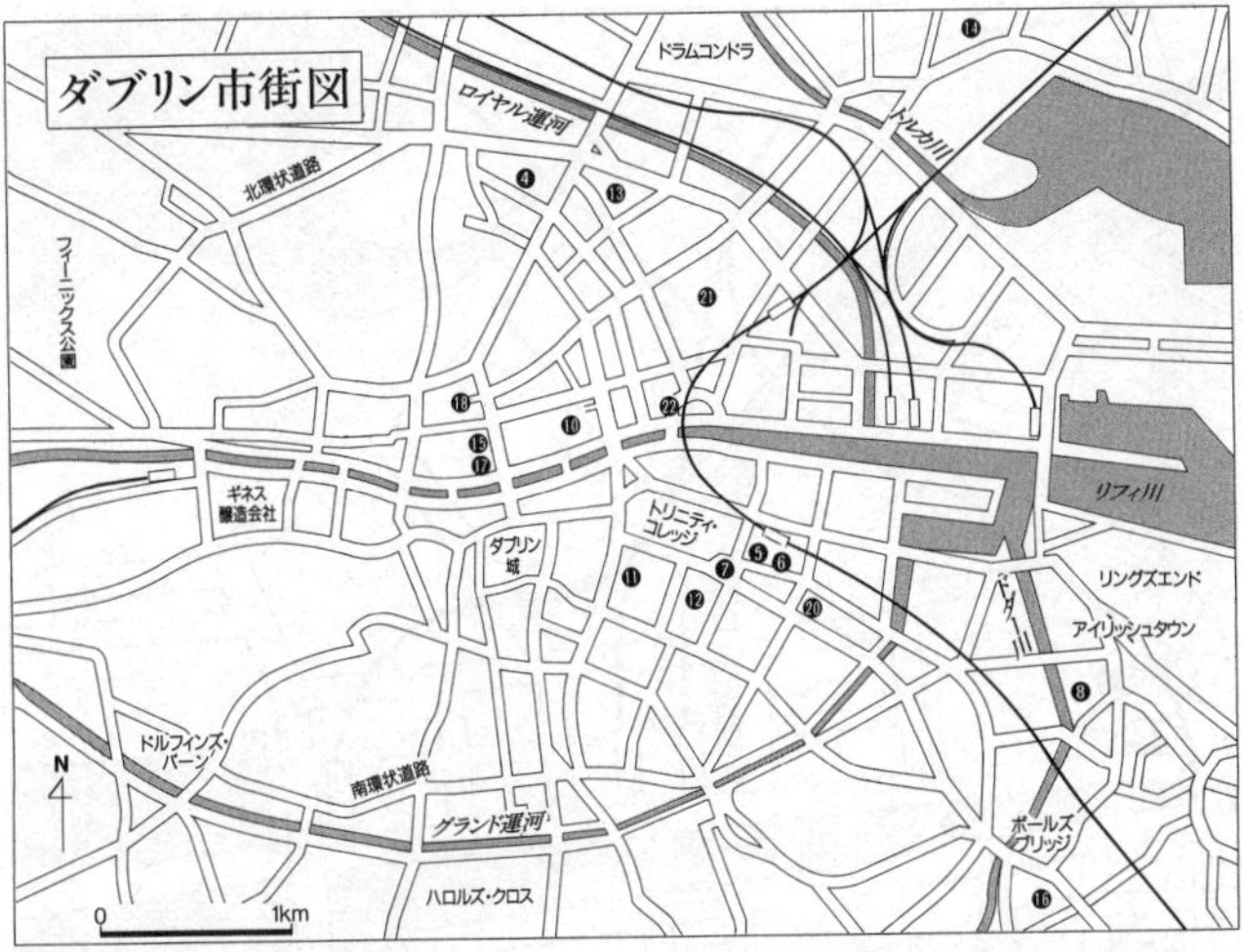

❶マーテロ塔
❷ディージー校長の学校
❸サンディマウントの海岸
❹ブルームの家
❺ウェストランド通り郵便局
❻オール・ハローズ教会
❼リンカン・プレイスのスウィニー薬局
❽パディ・ディグナムの家
❾プロスペクト墓地
❿フリーマンズ・ジャーナル社
⓫デイヴィ・バーンの店
⓬国立図書館
⓭ジョン・コンミー師の住む司祭館
⓮アーテイン
⓯聖マリア修道院跡
⓰王立ダブリン協会ショーグラウンド
（マイラス慈善市開催地）
⓱オーモンド・ホテル
⓲バーニー・キアナンの店
⓳海の星教会
⓴国立産婦人科病院
㉑ベラ・コーエンの娼家
㉒駅者溜り

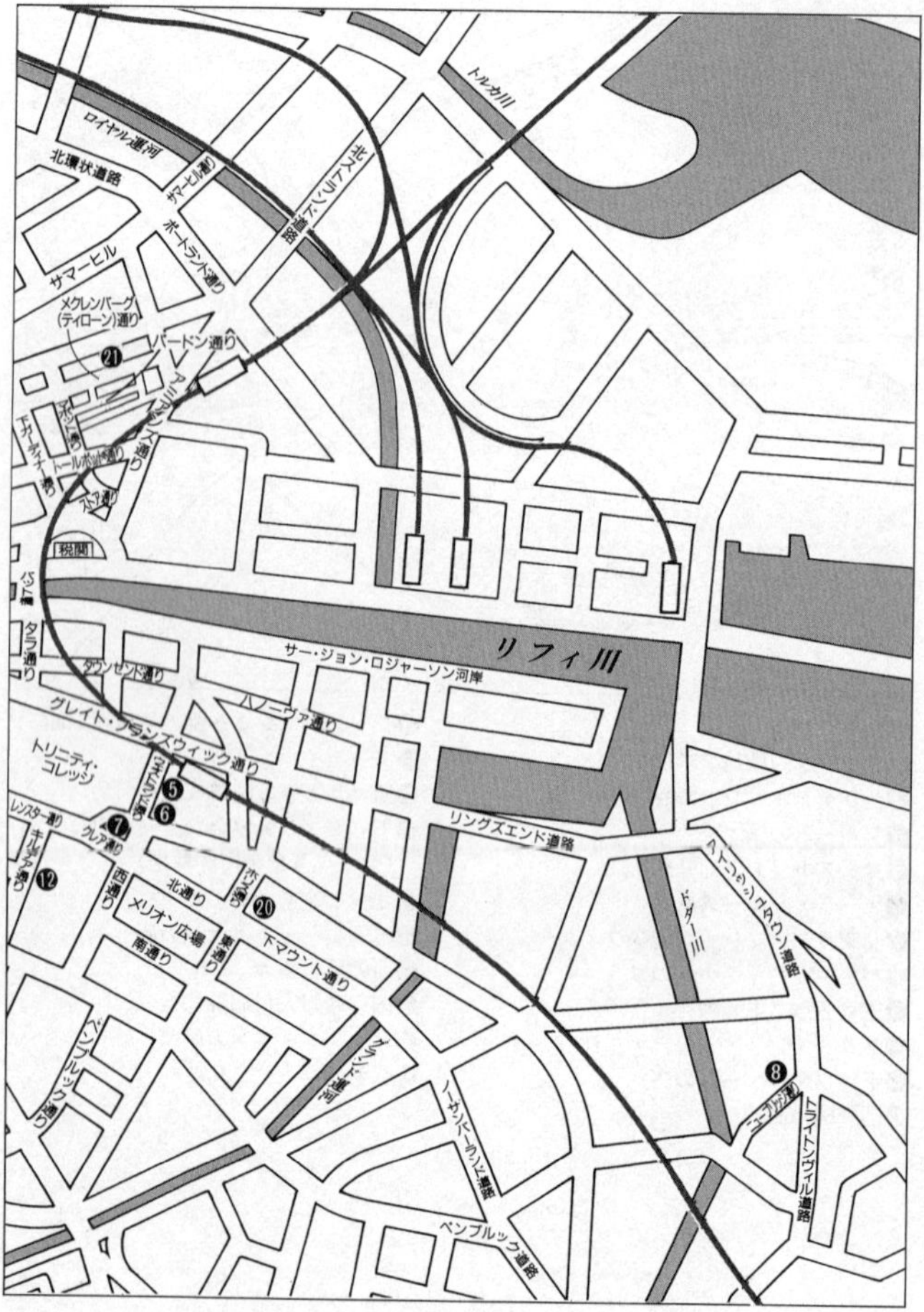
トルカ川
ロイヤル運河
北環状道路
サマーヒル通り
北ストランド道路
ポートランド通り
サマーヒル
メクレンバーグ
(ティローン)通り
パードン通り
21
アミアンズ通り
トールボット通り
下ガーディナー通り
ストア通り
税関
タラ通り
リフィ川
サー・ジョン・ロジャーソン河岸
タウンゼンド通り
ハノーヴァ通り
グレイト・ブランズウィック通り
トリニティ・
コレッジ
5
6
7
レンスター通り
キルデア通り
クレア通り
12
西通り
北通り
メリオン広場
南通り
東通り
20
下マウント通り
リングズエンド道路
ドダー川
グランド運河
ノーサンバーランド道路
ペンブルック通り
ペンブルック道路
8
トライトンヴィル道路

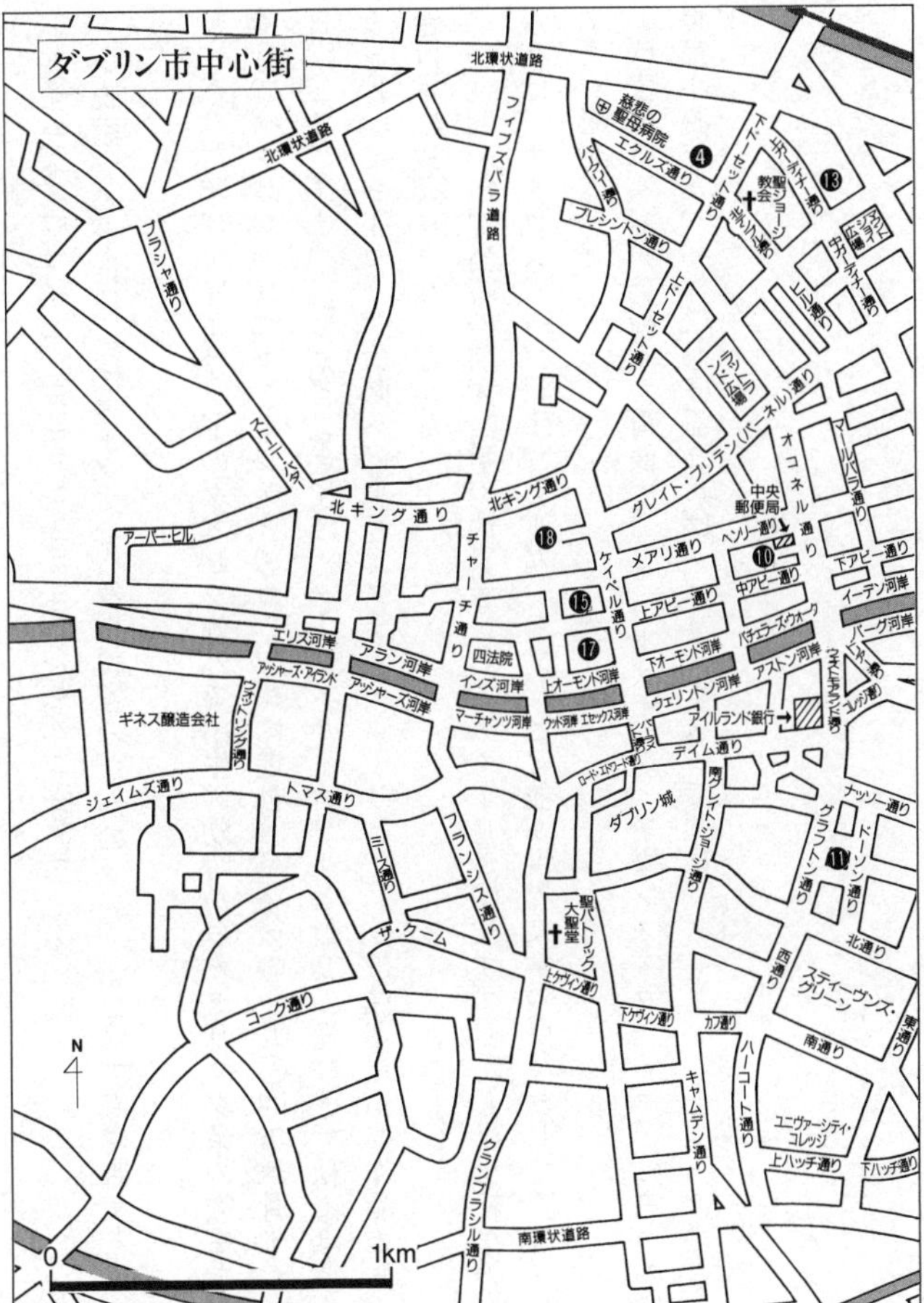
ダブリン市中心街
北環状道路
北環状道路
慈悲の聖母病院
エクルズ通り
フィブズバラ道路
ブレシントン通り
聖ジョージ教会
下ドーセット通り
上ドーセット通り
ラットランド広場
グレイト・ブリテン(パーネル)通り
オコネル通り
マールバラ通り
中央郵便局
ヘンリー通り
メアリ通り
下アビー通り
中アビー通り
上アビー通り
イーデン河岸
バチェラーズ・ウォーク
バーグ河岸
プラシャ通り
北キング通り
北キング通り
アーバー・ヒル
チャーチ通り
ケイペル通り
エリス河岸
アラン河岸
四法院
インズ河岸
上オーモンド河岸
下オーモンド河岸
ウェリントン河岸
アストン河岸
アッシャーズ・アイランド
アッシャーズ河岸
マーチャンツ河岸
ウッド河岸
エセックス河岸
アイルランド銀行
カレッジ通り
ギネス醸造会社
ジェイムズ通り
トマス通り
デイム通り
ロード・エドワード通り
ダブリン城
南グレイト・ジョージ通り
ナッソー通り
グラフトン通り
ドーソン通り
フランシス通り
ミース通り
ザ・クーム
聖パトリック大聖堂
上ケヴィン通り
下ケヴィン通り
カフ通り
西通り
北通り
スティーヴンズ・グリーン
東通り
南通り
コーク通り
ハーコート通り
キャムデン通り
クランブラシル通り
ユニヴァーシティ・コレッジ
上ハッチ通り
下ハッチ通り
南環状道路
N
0
1km

ジェイムズ・ジョイス　James Augustine Aloysius Joyce

小説家。二十世紀を代表する二人の小説家のなかの一人。（もう一人は誰でしょう？）

一八八二年、アイルランドのダブリン郊外で出生。幼時からカトリック系の教育を受け、ダブリンのユニヴァーシティ・コレッジに進む。卒業後の一九〇四年六月十六日（『ユリシーズ』はこの日を扱う）、ノーラ・バーナクルと最初の逢びき。秋には彼女を伴ってヨーロッパ大陸へ。トリエステ、チューリヒ、パリに住んだが、作品の舞台は常に故郷ダブリンだった。

一九四一年、当時の前衛文学の代表者としてチューリヒに死す。しかし半世紀後の現在は、ホメロス、ラブレー、セルバンテスなどと並ぶ世界文学の巨星として評価されている。

代表作は『若い芸術家の肖像』『ユリシーズ』『フィネガンズ・ウェイク』の三つの長篇小説だが、一作にしぼるならば『ユリシーズ』である。

丸谷才一（まるや・さいいち）

小説家。小説集『横しぐれ』の英訳が刊行されたとき、『タイムズ文芸付録』は、「ジョイス研究者によってなされた、ボルヘス、ナボコフと日本文学の伝統との魅力あふれる結婚」と評した。

一九二五年鶴岡市生れ。東大英文科卒（卒業論文はジョイス）。長篇小説『笹まくら』『たった一人の反乱』『輝く日の宮』。短篇小説集『樹影譚』。評論『忠臣蔵とは何か』。

永川玲二（ながかわ・れいじ）

評論家。『ことばの政治学』は熱烈な愛読者のある幻の名著だったが、今は岩波書店の同時代ライブラリーに収められている。

一九二八年米子市生れ。東大英文科卒（卒業論文はシェイクスピアのソネット）。都立大助教授を経て七〇年よりスペイン在住。著書に『アンダルシーア風土記』、翻訳にシェイクスピア『ハムレット』、E・ブロンテ『嵐が丘』、スパーク『死を忘れるな』。二〇〇〇年死去。

高松雄一（たかまつ・ゆういち）

英文学者。主としてシェイクスピアの詩とイギリスのモダニズムの詩人たちを中心に読むが、現代小説にも関心が深く、ロレンス・ダレル《アレクサンドリア四重奏》などの翻訳がある。

一九二九年室蘭市生れ。東大英文科卒（修士論文はイェイツ）。東大教授を経て二〇〇〇年まで駒沢大教授。著書に『イギリス近代詩法』、編著に『想像力の変容』、『イギリス文学』等、翻訳にシェイクスピア『ソネット集』、ジョイス『ダブリンの市民』。

集英社文庫 ヘリテージシリーズ

ユリシーズ　I

2003年9月24日　第1刷
2022年8月13日　第12刷

定価はカバーに表示してあります。

著　者　ジェイムズ・ジョイス
訳　者　丸谷《まるや》才一《さいいち》・永川《ながかわ》玲二《れいじ》・高松《たかまつ》雄一《ゆういち》
編　集　株式会社 集英社クリエイティブ
東京都千代田区神田神保町2-23-1　〒101-0051
電話　03-3239-3811
発行者　徳永　真
発行所　株式会社 集英社
東京都千代田区一ツ橋2-5-10　〒101-8050
電話　【編集部】03-3230-6094
【読者係】03-3230-6080
【販売部】03-3230-6393(書店専用)
印　刷　凸版印刷株式会社
製　本　凸版印刷株式会社

フォーマットデザイン　アリヤマデザインストア　　マークデザイン　居山浩二

Printed in Japan　ISBN978-4-08-761004-8 C0197